Das Buch

Er kauerte sich neugierig nieder und öffnete den Koffer. Sofort schlug er den Deckel wieder zu. »Mensch, mach zu!« zischte Höfel und sah sich ängstlich nach dem Scharführer um. »Wenn die das spitzkriegen ... Weg damit! Verstecken! Schnell.« Ein Kind wird ins KZ geschmuggelt. Stephan ist drei Jahre alt. Er ist Jude und fürs Gas bestimmt. Die das Kind entdecken, sind Häftlinge des Konzentrationslagers Buchenwald, ebenso vom Tode bedroht. Ihr Findelkind bringt nicht nur sie alle in höchste Gefahr, sondern auch den geplanten Aufstand. Was wiegt schwerer – das Leben eines hilflosen Kindes oder das der zahllosen Häftlinge? Jeder Tag, den der Junge im Versteck verbringt, ist ein Moment gewonnener Würde. Bruno Apitz, der selbst Häftling im Konzentrationslager Buchenwald war, schrieb die authentische Geschichte kenntnisreich und spannungsvoll, mit einer menschlichen Wärme, deren Wirkung der Leser sich schwer entziehen kann. »Seit mehr als 25 Jahren gehört der Roman von Bruno Apitz zu den Bestsellern, die nicht nur im deutschsprachigen Raum immer wieder gekauft und gelesen werden ...« (Sächsische Zeitung)

Der Autor

Bruno Apitz wurde am 28. April 1900 in Leipzig geboren. Zwischen 1917 und 1945 mehrmals aus politischen Gründen (ab 1927 Mitglied der KPD) inhaftiert, zuletzt im KZ Buchenwald. Er starb am 7. April 1979 in Ost-Berlin. Werke u.a.: ›Der Regenbogen‹ (Roman, 1976), ›Schwelbrand‹ (unvollendeter Roman, hrsg. 1984).

Bruno Apitz:
Nackt unter Wölfen

Roman

Deutscher
Taschenbuch
Verlag

Ungekürzte Ausgabe
April 1995
Deutscher Taschenbuch Verlag GmbH & Co. KG,
München

ISBN 3-354-00067-8
Gestaltungskonzept: Max Bartholl, Christoph Krämer
Umschlagfoto: Lutz-W. Wolff
Gesamtherstellung: C. H. Beck'sche Buchdruckerei,
Nördlingen
Printed in Germany · ISBN 3-423-12002-9

Die Bäume auf dem Gipfel des Ettersberges troffen vor Nässe und ragten reglos in das Schweigen hinein, das den Berg umhüllte und ihn absonderte von der Landschaft ringsum. Laub, vom Winter ausgelaugt und verbraucht, moderte naßglänzend am Boden.

Hier kam der Frühling nur zögernd herauf.

Schilder, zwischen den Bäumen aufgestellt, schienen ihn zu warnen.

»Kommandanturbereich des Konzentrationslagers Buchenwald. Achtung, Lebensgefahr! Beim Weitergehen wird ohne Anruf scharf geschossen.« Darunter ein Totenkopf und zwei sich kreuzende Knochen als Signum.

Der ewige Nebelregen klebte auch an den Mänteln der fünfzig SS-Leute, die an diesem Spätnachmittag des März 1945 auf der betonierten Plattform standen, die von einem Regendach geschützt wurde. Diese Plattform, Bahnhof Buchenwald genannt, war das Ende des Eisenbahngleises, das von Weimar nach dem Gipfel des Berges führte. In der Nähe befand sich das Lager.

Auf seinem weitgestreckten, nach Norden hin abfallenden Appellplatz waren die Häftlinge zum Abendappell angetreten. Block neben Block, Deutsche, Russen, Polen, Franzosen, Juden, Holländer, Österreicher, Tschechen, Bibelforscher, Kriminelle ..., eine unübersehbare Masse, zu einem exakt ausgerichteten Riesenquadrat zusammenkommandiert.

Heute gab es unter den angetretenen Häftlingen ein heimliches Geflüster. Irgendwer hatte die Nachricht mit ins Lager gebracht, die Amerikaner hätten bei Remagen den Rhein überschritten ...

»Weißt du es schon?« wurde Herbert Bochow von Runki, dem Blockältesten, gefragt, neben dem er im ersten Glied des Blocks 38 stand. Bochow nickte. »Sie sollen einen Brückenkopf gebildet haben.«

Schüpp, im zweiten Glied hinter den beiden stehend, mischte sich in das Geflüster: »Remagen? – Ist noch weit weg.« Er bekam keine Antwort. Nachdenklich blinzelte er in Bochows Nacken hinein. Auf dem stets treuherzig-erstaunten Gesicht des Lagerelektrikers Schüpp mit dem runden Mund und den kugligen Augen hinter runder, schwarzgefaßter Brille lag das Erregende der Neuigkeit. Auch andere Häftlinge im Block flüsterten miteinander, und Runki brach das Getuschel mit einem gezischelten »Achtzehn« ab. Die Blockführer, SS-Leute der unteren Dienstgrade, kamen von oben herab und verteilten sich auf die einzelnen der angetretenen Blocks, die ihnen unterstanden. Das Geflüster erstarb, und die Erregung verkroch sich hinter den starren Gesichtern.

Remagen!

Es war tatsächlich noch weit weg von Thüringen.

Immerhin. Die Front im Westen war durch die entscheidende Winteroffensive der Roten Armee, die über Polen hinweg nach Deutschland eingedrungen war, in Bewegung geraten.

Nichts drückte in den Gesichtern der Häftlinge aus, wie sehr die Nachricht sie bewegte.

Schweigend standen sie auf Vordermann und Seitenrichtung, und ihre Blicke folgten den Blockführern, die die Blocks abgingen und die Häftlinge zählten. Gleichmütig wie an jedem Tag. – Oben am Tor gab Krämer, der Lagerälteste, die Liste mit dem Gesamtbestand des Lagers beim Rapportführer ab und stellte sich, wie es Vorschrift war, gesondert vor dem Riesenquadrat auf. Auch auf seinem Gesicht lag die Undurchdringlichkeit, obwohl seine Gedanken die gleichen waren wie die der Zehntausenden hinter ihm.

Längst schon hatten die einzelnen Blockführer ihre Meldungen bei Reineboth, dem Rapportführer, abgegeben und sich in losen Reihen am Tor aufgestellt. Es dauerte trotzdem noch eine Stunde, bis die Zahlen stimmten. Endlich trat Reineboth ans Stativmikrophon.

»Fertig – stillgestanden!«
Das Riesenquadrat erstarrte.
»Mützen – ab!«
Auf einen Schlag rissen die Häftlinge die speckigen Mützen vom Kopf. Am schmiedeeisernen Tor stand Kluttig, der Zweite Lagerführer, und ließ sich von Reineboth den Rapport machen. Lässig hob er den rechten Arm. Seit Jahren war das so.

In Schüpps Gehirn hatte die Neuigkeit inzwischen keine Ruhe gelassen. Er konnte den Mund nicht halten und quetschte aus dem Mundwinkel heraus in Bochows Genick: »Denen da oben wird der Arsch bald mit Grundeis gehen ...«

Bochow versteckte sein Lächeln in der faltigen Haut des unbeweglichen Gesichts. –

Reineboth trat wieder zum Mikrophon.
»Mützen – auf!«
Ein Ruck! Die Speckdeckel flogen auf den Kopf zurück, wie sie im Schwung zu liegen kamen, schief nach vorn, nach hinten, nach der Seite – und die Häftlinge sahen lustigen Brüdern ähnlich. Weil militärische Exaktheit hier zur Komik ausartete, hatte sich Reineboth angewöhnt, durchs Mikrophon zu rufen:
»Korrigieren!«
Zehntausende nestelten an den Mützen herum.
»Aus!«
Ein einziger Schlag der Hände an die Hosennaht. Jetzt mußten die Mützen korrekt sitzen. Stramm stand das Quadrat.

Von der SS wurde dem Lager gegenüber der Krieg geflissentlich ignoriert. Hier ging es weiter Tag für Tag, als ob nichts die Zeit bewegte. Doch unter dem automatischen Abrollen des Tageslaufs floß der Strom. Vor einigen Tagen erst waren Kolberg und Graudenz »... im heldenhaften Kampf der Übermacht des Feindes erlegen ...«
Die Rote Armee!

»Rheinübergang bei Remagen ...«

Die Alliierten! Die Zange griff zu!

»Die Häftlinge der Bekleidungskammer zur Bekleidungskammer. Die Blockfriseure zum Bad!«

Nichts Neues war dieser Befehl fürs Lager. Es kam nur wieder, wie seit Monaten oft, ein neuer Transport an. Im Osten waren die Konzentrationslager geräumt worden. Auschwitz, Lublin ...

Buchenwald, obwohl schon zum Bersten voll, mußte aufnehmen, soviel es konnte. Wie die Säule im Fieberthermometer stieg die Zahl der fast täglich Ankommenden. Wohin mit den Menschen? Um die Massen der Zugänge unterzubringen, mußten im abseitigen Gelände innerhalb des Lagers Notbaracken errichtet werden. In ehemalige Pferdeställe wurden sie zu Tausenden hineingetrieben. Ein doppelter Stacheldrahtzaun um die Ställe, und fortan hieß, was hier entstanden war, das »Kleine Lager«.

Ein Lager im Lager, abgesondert und mit eigenen Lebensgesetzen. Menschen aus allen europäischen Nationen hausten hier, von denen niemand wußte, wo einstmals ihr Zuhause gewesen war, deren Gedanken niemand erriet und die eine Sprache sprachen, die keiner verstand. Menschen ohne Namen und Angesicht.

Von denen, die aus den fremden Lagern kamen, war die Hälfte bereits auf dem Marsch gestorben oder von der begleitenden SS zusammengeknallt worden. Auf den Straßen blieben dann die Leichen liegen. Die Transportlisten stimmten nicht mehr, die aufgeführten Häftlingsnummern gerieten durcheinander. Welche gehörte einem Lebenden, welche zu einem Toten? Wer wußte noch Namen und Herkunft dieser Menschen?

»Abrücken!«

Reineboth stellte das Mikrophon ab. Das Riesenquadrat wurde lebendig. Die Blockältesten kommandierten. Block nach Block schwenkte ein. Das riesige Menschengebilde zerfloß und strömte den Appellplatz hinunter, den Baracken zu. Oben verschwanden die Blockführer durchs Tor.

Auf dem Bahnhof rollte zur gleichen Zeit der Güterzug mit dem Transport ein. Noch ehe er richtig zum Halten kam, liefen etliche SS-Leute, die Karabiner von den Schultern reißend, den Zug entlang. Sie zerrten die Verriegelungen auf und stießen die Wagentüren auseinander.

»'raus, ihr Mistsäue! 'raus hier! 'raus!«

Mann an Mann gedrängt, standen die Häftlinge in der stinkenden Enge der Wagen, und der plötzlich einströmende Sauerstoff machte die Menschen taumeln. Unter dem Geschrei der SS quetschten sie sich durch die Öffnungen, einer über den anderen stürzend und kollernd. Die übrige SS-Mannschaft trieb sie zu einem wirren Haufen zusammen. Wie aufbrechende Geschwüre gaben die Wagen ihren Inhalt von sich.

Als einer der letzten sprang der polnische Jude Zacharias Jankowski vom Wagen. Von einem SS-Mann erhielt er mit dem Gewehrkolben einen Schlag auf die Hand, als er seinen Koffer nachzerren wollte.

»Judensau, verfluchte!«

Jankowski gelang es, den Koffer aufzufangen, den der SS-Mann ihm wütend nachschleuderte.

»Hast wohl deine ergaunerten Diamanten drin, du Schwein?«

Jankowski zerrte den Koffer mit sich in den schützenden Menschenhaufen hinein.

Die SS-Leute kletterten in die Waggons und kehrten den Rest mit den Kolben aus. Kranke und Erschöpfte schmissen sie wie Säcke herunter. Zurück blieben die Toten, die während der langen Fahrt in einer mühsam frei gehaltenen Ecke abgelegt worden waren. Eine der Leichen lag halb aufgerichtet und grinste.

Wohl in jedem Block klebten Landkarten an der Wand oder am Pult des Blockältesten, der in der Regel ein erfahrener, langjähriger Häftling war. Man hatte diese aus

Zeitungen herausgeschnitten, damals, als die faschistischen Heerhaufen über Minsk, Smolensk, Wjasma auf Moskau marschierten und später über Odessa, Rostow auf Stalingrad zu.

Die Blockführer, üble, prügelsüchtige SS-Leute, hatten das Anbringen der Karten geduldet und manchmal sogar eitel auf die Städte Rußlands getippt, wenn sie guter Laune waren und die Siegesfanfaren schmetterten.

»Na, wo ist denn eure Rote Armee?«

Das war lange her.

Jetzt übersahen sie geflissentlich die Karten. Sie sahen auch nicht die Striche, die die Häftlinge darauf gezogen hatten. Dicke und dünne, blaue, rote und schwarze Striche.

Von tausend Fingern tausendmal abgegriffen, waren auf dem dünnen Zeitungspapier die Namen der ehemaligen Kampforte zu schwarzen Dreckflecken geworden. Gomel, Kiew, Charkow ...

Wen interessierte das noch?

Jetzt ging es um Küstrin, Stettin, Graudenz, um Düsseldorf und Köln.

Aber auch diese Namen bestanden zum größten Teil schon aus aufgerauhten Flecken. Wie oft war hier geschrieben, gestrichen, radiert und wieder geschrieben worden, bis das Zeitungspapier nichts mehr hergab.

Tausendmal tausend Finger waren an diesen Fronten entlang gestrichen, hatten sie verwischt und – ausgelöscht. Unaufhaltsam nahte das Ende!

Auch jetzt wieder, nachdem sich die tagsüber stillen Blocks mit dem Lärm der einströmenden Häftlinge gefüllt hatten, hingen Trauben von ihnen an den Karten.

Auf Block 38 zwängte sich Schüpp durch die Gruppe, die an Runkis Pult eine Karte studierte.

»Remagen. – Hier liegt es, zwischen Koblenz und Bonn.«

»Wieviel Kilometer sind das noch bis Weimar?«

Schüpp machte ein erstauntes Gesicht, blinzelte, lief einem Gedanken nach. »Wenn die erst mal 'rankommen ...«

Die Finger tasteten den künftigen Weg ab: Eisenach, Langensalza, Gotha, Erfurt ...

Schüpps Gedanke hatte haltgemacht. »Wenn sie in Erfurt sind, dann sind sie auch in Buchenwald.«

Wann? In Tagen? In Wochen? In Monaten?

»Erst mal abwarten. Ich sehe schwarz für uns. Denkste, daß die da oben uns den Amerikanern überlassen! Die legen uns alle schon vorher um.«

»Mach dir nur nicht schon jetzt die Hosen voll«, verwies Schüpp den Skeptiker. Nervös fuhr der Stubendienst zwischen die Gruppe: »Möchtet ihr nicht gefälligst eure Freßschüsseln holen?«

Die Holzschuhe klapperten, die Schüsseln schepperten.

Die SS hatte aus dem Haufen einen Marschzug formiert, der sich – eskortiert von der wilden Horde – nach dem Lager hin in Bewegung setzte, schwankend und taumelig.

Jankowski war es gelungen, in die Mitte eines Marschgliedes zu huschen, und er entging so den Schlägen der dreinhauenden SS. Keiner im Zug kümmerte sich um seinen Nebenmann. Jeder war mit seiner eigenen Sorge vor dem Ungewissen angefüllt, das sie erwartete. Die Kranken und Erschöpften wurden aus der Gewohnheit eines tierisch gewordenen Erhaltungstriebes mitgeschleppt. So torkelte der Zug die Zugangsstraße entlang und durch das Tor ins Lager hinein.

Die vom Schlag betäubte Hand hing Jankowski am Gelenk wie etwas Fremdes und Feindliches, sie schmerzte entsetzlich. Die Aufmerksamkeit aber, die er seinem Koffer zuwenden mußte, ließ Jankowski den Schmerz kaum spüren. Es galt, den Koffer auf jeden Fall sicher durch das Tor des neuen Lagers zu bringen.

Jankowski spähte mit flinken Augen um sich. Im Gedränge ließ er sich durch das enge Tor schieben. Seine

Erfahrung half ihm, sich so geschickt zu verbergen, daß er, ohne die Aufmerksamkeit der SS auf sich zu lenken, mit dem Haufen unangefochten ins Lager strudelte.

Es war ein Wunder gewesen, daß er den Koffer überhaupt bis hierher gebracht hatte. Jankowski wies zitternd alle Gedanken ab, um das Wunder nicht zu verscheuchen. Nur an eines glaubte er mit heißer Inbrunst: Der barmherzige Gott wollte es sicher nicht zulassen, daß der Koffer in die Hände der SS geriet.

Auf dem Appellplatz ordnete sich der Haufen wieder.

Den letzten Rest der Kraft verbrauchte Jankowski, um mit einigermaßen sicheren Schritten im Zug zu marschieren, der jetzt ins Lager hineingeführt wurde. Nur nicht taumeln und torkeln, das fiel auf. Es sang und brauste Jankowski in den Schläfen, aber er hielt durch, und mit Erleichterung sah er, daß es Häftlinge waren, die den Zug begleiteten.

Auf dem freien Platz zwischen hohen Steingebäuden saßen bereits die Blockfriseure auf mitgebrachten Schemeln in langer Reihe, als der Zug anlangte. Hier gab es noch ein großes Gewirr. Die Neuangekommenen mußten sich entkleiden, um ins Bad zu gehen. Das ging nicht so einfach vor sich, denn ein Scharführer schrie und tobte unter den Zugängen und wirbelte sie durcheinander wie Hühner.

Als endlich Ruhe eingetreten und der Scharführer im Bad verschwunden war, sank Jankowski erschöpft auf den steinigen Boden nieder. Der stechende Schmerz in der Hand war zu einem stumpfen Pulsen abgeklungen. Mit hängendem Kopf saß Jankowski eine ganze Weile und schreckte auf, als er heftig gerüttelt wurde. Einer von den Häftlingen, die den Zug begleitet hatten, stand vor ihm, es war ein Angehöriger des Lagerschutzes. Er sprach polnisch: »Du, nicht schlafen.«

Jankowski erhob sich unsicher.

Die meisten waren schon nackt. Jämmerliche Gestalten, die im kalten Sprühregen zitternd vor den Friseuren standen, hatten sich aus den zerschlissenen Lumpen herausgeschält. Mit Handmaschinen wurden ihnen alle Körperhaare abgeschoren.

Jankowski versuchte, mit der gesunden Hand die dürftige Kleidung abzustreifen. Der Pole vom Lagerschutz half ihm dabei.

Zwei Häftlinge gingen indessen umher und stöberten in den abgelegten Sachen herum, um gelegentlich einen Sack oder ein verschnürtes Bündel prüfend aufzunehmen. Jankowski erschrak. »Was suchen die da?«

Der Lagerschutzler drehte sich nach den beiden um und lachte gutmütig.

»Das sind Höfel und Pippig von der Effektenkammer.«

Er machte eine beruhigende Geste zum Koffer.

»Hier klaut dir keiner was. Nun geh schon, Bruder, und laß dich scheren.«

Jankowski balancierte auf nackten Füßen über den spitzen Schotter zu den Friseuren.

Vor dem Eingang des Bades verursachte der Scharführer wieder Gedränge und Geschrei und trieb die Zugänge in einen großen Holzbottich.

Fünf, sechs Mann zugleich. Sie mußten in eine vom langen Gebrauch stinkend gewordene Desinfektionslauge tauchen.

»'runter mit die Köppe, ihr Stinktiere!«

Mit einem dicken Knüppel fegte er über die kahlgeschorenen Köpfe hinweg, die schleunigst in der Jauche verschwanden.

»Der ist wieder mal besoffen«, raunte der kleine, ein wenig krummbeinige Pippig, ehemals Schriftsetzer aus Dresden.

Höfel beachtete die Bemerkung nicht. Er stieß gegen Jankowskis Koffer: »Möchte wissen, was die alles mitgeschleppt haben ...«

Als sich Pippig nach dem Koffer bückte, stolperte Jankowski herbei.

Angst flatterte in seinem Gesicht. Er sprudelte auf die beiden ein. Sie verstanden den Polen nicht.

»Wer bist du?« fragte Höfel. »Name, Name.«

Das schien der Pole zu verstehen.

»Jankowski, Zacharias, Warschawa.«

»Ist das dein Koffer?«

»Tak, tak.«

»Was hast du da drin?«

Jankowski redete, gestikulierte und hielt die Hände schützend über den Koffer.

Der Scharführer stürzte aus dem Bad und trieb mit Flüchen die Menschen vor sich her. Um Aufsehen zu vermeiden, schob Höfel den Polen in die Reihe der Nackten zurück. Jankowski fiel dem Scharführer gerade in die Hände hinein, der packte ihn am Arm und schlenkerte ihn ins Bad. So mußte Jankowski in den Bottich steigen und wurde dann von den sich ängstlich Drängenden in den Baderaum gedrückt.

Die feuchte Wärme wirkte wohltuend auf seinen durchfrosteten Körper, und unter der Brause wurde Jankowski angenehm willenlos. Spannung und Angst lösten sich auf, und seine Haut saugte gierig die Wärme in sich ein.

Pippig kauerte sich neugierig nieder und öffnete den Koffer. Sofort aber schlug er den Deckel zu und blickte bestürzt zu Höfel auf.

»Was ist?«

Pippig öffnete den Koffer wieder, aber nur so weit, daß Höfel, der sich gebückt hatte, eben noch hineinsehen konnte.

»Mensch, mach zu!« zischte der, schnellte aus der gebückten Haltung hoch und sah sich ängstlich nach dem Scharführer um. Der war im Bad.

»Wenn die das spitzkriegen ...«, flüsterte Pippig.

Höfel machte ungeduldige Handbewegungen.

»Weg damit! Verstecken! Schnell!«

Wie ein Dieb schielte Pippig nach dem Bad, und als er

sicher war, nicht beobachtet zu werden, lief er mit dem Koffer eilig nach dem Steingebäude und verschwand.

Im Baderaum ging Leonid Bogorski zwischen den Brausen hin und her und musterte die Zugänge. Er war nur mit einer dünnen Drillichhose bekleidet, und an den Füßen trug er Holzpantinen. Sein athletischer Oberkörper glänzte vom Wasser. Der Russe, Kapo oder Vorarbeiter des Badekommandos, hielt sich bei Zugängen am liebsten im Hindergrund auf, hier wurde er vom Scharführer nicht gestört, der hatte am Bottich sein Vergnügen.

Unter dem warmen Rauschen des Wassers kamen die verstörten Menschen zum ersten Male seit ihrem Eingang ins Lager zur Ruhe. Als ob das Wasser alle Unrast, alle Angst und überstandenen Schrecknisse von ihnen abgespült hätte. Diese immer wieder aufs neue sich einstellende Verwandlung kannte Bogorski. Er war noch jung, kaum 35 Jahre. Fliegeroffizier. Doch das wußten die Faschisten des Lagers nicht. Für sie war er ein russischer Kriegsgefangener, der, wie die vielen anderen auch, aus einem Feldlager nach Buchenwald gebracht worden war. Bogorski tat alles, um seine Anonymität zu sichern. Er gehörte dem Internationalen Lagerkomitee an, dem ILK, einem streng geheimen Komitee im Lager, von dessen Vorhandensein außer den wenigen Eingeweihten kein Häftling, geschweige die SS wußte.

Bogorski ging still zwischen den Brausen hin und her. Sein Lächeln genügte bereits, um den Neulingen ein kleines Gefühl der Sicherheit zu geben. Vor Jankowski blieb er stehen und betrachtete sich den schmächtigen Mann, der sich mit geschlossenen Augen der Wohltat des warmen Regens hingab.

Wo mag dieser jetzt wohl sein? dachte Bogorski, lächelte still, dann fragte er in perfektem Polnisch:

»Wie lange wart ihr unterwegs?«

Jankowski, aus einem fernen, fremden Traum gerissen, öffnete erschrocken die Augen.

»Drei Wochen«, antwortete er und lächelte zurück.

Obwohl er erfahrungsgemäß wußte, daß Schweigen der beste Schutz war, noch dazu in einer neuen, noch unbekannten Umgebung, hatte Jankowski plötzlich das Bedürfnis, sich mitzuteilen.

Hastig, mit unruhig schweifenden Blicken, erzählte er vom Marsch nach Buchenwald. Er berichtete von den Schrecken der Evakuierung. Wochenlang waren sie auf den Landstraßen dahingewankt, hungrig und schwach, ohne Ruhe und ohne Pause. – Des Nachts hatte man sie auf Feldern zu einem Haufen zusammengetrieben, und sie waren erschöpft auf steinhart gefrorenen Sturzäckern in den Schnee gesunken, eng aneinandergerückt, um sich gegen den grausamen Nachtfrost zu schützen. Wie viele waren am anderen Morgen nicht wieder zum Weitermarsch angetreten! Abteilungen der Begleit-SS gingen dann über die Äcker und knallten ab, was noch am Leben war. Bauern fanden die Leichen und vergruben sie auf den Feldern. Wie viele waren unterwegs in die Knie gebrochen. Wie oft knallten dann die Karabiner. Und jedesmal, wenn die Fangschüsse peitschten, wurde der Zug im Laufschritt vorwärts gejagt.

»Lauft, ihr Schweine! Lauft, lauft!«

Als Jankowski schwieg, weil nichts mehr zu berichten war, fragte Bogorski: »Wie viele sind von Auschwitz abmarschiert?«

Jankowski antwortete leise:

»Es waren dreitausend ...«

Über sein Gesicht zuckte ein ergebenes Lächeln. Er wollte noch mehr sagen. Es drängte ihn, irgend jemandem in diesem fremden Lager das Geheimnis seines Koffers anzuvertrauen, aber da ließ schon der Scharführer die Brausen abstellen und trieb einen neuen Schub ins Bad.

Jankowski torkelte in die nasse Kälte hinaus.

Der Koffer war verschwunden!

Höfel, der auf den Polen gewartet hatte, drückte ihm schnell die Hand auf den Mund und raunte:

»Schnauze! Es ist alles in Ordnung.«

Jankowski begriff, daß er sich ruhig zu verhalten habe, er starrte den Deutschen an. Dieser drängte: »Nimm deine Klamotten und hau ab.«

Höfel warf Jankowski die Sachen über den Arm und schob ihn ungeduldig in die Reihe derer, die nach dem Baden zur Bekleidungskammer gehen mußten, um ihre schmutzigen gegen gereinigte Kleidungsstücke einzutauschen.

Jankowski redete auf den Deutschen ein. Obwohl Höfel den Polen nicht verstand, hörte er die Angst aus dessen Gesprudel, er klopfte ihm beruhigend den Buckel:

»Jajaja, es ist schon gut. Geh nur, geh.«

In den Schub hineingedrängt, mußte Jankowski mit zur Bekleidungskammer. »Nix Böses? Gar nix Böses?«

Höfel winkte ihn fort.

»Nix Böses, gar nix Böses ...«

Wie ein glücklich beschenkter Junge war Pippig mit dem Koffer zur Effektenkammer hinaufgeeilt.

Um die späte Nachmittagsstunde hielt sich kein Häftling des Kommandos mehr in dem langgestreckten Kleiderraum auf, in dem Tausende von Säcken mit den Zivilsachen hingen. Nur der ältere August Rose stand an der Quertafel und kramte in irgendwelchen Papieren.

Er blickte verwundert auf den hereinschleichenden Pippig.

»Was bringst du da angeschleppt?«

Mit einer schnellen Handbewegung vertuschte Pippig die Etage.

»Wo ist Zweiling?«

Rose wies mit dem Daumen nach dem Zimmer des Hauptscharführers.

»Paß auf«, sagte Pippig hastig und huschte flink nach hinten in den halbdunklen Kleiderraum hinein. Rose sah ihm nach und beobachtete dann den Hauptscharführer, den er hinter dem großen Glasfenster in seinem Zimmer sehen konnte.

Zweiling saß am Schreibtisch vor der aufgeschlagenen Zeitung, den Kopf in die Hände gestützt. Es sah aus, als ob er schliefe. Aber der hagere, langstelzige Mensch schlief nicht, sondern grübelte. Die letzten Meldungen von der Front beunruhigten ihn.

Pippig kam wieder nach vorn, machte zu Rose hin eine beschwichtigende Geste, öffnete geräuschvoll die Tür zum Schreibbüro, das neben Zweilings Zimmer lag, und rief überlaut: »Marian, komm mit 'runter zum Dolmetschen!«

Zweiling schreckte hoch. Er sah den herausgerufenen Polen mit Pippig davongehen.

Dieser gab Kropinski ein schnelles Zeichen, und die beiden schlichen nach hinten. In der äußersten Ecke des Kleiderraums verschwanden sie hinter hohen Stapeln von Garderobesäcken und Bekleidungsstücken verstorbener Häftlinge. Hier stand der Koffer.

Pippig, quecksilbrig und aufgeregt, witterte mit langgestrecktem Hals noch einmal um die Stapel herum, rieb sich die Hände und grinste Kropinski an, ausdrückend: Nun paß auf, was ich mitgebracht habe ... Dann ließ er die Schlösser aufschnappen und hob den Kofferdeckel hoch. Breitspurig schob er die Hände in die Taschen und genoß die gelungene Überraschung. –

Im Koffer lag, in sich verkrümmt, ein Händchen vors Gesicht gedrückt, ein in Lumpen gehülltes Kind. Ein Knabe, nicht älter als drei Jahre.

Kropinski kauerte sich und starrte das Kind an. Es lag reglos. Pippig strich zärtlich über den kleinen Körper.

»'n Miezekätzchen. – Ist uns zugelaufen.«

Er wollte das Kind an der Schulter herumdrehen, aber es schien sich dagegenzustemmen. Endlich fand Kropinski ein Wort. »Armes Wurm«, sagte er auf polnisch, »wo kommst du her?«

Beim Klang der polnischen Laute steckte das Kind sein Köpfchen vor wie ein Insekt, das die Fühler eingezogen hatte. Eine kleine, erste Lebensäußerung, für die beiden so unerhört erregend, daß sie dem Kind gebannt in die Augen starrten. Das schmale Gesicht hatte bereits den Ernst eines wissenden Menschen, und auf den Augen lag ein Glanz, der kein Kinderglanz war. Das Kind sah die Männer in stummer Erwartung an. Sie wagten kaum zu atmen.

Rose hatte die Neugier nicht mehr gehalten. Leise war er nach dem Winkel geschlichen und stand unvermittelt vor den beiden.

»Was soll denn das?«

Jäh erschrocken fuhr Pippig herum und zischte den staunenden Rose an:

»Bist du verrückt? Hierherzukommen! Mach dich nach vorn! Du willst uns wohl Zweiling auf den Hals hetzen?«

Rose winkte ab. »Der döst.«

Er beugte sich neugierig über das Kind und meckerte: »Da hast du dir ein nettes Spielzeug angelacht.«

Vorn an der langen Tafel standen einige von den Zugängen, die irgendwelche Kleinigkeiten abzugeben hatten, einen Ehering etwa oder einen Schlüsselbund. Häftlinge vom Kommando verwahrten die Habseligkeiten in Papierbeuteln, und Höfel als Kapo überwachte die Vorgänge.

Neben ihm stand Zweiling und sah zu.

Sein ewig halboffener Mund gab dem ausdruckslosen Gesicht eine besondere Leere.

Der Ramsch interessierte ihn nicht, er verließ die Tafel. Höfels Blick folgte dem SS-Mann, dessen nachlässige Haltung der hageren Figur das Aussehen eines krummen Nagels gab. Zweiling stakte in sein Zimmer zurück.

Die Zugänge waren bald abgefertigt, und endlich hatte Höfel die Möglichkeit, sich nach dem Kind umzusehen. Rose, der wieder nach vorn gekommen war, hielt ihn zurück.

»Wenn du Pippig suchst ...« Neugierlüstern wies er nach hinten.

Höfel entgegnete kurz: »Ich weiß Bescheid. Darüber wird nicht gequatscht, verstanden?«

Rose tat entrüstet.

»Bin ich ein Zinker?«

Beleidigt blickte er Höfel an. Die anderen Häftlinge waren aufmerksam geworden und fragten, doch Rose antwortete nicht. Mit geheimnisvollem Lächeln ging er ins Schreibbüro.

Das Kind saß aufrecht im Koffer, und Kropinski, der vor ihm kniete, versuchte es zum Sprechen zu bewegen.

»Wie du heißen? Du mir sagen. Wo ist Papa? Wo ist Mama?«

Höfel war hinzugetreten. Pippig flüsterte ratlos:

»Was machen wir nun mit dem Ding? Wenn sie es erwischen, schlagen sie es tot.«

Höfel kniete sich nieder und sah dem Kind prüfend ins Gesicht.

»Es nicht sprechen«, erklärte Kropinski verzweifelt.

Der fremde Mann schien das Kind zu beunruhigen, es zerrte an seiner zerlumpten Jacke, und sein Gesicht blieb seltsam starr, anscheinend wußte es nicht, was Weinen war.

Höfel hielt das nervöse Händchen fest.

»Wer bist du denn, du Kleines?«

Das Kind bewegte die Lippen und schluckte.

»Hunger hat es«, platzte Pippig erleuchtet heraus. »Ich hole ihm was.«

Höfel richtete sich auf und atmete tief. Die drei blickten sich ratlos an. Höfel schob sich unruhig die Mütze aus der Stirn.

»Ja ... jaja ... natürlich ...«

Pippig faßte es als Bestätigung seiner Absicht auf und wollte forteilen. Aber die sinnlosen Worte waren nur Höfels Versuch gewesen, sich auszudrücken und die irrenden Gedanken zu ordnen. Was sollte aus dem Kind werden? Wohin mit ihm? Vorerst mußte es wohl hier bleiben.

Höfel hielt Pippig zurück und überlegte.

»Mache ihm ein Lager zurecht«, wies er Kropinski an.

»Nimm ein paar von den alten Mänteln, lege sie dort in die Ecke und ...« Er stockte.

Pippig sah ihn fragend an.

In Höfels Gesicht zeichnete sich ein plötzliches Erschrecken ab. »Wenn das Kind nun schreit ...?«

Höfel preßte die Hand an die Stirn. »Kleine Kinder fürchten sich, und dann schreien sie ... Verflucht noch mal ...!« Er starrte auf das Kind. Lange. »Vielleicht ... vielleicht *kann* es gar nicht schreien ...?« Er faßte das Kind an beiden Schultern und rüttelte es zart. »Du darfst nicht schreien, hörst du? Sonst kommt SS.« Plötzlich veränderte sich das Gesicht des Kindes schreckhaft. Der Knabe riß sich los, warf sich in den Koffer zurück und zog sich eng zusammen, das Gesicht in den Händen versteckend.

»Das weiß Bescheid«, stieß Pippig hervor.

Um seine Vermutung zu prüfen, klappte er den Deckel herunter. Sie horchten. Im Koffer blieb es still.

»Na klar«, wiederholte Pippig, »es weiß Bescheid.«

Er öffnete den Koffer wieder, das Kind hatte sich nicht bewegt. Kropinski hob es hoch, und es hing ihm wie ein zusammengekrümmtes Insekt zwischen den Händen. Fassungslos sahen die drei das sonderbare Wesen an.

Höfel nahm Kropinski das Kind ab und wendete es prüfend hin und her. Beine und Kopf eingezogen und die Händchen ans Gesicht gedrückt, erschien das Kind wie eben dem Mutterleib entrissen oder wie ein Käfer, der sich totstellt. Erschüttert gab Höfel das Wesen an Kropinski zurück, der drückte es an sich und flüsterte ihm beruhigende polnische Worte zu.

»Das verhält sich bestimmt ruhig«, sagte Höfel dumpf. Er preßte die Lippen aufeinander. Wieder blickten sich die drei Männer an. Einer erwartete vom andern eine Entscheidung in diesem ungewöhnlichen Fall. Höfel, in Sorge, daß ihr Fernbleiben von Zweiling bemerkt werden könnte, zog Pippig mit sich.

Kropinski legte das starre Bündel in den Koffer zurück, die Hände zitterten ihm, als er aus einigen Mänteln eine Liegestatt bereitete. Zart legte er das Kind darauf nieder, deckte es zu und zog behutsam die Händchen vom Gesicht. Er merkte dabei das leise Widerstreben des Kindes, dessen Augen krampfhaft zugekniffen blieben.

Als Pippig ein wenig später mit etwas Kaffee und einem Stück Brot in den Winkel zurückgehuscht kam, war es Kropinski inzwischen gelungen, das Kind so weit zu beruhigen, daß es die Augen wieder geöffnet hatte. Kropinski setzte es aufrecht und reichte ihm die Aluminiumtasse. Pippig hielt ihm ermunternd die Brotscheibe entgegen. Doch das Kind griff nicht zu.

»Angst hat es«, meinte Pippig und schob ihm das Brot zwischen die Händchen. »Iß«, nickte er freundlich.

»Mußt nun essen und schlafen und haben gar keine Angst«, flüsterte Kropinski. »Guter Bruder Pippig passen auf und ich auch, und ich werde dich mitnehmen zurück nach Polen.« Er zeigte lächelnd auf sich. »Da ist kleines Haus von mir.« Das Kind blickte ernst zu Kropinski hoch, gespannte Aufmerksamkeit im Gesicht. Ein wenig öffnete es den Mund. Unvermittelt und tierflink kroch es unter die Mäntel. Einige Augenblicke warteten die beiden. Vorsichtig hob Kropinski den Mantel hoch. Das Kind, auf der Seite liegend, kaute am Brot. Zart deckte es Kropinski wieder zu, und sie verließen den Winkel, dessen Eingang sie mit einem Sackstapel verstellten. Sie lauschten. Dahinter blieb es still.

Als sie nach vorn kamen, sammelten sich die Häftlinge des Kommandos bereits zur allabendlichen Kontrolle. Die Effektenkammer gehörte zu den »Kommandierten«, die längere Arbeitszeit hatten und darum am allgemeinen Lagerappell nicht teilnahmen. Sie wurden vom Kommandoführer, einer unteren SS-Charge, am Arbeitsplatz gezählt und dem Rapportführer gemeldet, der sie dem Gesamtbestand zurechnete. Soeben trat Zweiling aus seinem Zimmer, die beiden huschten noch schnell in die Reihe.

Höfel spielte vor dem Hauptscharführer Theater, um das verspätete Kommen der beiden zu bemänteln, und knurrte ärgerlich: »Wollt wohl 'ne Extraeinladung haben?«

Er nahm vor Zweiling mit der Mütze in der Hand Haltung ein und meldete: »Kommando Effektenkammer, 20 Häftlinge zum Appell angetreten.« Darauf trat er zu den anderen ins Glied. Zweiling stakte zählend die Reihen ab.

In Höfel war alles voll gespannter Aufmerksamkeit. Krampfhaft lauschte er nach hinten. Würde sich das Kind nicht dennoch fürchten und schreien?

Zweiling gab, nachdem er durchgezählt hatte, mit lässiger Hand ein Zeichen, es bedeutete »Wegtreten«. Die Reihen lösten sich auf, und die Häftlinge gingen an ihre Beschäftigung zurück. Nur Höfel stand noch, er hatte Zweilings Zeichen nicht bemerkt.

»Was ist denn?« fragte ihn dieser mit seiner ausdruckslosen und teigigen Stimme.

Höfel erwachte und erschrak.

»Nichts, Hauptscharführer.«

Zweiling trat zur Tafel und unterschrieb die Bestandsmeldung.

»An was dachten Sie denn jetzt?«

Es sollte leutselig klingen.

»An nichts Besonderes, Hauptscharführer.«

Zweiling schob die Zunge auf die Unterlippe, so machte er es, wenn er lächelte.

»Sie waren wohl schon zu Hause, was?«

Höfel zog die Schulter hoch: »Wieso?« fragte er verständnislos. Zweiling antwortete nicht. Mit einem vielsagenden Lächeln ging er ins Zimmer. Kurz darauf verließ er die Kammer, um die Bestandsmeldung abzugeben. Er hatte den braunen Ledermantel an, ein Zeichen dafür, daß er nicht wieder zurückkommen würde. Die Schlüssel zur Kammer hatte Höfel nach Arbeitsschluß bei der Torwache abzugeben.

Im Schreibbüro drängten sich die Häftlinge neugierig um Höfel zusammen und wollten Näheres wissen, denn Rose hatte gequatscht. Er verteidigte sich lärmend, als er von Höfel zurechtgewiesen wurde.

»Ich mache die Zicken nicht mit.«

Die Häftlinge rumorten durcheinander. »Wo ist denn das Kind?« – »Ruhe!« Höfel beschwichtigte und wandte sich Rose zu: »Hier werden keine Zicken gemacht. – Das Kind bleibt nur diese Nacht bei uns, morgen bringen wir es fort.« Die Häftlinge wollten das Kind sehen. Sie schlichen nach dem Winkel. Kropinski hob vorsichtig den Mantel hoch. Einer über die Schulter des anderen äugend, betrachteten sich die Männer das kleine Ding. Es lag wie ein Engerling zusammengerollt und schlief. Über die Gesichter der Häftlinge ging ein Glänzen, sie hatten lange kein Kind mehr gesehen. Staunten! »Wie ein richtiger, kleiner Mensch ...«

Höfel ließ sie sich satt sehen. Kropinski strahlte über seinen Besitz. Er legte sanft den Mantel um das Atmende, als die Häftlinge auf den Zehenspitzen den Winkel verließen. An diesem Abend hockten sie untätig herum, im Schreibbüro und auf der langen Tafel, schwatzten und freuten sich, und keiner wußte eigentlich, warum. Am glücklichsten war Kropinski. »Ist kleines Polenkind«, lachte er immer wieder und legte seinen ganzen Stolz darein.

Pippig merkte, daß Höfel ihm auswich. Nach Arbeitsschluß, in der Baracke ihres Blocks, setzte er sich zu ihm an den Tisch und sah zu, wie er lustlos die kalt gewordene Suppe löffelte. Höfel spürte mit innerer Abwehr die Frage in Pippigs Schweigen, er warf den Löffel in die Schüssel und erhob sich.

»Das Kind soll wieder fort?«

Höfel winkte Pippigs Frage ab, zwängte sich durch die

voll besetzte Tischreihe und ging zur Waschkaue hinaus, um die Schüssel zu spülen. Pippig folgte ihm. Hier waren sie allein.

»Wohin willst du es denn geben?«

Diese ewige Fragerei! Höfel zog unmutig die Brauen zusammen.

»Laß mich in Ruhe damit.«

Pippig schwieg. Einen solchen Ton war er an Höfel nicht gewohnt. Das fühlte dieser und fuhr, teils in Ärger, teils in Verteidigung, Pippig unwirsch an:

»Ich habe meine Gründe. Es kommt morgen fort. Frage nicht!«

Er verließ die Waschkaue. Pippig blieb zurück. Was war in Höfel gefahren?

Der hatte schnell den Block verlassen. Draußen ging noch immer der durchdringende Sprühregen nieder. Höfel schauderte und zog die Schultern zusammen. Es reute ihn, Pippig so unwirsch behandelt zu haben. Doch er konnte dem Braven die Gründe seiner Weigerung nicht nennen, die tiefstes Geheimnis waren. Weder Pippig noch ein anderer wußte davon, daß er, der frühere Feldwebel einer Reichswehrgarnison in Berlin und Mitglied der damaligen Parteizelle, hier im Lager einer der militärischen Ausbilder der internationalen Widerstandsgruppe war. Niemand wußte davon.

Aus dem Internationalen Lager-Komitee war im Laufe der Zeit das Zentrum des Widerstands geworden. Ursprünglich hatten sich die Genossen der Partei als Vertreter ihrer Nationen im internationalen Lager-Komitee, dem ILK, vereinigt, um unter Tausenden der Zusammengetriebenen eine Gemeinschaft zu bilden, die Verständigung unter den Nationalitäten herzustellen und mit Hilfe der Besten unter ihnen das Solidaritätsgefühl zu wecken, das keinesfalls von Anfang an vorhanden gewesen war. Allein bei den deutschen Häftlingen gab es einige Blocks, die mit sogenannten Berufsverbrechern belegt waren. Unter ihnen wiederum eine große Anzahl von Gefangenen, die sich um persönlicher Vorteile willen zu willfährigen Subjekten der SS herabwürdigten, sie steckten mit den Block- und Kommandoführern unter einer Decke, wurden zu deren Zuträgern und zu Zinkern. Auch unter den politischen Häftlingen gab es in allen Blocks und bei allen im Lager befindlichen Nationalitäten unsichere Elemente, denen die Sorge um das eigene Leben höher stand als das Wohl und die Sicherheit der Gemeinschaft.

Denn nicht jeder, der einen »roten Winkel« trug, war tatsächlich ein »Politischer«, das heißt ein bewußter Gegner des Faschismus; schon »Meckerer« und sonstige von der Gestapo aufgegriffene mißliebige Personen bekamen den roten Winkel des Politischen, so daß die Zusammensetzung in den Blocks der Politischen vom »labilen« Charakter bis zum latenten Verbrecher reichte und mancher Insasse eigentlich den grünen Winkel der Berufsverbrecher hätte tragen müssen. Zwischen den Blocks der Deutschen und der Ausländer, der Polen, Russen, Franzosen, Holländer, Tschechen, Dänen, Norweger, Österreicher, und vieler anderer Häftlingskategorien wollte anfangs wegen der Unterschiedlichkeit der Sprache und anderer Hinderungsgründe keine Verständigung entstehen. Die Genossen, die sich im ILK zusammengefunden hatten, mußten erst viele Schwierigkeiten überwinden, ehe es ihnen gelang, das Mißtrauen der ausländischen Häftlinge zu beseitigen, die sich nur schwer daran gewöhnen wollten, in den deutschen Häftlingen Kameraden zu sehen. Eine zähe und geheime und daher gefährliche Arbeit der Genossen des ILK war notwendig, um den Gedanken der Zusammengehörigkeit unter den Tausenden zu wecken und ihr Vertrauen zu gewinnen. In jedem Blick schafften sich die Genossen Vertrauensmänner, und langsam faßte das ILK unter den Häftlingen Fuß, ohne daß auch nur ein einziger das Vorhandensein einer so geheimen Verbindung ahnte. Keiner der Genossen vom ILK stand im Lager an exponierter Stelle oder machte von sich reden. Schlicht und unauffällig lebten sie. Bogorski im Badekommando, Kodiczek und Pribula als Fachkräfte in der Optikerbaracke, van Dalen als einfacher Pfleger im Revier, Riomand als französischer Koch im SS-Kasino, wo er von den Feinschmeckern sehr geschätzt wurde, und Bochow saß als untergeordneter Blockschreiber im Block 38. Hier hatte sich der ehemalige Landtagsabgeordnete der Kommunistischen Partei von Bremerhaven für sich selbst und seine gefährliche Aufgabe eine sichere Zuflucht geschaffen. Sein Geschick, mit der Redisfeder umzugehen und gute Druckschrift zu schreiben, hatte ihn dem lächerlich dummen Blockführer, einem Unterscharführer, wertvoll gemacht. Für ihn mußte Bochow Dutzende von Zeichenkartons mit sinnigen Sprüchen beschriften. Und so malte Bochow: »Meine Ehre heißt Treue« – »Ein Volk, ein Reich, ein Führer«. Der Unterscharführer vertrieb die Spezialitäten unter seiner Bekanntschaft und machte sich ein einträgliches Nebengeschäft daraus. Er kam gar nicht auf den Gedanken, daß ein geschickter Blockschreiber im Lager etwas anderes sein könnte als ein »harmloser« Häftling.

Bochow war es gewesen, der auf einer Besprechung des ILK André Höfel als militärischen Ausbilder für die Widerstandsgruppen vorgeschlagen hatte.

»Ich kenne ihn, er ist ein alter, guter Kumpel, werde mit ihm sprechen.«

Als Bochow vor einem Jahr nach dem Abendappell mit Höfel in einsamer Gegend hin und her gegangen war, weil das, was Bochow zu sagen hatte, von niemandem gehört werden durfte, war es ein gleicher Regenabend gewesen wie heute. Der Fünfzigjährige war neben ihm, dem schlanken und um zehn Jahre jüngeren Höfel, hergestapft, die Hände in den Taschen vergraben. Bochows sonore, gedämpfte Stimme hatte Höfel in den Ohren geklungen. Satz um Satz hatte Bochow abgewogen, um nur so viel zu sagen, wie Höfel wissen durfte. »Wir müssen uns vorbereiten, André ... aufs Ende ... Internationale Kampfgruppen ... verstehst du? ... Waffen ...«

Überrascht hatte Höfel aufgesehen, und Bochow hatte eine mögliche Frage mit kurzer Handbewegung abgeschnitten: »Davon später, jetzt nicht.«

Und zum Schluß, als sie sich trennten: »Du darfst niemals auffallen, auch nicht mit der geringsten Sache, verstanden?«

Das war vor einem Jahr gewesen, und seitdem war alles gut gegangen. Höfel wußte inzwischen auch, woher die Waffen kamen, über die Bochow damals nicht sprechen wollte. – Häftlinge hatten Hieb- und Stichwaffen in den verschiedenen Werkstätten des Lagers heimlich gebastelt. Sowjetische Kriegsgefangene stellten auf den Drehbänken der Weimarer Rüstungsbetriebe, in denen sie arbeiten mußten, Handgranaten her und schmuggelten sie ins Lager, und Fachleute, die im Häftlingsrevier und in der pathologischen Abteilung des Lagers arbeiteten, verstanden es, aus abgezweigten Chemikalien Sprengladungen für die Handgranaten zu mixen. Das wußte Höfel nun alles, und wenn er abends am heimlichen Ort die Kameraden der Gruppen die Handhabung der Waffen lehrte, freute er sich besonders, die Unterweisung an einer 7,65 mm Walther-Pistole vornehmen zu können. Diese Waffe war dem Zweiten Lagerführer Kluttig bei einem der Saufgelage im SS-Führerheim geklaut worden. Regelrecht geklaut von einem der Häftlinge, die die Saufenden zu bedienen hatten. Niemals war der Täter herausgekommen, denn solche Kühnheit traute selbst der verbissene Kommunistenfeind Kluttig einem Häftling nicht zu. Er hatte einen seiner Saufkumpane im Verdacht. Welche eisigkalte Gelassenheit gehörte für jenen *einen* dazu, nach dem Gelage mit seinem Kommando der Kellnersklaven ins Lager einzurücken und – vorbei an der SS – unter der Kleidung eine 7,65 durchs Tor zu tragen? – Diese eisige Kälte spürte Höfel jedesmal, wenn er die kostbare Waffe in der Hand hielt, jedesmal, wenn er sie aus ihrem Versteck nahm und sie an seinem Körper verbarg, um zur Unterrichtsstunde zu gehen, durchs Lager, an ahnungslos grüßenden Freunden vorbei, vorbei an so manchem SS-Mann. Da spürte er das kalte Metall an seinem Körper.

Und immer war es gut gegangen!

Plötzlich aber kam ein kleines Kind ins Lager! Ebenso heimlich und gefahrvoll wie damals jene Walther 7,65 mm. – Darüber konnte er mit niemandem sprechen. Der einzige war Bochow. Es waren für Höfel nur wenige Schritte bis zum Block 38, trotzdem aber ein langer Weg.

In Höfels Brust lag es wie ein schwerer Stein. Hätte er anders handeln müssen? Ein kleiner Funke Leben war übergesprungen, ein Rest aus einem Lager des Todes. Mußte er das Winzige nicht davor bewahren, ausgetreten zu werden?

Höfel blieb stehen und blickte auf die naßglänzenden Steine zu seinen Füßen. Auf der ganzen Welt konnte es nichts geben, was selbstverständlicher war.

Auf der ganzen Welt!

Nicht aber hier!

Daran dachte er jetzt.

Ahnungen von den Gefahren, die das Vorhandensein jenes gefährlichen Funkens auslösen konnte, der in einem heimlichen Winkel des Lagers glomm, durchhuschten Höfel schattenhaft, aber er wies sie von sich. Vielleicht konnte Bochow helfen?

Block 38 war eines der einstöckigen Steingebäude, die nach Jahren im Anschluß an die ersten Holzbaracken errichtet worden waren. Er umfaßte, wie die übrigen Steinblocks, vier Aufenthaltsräume mit anschließendem Schlafsaal. Es war nichts Ungewöhnliches, daß der Kapo der Effektenkammer in einem der Blocks erschien, und die Häftlinge nahmen deshalb keine Notiz von Höfel, als dieser eintrat. Bochow saß am Tisch des Blockältesten und schrieb die Bestandsmeldung des Blocks für den kommenden Morgenappell aus. Höfel zwängte sich durch den dichtgefüllten Raum und trat zu Bochow ans Pult. »Kommst du mal mit ’raus?«

Wortlos stand Bochow auf, zog sich den Mantel über,

und sie verließen den Block. Draußen sprachen sie nicht miteinander. Erst als sie auf den breiten, zum Revier führenden Weg gelangten, auf dem noch viele Häftlinge hin und her gingen, begann Höfel: »Ich muß mit dir sprechen.« – »Ist's wichtig?« – »Ja.«

Sie redeten leise und unauffällig. »Da hat ein Pole Jankowski, Zacharias, ein kleines Kind mitgebracht ...« – »Das nennst du wichtig?« – »Das Kind ist bei mir auf der Kammer.« – »Was, wieso?« – »Ich habe es bei mir versteckt.« Höfel konnte Bochows Gesicht im Dunkeln nicht erkennen. Ein eiliger Häftling, vom Revier kommend, den Kopf gegen den Nieselregen vorgeduckt, stieß sie im Vorbeigehen an. Bochow blieb stehen. »Mensch, bist du verrückt geworden?« Höfel hob die Hände. »Laß dir erklären, Herbert ...« – »Ich will es gar nicht wissen.« – »Doch, du mußt es wissen«, beharrte Höfel. Er kannte Bochow, der war immer hart und unerbittlich. Sie gingen weiter, und in Höfel schoß es plötzlich heiß auf. Völlig unmotiviert sagte er: »Ich habe zu Hause selber einen Jungen, der ist jetzt 10 Jahre alt. Ich habe ihn noch nie gesehen.« – »Gefühlsduselei, du hast strengste Anweisungen, dich aus allen Sachen herauszuhalten. Hast du das vergessen?«

Höfel verteidigte sich. »Wenn das Kind denen da oben in die Fänge gerät, geht es hops. Ich kann es doch nicht ans Tor schleppen: Da, das haben wir in einem Koffer gefunden.« Sie waren auf ihrem Gang fast bis zum Revier gelangt, drehten um und gingen den Weg wieder zurück. Höfel fühlte die Härte, die von Bochow ausging, mit tiefem Vorwurf fuhr er ihn an: »Mensch, Herbert, hast du denn kein Herz im Leib?« – »Wenn das keine Gefühlsduselei ist!« Unvorsichtig laut hatte Bochow gesprochen. Er riß sich darum selbst das Wort vom Mund und fuhr leiser fort: »Kein Herz im Leib? Hier geht es nicht nur um ein Kind, sondern um 50000 Menschen!«

Höfel ging schweigend nebenher, er war aufs tiefste erregt, Bochows Einwand nahm ihm alles weg. »Nun gut«, sagte er nach ein paar Schritten, »dann werde ich das Kind morgen zum Tor bringen.« Bochow schüttelte den Kopf: »Willst du eine Dummheit durch die andere ersetzen?« Höfel wurde ungehalten. »Entweder ich verberge das Kind, oder ich gebe es ab!« – »Du bist mir 'n Stratege ...«

»Was soll ich denn machen?« Höfel riß die Hände aus den Taschen und breitete sie hilflos aus. Bochow wollte sich von Höfels Erregung nicht einfangen lassen. Um sie in dem Kameraden selbst niederzuhalten, sagte er in seiner sachlichen und ein wenig unbeteiligten Art: »Ich habe auf der Schreibstube gehört, daß ein Transport abgeht, und werde dafür sorgen, daß der Pole dazugetan wird. Du gibst ihm das Kind mit.« Höfel erschrak über den harten Entschluß. Bochow blieb stehen, trat dicht an Höfel heran, blickte ihm nah in die Augen. »Was sonst?« – Höfel atmete schwer. Bochow spürte, was in diesem vor sich ging.

Im Abwägen der Notwendigkeiten wogen am schwersten die Pflichten hier im Lager. Konnte Bochow, den das ILK zum Verantwortlichen für die Widerstandsgruppen bestimmt hatte, zulassen, eines Kindes wegen den militärischen Ausbilder der Gruppen in Gefahr zu bringen oder sogar diese selber? Oder den ganzen mühselig aufgebauten Apparat? Dazu den Lagerschutz, der nach außen eine völlig legale Einrichtung, in Wirklichkeit aber ein ausgezeichneter militärischer Verband war? Man wußte nie, was aus einer harmlosen Sache alles entstehen konnte. Ein kleines Kind gibt den Anstoß, und mit einem Schlage rollt die Lawine des Verderbens über alle und alles hinweg. Das ging Bochow durch den Kopf, als er sich Höfel betrachtete. Er wandte sich wieder zum Gehen und sagte fast traurig: »Manchmal ist das Herz ein sehr gefährliches Ding! Der Pole wird schon wissen, wie er mit dem Kind zurechtkommt. Hat er es bis hierher gebracht, bringt er es auch noch weiter.« Höfel schwieg noch immer. Sie waren am Revierweg abgebogen und standen jetzt zwischen den Baracken. Hier war es einsam. Der kalte Schauerregen machte die beiden frösteln. Sie konnten im Dunkeln ihre Gesichter kaum erkennen. Höfel hatte die Hände tief in die Taschen geschoben, die Schultern frierend angedrückt. Er machte keine Anstalten zu gehen. Bochow packte ihn an der Schulter, rüttelte ihn. »Mach keine Geschichten, André«, sagte er mit warmem Ton. »Leg dich in deine Kiste, ich gebe dir noch Bescheid.«

Sie trennten sich.

Bochow sah Höfel nach. Mit müden Schritten ging der davon. Ein Bedauern wollte Bochow übermannen, von dem er nicht wußte, wem es galt, Höfel oder dem Kind oder jenem fremden Polen, dem es unbekannt war, daß über sein Schicksal in diesem Augenblick entschieden worden war. Entschieden durch Häftlinge, durch seinesgleichen, die aus dem Zwang einer Situation heraus Gewalt über ihn hatten. Bochow schüttelte die Gedanken ab. Hier mußte schnell und furchtlos gehandelt werden. Er überlegte kurz. Rasch zum Block zurück! Runki, sein Blockältester, wollte soeben die ausgefüllte Bestandsmeldung zum Lagerältesten nach der Schreibstube bringen, als ihn Bochow an der Tür des Blocks abfing. »Gib her, Otto, ich bringe sie selber hin.« – »Ist was los?« fragte Runki, dem Bochows besonderer Ton auffiel. »Nichts von Bedeutung«, entgegnete dieser. Runki wußte, daß Bochow zu dem Kreis alter Lagerkumpel gehörte, deren Wort galt. Von Bochows Zugehörigkeit zum ILK und dessen Existenz hatte er keine Ahnung. Unter den politischen Häftlingen war das Gesetz der Konspiration wirksam – das sie alle durch bedingungsloses Vertrauen miteinander verband. Es gab keine Neugier, nur wissendes Schweigen über alles, was im Lager zu geschehen hatte. Es gab eine strenge innere Disziplin und das Bewußtsein der unbedingten Zusammengehörigkeit, das keine unbedachten Fragen ließ für Dinge, die man nicht zu wissen brauchte. Es gab eine selbstverständliche Unterordnung:

Wichtigem durch Schweigen zu dienen. – So schützten sie sich gegenseitig und bewahrten Geheimstes vor Entdeckung. Der Kreis dieser Häftlinge war groß und über das ganze Lager verbreitet. Überall Genossen, die das in Schweigen eingebettete Wissen im Herzen trugen. Die Partei, der sie verbunden waren, war mit ihnen im Lager, unsichtbar, ungreifbar, allgegenwärtig. Gewiß trat sie bei dem einen oder anderen Genossen sichtbar hervor, jedoch nur immer für den, dem es erlaubt war, sie zu sehen. Sonst glichen sie sich alle untereinander in ihren dreckigen Lumpen mit dem roten Winkel und der Nummer auf der Brust, mit ihren kahlgeschorenen Schädeln ... So fragte auch Runki nicht viel, als ihm Bochow die Bestandsmeldung abnahm.

Im Nebenraum der Schreibstube, in dem die beiden Lagerältesten Krämer und Pröll ihren Platz hatten, war der allabendliche Betrieb schon vorbei. Pröll, der zweite Lagerälteste, hatte in der Schreibstube zu tun. Außer Krämer, dem ersten Lagerältesten, der den Gesamtbestand des Lagers für den kommenden Morgenappell an Hand der einzelnen Blockmeldungen zusammenstellte, waren nur noch einige Blockälteste und -schreiber anwesend, die ihre Meldungen bereits abgegeben hatten und herumklönten. Bochow trat ein. An seinem Verhalten erkannte der Lagerälteste, daß der Blockschreiber von 38 etwas auf dem Herzen hatte. Auch Krämer gehörte zu dem Kreis der Wissenden und Schweigenden. Die Einsetzung als Lagerältester war von den Genossen des ILK betrieben worden. Auf die wichtige Stelle, die vorher von einem durch Kluttig bestimmten Schwerverbrecher besetzt gewesen war, der seinen Posten zu persönlichen Vorteilen mißbraucht hatte und darum beseitigt wurde, mußte ein zuverlässiger Genosse kommen. Die Mitglieder des ILK hatten dafür den Blockältesten Walter Krämer vorgeschlagen. Unter geschickter Ausnutzung der Gegensätze zwischen Kluttig und dem Lagerkommandanten Schwahl war es den Genossen des ILK gelungen,

Krämer zum Lagerältesten zu »machen«. Der Friseur des Kommandanten, ein zuverlässiger Häftling, der jeden Morgen Schwahl zu bedienen hatte, wurde mit der Aufgabe betraut. Während Kluttig für die Häftlingsfunktionen kriminelle Elemente bevorzugte, setzte Schwahl mit Vorliebe politische Häftlinge ein, auf deren Intelligenz und Korrektheit er baute. Die ewigen Reibereien zwischen Kluttig und Schwahl, ihrer gegensätzlichen Auffassungen wegen, waren lagerbekannt. Schwahl ließ sich von seinem Friseur nur zu gern einen politischen Häftling vorschlagen, schon um dadurch seinem Widersacher Kluttig eins auszuwischen. So wurde Krämer vom Kommandanten offiziell eingesetzt. Krämer, der selbst nicht dem ILK angehörte, stand durch seine Funktion ständig im Brennpunkt der Ereignisse. Alles, was im Lager geschah, konzentrierte sich auf seine Person. Die Befehle erhielt er durch Schwahl, durch die Lagerführer und den Rapportführer. Die Befehle mußten durchgeführt werden. Stets aber so, daß Leben und Sicherheit der Häftlinge nicht gefährdet wurden. Das bedurfte oft der Klugheit und des geschickten Manövrierens. Krämer, der kompakte, breitschultrige Kupferschmied aus Hamburg, war die Ruhe selbst. Ihn konnte so leicht nichts erschüttern. In verschwiegener Zusammenarbeit mit den Genossen der Partei füllte er seinen schweren Posten aus. Die Partei in ihrer Lagerillegalität stand ihm in Person Herbert Bochows gegenüber. Ohne daß es jemals ausgesprochen worden war, wußte Krämer, was von Bochow kam, das kam von der Partei. In seinem Bestreben, dem Lagerältesten möglichst wenig Einblick in das illegale Gefüge zu geben, übertrieb Bochow stark. »Frag nicht danach, Walter, es ist besser für dich«, war oft der Einwand, wenn Krämer den Sinn mancher Anweisung erfahren wollte, die Bochow ihm brachte. Krämer schwieg gewöhnlich, obwohl es ihm manchmal sonderbar erschien, aus Anweisungen »Geheimnisse« zu machen. Dann war er versucht, Bochow auf die Schulter zu klopfen: »Mach's nicht so spannend, Herbert, ich weiß Bescheid ...« Oft belustigte er sich im stillen über sein Wissen von dem, was er nicht wissen durfte, oftmals aber ärgerte er sich auch darüber. In vielen Fällen hätte Bochow nach Krämers Meinung besser getan, ein offenes Wort zu sprechen. Er sah Bochow auffordernd an.

»Eine dumme Geschichte«, begann dieser.

»Was ist los?«

»Du stellst einen neuen Transport zusammen?«

»Na und?« fragte Krämer zurück. »Pröll macht drüben die Liste fertig.«

»Da ist mit dem letzten Schub ein Pole mitgekommen. Zacharias Jankowski heißt er. Er ist sicher im Kleinen Lager. Kannst du ihn in den Transport hineinstecken?«

»Was ist mit ihm?«

»Nichts«, entgegnete Bochow dunkel. »Du mußt dich mit Höfel in Verbindung setzen. Er gibt dir was mit für den Polen.«

»Was?«

»Ein Kind.«

»Ein was???« Krämer warf den Bleistift hin, mit dem er die Eintragungen gemacht hatte. Bochow bemerkte Krämers Überraschung. »Bitte, frag mich nicht. Es muß sein.«

»Aber ein Kind? Mensch, Herbert! Der Transport geht ins Ungewisse! Du weißt, was das heißt?«

Bochow wurde nervös. »Ich kann dir nichts weiter sagen.« Krämer stand auf. »Was ist das für ein Kind? Was ist mit ihm?«

Bochow wehrte die Frage ab. »Nichts, es geht um anderes.«

»Das kann ich mir denken.« Krämer schnaufte. »Hör zu, Herbert. Ich frage sonst nicht viel, weil ich mich immer darauf verlasse, daß ...«

»Also frage nicht.«

Krämer sah finster vor sich hin. »Manchmal machst du es mir verdammt schwer, Herbert.«

Bochow legte ihm versöhnend die Hand auf die Schulter. »Es kann sich kein anderer der Sache annehmen als du. Höfel weiß schon Bescheid. Sag, du kommst in meinem Auftrag.«

Krämer brummte mürrisch. Er war unzufrieden.

Unruhig war Höfel durch die Reihen der Blocks gelaufen, ehe er jetzt nach seiner Behausung ging. Ein paar verspätete Häftlinge klapperten eilig ihren Blocks zu. In kurzen Abständen pfiff es. Der Lagerälteste machte seinen abendlichen Gang durch das Lager. Seine Pfeifsignale bedeuteten, daß sich kein Häftling mehr außerhalb der Blocks aufhalten durfte. Immer ferner und leiser klangen die Pfiffe. Die regennassen Dächer der Baracken glänzten matt. Unter Höfels Schritten knirschten und knackten die Schottersteine. Manchmal stolperte er, gab nicht acht auf seinen Gang vor Groll auf Bochow. Was machte der sich schon aus einem kleinen Kind? Fröstelnd betrat Höfel seinen Block. Der Aufenthaltsraum war leer, sie lagen schon alle in den Betten. Ein paar Stubendienste klapperten mit den Suppenkübeln. Am Tisch saß der Blockälteste. Im Raum hing noch der kalte Dunst der abendlichen Krautsuppe und mischte sich mit dem Ruch der Kleidungsstücke, die geordnet auf den Bänken lagen. Keiner beachtete Höfel, der sich auszog und seine Kleidung auf der freien Stelle seines Bankplatzes zurechtlegte. Aber hatte Bochow nicht eigentlich recht? – Was geht mich das fremde Kind an, dachte Höfel, ich belaste mich nur mit ihm.

So unwirsch war der Gedanke, daß sich Höfel dessen schämte. Als er aber den bösen Gedanken verscheuchen wollte, schob sich die Erinnerung an seine Frau Dora dazwischen. Woher kam das so plötzlich? Hatte das Kind dort im Winkel die schmerzende Erinnerung ihm aus dem Verlies der Brust gezogen? Sie überschwemmte mit einem Male sein Inneres, und er staunte, daß es in einer ihm fremd gewordenen Welt eine Frau gab, die seine

Frau war. Es begann in ihm zu irrlichtern. Er besaß einen Sohn, den er noch niemals gesehen, er besaß eine Wohnung, eine richtige Wohnung mit Stuben und Fenstern und Möbeln. Doch das alles fügte sich nicht zu einer Ordnung zusammen, sondern umwirrte ihn wie die Trümmer einer geborstenen Welt im lichtlosen Raum. Höfel hatte die Hände ums Gesicht gepreßt und wußte es nicht; er starrte wie in einen nachtschwarzen Abgrund hinein. Alle vier Wochen schickte er einen Brief in das Dunkel hinaus: »Liebe Dora. Mir geht es gut, ich bin gesund, was macht der Junge?« Und alle vier Wochen kam aus dem Dunkel ein Brief zu ihm, und jedesmal schrieb die Frau am Schluß: ». . . ich küsse Dich innig . . .«

Aus welcher Welt kam das? Mein Gott, aus welcher, dachte Höfel. Sicher aus einer Welt, in der es auch kleine Kinder gab, nur wurden sie nicht am Bein durch die Luft gewirbelt und mit dem Kopf gegen die Mauer geschlagen wie junge Katzen. – Höfel stierte vor sich hin. Die Gewalt der Erinnerung machte die Gedanken welk, daß sie in nichts zusammenfielen, und er fühlte nur noch überstark den warmen Druck seiner eigenen Hände am Gesicht. Plötzlich hatte er die mehr als seltsame Vorstellung zweier Hände aus dem Dunkel heraus, die sein Gesicht umspannten, und eine wesenlose Stimme raunte: »André . . . so ein armes kleines Kind . . .« Höfel schreckte auf. Bin ich verrückt? Er ließ die Hände sinken. Die Luftkühle strich über die nackt gewordenen Wangen. Höfel sah seinen zurückverwandelten Händen zu, die folgsam die gewohnten Handgriffe ausführten: die Hose zusammenlegend, die Jacke mit der Nummer nach außen, wie es Vorschrift war.

Ja, Bochow hatte recht. Das Kind mußte fort. Hier wurde es zu einer Gefahr für alle. Der Pole wird schon sehen, wie er es durchbringt. Höfel ging in den Schlafsaal hinüber. Der gewohnte Gestank brachte ihn vollends in die Wirklichkeit zurück. ». . . ich küsse Dich innig . . .« Höfel kroch auf den Strohsack und zog die kratzende Decke über sich.

Im Schlafsaal mit den Reihen der dreifach übereinandergestaffelten Bettgestelle wollte lange keine Ruhe eintreten. Die Nachricht vom Rheinübergang der Amerikaner bei Remagen hatte die Gemüter aufgescheucht. Höfel hörte in das Gemurmel hinein. Der Bettnachbar schlief bereits, und sein leises Schnarchen stand im Gegensatz zu der allgemeinen Aufregung ringsumher. Wenn die Amerikaner erst mal überm Rhein sind, dann sind sie auch bald in Thüringen, und dann kann es nicht mehr lange dauern! *ES!* – Was denn? – Was konnte dann nicht mehr lange dauern? In dem Wort lag etwas verborgen. In ihm waren die Jahre der Haft, der Hoffnungen und Verzweiflungen zu einer gefährlichen Ladung zusammengepreßt, das Wort wiegte sich, klein und schwer, wie eine Handgranate in der Faust, und wenn es soweit sein wird ... Rings um Höfel flüsterte und raunte es. Friedlich schniefte der Nachbar, und Höfel ertappte sich, daß auch er daran dachte, daß es nicht mehr lange dauern werde, und man könnte vielleicht das Kind da hinten im Winkel ... Das Geflüster, dem er nur mechanisch zuhörte, hatte ihn in etwas hineingewiegt, was so angenehm war, so angenehm wie jene fernen fremden Hände ... Plötzlich riß Höfel die Augen auf und warf sich mit einem Ruck herum. Nein, fort damit. Fort! Das Kind mußte weg, morgen, übermorgen!

Standartenführer Alois Schwahl, der Lagerkommandant, befand sich an diesem Abend mit den beiden Lagerführern Weisangk und Kluttig noch in seinem Dienstzimmer. Schwahl, ein untersetzter, zur Dicklichkeit neigender Sechziger, mit schlaffen Backen im runden Gesicht, hatte die Angewohnheit, während des Sprechens um ein Möbelstück herumzugehen, deshalb stand ein massiger Schreibtisch in der Mitte des protzig eingerichteten Raumes. Der Kommandant schien ein Mann der Festreden zu sein. Seine Worte begleitete er stets mit ausladenden Gesten, die er durch eindrucksvolle Pausen unterstützte. Der Rheinübergang hatte ihn, noch mehr aber Kluttig, in einen Zustand nervöser Gereiztheit versetzt. Auf dem Sofa hinter dem geschnitzten Konferenztisch saß Weisangk, der Sturmbannführer, mit ausgegrätschten Beinen, die unvermeidliche Flasche französischen Beutekognaks vor sich, und hörte der Auseinandersetzung zu, die zwischen Schwahl und Kluttig entbrannt war. Weisangk hatte bereits zuviel getrunken. Mit trüben Doggenaugen verfolgte er jede Bewegung seines Herrn.

In Voraussicht kommender Ereignisse, die dem Rheinübergang folgen würden, hatte Schwahl den Plan gefaßt, aus Häftlingen einen Sanitätstrupp bilden zu lassen, der wegen ständiger Fliegeralarme und eines drohenden Angriffs aufs Lager zur Unterstützung der SS eingesetzt werden sollte. Die Bildung des Trupps war Anlaß zu der Auseinandersetzung gewesen, die sich immer mehr zuspitzte. Der knochige, hagere Kluttig, ein uninteressanter Mensch von etwa 35 Jahren, mit überlanger, knollig auslaufender Nase, stand vor dem Schreibtisch, und seine kurzsichtigen, arg entzündeten Augen stachen giftig durch die Brillengläser. Zwischen ihm und dem Kommandanten bestanden einige unüberbrückbare Gegensätze. Kluttig verbarg es nicht, daß er vor Schwahl keinen Respekt hatte. Dessen Befehle nahm er immer nur mit hochmütigem Schweigen entgegen, und wenn er sie letzten Endes doch ausführte, so geschah es nur aus der einfachen Tatsache der Rangüberlegenheit Schwahls als Kommandant und Standartenführer heraus. Schwahl kam gegen Kluttig nur unter Einsatz seiner Überlegenheit als Rangoberster an, uneingestanden empfand er in dessen Gegenwart quälende Minuskomplexe. Er mochte Kluttigs Draufgängertum nicht und neidete es ihm zugleich.

Schwahl war feig, unentschlossen, unsicher, doch war er überzeugt, Kluttig, dem ehemaligen Inhaber einer kleinen Plissieranstalt, an diplomatischer Begabung überlegen zu sein. Kluttig mußten selbstverständlich alle Voraussetzungen für solche Vorzüge fehlen, die sich Schwahl in 30jähriger Dienstzeit als Zuchthausbeamter erworben hatte. Er hatte es bis zum Inspektor gebracht. In früherer Zeit hatten sie sich an Saufabenden ihrer Vergangenheit wegen gelegentlich gefrotzelt, nannten sich »Zuchthausbulle« und »Plissierfritze«, ohne vorauszusehen, daß dieses Wissen einmal in gefährliche Gehässigkeit ausarten würde. An diesem Abend geschah es.

Anfangs ging der Streit noch um die Besetzung des Sanitätstrupps. Kluttig hatte gegen Schwahls Absicht aufbegehrt, dafür nur langjährige politische Häftlinge zu verwenden. Als Kommandant konnte es sich Schwahl leisten, den ehemaligen Geschäftsinhaber gönnerhaft zu belehren.

»Ihnen fehlen Menschenkenntnis und Weitblick, mein Lieber, man muß sich die Disziplin der Kommunisten zunutze machen. Von denen geht uns keiner stiften. Die halten zusammen wie die Kletten.« In Kluttig siedete es bereits. Seine Entgegnungen wurden immer schärfer, und seine Stimme bekam jenen häßlichen und schneidenden Ton, den Schwahl insgeheim fürchtete, weil er ihn zu sehr an die Stimme seines früheren Zuchthausdirektors erinnerte.

»Ich muß Sie darauf aufmerksam machen, daß die Verwendung von Kommunisten in dieser Situation gefährlich ist, nehmen Sie andere Häftlinge dafür.« Schwahl plusterte sich auf. »Bababaaahh«, machte er, blieb vor Kluttig stehen, ruckte sich in den Schultern zurecht und reckte den Bauch vor: »Andere Häftlinge? Berufsverbrecher? Ganoven?«

»Im Lager existiert eine geheime Organisation der Kommunisten!«

»Was können die schon unternehmen?« Schwahl ging wieder um den Schreibtisch herum.

»Es gibt im Lager einen geheimen Sender!« Unvermittelt trat Kluttig an den Schreibtisch heran und stoppte damit Schwahls Rundgang ab.

Der Kommandant spielte großartig den gönnerhaften Vorgesetzten, er nestelte an einem Knopf von Kluttigs Uniform: »Sie wissen, ich habe den vermutlichen Sender anpeilen lassen. Ergebnis? Null! Verlieren Sie nicht die Ruhe, Herr Hauptsturmführer.«

»Ich bewundere Ihre Ruhe, Herr Kommandant!«

Sie maßen sich mit kalten Blicken. Schwahl hatte das Empfinden, als straffe sich sein Brustkasten, im gleichen Augenblick aber sackte die künstlich gehaltene Beherrschung in ihm zusammen, und er schrie plötzlich los: »Ich verliere nicht die Nerven wie Sie! Wenn ich befehle, ist das ganze Lager in einer halben Stunde zusammengeschossen! Das ganze Lager, jawohl, samt Ihrer Kommunistenorganisation!«

Aber auch mit Kluttigs Beherrschung war es zu Ende. Aus seinem knochigen Gesicht entwich alles Blut, und er schrie auf Schwahl ein, daß Weisangk erschrocken zwischen die Streitenden sprang und Kluttig abzudrängen versuchte: »Stad soan mußt, Kluttig.«

Kluttig stieß den Sturmbannführer verächtlich von sich: »Weg, du Trottel!« und schrie erneut auf Schwahl ein: »Vielleicht haben die Kerle schon Waffen, und Sie unternehmen nichts dagegen? Vielleicht haben sie mit dem Amerikaner schon Verbindung aufgenommen? Ich verweigere Ihnen den Befehl!«

Weisangk versuchte erneut zu vermitteln: »Du kriegst gar koan Befehl nicht, den kriegt doch der Reineboth ...«

Doch er erreichte nur, daß ihn der weißglühende Kluttig anschrie: »Halt deine Schnauze!«

»Hauptsturmführer!« brüllte Schwahl mit bebenden Backen.

»Ich lasse mir nicht befehlen ...!«

»Noch bin ich Kommandant!!!«

»Ein Sch ...«

Kluttig brach jäh ab, drehte sich um und sank auf das Sofa, auf dem Weisangk gesessen hatte.

Ebenso unvermittelt wie Kluttig war auch Schwahl ernüchtert. Er trat an den Konferenztisch, stützte die Hände flach auf die Hüften und fragte: »Was wollten Sie eben sagen?«

Kluttig rührte sich nicht. Er saß da mit vorhängendem Kopf, die schlaffen Arme auf den gespreizten Knien. Schwahl schien nach diesem Exzeß keine Antwort zu erwarten. Er ging nach der Kredenz in der Ecke, brachte einige Gläser herbei, setzte sich an den Konferenztisch und goß ein. »Trinken wir einen auf den Schreck!«

Gierig leerte er das Glas. Weisangk stieß Kluttig an und hielt ihm den Kognak hin: »Sauf, dös beruhigt.«

Unwillig nahm Kluttig dem Sturmbannführer das Glas weg und kippte es hinter wie Medizin, finster blickte er vor sich hin. Die Beleidigungen nahmen sie sich nicht weiter übel, und die Ernüchterung schien einer seelischen Erschlaffung zu weichen. Schwahl griff nach einer Zigarette und lehnte sich im Sessel zurück. Er rauchte mit tiefen Zügen. Kluttig starrte noch immer vor sich hin, und in Weisangks ödem Gesicht war kein Gedanke zu lesen. Schwahl sah von einem zum andern, und mit einem Anflug von Galgenhumor sagte er schließlich: »Tja, meine Herren, der Bart ist ab.« Kluttig schlug mit der Hand auf die Tischplatte und kreischte hysterisch auf: »Nein!« Sein Unterkiefer schob sich vor. »Nein!« Schwahl spürte Kluttigs innere Panik. Er warf die Zigarette fort und stand auf. Mit Behagen genoß er, daß er sich wieder in der Gewalt hatte. Hinter seinem Schreibtisch hing eine große Karte. Schwahl trat an sie heran und betrachtete sie mit Kennerblick. Dann tippte er auf die Nadeln mit den bunten Köpfen. »So steht die Front, so und so und so.«

Er drehte sich um und stützte die Hände steif auf den Schreibtisch.

»Oder wie bitte?«

Weisangk und Kluttig schwiegen. Schwahl stemmte die

Fäuste in die Seiten. »Und wie wird es in vier Wochen sein? In acht Wochen, oder schon in drei Wochen?« Die Antwort darauf gab er, indem er mit der Faust auf die Karte schlug. Auf Berlin, Dresden, Weimar. Die Holztafel polterte. Schwahl war befriedigt. Auf Kluttigs mahlenden Backenknochen und in Weisangks hilflosen Hundeaugen sah er die Wirkung seiner Worte. Wie ein Feldherr ging er zum Konferenztisch zurück und sagte dabei großspurig: »Wollen wir uns noch was vormachen, meine Herren?«

Er setzte sich. »Im Osten die Bolschewiken, im Westen die Amerikaner, und wir sind mittendrin. Na, wie bitte? – Denken Sie nach, Hauptsturmführer. Keiner kräht nach uns, hier holt uns auch keiner mehr 'raus. Hier kann uns höchstens noch der Teufel holen.«

In einem plötzlichen Anfall schmiß Weisangk seine Pistole auf den Tisch.

»Mich kriagt er nich«, knarrte er. »Dös is a noch do.«

Schwahl beachtete die heroische Geste des bayrischen Schmiedes nicht, der die Waffe ruhmlos wieder an sich nahm, und kreuzte die Arme über der Brust. »Uns bleibt nur übrig, auf eigene Faust zu handeln.« Da sprang Kluttig auf. »Ich durchschaue Sie!« schrie er, in neue Hysterie verfallend. »Sie wollen sich bei den Amerikanern anbiedern! Sie sind ein Feigling!«

Schwahl wehrte verdrießlich ab. »Machen Sie nicht so große Worte. Ob Mut oder nicht Mut, was können wir damit noch anfangen! Wir haben uns in Sicherheit zu bringen, das ist alles. Dazu braucht man Klugheit, Herr Hauptsturmführer. Klugheit, Diplomatie, Elastizität.« Schwahl wies seine Pistole auf offener Hand vor: »Das ist nicht mehr elastisch genug.« Auch Kluttig riß die Waffe aus der Tasche, fuchtelnd: »Aber durchschlagend, Herr Kommandant, durchschlagend!« Sie drohten wieder in Streit zu geraten.

Weisangk streckte die Hände zwischen sie. »Seids friedlich und schiaßt eich nich selba umanand.«

»Auf wen wollen Sie denn schießen?« fragte Schwahl fast amüsiert.

»Auf alle, alle, alle!« schäumte Kluttig und lief mit wilden Schritten umher. Verzweifelt warf er sich aufs Sofa zurück und fuhr sich durch das spärliche, fahlblonde Haar. Schwahl meinte sarkastisch: »Mit dem Heldentum ist es nun doch wohl vorbei.«

Am anderen Morgen gab Kluttig den Befehl des Kommandanten dennoch an Reineboth weiter. Er hielt sich mit dem kaum 25jährigen Hauptscharführer in dessen Dienstzimmer auf, das sich auf dem Seitenflügel des Eingangsgebäudes zum Lager befand. Reineboth stach durch sein gepflegtes Äußeres stark von Kluttig ab. Der eitle Jüngling liebte seine elegante Erscheinung sehr. Ein rosiger Hauch auf der Haut und die wie gepudert erscheinende Unterpartie des Gesichts, auf der auch nicht der Schimmer eines Bartwuchses zu sehen war, gaben Reineboth das Aussehen eines Operettenbuffos, doch war er nur der gewöhnliche Sohn eines gewöhnlichen Bierbrauers.

Lässig im Stuhl zurückgelehnt und die Knie gegen die Tischkante gestemmt, hatte er den Befehl entgegengenommen. »Sanitrupp? Großartige Idee.« Zynisch verzog er die Lippen. »Da hat wohl einer Angst vor dem schwarzen Mann, was?«

Kluttig hatte darauf nichts erwidert, er war zum Radio getreten. Breitbeinig und mit den Händen in den Hüften stand er vor dem Kasten, aus dem die Stimme des Nachrichtensprechers erklang:

»... nach schwerer Artillerievorbereitung ist gestern abend die Schlacht um den Niederrhein entbrannt. Die Besatzung der Stadt Mainz wurde auf das rechte Rheinufer zurückgenommen ...«

Reineboth sah ihm eine Weile zu. Er wußte, was in Kluttig vorging, und verbarg seine eigene Angst vor der heranrückenden Gefahr hinter schlecht gespielter Schnoddrigkeit. »Es wird Zeit, daß du Englisch lernst«, sagte er, und sein stets arrogantes Lächeln gefror zu einer harten Falte um den Mundwinkel. Kluttig beobachtete den Spott nicht, er knurrte böse: »Die oder wir!«

»Wir«, entgegnete Reineboth mit Eleganz, warf das Lineal auf den Tisch und stand auf. Sie sahen sich an, schwiegen und versteckten, was sie sich dachten. Kluttig wurde unruhig. »Wenn wir gehen müssen ...«, er schüttelte die Fäuste und preßte durch die Zähne: »Keine Maus lasse ich hier lebend zurück!« Reineboth kannte das schon. Er wußte, wie er Kluttig einzuschätzen hatte.

Hämisch lächelnd meinte er: »Falls du damit nicht zu spät kommst, Herr Hauptsturmführer. Unser Diplomat läßt die Mäuse bereits aus der Falle ...«

»Der Lahmarsch!« Kluttig fuhr mit der Faust durch die Luft. »Wissen wir, ob die Schweine nicht schon geheime Verbindung mit dem Amerikaner haben? Der schickt ein paar Bomber und bewaffnet in einer Nacht das ganze Lager.« Nervös setzte er hinzu: »Das sind immerhin 50000 Menschen.«

Reineboth winkte hochmütig ab: »Kretiner sind's, ein paar Salven von den Türmen und ...«

»Und wenn die Amerikaner Fallschirmtruppen absetzen? Na, was dann?«

Reineboth zog die Schultern hoch. »Dann dürfte der Kladderadatsch hier ein Ende haben. – Ph«, machte er mit hochmütiger Gelassenheit, »ich schlage mich beizeiten nach Spanien durch.«

»Du bist ein aalglatter Hund«, fauchte Kluttig verächtlich. »Hier geht es schließlich nicht nur um deine Haut.«

»Richtig«, parierte Reineboth kühl, »es geht auch um die deine.«

Er grinste Kluttig ins Gesicht: »Nun wird es nichts mehr mit dem Sturmbannführer oder gar mit dem Kommandanten.« Höhnisch stieg Reineboth mit den Händen wie auf einer Leiter in die Luft. »Der Bart ist ab, Adele. Tröste dich, ich bin dein Leidensgenosse.«

Verärgert, daß Reineboth die ehrgeizigen Pläne so kaltschnäuzig bloßlegte, warf sich Kluttig auf einen Stuhl und stierte vor sich hin. Es war wirklich aus damit! Jetzt galt es nur noch, sich vor denen da drinnen zu sichern. Wütend schimpfte er auf den abwesenden Kommandanten: »Der Lahmarsch, der verfluchte! Er weiß genau, daß die Schweine im Lager organisiert sind. Statt sich ein Dutzend herauszugreifen und abzuknallen ...«

»Fragt sich, ob er auch die Richtigen erwischt«, meinte Reineboth, »sonst geht es schief, mein Lieber. Auf den ersten Schuß die Richtigen, die Leitung, den Kopf.«

»Krämer!« sagte Kluttig schnell.

»Das ist einer, und wer sind die anderen?«

Reineboth zündete sich eine Zigarette an und setzte sich auf die Ecke des Tisches. Lässig baumelte er mit dem aufgelegten Bein.

Kluttig zischte wütend: »Ich sperre den Hund ein und quetsche ihn aus wie eine Zitrone.«

Reineboth lächelte arrogant: »Naiv, Herr Lagerführer, sehr naiv. Erstens: Krämer singt nicht, aus dem holst du nicht mal einen Gedankenstrich 'raus. Zweitens: Sperrst du Krämer ein, warnst du die anderen.«

Er ging zur Lautsprecheranlage, dabei sagte er: »Schau dir den Burschen nur einmal richtig an, dann wirst du wissen, daß du aus dem keinen Furz herausholst.«

Er schaltete das Mikrophon ein: »Der Lagerälteste Krämer sofort zum Rapportführer.«

Als die Aufforderung durch sämtliche Lautsprecher des Lagers ging, befand sich Krämer bei Höfel in der Effektenkammer. Zweiling war noch nicht anwesend, und Krämer hatte sich mit Höfel in eine Fensterecke zurückgezogen, leise mit ihm sprechend. »Morgen geht der Transport ab. Du weißt Bescheid, André.«

Höfel nickte stumm. Zum zweiten Male kam die Durchsage. »Der Lagerälteste Krämer sofort zum Rapportführer, aber dalli.«

Krämer blickte, unwillig schnaufend, zum Lautsprecher. Höfel preßte die Lippen zusammen.

Kluttig saß mit hohlem Brustkasten auf dem Stuhl, und Reineboth knuffte ihn ärgerlich am Oberarm: »Reiß dich am Riemen, Mann, oder soll der Kerl auf den ersten Blick sehen, wie dir unser neuester Sieg in die Knochen gefahren ist?« Kluttig erhob sich gehorsam und straffte die Uniform unter dem Koppel.

Wenige Minuten später stand Krämer im Zimmer. Mit einem Blick übersah er die Situation. An der Wand lehnte Kluttig, der ihn schon beim Eintreten mißtrauisch betrachtet hatte, auf dem Stuhl hinter dem Schreibtisch, mehr liegend als sitzend, der zynische Jüngling. »Da ist was Neues für Sie, mal herhören.« Krämer kannte den lässigen, eitlen Ton. Reineboth stand ohne Eile auf, schob die Hände in die Hosentaschen und stiefelte spazierend durchs Zimmer. Er hatte es darauf angelegt, den Befehl des Kommandanten recht nebensächlich bekanntzugeben. Gerade die betonte Gleichgültigkeit und Kluttigs lauernde Blicke, die Krämer von der Seite her auf sich gerichtet fühlte, ließen ihn das Außergewöhnliche sofort erkennen.

Sechzehn Häftlinge, so schnarrte der arrogante Jüngling stiefelklappend, sechzehn langjährig politische Häftlinge sollten für den Sanitrupp genommen werden. In die Luft hineinsprechend und noch um einen Grad beiläufiger, setzte der spazierende Jüngling auseinander, daß der Sanitrupp bei Fliegeralarm außerhalb der äußeren Postenkette ... Krämer stockte das Blut, aber er hatte sich in der Gewalt, und in seinem Gesicht verriet nichts, welche Gedanken schon durch sein Gehirn fegten: sechzehn gute Kumpel außerhalb der Postenkette ... Kluttig stieß sich heftig von der Wand ab, baute sich vor Krämer auf und keifte ihn an: »Die Häftlinge gehen ohne Posten, verstanden?«

Nur schwer konnte er seine Erregung verbergen und zischte hinter zusammengepreßten Zähnen hervor: »Machen Sie sich aber keine Illusionen, wir passen auf.« Er wußte selbst nicht, wie dieses Aufpassen vor sich gehen sollte. Sie blickten sich stumm an. Krämer fing den kalten Haß, der aus Kluttig stach, mit ruhigem Auge ab. Plötzlich überkam ihn eine triumphierende Sicherheit. Hinter diesem Haß in den farblosen, rotumränderten Augen sah er die Angst, die nackte Angst. Kluttig geriet immer mehr in Wut, doch Krämer war nicht so ruhig, wie es schien. Hinter seiner Stirn jagten sich die Kombinationen. Reineboth schien zu befürchten, daß Kluttig jeden Augenblick die Beherrschung verlieren würde, das versuchte er zu verhindern.

»Morgen früh bringen Sie die sechzehn Vögel zu mir.« Krämer, von Reineboth im Rücken angesprochen, drehte sich zu diesem um, antwortete: »Jawohl.«

»Sie werden geschmückt mit Verbandkästen, Gasmasken und Stahlhelmen.«

»Jawohl.«

Der Jüngling kam mit schlendernden Schritten auf Krämer zu und faßte ihn vor der Brust. »Wenn einer von den Vögeln davonfliegen sollte ...« Hinterhältig lächelnd, fügte Reineboth mit gefährlicher Liebenswürdigkeit hinzu: »Dann halten wir uns schadlos.«

Ehe Krämer antworten konnte, stand Kluttig vor ihm und knarrte ihn einschüchternd an: »Am ganzen Lager!«

»Jawohl.« Krämers ständiges Wort des Gehorsams gab Kluttig keinerlei Angriffsfläche, er keifte: »Ob Sie das kapiert haben, will ich wissen.«

»Jawohl.«

Kluttig wollte losbrechen, aber Krämers Gelassenheit erstickte alles in ihm, er brachte nur ein gekrächztes »Wegtreten!« hervor. Doch als Krämer zur Tür ging, verlor Kluttig die Beherrschung, er schrie ihm nach: »Hierbleiben!« und ging, als Krämer sich verwundert umdrehte, auf ihn zu, trat ganz nah an ihn heran, fragte hinterhältig: »Sie waren doch mal Funktionär?«

»Jawohl.«

»Kommunistischer?«

»Jawohl.« Krämers Freimütigkeit machte Kluttig

schlingern. »Und das sagen Sie mir so, so ...« Um Krämers Mund huschte ein kaum merkliches Lächeln. »Deshalb bin ich doch hier ...«

»Nein!« entgegnete Kluttig scharf, er hatte sich wieder gefangen. »Sie sind hier, damit Sie keine Verschwörerbande aufziehen können, keine Geheimorganisationen, wie Sie es hier im Lager machen!« Kluttig bohrte seinen Blick in Krämers Augen. Hinter Kluttig stand der Jüngling, den Daumen hinter die Knopfleiste der Uniformjacke geschoben, und wiegte sich in den Knien.

Geheimorganisation? Krämer hielt dem bohrenden Blick stand. Wußten sie etwas? Sofort wurde ihm klar, daß Kluttig nur auf den Busch geklopft hatte. So also ist es, dachte Krämer, ihr seht in mir den Organisator! Da seid ihr schief gewickelt. Er hatte das Gefühl, als ob er mit seinem breiten Rücken schützend vor Bochow stand, ruhig entgegnete er: »Die Organisation, Herr Hauptsturmführer, haben Sie doch selbst ins Leben gerufen.« Maßlos verblüfft brachte Kluttig nur ein gedehntes »Wa-aas?« hervor, und Reineboth trat um einen Schritt näher. »Ach nee.«

Krämer erkannte den Vorteil seines kühnen Vorstoßes und festigte ihn. »Sie ist durchaus keine geheime. Das Lager befindet sich in Selbstverwaltung der Häftlinge, und wir führen alle Befehle der Lagerführung strikt durch.«

Kluttig sah Reineboth hilfesuchend an, der lächelte hämisch, und es schien, als ob er sich über ihn amüsiere, das brachte Kluttig auf, und er belferte auf Krämer ein. »Jawohl! Und Sie haben selbstverständlich alle Posten mit Ihren Leuten besetzt.«

»Der Befehl der Lagerführung lautete, anständige und gewissenhafte Häftlinge mit der Verwaltung zu betrauen.« – »Kommunisten, nicht wahr?« Krämer parierte unerschrocken: »Jeder einzelne Häftling wurde der Lagerführung gemeldet und vorgestellt und von ihr bestätigt.« Kluttig kam Krämer nicht bei, wütend stiefelte er durchs

Zimmer und keifte: »Halunken, Gesindel, Verbrecher sind sie alle!«

Krämer stand reglos und ließ Kluttigs Wut schweigend an sich abfallen. Der trat wieder an ihn heran und fuchtelte mit den Händen: »Wir wissen Bescheid! Glauben Sie nicht, daß wir dumm sind.« Reineboth trat zwischen Krämer und den geifernden Kluttig.

»Wegtreten«, näselte er.

Fauchend stürzte Kluttig auf die Tür zu, die sich hinter Krämer geschlossen hatte. »Der Hund, der verfluchte ...!« Reineboth, gegen den Tisch gelehnt, meinte mit mokantem Lächeln: »Ich sagte es dir, aus dem kriegst du keinen Furz heraus.«

Kluttig stiefelte mit schweren Schritten durchs Zimmer.

»Ich möchte nicht wissen, was für Kerle er sich für diesen ... diesen Sanitrupp aussucht ...« Er schlug mit der Faust durch die Luft. »In die Fresse hätte ich ihn am liebsten gehauen! Abgeschossen den Hund!«

Reineboth rekelte sich vom Tisch los.

»Du machst aber auch alles verkehrt, Herr Lagerführer, warum brüllst du ihn an? Der Kerl hat doch längst schon Lunte gerochen.«

Kluttig stieg noch immer wütend umher. »Das soll er, der Hund! Er soll wissen, daß wir ihm auf der Spur sind!«

»Falsch.«

Kluttig blieb mit einem Ruck stehen und glotzte den Jüngling an, seine Wut kehrte sich plötzlich gegen diesen.

»Willst du mir etwa beibringen, wie ich mit dem Gesindel umzugehen habe?«

Sein keifender Ton machte auf Reineboth keinen Eindruck, er zündete sich eine neue Zigarette an und stieß den Rauch gedankenvoll nach der Decke aus.

»Die Bolschewiken haben bestimmt ihre geheime Organisation, einverstanden. Krämer ist sicher eine ihrer wichtigsten Figuren, ebenfalls einverstanden.« Er schlenderte auf Kluttig zu.

»Mal herhören, Herr Hauptsturmführer. Unter vier Augen, Herr Lagerführer. Der Befehl unseres Herrn Diplomaten schmeckt uns allen beiden nicht, stimmt's? Wenn der die Mäuse 'rausläßt, dann müssen wir eben die Falle zumachen. Wir brauchen den Kopf! Mit einem einzigen Schlag müssen wir ihn abhacken!«

Er machte eine geruckte Kopfbewegung in Richtung zum Lager.

»Es sind doch schließlich nicht alles Bolschewiken. – Da muß man ihnen einen in den Pelz setzen. Einen Harmlosen, mit freundlichem Gesicht. Aber eine gute Nase muß er haben, schnuppern muß er können, kapiert?«

Er grinste Kluttig mit verschmitztem Komplicenlächeln an. Bei diesem schien der Gedanke zu zünden. »Woher willst du so schnell einen Kerl nehmen, der ...«

Reineboth erwiderte rasch und bestimmt:

»Überlaß das mir, ich kriege es hin.«

Kluttig gab sich Reineboth als dem Klügeren unterlegen; er lachte auf:

»Du bist wirklich ein aalglatter Hund.«

Diesmal nahm es Reineboth lächelnd als Anerkennung für sich in Anspruch.

In jenem Pferdestall des Kleinen Lagers, in welchem Jankowski untergebracht war, herrschte wüster Lärm. Zu einem Klumpen zusammengeballt, drängten sich die Insassen um den Stubendienst, der aus einem mächtigen Kessel Suppe ausgab. In allen Sprachen schrien, kreischten, schnatterten und gestikulierten sie durcheinander. Die »Eingesessenen« stießen die verhungerten Zugänge vom Kessel zurück. Einer verdrängte den andern, der Blockälteste schrie dazwischen. Immer wieder versuchte er, Ordnung in den gierigen Haufen zu bringen.

»Geht doch endlich zurück, ihr Rindviecher, ihr Arschlöcher! Stellt euch in der Reihe auf!«

Niemand verstand ihn, niemand beachtete ihn. Die Zurückgezerrten stürzten um so wilder auf den Kessel. Andere von den Zugängen umlauerten einen, der eine Schüssel hatte und den eben empfangenen Schlag eilig auslöffelte oder die Suppe, wenn er keinen Löffel besaß, einfach hinunterkippte. Sie lief ihm zum Munde heraus und bekleckerte die Jacke. Hände griffen nach der Schüssel, noch ehe der Besitzer den letzten Schluck getan, zerrten sie hin und her. Die Schüssel fiel zu Boden, schepperte. Alles stürzte sich auf sie, und der Glückliche, der sie erwischte, preßte sie fest an sich und arbeitete sich durch den Haufen zum Kessel durch, eine Traube zerlumpter Gestalten mit sich ziehend, die nur auf den letzten Schluck warteten, um die Schüssel an sich zu reißen.

Der einzig Unbeteiligte war der Stubendienst selbst. Gleichmütig schöpfte er aus, ohne aufzusehen. Wenn es ihm zu toll wurde, erzwang er sich mit Ellenbogen und Hinterteil Platz.

Pippig kam herein. Der geplagte Blockälteste, ein untersetzter Mann mit kugelrundem Kopf, warf in verzweifelter Resignation die Arme hoch, glücklich, in Pippig wenigstens einen vernünftigen Menschen zu sehen. Er krächzte: »Jeden Tag dasselbe, jeden Tag dasselbe! Wenn wir wenigstens genug Schüsseln hätten! Die Kerle sind nicht zur Vernunft zu bringen.«

Pippig entgegnete: »Sperr sie 'raus und laß nur soviel Mann an den Kessel, wie du Schüsseln hast.«

»Dann brüllen sie draußen wie die Löwen.«

Pippig wußte keinen Trost mehr, er spähte mit langem Hals in dem Gewirr umher.

»Hast du einen Jankowski unter den Zugängen?«

»Wird schon einer dasein.«

Der Blockälteste versuchte, den Lärm zu überschreien. »Jankowski!« Aber es war nur ein klägliches Gekrächz.

Pippig hielt selber Umschau nach dem Polen. Jankowski stand in einer Ecke, hatte die Hände unter dem Kinn verkrampft und schaute dem Schauspiel zu. Als er Pippig gewahrte, ging ein Erkennen über sein Gesicht; er lief auf den Deutschen zu.

»Du! Du! Wo ist Kind?«

Pippig hielt warnend den Finger an den Mund und winkte Jankowski, mit ihm zu kommen.

Krämer hatte mit Pröll zu tun, der die Liste für den Transport fertig machte.

Eintausend Insassen des Kleinen Lagers mußten fortgeschickt werden. Buchenwald brauchte Luft. Pröll hatte die Gesamtstärke des Transports auf die einzelnen Blocks im Kleinen Lager aufgeteilt, und die Blockältesten würden aufatmen. Brachte ihnen doch der Transport wieder ein wenig Platz in den überfüllten Pferdeställen.

Die Zusammenstellung der einzelnen Trupps blieb den Blockältesten überlassen, die mit ihren Stubendiensten und Blockschreibern gemeinsam unter den Insassen auswählten. Es waren bei jedem Transport immer die Hinfälligsten, die bestimmt wurden. Das erbarmungslose Gesetz der Notwehr hielt traurige Auslese.

Ein unangenehmes Schweigen war zwischen den beiden Lagerältesten. Pröll stand neben dem am Tisch sitzenden Krämer, der mit vorgeneigtem Kopf die Transportliste studierte, die Pröll ihm gegeben hatte. Von unten her sah er zu Pröll hoch und zog dabei die Stirn kraus. Die beiden sagten nichts, doch hinter jeder Stirn schienen die gleichen Gedanken zu sein. In Prölls Mundwinkeln hatte sich ein verlegenes Lächeln versteckt, das jetzt schüchtern hervorkroch und sich kräuselte.

»Das sind wieder tausend, die wir ins Ungewisse schicken müssen ...«

Krämer schob die Unterlippe hoch, drückte die Ellenbogen breit ausladend auf den Tisch und blickte auf seine übereinandergelegten Hände. »Manchmal denke ich«, sagte er leise, »manchmal denke ich, wir sind doch eine verdammt hartgesottene Gesellschaft geworden ...«

Obwohl Pröll verstanden hatte, fragte er dennoch: »Wir? Wen meinst du?«

»Uns!« antwortete Krämer schonungslos und stand auf, trat zum Fenster, steckte die Hände in die Hosentaschen und blickte hinaus auf den weiten Appellplatz. Dort oben lag das breitgestreckte, flache Torgebäude mit dem Turm. Zwölf riesige Scheinwerfer waren an seinem Dach montiert. Sie spien ihr unbarmherziges Licht über den Platz in die Finsternis, wenn abends oder morgens das Lager angetreten war, und zersäbelten mit ihren grellen Messern die müden Gesichter. Rund um den Turm der Laufgang, auf dem sich die Posten jetzt in der märzlichen Morgenkühle die Beine vertraten. Schnuppernd steckte das schwere Maschinengewehr seine Schnauze über das Geländer des Ganges ins Lager hinein.

Häftlinge, einzeln, zu zweien oder in Rudeln, gingen auf dem Appellplatz hin und her, zum Tor hinaus oder kamen ins Lager herein.

In strammer Haltung, die Mütze in der Hand, meldeten sie sich am Schalterfenster. Der Blockführer, der den Tordienst versah, fertigte sie ab. Der hatte wieder Stinkwut, brüllte herum, trat den Häftlingen ins Kreuz, wuchtete die Faust in manches Genick.

Krämer sah es ohne Anteilnahme. Er dachte an den Auftrag, der ihn so unzufrieden gemacht hatte. Was war um das Kind? Gefahr? Um das Kind? Ausgeschlossen! Es gab bestimmt einen Zusammenhang zwischen ihm und Höfel. Wenn man ihn nur wüßte, dann könnte man das Kind vielleicht ... Diese verdammte Heimlichtuerei des Bochow ... Blind und unwissend ließ er ihn.

»Frag nicht, tu, was ich dir sage.«

Krämer hatte den Arm gegen das Fensterkreuz gestützt, jetzt schlug er mit der Faust gegen das Holz.

»Was ist mit dir los?« hörte er Prölls Stimme hinter sich.

Er schreckte auf und drehte sich um.

»Nichts«, sagte er knapp.

Pröll wollte ihn trösten.

»Es wird der letzte Transport sein. Vielleicht fängt ihn der Amerikaner schon ab ...« Krämer nickte stumm, gab Pröll die Liste zurück.

»Was ich noch sagen wollte, kümmere dich darum, daß die Zugänge von gestern, die Polen, verstehst du, mit in den Transport hineinkommen ...«

Im Schreibbüro der Effektenkammer hockten die Häftlinge des Kommandos um Jankowski herum. Pippig hatte ihm ein Stück Brot in die Tasche gesteckt. Jankowski brach heimlich Stück um Stück ab und schob die Bissen verstohlen in den Mund; er schämte sich seines Hungers.

»Kau nur zu, alter Junge«, munterte ihn Pippig auf, »heute gibt's bei uns Klöße mit Meerrettichtunke.« Damit schob er Jankowski noch eine Tasse Kaffee unter die Nase. Kropinski mußte dolmetschen. Die beiden Polen sprachen miteinander, und Kropinski übersetzte.

»Er sagen, daß er nicht Vater ist von Kind. Vater seien tot und Mutter auch in Auschwitz und vergast. Er sagen, ist Kind gewesen drei Monate alt, wo ist gekommen mit Vater und Mutter aus Ghetto von Warschawa ins Lager Auschwitz. Er sagen, haben SS gemacht alle Kinder tot und ist gewesen kleines Kind immer versteckt.«

Jankowski unterbrach die Übersetzung und redete eifrig auf Kropinski ein. Dieser dolmetschte weiter:

»Er sagen, kleines Kind nicht wissen, was ist Menschen. Es nur wissen, was ist SS und was ist Häftlinge. Er sagen, aber kleines Kind wissen sehr gut, wenn kommen SS, und sich verstecken und immer sein ganz still.«

Kropinski schwieg. Auch die anderen schwiegen und senkten die Köpfe. Höfel legte stumm seine Hand auf die des Polen, und dieser lächelte zart, man hatte ihn richtig verstanden.

»Marian«, forderte Höfel Kropinski auf, »frage ihn, wie der Junge heißt.«

Der ließ sich die Frage beantworten und übersetzte:

»Kleines Kind heißen Stephan Cyliak, und Vater von kleines Kind ist gewesen Rechtsanwalt in Warschawa.«

Höfels Blick ruhte in tiefem Mitgefühl auf dem kleinen schwächlichen Mann, der sicher schon hoch in die Fünfzig war.

Voller Vertrauen sah sich Jankowski im Kreise der Häftlinge um, die so freundlich zu ihm waren, und aus seinem bescheidenen Lächeln sprach die Zuversicht, daß das Kind nach allen Gefahren nun endlich geborgen sei. Höfel wurde das Herz schwer. Der Pole ahnte nicht, weshalb er ihn hatte holen lassen; sicher freute er sich, gute Kameraden gefunden zu haben. Höfel dachte daran, daß die »guten Kameraden« dem Polen sagen würden: Nimm dein Kind wieder mit, wir können es hier nicht gebrauchen. Und der kleine stille Mann wird ohne Murren seine Last auf sich nehmen und sie weiterschleppen, weiterschleppen, ängstlich bemüht, den kleinen Lebensfunken zu schützen, damit er nicht zertreten werde von einem SS-Stiefel. Jankowski mochte es wohl fühlen, daß er von dem Deutschen auf besondere Art betrachtet wurde, er lächelte Höfel an. Der aber versank immer tiefer in seine Gedanken. Da schleppt ein hilfloser Mensch ein Stückchen Leben mit sich herum, das er dem Auschwitzer Tod aus den Fingern gelistet hat, nur, um es neuen, unbekannten Gefahren entgegenzutragen. Welche Sinnlosigkeit! Irgendwo wird ihm der Tod feixend den Koffer aus der Hand nehmen: Schau, schau, was hast du mir Schönes mitgebracht ... Dagegen rebellierte in Höfel alles. Wenn diesem Widersinn ein Ende gemacht werden sollte, dann mußte es jetzt und hier geschehen. *Nur hier und nirgendwo sonst auf der Welt bestand die Wahrscheinlichkeit, das Kind zu retten.* Höfel blickte sich um. Es war Schweigen eingetreten. Keiner der Häftlinge wußte etwas zu sagen. Höfels Blick blieb an Pippig hängen.

Sie sahen sich stumm in die Augen. Die schwere Last der Entscheidung zwischen zwei Pflichten drückte auf Höfels Herz, und schmerzhaft erkannte er, wie allein er in diesem Augenblick war. Pippigs stummer Blick zog ihn an, und Höfel war versucht, Pippig in stillem Einverständnis zuzunicken. Aber er brachte es nur zu einem tiefen, schweren Atemzug und stand auf.

»Bleibt hier«, sagte er zu den Häftlingen, »paßt auf, falls Zweiling unverhofft kommen sollte.«

Mit Jankowski, Kropinski und Pippig ging er nach hinten in den Winkel. Als das Kind Jankowski sah, kam es ihm entgegen und ließ sich wie ein zutrauliches Hündchen auf den Arm heben.

Jankowski drückte das Kind schweigend an sich und weinte ohne Laut und Tränen. Eine bedrückende Stille war zwischen den Männern, die Pippig nicht lange ertragen konnte.

»Nu macht bloß keine Trauerfeier«, sagte er derb, obwohl ihm das Schlucken schwerfiel. Jankowski fragte Höfel etwas, ohne daran zu denken, daß der Deutsche ihn nicht verstehen konnte. Kropinski schaltete sich ein:

»Er fragen, ob bleiben kann kleines Kind hier?«

Jetzt hätte Höfel dem Polen sagen müssen, daß er morgen auf Transport gehen würde und das Kind . . ., aber er brachte kein Wort heraus und war erleichtert, als Pippig ihm die Antwort abnahm. Der klopfte Jankowski beruhigend auf den Rücken, das Kind bliebe hier, selbstverständlich, dabei blickte er Höfel herausfordernd an. Doch dieser schwieg und hatte nicht die Kraft, Pippig zu widersprechen. Angst überfiel ihn mit einem Male. Mit seinem Schweigen hatte er den ersten Schritt getan, Bochows Anweisung zu hintergehen. Zwar beschwichtigte er sich selbst und redete sich ein, daß es morgen noch immer Zeit wäre, das Kind an den Polen zurückzugeben, doch fühlte er auch, wie ihm der feste Halt seiner Verpflichtung immer mehr entglitt.

Nur als Pippig, der Höfels Schweigen nach seinen

Wünschen deutete, Jankowski zulachte: »Mach dir man keinen Kummer, alter Junge, wir verstehen was von Kinderpflege«, fuhr Höfel ihn barsch an: »Rede nicht so 'nen Unsinn.«

Doch der Protest war viel zu schwach, als daß er Pippig hätte überzeugen können. Der lachte nur.

Jankowski setzte das Kind zu Boden und schüttelte Höfel dankbar die Hände, glücklich auf ihn einsprudelnd. Und Höfel mußte es geschehen lassen.

Durch einen Häftling der Schreibstube hatte Krämer Bochow zu sich holen lassen, nachdem Pröll ins Kleine Lager gegangen war.

»Bist du mit Höfel klargekommen?« war Bochows erste Frage.

»Das mache ich noch«, entgegnete Krämer unwirsch. »Hör lieber zu, es tut sich was.«

Er teilte Bochow in knappen Worten mit, was sich mit Kluttig und Reineboth ereignet hatte, und gab ihm den Befehl des Kommandanten bekannt.

»Sie wittern etwas, das ist klar, aber sie wissen nichts Bestimmtes. Solange sie mich als den maßgeblichen Mann im Verdacht haben, seid ihr sicher«, schloß Krämer seinen Bericht. Bochow hatte aufmerksam zugehört.

»Also, sie suchen nach uns«, sprach er seine Gedanken aus, »na schön. Solange wir keine Fehler machen, werden sie uns nicht finden. Aber daß du der Prellbock bist, will mir gar nicht gefallen.«

»Hab keine Bange, mit meinem breiten Buckel decke ich euch noch alle ab.«

Bochow sah Krämer prüfend an, er hatte die leise Ironie aus dessen Worten herausgehört. Ein wenig irritiert sagte er darum:

»Jaja, Walter, ich weiß. Ich habe Vertrauen zu dir, das heißt: *Wir* haben Vertrauen zu dir. Genügt das?«

Krämer wandte sich von Bochow schroff ab und setzte sich an seinen Tisch. »Nein!«

Bochow horchte auf.
»Was soll das?«
Krämer hielt nicht mehr zurück. »Warum soll ich ein kleines Kind auf Transport geben? Bei uns ist es am sichersten! Begreifst du denn nicht? Was ist mit dem Kind?«
Bochow schlug die Faust in die Hand: »Mach es mir nicht so schwer, Walter! Mit dem Kind ist gar nichts!«
»Um so schlimmer!« Krämer stand auf und ging hin und her. Sichtlich kämpfte er die Erregung nieder, blieb stehen und sah finster vor sich hin.
»Bei aller Disziplin, das geht mir gegen den Strich«, sagte er dumpf, »kann man es nicht anders machen?«
Bochow antwortete nicht, er hob, keinen Ausweg wissend, die Hände. Krämer trat an ihn heran.
»Es geht um Höfel, nicht wahr?«
Bochow wich ihm aus.
»Du belastest dich nur mit solchen Fragen.«
»Vertrauen habt ihr zu mir?« höhnte Krämer, »ich scheiß' drauf.«
»Walter!«
»Ach was! Unsinn! Blödsinn! Deine verdammte Heimlichtuerei! Illegalitätsfimmel!«
»Walter! Zum Donnerwetter! Deiner eigenen Sicherheit wegen sollst du nie mehr von den Dingen wissen, als für dich notwendig ist, verstehst du es nicht? Es geht um deinen Schutz!«
»Um den Schutz eines Kindes geht es!«
Krämer verlegte sich aufs Bitten:
»Geht es nicht anders mit dem Kind? Ich verstecke es! Na? Hm? Verlaß dich darauf, bei mir ist es sicher.«
Für einen Augenblick schien es, als wolle Bochow nachgeben, doch dann wehrte er um so heftiger ab:
»Ausgeschlossen! Ganz ausgeschlossen! Das Kind muß aus dem Lager, sofort! Es mag hart sein, was ich von dir verlange, zugegeben. Aber die Bedingungen sind hart. Natürlich geht es um Höfel, warum soll ich es dir ver-

schweigen, wenn du es doch weißt. Ich will dir noch mehr sagen. Du sollst wissen, daß ich nicht am Illegalitätsfimmel leide. Höfel sitzt an einem empfindlichen Punkt. Hör zu, Walter! An einem sehr empfindlichen. Wenn hier die Kette reißt, dann können alle Glieder fallen.« Bochow schwieg einen Augenblick. Seine Worte hatten Krämer stumm gemacht, er sah finster vor sich hin. Um Krämer das Unmögliche seines Wunsches deutlich zu machen, nahm Bochow dessen Gedanken auf.

»Du nimmst Höfel das Kind weg und versteckst es irgendwo. Gut. Kannst du damit auch die Tatsache verstecken, daß das Kind von Höfel kommt? Ein Zufall kommt dazwischen, und das Kind wird gefunden ...«

Krämer hob die Hände.

Bochow ließ sich nicht unterbrechen.

»Ein Zufall nur, Walter, wir haben doch Erfahrung, Mann. Eine Kleinigkeit genügt, um die sicherste Sache – siehst du, eine solche Kleinigkeit ist das Kind. Du kannst es doch nicht vergraben wie eine tote Katze. Irgendeiner wird um das Kind sein müssen. Der Irgendeine kommt in den Bunker ... und verrät dich.«

Jetzt ließ sich Krämer nicht mehr zurückhalten, er lachte breit und satt.

»Die schlagen mich eher tot, als daß ich ...«

»Ich glaube dir, Walter«, entgegnete Bochow mit Wärme. »Ich glaube dir unbedingt. Und was ist dann, wenn du tot bist?«

»Na, was ist dann«, triumphierte Krämer.

»Dann ist noch immer das Kind.«

Und wieder triumphierte Krämer: »na also!«

Bochow lächelte schmerzlich:

»Siebentausend sowjetische Offiziere haben bei uns den Genickschuß erhalten, und keiner von ihnen ahnte, daß der SS-Mann im Arztkittel, der ihn an die Meßlatte stellte, sein Mörder war ...«

»Was hat das mit dem Kind zu tun?« polterte Krämer unwillig.

Mit starker Eindringlichkeit fuhr Bochow fort:
»Von dir erfahren sie nichts mehr, du bist tot. Aber du kennst doch ihre Methoden. Wer sagt, ob sie das Kind nicht nach Weimar schleppen. Dort wird es irgendeiner instruierten Nazitante auf den Schoß gesetzt: Du kommst aus dem Lager Buchenwald, du armes Wurm. Wie heißt denn der gute Onkel, der dich vor der bösen SS versteckt hat?«
Krämer horchte auf. »Und die gute Tante fragt so lange auf das Kind ein, auf deutsch, auf russisch, auf polnisch, je nachdem, was das Kind versteht, bis es ... Und dann, Walter, ist niemand mehr da, der Höfel mit seinem breiten Buckel abdeckt ...« Bochow hatte genug gesagt. Er schob die Hände in die Taschen, und die beiden Männer schwiegen, bis endlich Krämer nach schwerem Entschluß sagte: »Ich ... gehe zu Höfel ...«
Er hatte sich durchgerungen. Bochow schenkte dem Freund ein warmes Lächeln.
»Es ist ja nicht gesagt, daß das Kind auf dem Transport ... Ich meine, hat es der Pole bis hierher gebracht, dann wird er es auch noch weiter bringen. So sehr wir den Zufall sonst fürchten, so sehr wollen wir ihn jetzt erhoffen. Mehr können wir nicht tun.«
Krämer nickte stumm. Für Bochow bedeutete es den Abschluß dieser Sache.
»Der Sanitrupp«, sagte er, zu dem anderen Problem übergehend, »hier müssen wir sehr schnell schalten.« Sein erster Gedanke war gewesen, den Trupp als Nachrichtentruppe einzubauen. Die Gelegenheit war zu verlockend. Doch dann waren ihm Zweifel gekommen. Kluttig suchte. Bochow rieb sich den borstigen Schädel.
»Wüßte man nur, was sie wollen.«
»Die Sache wird schon in Ordnung gehen«, meinte Krämer, »der Befehl kommt vom Kommandanten.«
Bochow wedelte mißtrauisch mit der Hand.
»Was Schwahl befiehlt und Kluttig daraus macht, ist nie dasselbe.«

»Darum sage ich«, fiel Krämer rasch ein, »überlaß mir den Sanitrupp. Überlaßt ihn mir ganz.«

Bochow sah Krämer groß an.

»Was willst du denn damit?«

Krämer lächelte verschmitzt.

»Dasselbe wie du.«

»Wie ich?« heuchelte Bochow.

»Mensch, nun spiele nicht wieder den Illegalen«, schimpfte Krämer, »davon habe ich genug. Mit dem Sanitrupp geht dir doch was im Kopf herum, na?« Krämer tippte sich an die Schläfe. »Vielleicht ist hier drinnen dasselbe.« Bochow fühlte sich ertappt, er strich sich mit beiden Händen über die Wangen. Krämer nagelte ihn fest:

»Siehst du?! – Was wir zwei uns denken, das denken sich die Kumpel, die ich mir heute noch suchen werde, auch. Glaubst du, daß sie erst auf mein Augenzwinkern warten? Die machen sowieso die Pupillen auf, wenn sie im Gelände spazierengehen. Mit und ohne illegale Leitung ...« Um Bochow zu beruhigen, setzte er schnell hinzu: »Von der sie keine Ahnung haben werden, verlaß dich drauf. Was sie da draußen ausbaldowern, das erfahre ich sowieso. Willst du erst wieder einen umständlichen Meldeapparat bauen, wenn ich bei mir über die direkte Leitung funken kann?«

Bochow stimmte nicht sofort zu, und Krämer ließ ihm Zeit, nachzudenken. Der Vorschlag war vernünftig. Doch ohne Zustimmung des ILK durfte Bochow nicht darauf eingehen, wurde doch damit die bisher passive Rolle des Lagerältesten in eine aktive verwandelt. Krämer merkte Bochows Nachdenklichkeit.

»Überlegt es euch«, sagte er, »aber es muß schnell gehen.«

Bochow dachte bereits darüber nach, wie sich eine sofortige Aussprache mit dem ILK herbeiführen ließ. Bogorski war leicht zu erreichen, auch Peter van Dalen, der Holländer. Wie aber kam man an Pribula und Kodiczek heran? Sie befanden sich zwar im Lager und arbeiteten in einer der Optikerbaracken, die auf dem Appellplatz aufgestellt waren und in denen Zielgeräte hergestellt wurden. Zu diesen Baracken war der Zutritt streng verboten. Auch Riomand, der Franzose, war nicht zu verständigen. Er steckte im Küchenkommando des Offizierskasinos außerhalb des Lagers. Die so schwer Erreichbaren konnten nur durch eine Leitungskontrolle benachrichtigt werden.

Bochow entschied sich nicht gern zu dieser besonderen Form der Benachrichtigung, die nur dringenden Fällen vorbehalten blieb. Eile und Wichtigkeit jedoch geboten es für diesmal. Bochow sah Krämer fragend an:

»Kannst du eine Leitungskontrolle machen lassen?«

»Kann ich«, nickte Krämer, der sofort wußte, worum es ging. Einen solchen Auftrag hatte er schon einmal durchgeführt.

»Also merke dir die Zahlen: Drei, Vier, Fünf, am Schluß die Acht.«

Krämer nickte. »Das ILK«, sagte er verschmitzt.

In der Werkstatt der Lagerelektriker stand ein Häftling am Schraubstock und feilte besinnlich an einem Metallstück herum.

Krämer trat ein.

»Schüpp da?« fragte er. Der Häftling wies mit der Feile über die Schulter nach einem Holzverschlag im Hintergrund der Werkstatt und sagte, als er Krämers unwilliges Gesicht bemerkte: »Ist niemand drin.«

Schüpp saß am Tisch und bastelte an einem Weckerwerk herum. Er sah zu dem eintretenden Krämer hoch.

»Wir brauchen eine Leitungskontrolle, Heinrich«, sagte Krämer.

Schüpp verstand.

»Machen wir, und zwar sofort.«

Krämer trat einen Schritt näher. »Folgende Zahlen: Drei, Vier, Fünf, am Schluß die Acht.«

Schüpp stand auf. Nach der Bedeutung der Zahlen

fragte er nicht. Sie waren für ihn eine wichtige Mitteilung von irgendwem an irgendwen. Er schob den Kram auf dem Tisch zusammen und griff nach seinem Werkzeugkasten.

»Ich gehe gleich los, Walter.«

»Das muß aber klappen, hörst du?«

Schüpp machte sein erstauntes Gesicht.

»Bei mir klappt es doch immer.«

Von Schüpp ging Krämer zu Höfel. Zweiling war da. Er kam sofort aus seinem Zimmer, als er den Lagerältesten mit Höfel an der langen Quertafel stehen sah.

»Was ist los?«

»Höfel soll Effekten fertigmachen«, entgegnete Krämer geistesgegenwärtig, »morgen geht ein Transport.«

»Wohin denn?« Zweiling schob neugierig die Zunge auf die Unterlippe.

»Ich weiß es nicht.«

Zweiling bleckte die Zähne:

»Reden Sie bloß nicht. Ihr wißt doch mehr als wir.«

»Wieso?« stellte Krämer sich dumm.

»Ich möchte nicht hinter eure Schliche kommen.« Er stakte in sein Zimmer zurück.

Krämer sah ihm nach, brummte:

»Der hört wohl die Nachtigallen trapsen ...«

Zwischen den Zähnen flüsterte er: »Ich komme von Bochow. Muß mit dir reden. Gehen wir vor die Tür.«

Pippig, mit einem Packen Kleidungsstücke auf dem Arm, kam aus dem Kleiderraum zur Tafel, er hatte Krämers letzte Worte aufgefangen und blickte den beiden mißtrauisch nach, die die Kammer verließen. Sie standen draußen auf dem Podest der Steintreppe, die links und rechts an der Wand des Gebäudes zum ersten Stock hinaufführte. Krämer lehnte sich gegen das Eisengeländer des Podestes.

»Kurz und klar, André, ich weiß über alles Bescheid. Morgen geht der Transport. Der Jankowski nimmt sein Kind wieder mit? Verstanden?«

Höfel benahm sich wie ein Verurteilter, er ließ den Kopf hängen.

»Geht es nicht anders mit dem Kind?« fragte er leise.

Es waren dieselben Worte der gleichen Frage, wie sie Krämer an Bochow gerichtet hatte. So mußte es also auf der ganzen Welt keine anderen Worte in dieser Ausweglosigkeit geben. Und mit den gleichen Worten Bochows antwortete nun auch Krämer:

»Ausgeschlossen. Ganz ausgeschlossen!«

Erst nach einer langen Zeit fragte Höfel:

»Wohin geht der Transport?«

Gepeinigt klopfte Krämer mit den Handballen auf das Rohr des Geländers, antwortete nicht. Höfel sah ihn an.

»Walter ...«

Krämer wurde ungeduldig.

»Wir können hier nicht so lange herumstehen. Du weißt besser als ich, was mit dir los ist. Mach keine Zikken. Ich habe mit dem Transport genug zu tun morgen, kann mich nicht drum kümmern, ob es mit dem Kind in Ordnung geht. Also ...«

Er ließ Höfel stehen und stieg die Treppe hinab. Höfel drehte sich wie geschoben um und ging in die Kammer zurück.

»Was wollte der von dir?« forschte Pippig. Höfel gab keine Antwort. Sein Gesicht war finster. Er ging an Pippig vorbei in das Schreibbüro hinein.

Der naßkalte Wind fauchte zwischen den Baracken, und Krämer kroch mit den Händen tiefer in die Taschen seines Mantels. Er überquerte einen Weg, der nach links hinauf den Blick auf das Krematorium freigab, auf das unheimliche Gebäude mit seinem stumm ragenden Schornstein. Eine Planke aus braunen, mit Karbolineum getränkten Brettern umgab das Ganze und entzog es den Blicken Neugieriger. Was hinter diesen Brettern geschah ... Kein Häftling hatte es je gesehen, denn der Zutritt war streng verboten. Krämer wußte es dennoch.

In seiner Eigenschaft als Lagerältester war er schon

einige Male hinter dieser Planke gewesen, wenn neue Transporte einige hundert Tote mitgebracht hatten. Auf dem Hof lagen sie dann zu Bergen. Polen, die im Krematorium als Leichenträger beschäftigt waren, zogen eine Leiche nach der anderen vom Haufen und rissen ihr die Kleider vom Leib. Sie waren wertvoller Spinnstoff, der nicht mit verbrannt werden durfte. Das Entkleiden der Leichen war keine leichte Sache. Die im Todeskampf verkrampften und in der Leichenstarre eisenfest gewordenen Glieder gaben die Kleidungsstücke nicht freiwillig her. Doch die Leichenträger hatten Routine. Jeweils zwei Mann ergriffen eine Leiche. Zuerst wurden die Knöpfe des Mantels und der Jacke geöffnet, dann wurde der Tote in Sitzstellung gebracht. Während der eine Leichenträger ihn hielt, zog ihm der andere Mantel und Jacke über den Kopf, ein grausiggrotesker Anblick. Mit hängendem Kopf und vorgestreckten Armen wirkte der Tote wie ein Betrunkener, den man auskleidet, um ihn zu Bett zu bringen. Die verkrampften Finger hielten sich wie Widerhaken an den Ärmeln fest. Ein kräftiger Ruck entriß das Kleidungsstück den widerspenstigen Totenhänden. Auf nacktem Körper trugen viele der Leichen seidene Damenunterwäsche auserlesener Eleganz. Vom zartesten Lachs bis zum Meergrün. Das Dekolleté enthüllte die knochendürre Brust mit den hervorspießenden Schlüsselbeinen. Hilflos entblößt lag die Leiche auf der schlammigen Erde mit erbarmungsvoll verkrampften Armen, der kahlgeschorene Kopf zur Seite gesunken. Mit ihrem aufgelassenen Mund, der wie ein schwarzes Loch klaffte, sah manche von ihnen aus, als lache sie sich tot über die Maskerade, die nach der Entkleidung zum Vorschein gekommen war. Sie hatte nichts genutzt, der Arme war dennoch erfroren.

Mit einer Zange kniffen die Leichenträger die Verschnürung der Schuhe auf, die gewöhnlich aus verknotetem Bindfaden oder Draht bestand, und rissen das Schuhwerk von den nackten Füßen. Mancher Leiche mußten sie noch einige Paar hauchdünner Damenstrümpfe von den Beinen ziehen. Zwischen den Entkleideten, die wirr herumlagen, stieg ein anderer Leichenträger umher, in der Hand die Extraktionszange. Er untersuchte die Mundhöhlen nach Goldzähnen. Prothesen riß er mit der Zange aus dem Mund. Waren sie wertlos, steckte er sie in das schwarze Loch zurück und klopfte sie mit der Zange hinein. Jetzt erst konnten zwei weitere Leichenträger den ausgeplünderten Toten an den Armen oder an den Beinen packen, je nachdem, wie er lag, und ihn zu den Haufen der Nackten schleifen. Geübt schwenkten sie den Toten, klatschend flog er auf den Haufen nackten Fleisches ...

Krämer war stehengeblieben.

Im ganzen Lager stank es wieder einmal nach verbranntem Fleisch. Sein durchdringender Geruch fraß sich in die Schleimhäute ein. Der hohe Schornstein spie rotglühende Lohe zum Himmel. Braunschwarzer Qualm hing in Fetzen über dem Lager.

Krämer dachte an jene Nacht im August 1944. Es war einige Tage vor dem amerikanischen Bombenangriff aufs Lager gewesen. Da hatte er vom Fenster seiner Baracke, in der er schlief, auch die rote Glut über dem Schornstein gesehen und gedacht: Wen verbrennen sie mitten in der Nacht? – Am anderen Tag war ein heimliches Geflüster durchs Lager gegangen. Thälmann ist im Krematorium erschossen und verbrannt worden. Gerücht oder Wahrheit? – Keiner wußte es genau zu sagen. Doch! Einer! –

Am 18. August 1944 erhielt die Belegschaft des Krematoriums durch den Rapportführer den Befehl, einen Ofen für die Nacht unter Feuer zu halten. In dieser Nacht wurde das Kommando in die Schlafräume eingeschlossen, die sich im Krematorium befanden. Die SS wollte ohne Zeugen sein. Ein polnischer Leichenträger hatte sich dem Einschluß entzogen und sich hinter dem hohen Kohlenberg auf dem Hof des Krematoriums versteckt. Er beobachtete, wie die Brettertür der Umzäunung geöffnet wurde. Ein Rudel SS-Scharführer betrat den Hof. Sie brachten einen Zivilisten mit. Er war groß, breitschultrig, ging ohne Mantel und trug einen dunklen Anzug. Er war barhaupt und hatte eine Glatze.

Der Fremde wurde zum Eingang dirigiert, der zum Verbrennungsraum führte, und hier fielen Schüsse. Das Rudel verschwand mit dem Erschossenen im Verbrennungsraum. Nach Stunden – so lange dauerte es, bis eine Leiche verbrannt war – verließ das Rudel das Krematorium. Im Abgehen sagte einer der Scharführer zu seinem Begleiter:

»Weißt du auch, wen wir in den Ofen geschoben haben? Das war der Kommunistenführer Thälmann.«

Einige Tage später kam Schüpp aufgeregt zu Krämer gelaufen. Schüpp hatte im Meldebuch des Rapportführers die Eintragung von der Erschießung Ernst Thälmanns gelesen.

Krämer starrte auf den Schornstein. Die hohe Glut, die damals zum schwarzen Himmel gesprüht und die sein Auge gebannt hatte, weil er nicht schlafen konnte, brannte auch jetzt wieder in seinem Herzen. Er wußte, warum das Tuch seiner Fahne rot war.

Als er die Holztreppe zur Schreibstube hinaufgehen wollte, hörte er Schüpps Stimme durch den Lautsprecher über das ganze Lager schallen:

»Achtung, Leitungsprobe ...«

Krämer verhielt, lächelte versteckt vor sich hin.

Schüpp war sogleich, nachdem Krämer mit ihm gesprochen hatte, mit seiner an Riemen über die Schulter gehängten Werkzeugkiste nach dem Tor zur Stube des Rapportführers gegangen.

Sein Ausweis verschaffte ihm Zutritt. Überall gab es zu reparieren, und Schüpp hatte es großartig verstanden, sich unentbehrlich zu machen. Er kannte die Wirkung seines treuherzigen Wesens, seiner naiven Schlagfertigkeit und nutzte die Vorteile. Als ihn Reineboth, vor dem er jetzt in strammer Haltung stand, anfauchte, was er wolle, entgegnete er unschuldig: »Ich muß wieder mal 'ne

Leitungsprobe machen, Herr Rapportführer, im Lager sind ein paar Lautsprecher nicht in Ordnung.« Reineboth, der an seinem Schreibtisch beschäftigt war, meinte nachlässig: »Da haben Sie wohl wieder daran herumgemurkst, was?« Mit einem Kinderstaunen im Gesicht entgegnete Schüpp: »Ich habe gar nicht dran 'rumgemurkst. Aber der Draht ist jetzt so spröd, und die Zuleitungen brechen immer wieder durch, es ist eben Kriegsmaterial.« – »Quatschen Sie mich nicht voll, quatschen Sie Ihren Zimt ins Mikrophon, und hauen Sie gefälligst bald wieder ab.« Das war für Schüpp die Genehmigung, die Lautsprecheranlage zu bedienen. Er ging zur Anlage und schaltete ein. Der Strom summte. Schüpp blies probeweise ins Mikrophon und räusperte sich. »Achtung, Leitungsprobe. Achtung, Leitungsprobe. – Ich zähle ... drei, drei, vier, vier, fünf, fünf ... acht. – Ich wiederhole: drei, drei, vier, vier, fünf, fünf ... acht.«

Die Durchsage wurde in allen Blocks und Werkstätten gehört, und in der Optikerbaracke sahen Kodiczek und Pribula einen Augenblick von der Arbeit hoch. Auch Henry Riomand, der französische Koch im Kasino, horchte gespannt auf die Ansage. Drei, vier, fünf, das waren Schlüsselzahlen und die Decknummern für die einzelnen Genossen des ILK. Die Durchsage gab ihnen bekannt, daß sie sich heute abend um acht Uhr am bekannten Ort einzufinden hatten. Riomand rührte am Herd im Topf. Pribula und Kodiczek sahen sich bedeutungsvoll an, da mußte etwas Besonderes los sein.

»Leitungsprobe beendet. Leitungsprobe beendet.« Schüpp schaltete ab. Reineboth, der nur mit halbem Ohr zugehört hatte, meinte mokant: »Bis drei scheinen Sie Gott sei Dank noch zählen zu können.« – »Jawoll, Herr Rapportführer, bis dahin reicht's bei mir noch.« Und seine runden Augen strahlten den eleganten Jüngling an, der ihm gelangweilt zuwinkte, sich zu entfernen. Zufrieden ging Schüpp in seine Werkstatt.

Die Zusammenkunft des ILK ging unauffällig vor sich. Kurz vor der festgesetzten Zeit begab sich Bochow zu dem vereinbarten Treffpunkt. Es war kalt und dunkel. Nur wenige Häftlinge waren zwischen den Blocks zu sehen. In den Eingängen der gegen Fliegersicht abgedunkelten Blocks standen einige und rauchten, die glimmenden Zigaretten bedeckten sie mit der Hand. Nur der langgestreckte Weg, der vom Appellplatz zum Häftlingsrevier hinunterführte, war belebt. Hier gingen die Häftlinge zur Ambulanz, oder sie kamen von dort, eilig ihren Blocks zustrebend. Auf dem dunklen Reviergelände betrat Bochow eine Baracke, die als Lagerraum für Strohsäcke und Krankenutensilien diente. Im Lagerraum waren zwei Häftlingspfleger beim trüben Schein einer schwachen Glühbirne scheinbar damit beschäftigt, Strohsäcke zu stopfen. Sie unterbrachen ihre Tätigkeit, als Bochow eintrat, und schoben den großen Strohhaufen beiseite. Dem Auge nicht sichtbar, war auf dem rohgedielten Fußboden ein Brettergeviert gelockert, das Bochow anhob, um sich durch die schmale Öffnung nach unten zu zwängen. Oben ordneten die beiden das Stroh über dem Einstieg. Der Raum unter der Baracke war die etwa 1,20 m tiefe Fundamentgrube. An deren Längsseiten standen aus Ziegeln gemauerte kurze Säulen, auf denen die Baracke ruhte, und in Querrichtung ragten Reihen von Stützbalken, die den Fußboden hielten. Es sah aus wie in einem Bergwerksstollen. Die nackte Erde der Grube war von Kalksteinbrocken übersät, über die Bochow stolpernd nach hinten ging.

Die Genossen des ILK, die hier um eine Kerze hockten, unterbrachen ihr Gespräch und blickten Bochow entgegen. Der kauerte sich zu ihnen und hörte dem Streit zu, der gegen Joseph Pribula entbrannt war. Die Neuigkeit von der Räumung der Stadt Mainz zeigte offenbar, daß die Amerikaner ihren Brückenkopf bei Remagen ausbauten und weiter nach vorn stießen. Eine gute Nachricht! Pribula frohlockte und schlug die Faust in die hohle Hand: »Werden wir losschlagen bald!«

Aber Pribulas Zuversicht forderte den Widerspruch der anderen heraus. Kodiczek knurrte verdrießlich, und van Dalen klopfte Pribula auf die Schulter. »Du bist sehr tüchtig«, sagte er in seinem gedehnten Deutsch, »aber auch sehr ungeduldig.« Pribula, der Jüngste unter ihnen, war tatsächlich der Ungeduldigste von allen. Immer ging es ihm nicht schnell genug.

»Sehr ungeduldig«, wiederholte van Dalen und hob wie ein Lehrer warnend den Zeigefinger. Bogorski legte die Hand auf das Knie des jungen Polen, berichtete, was er von den Auschwitzern erfahren hatte.

»Losschlagen? Bald?« Bogorski schüttelte zweifelnd den Kopf und beugte sich weit nach vorn, die Kerze beleuchtete gespenstisch seine Züge und furchte scharfe Schatten in die Linien seiner Stirn. Von den 3000 Mann seien nur 800 bis Buchenwald gekommen, sagte er bedeutsam. Sein Schatten geisterte übergroß an der Decke, als er den Bericht mit einer schroffen Armbewegung abschloß: »Evakuierung, das ist immer Tod.« Sie hatten verstanden, warum Bogorski davon sprach. Riomand warf ein Stückchen Muschelkalk, das er spielend von einer Hand in die andere hatte gleiten lassen, von sich. Nur Pribula wollte Bogorski nicht verstehen. »Ich sagen, wir nicht warten, bis Faschisten uns treiben aus Lager. Ich sagen, wir durchbrechen durch Zaun und laufen zu Amerikaner.«

Bochow schnaufte unwillig, die anderen lärmten auf, und Bogorski schüttelte den Kopf. »Nicht gutt, gar nicht gutt. Die Amerikaner sind noch weit. Sehr weit. Wir müssen warten oder – bitte, wie heißt es?« Er drehte sich hilfesuchend nach den andern um.

»Verzögern«, half Bochow ihm aus.

»Carascho, verzögern.« Bogorski dankte lächelnd und entwickelte weiter seine Gedanken. »Wir müssen uns täglich über den Stand der Front unterrichten und die Lagerfaschisten beobachten. Sie werden es nicht auf einen Kampf mit den Amerikanern ankommen lassen, sie werden fliehen. Das ist unsere Stunde.«

Pribula ließ sich nach vorn auf die Hände fallen und stritt: »Fliehen? Und was wird sein, wenn sie schießen?«

Bogorski lächelte: »Nun gutt, dann schießen wir auch.«

Pribula richtete sich unwillig hoch: »Mit den paar Waffen, die wir haben.« Ehe Bogorski antworten konnte, nahm ihm Riomand das Wort ab. Mit einer verbindlichen Handbewegung überführte er den störrischen Polen: »Du sagen selbst, wir 'aben nur ein paar Waffen. Wie aber willst du machen einen Ausbruch mit ein paar Waffen? Das sein doch ...« Er schnippte mit den Fingern, weil ihm der deutsche Ausdruck fehlte. »Das sein doch Nonsens.« Jetzt redeten sie alle zugleich auf Pribula ein, und das Geflüster wirrte durcheinander. Sie versuchten ihm klarzumachen, daß eine verfrühte Aktion die Vernichtung des ganzen Lagers zur Folge haben könnte. Unüberzeugt ließ Pribula die eindringlichen Argumente über sich ergehen, und zwischen seinen Brauen stand eine unmutige Falte. Van Dalen klopfte ihm versöhnlich auf die Schulter, er müsse einsehen, daß man das Leben von 50000 Menschen nicht leichtsinnig aufs Spiel setzen könne.

Es war an Bochow, die Erregten zur Ruhe zu bringen. »Redet euch nicht die Köpfe heiß«, unterbrach er den Streit. »Gerade jetzt müssen wir sie kühl halten.«

Er richtete sich hoch und stützte, mit den Ellenbogen breit ausladend, die Hände auf die Knie. »Da ist noch eine andere Sache, hört zu, ich bin mir nicht sicher, was wir tun sollen.« Die Genossen horchten auf, als er ihnen über den Sanitrupp berichtete und seine Zweifel äußerte. Bogorski wiegte den Kopf. »Nun gut«, sagte er, »sie suchen uns, sie suchen uns schon lange und haben uns noch nicht gefunden. Wenn sie uns finden, dann mit Falle und auch ohne Falle, ihr verstehen? Ich sage, wir dürfen nicht Angst haben. Ich sage, wir müssen immer sehr vorsichtig sein, und es müssen die sechzehn Kumpel klug, sehr klug sein. Ihr verstehen?« In seinem schwerfälligen Deutsch setzte er den Genossen auseinander, daß es völlig gleichgültig sei, ob der Sanitrupp eine harmlose Sache oder eine Falle wäre. Entscheidend sei die Möglichkeit, im Lagerbereich Beobachtungen anzustellen. Der Trupp würde überall herumkommen, zu den Kasernen, zu den Truppengaragen, zum Divisionsnachschub ...

Bochow unterbrach ihn:

»Vielleicht wollen sie den Trupp gerade dorthin locken, und wenn sie einen der Kumpel einsperren oder gar auch alle sechzehn? Und im Bunker werden sie dann so lange bearbeitet, bis sie verraten, an wen sie ihre Beobachtungen weitergeben?«

»Sie brauchen nur einen von ihnen weichzumachen, um die Verbindung zum Apparat zu erfahren.«

Bogorski blieb unbelehrbar.

»Njet, njet, njet. Nix Apparat, gar nix Apparat.«

Er schlug vor, die Verbindung nur zwischen sich selbst und einem der Kumpel vom Sanitrupp herzustellen. Bochow blieb ebenfalls eigensinnig: »Und wenn du verzinkt wirst ...?«

Bogorski lächelte:

»Dann stirbt nicht der Apparat, sondern nur ich sterbe!«

Dagegen begehrten alle auf. Bogorski wurde böse. Gefahr sei immer da, sagte er, oder wäre es etwa ungefährlich, einen großen Apparat mit internationalen Widerstandsgruppen aufzuziehen und Waffen zu besitzen?

»Wir haben geschworen, zu schweigen und zu sterben, und ich wollte dem Schwur nur treu sein.«

In diesem Sinne sei er nicht geleistet worden, widersprach Bochow.

»Haben wir andere außer uns?« fragte Bogorski.

»Ja«, entgegnete Bochow und machte die Genossen mit Krämers Angebot bekannt, das ihm selbst, solange er darüber nachgedacht hatte, immer vertrauter geworden war. Auch die Genossen erkannten die Vorteile, zumal keine neuen Verbindungen hergestellt werden mußten und Bochow mit dem Lagerältesten ständig Kontakt hatte. Selbst Bogorski gab seinen Plan auf. Er hob beide Hände und lächelte liebenswürdig: »Nun, ich lassen mich, wie sagt man, überzeugen ...«

Die Besprechung hatte keine halbe Stunde gedauert, und die Genossen verließen einzeln und unauffällig den Tagungsort. Sie verteilten sich auf ihre Blocks.

Krämer war gerade im Begriff, nach dem Revier zu gehen, um den Sanitrupp zusammenzustellen, der aus Pflegern des Reviers gebildet werden mußte, als Bochow zu ihm kam. Es bedurfte nur weniger Worte zwischen ihnen. Bochow teilte Krämer mit, daß die Genossen mit seinem Vorschlag einverstanden seien. Er solle den Sanitrupp übernehmen. Sie berieten, welche von den Pflegern Krämer auswählen sollte. Es mußten alles zuverlässige und erprobte Genossen sein. Später begab sich Krämer zum Revier. Auf dem langen Korridor vor dem Ambulanzraum drängte sich der Elendshaufen kranker Häftlinge zusammen.

Krämer zwängte sich durch die Wartenden in den Ambulanzraum hinein. Hier herrschte Hochbetrieb. Schubweise wurden die Kranken hereingelassen, immer zehn Mann zugleich. Der saure Ichthyolgeruch und der von Körperwärme aufdringlich ausgedünstete Wundgestank machten die Luft im Raum zum Atmen kaum noch brauchbar. Häftlingspfleger in abgetragenen weißen Leinensachen fertigten die Kranken ab. Stumm und routiniert wurde gearbeitet. Sie zerrten die verschmutzten und zerflederten Papierbinden von den Gliedmaßen, reinigten die Wunden, die, von einem schwarzen Krustenring verhärteter Ichthyolsalbe umgeben, brandig klafften. Mit dem Holzspatel strichen sie einen Klecks frischen Ichthyols über der Wunde breit. Schnell und geübt wurde eine neue Kreppbinde umgewickelt, wie die Papiermanschette um den Blumentopf. Kaum ein Wort wurde dabei gesprochen.

Die knappe Zeitspanne zwischen Abendappell und dem Abpfeifen für die Nacht mußte genutzt werden. Mit einem sanften Druck ins Kreuz schob der Pfleger den Patienten von sich fort.

»Fertig, der nächste.«

Dieser nächste hatte die Hosen schon heruntergelassen und zeigte dem Pfleger in wortloser Bitte ein schwarzblaues Ekzem auf dürrem Schenkel. Er wurde ausgesondert und humpelte, die rutschenden Hosen festhaltend, in die Reihe derjenigen, die bereits am Operationstisch warteten.

Erich Köhn, der Erste Pfleger, Kommunist und einstmaliger Schauspieler, war der Operateur. Er hatte keine Zeit für einen Blick auf den Kranken, der auf dem Operationstisch, einer stabilen Holztafel mit einem Kopfkissen aus schwarzem Wachstuch, für ihn zurechtgelegt wurde. Köhn sah nur Geschwüre und Beulen, und noch während seine Operationsassistenten die Äthermaske auflegten, taxierte er die Geschwülste nach Längs- und Kreuzschnitt, und schon knirschte sein Skalpell in das kranke Fleisch hinein. Mit beiden Daumen drückte er den Unrat heraus und reinigte die Wunde. Der Pflegerassistent stand schon mit Ichthyol und Kreppbinde bereit, und schnell wurde verbunden.

Ein zweiter Assistent richtete den Operierten in Sitzstellung auf und machte ihn mit ein paar kräftigen Ohrfeigen, links und rechts um die Wangen, munter. (Nimm's nicht krumm, Kumpel, wir haben nicht Zeit, bis du dich selber besinnst.)

Noch völlig im Rausch, kroch der so jäh Ermunterte vom Tisch und torkelte ohne Orientierung für das, was um ihn herum geschah, zur Bank an der Wand. Hier konnte er sitzen bleiben und mit den anderen, die es ebenfalls hinter sich hatten, seinen Rausch verdösen. Keiner kümmerte sich um sie. Von Zeit zu Zeit sortierte einer der Pfleger die Schaukelbank aus.

»Na, Kumpel, bist du wieder beisammen? Geh nach Hause, komm, mach Platz.«

In innerer Abwehr sah Krämer zu. Willig und ergeben

legten sich die Kranken auf den Tisch. Süchtig saugten sie sich in die Betäubung hinein. Es kam darauf an, wer schneller war, der Schlaf oder das Messer ... neunzehn ... zwanzig ... einundzwan ... Manche stöhnten auf, das Messer war schneller gewesen.

Köhn hatte Krämer bei dessen Eintreten nur kurz zugenickt und sich nicht weiter um ihn gekümmert, obwohl er wußte, daß der Lagerälteste mit ihm sprechen wollte. Nach weiteren drei Operationen hatte es Köhn für diesmal geschafft. Er ging mit Krämer in den Aufenthaltsraum der Pfleger hinüber und wusch sich die Hände. Krämer, noch beeindruckt, meinte:

»Wie du das machst ...«

Die Hände abtrocknend, setzte sich Köhn auf die Bank neben Krämer und lächelte wissend:

»Tja, wie macht man das ...« Als Magenkranker vor Jahren ins Revier eingeliefert, war er von den Pflegern wieder hochgepäppelt worden und – geblieben. Er hatte sich in der Folgezeit zum halben Mediziner entwickelt und sich allmählich auch, von der Notwendigkeit dazu gezwungen, die Praxis des Operierens angeeignet. Jetzt schnitt er wie ein Arzt. »Tja, wie macht man das ...«

Es lag ein wenig Eitelkeit darin, wie er es sagte.

So wortkarg und konzentriert er im Operationsraum war, so gelöst und unbeschwert konnte er sein, wenn die schwere Arbeit hinter ihm lag. Der hagere Vierziger hatte seinen Freunden vom Revier manche gute Stunde aus dem unversiegbaren Quell seiner Theatererinnerungen geschenkt und im Krankensaal, aus der Fröhlichkeit seines starken Herzens heraus, manchen verglimmenden Funken Lebenskraft wieder angeblasen.

»Na, Junge, will's wieder werden?« munterte er den Kranken auf, wenn er ans Bett trat. »Siehst du, ich habe dir immer gesagt, alles ist halb so schlimm wic noch mal so schlimm.«

Jetzt aber saß er ernst neben Krämer.

»Ja, ja«, nickte er vor sich hin, nachdem ihm Krämer

den Grund seines Besuches erklärt hatte, »mit dem Blitzkrieg fängt so was an, und mit einem Häftlingssanitätstrupp hört es auf. Erst Siegesfanfaren, dann Luftschutzsirenen ...«

Er stand auf und hängte das Handtuch an den Nagel.

»Deutsches Volk, was für ein Rindvieh bist du, im ganzen gesehen! Erst verdunkelst du dir das Gehirn und dann die Fenster ...«

Er lachte bitter auf. Plötzlich fuhr er zu Krämer herum, der Blick seiner grauen Augen wurde scharf.

»Ohne Bewachung über die Postenkette? – Mensch, das ist doch ...«

»Deshalb will ich mit dir reden«, entgegnete Krämer.

Köhn setzte sich interessiert zu ihm, und sie sprachen lange miteinander, bis Krämer das Revier verlassen mußte, um zur Nacht abzupfeifen. Die sechzehn Pfleger für den Trupp hatten sie sich ausgewählt.

»Sag noch nichts darüber«, riet Krämer, »ich spreche selbst mit ihnen.«

Am anderen Vormittag brachte Pippig die Transportliste von der Schreibstube. Mit besorgtem Gesicht übergab er sie an Höfel. Der nahm sie schweigend entgegen. Seit sie das Kind aufgenommen hatten, war etwas Fremdes zwischen ihnen. Das bisherige Verhältnis war gestört.

Höfel, sonst gleichbleibend freundlich, war wortkarg geworden, besonders, wenn es um das Kind ging. Gegen jeden Überredungsversuch Pippigs, das kleine Wesen hierzubehalten, blieb er unzugänglich. Es war zwischen ihnen nicht üblich, nach Gründen zu forschen, wenn sie nicht einer Meinung waren. Einer beugte sich der besseren Einsicht des anderen. Des Kindes wegen konnte Pippig den Freund nicht verstehen, er sah hier alles recht unkompliziert.

Die Fronten rückten immer näher ans Lager heran. Lange konnte es ohnehin nicht mehr dauern. Entweder waren sie alle bald frei oder – tot. Zwischen den beiden Möglichkeiten lag keine dritte.

Was war einfacher, als das Kind bis zu diesem Zeitpunkt, wo die Zunge der Waage nach der einen oder der anderen Seite ausschlug, hierzubehalten? Es konnte mit ihnen gemeinsam in die Freiheit gehen oder mit ihnen zusammen sterben.

Aus diesem einfachen Schluß heraus wollte es Pippig nicht verstehen, warum Höfel so fest entschlossen war, das Kind wegzugeben. Hatte er Angst?

Höfel warf die Liste auf die lange Tafel.

»Mach die Effekten fertig. Wenn wir sie am Mittag ausgeben, dann holst du den Polen und gibst ihm den Koffer zurück«, sagte er karg. Pippig schob die Hände in die Hosentaschen und kniff die Augen zusammen.

»Den leeren Koffer natürlich?« – Die Frage war ein Angriff.

Höfel sah dem Kleinen scharf ins Gesicht.

»Nein!« erwiderte er kurz und wollte gehen. Pippig hielt ihn am Arm zurück.

»Das Kind bleibt hier!«

Höfel fuhr herum: »Das bestimmst du nicht!«

»Du auch nicht!« schlug Pippig zurück.

Sie sahen sich mit harten Augen an, in beiden schoß die gleiche Welle hoch.

»Hast du Angst?« fragte Pippig versöhnend.

Höfel wandte sich verächtlich ab.

»Rede keinen Quatsch!«

Pippig hielt ihn erneut am Arm zurück, bat:

»Laß das Kind hier, André. Du brauchst dich um nichts zu kümmern, ich übernehme alle Verantwortung.«

Höfel lachte trocken auf.

»Verantwortung? Und wenn es herauskommt, wen haben sie dann beim Arsch? Dich oder mich? – Mich, den Kapo! Nichts ist, das Kind geht mit dem Polen.« Er ließ Pippig stehen und ging in das Schreibbüro.

Pippig blickte ihm traurig nach. Jetzt war es ihm klar:

Höfel hatte Angst! In Pippig stieg eine Welle des Unmuts und der Verachtung auf. Gut, wenn der Angst hat und nichts riskieren will, dann werde ich dafür sorgen, daß das Kind in Sicherheit gebracht wird. Es mußte aus der Kammer verschwinden, und zwar sofort. War es erst anderswo versteckt, dann konnte Höfel ihm nichts mehr wollen. Pippig schnaufte sorgenvoll.

Wohin mit dem Kind? Er wußte es nicht sogleich, doch das änderte nichts an seinem Entschluß.

Mit Kropinski wollte er sich besprechen, irgend etwas würde sich finden.

Für Höfel war es nicht leicht, den braven Pippig so hart anzunehmen, und er wußte auch, was dieser über ihn dachte.

Ein Wort, und Pippig würde alles verstehen. Doch dieses Wort konnte nicht gesprochen werden.

Später kam Krämer. Er zog sich mit Höfel in eine Ecke der Kammer zurück.

»Am Nachmittag geht der Transport ab.«

Höfel nickte. »Ich habe schon die Liste.«

»Was ist?« forschte Krämer.

Höfel blickte von Krämer weg zum Fenster hinaus.

»Was soll sein?« entgegnete er und zuckte mit den Schultern.

»Das Kind geht selbstverständlich mit.«

Krämer hörte den Schmerz aus Höfels Entgegnung heraus und wollte ihm ein gutes Wort sagen.

»Ich bin doch kein Unmensch, André, aber du mußt doch begreifen ...«

»Begreife ich etwa nicht?« Fast feindselig fuhr Höfel auf Krämer ein. Der wollte es nicht zu einer Auseinandersetzung kommen lassen und mußte sich selbst zu einer Härte zwingen, die schmerzvoll war. Darum nickte er nur stumm, streckte Höfel die Hand hin und sagte versöhnend:

»Ich kümmere mich nicht weiter darum, damit du es weißt. Alles ist nun deine Sache.« Er ging.

Höfel blickte finster hinter ihm her. Alles war nun seine Sache. Müde ging er nach hinten in den Winkel. Das Kind saß auf seinem Lager und spielte mit »bunten Bildchen«, einer alten Skatkarte, die Kropinski ihm gebracht hatte.

Kropinski, der neben dem Kind hockte, blickte dankbar zu Höfel auf. Der schob die Mütze ins Genick und strich sich über die Stirn.

Dem Kind war er bereits vertraut geworden, es lächelte ihn an. Doch Höfel blieb seltsam ernst. Sein Blick glitt über das Kind hinweg, und er sagte zu Kropinski mit einem Klang in der Stimme, der ihm selbst fremd war:

»Du mußt das Kind zu dem Polen zurückbringen.«

Kropinski schien nicht recht zu verstehen, darum fügte Höfel barsch hinzu:

»Er geht auf Transport.«

Kropinski erhob sich langsam. »Transport?«

In Höfel war ein ärgerliches Drängen, er wollte die Sache schnell hinter sich haben. Plötzlich schnauzte er Kropinski an: »Ist das was Besonderes?«

Kropinski schüttelte mechanisch den Kopf. Transport war nichts Besonderes. Warum aber war Höfel so böse zu ihm?

»Wohin Transport?« fragte Kropinski.

Höfels Gesicht wurde noch finsterer, grob antwortete er: »Ich weiß es nicht! Tu, was ich dir sage.«

In plötzlich aufschießender Angst weiteten sich Kropinskis Augen. Ein Wort des Widerspruchs formte sich auf seinen Lippen, doch er blieb stumm und blickte nur mit einem leeren, fatalen Lächeln in Höfels finsteres Gesicht. Dieser fürchtete sich, seine Spannkraft zu verlieren, und herrschte Kropinski an: »Nimm das Kind, ehe Zweiling kommt und ... und ...«

Kropinski kauerte sich nieder, nahm die »bunten Bildchen« behutsam aus den kleinen Händen, legte die Spielkarten sorglich zusammen und hob das Kind auf den Arm.

Als er gehen wollte, strich Höfel dem Kind über das weiche Haar.

Kropinskis Gesicht erwärmte sich hoffnungsvoll, er nickte Höfel ermunternd zu, und in seiner Stimme lag viel Bittendes.

»Mußt dir richtig ansehen kleines, kleines Kind«, sagte er weich. »Hat so schöne Augen und so kleines Näschen und kleinen Ohren und kleinen Händchen ... Ist alles noch so klein ...«

Höfel wurde es heiß und eng um die Brust, er ließ die Hand sanft herabgleiten, als zöge er etwas Verdeckendes über das Gesicht des Kindes: »Jaja, ein kleines polnisches Judenkind ...«

Kropinski, lebendiger werdend, schüttelte den Kopf.

»Was heißt Kind aus Polen! Kind ist auf der ganzen Welt überall! Man muß liebhaben und beschützen ...«

Gepeinigt begann Höfel zu fluchen.

»Verdammt noch mal! Ich kann doch nicht anders! Krämer hat mir ... er verlangt, ich soll das Kind ...«

Kropinski fiel ihm schnell ins Wort, seine Augen glänzten hell auf:

»Du nicht hören auf Krämer. Krämer ist harter Mann. Du sehen auf Rote Armee. Kommen immer näher, immer näher und auch Amerikaner. Immer näher. Nun, was wird sein? Noch ein paar Wochen und Faschisten alle weg und wir frei ... auch kleines Kind.«

Höfel preßte die Lippen so fest aufeinander, daß sie weiß wurden. Er starrte vor sich hin, als wären die Gedanken aus ihm geglitten. Endlich erwachte er und machte eine wegwischende Bewegung, als wollte er die rumorenden Gedanken beiseite schieben.

»Ich habe es mir überlegt«, sagte er völlig verändert, »du kannst das Kind jetzt nicht zu dem Polen bringen. Was soll er mit ihm anfangen? Bei einem Transport geht alles drunter und drüber. Warte bis zum Nachmittag.«

Kropinski atmete erleichtert auf.

Unterdessen war Krämer nach dem Revier gegangen,

wo in einem Raum bereits die sechzehn für den Sanitrupp bestimmten Pfleger auf ihn warteten. Noch wußten sie nicht, zu welchem Zweck sie bestellt worden waren, das sollte Krämer ihnen sagen, der hastig den Raum betrat. Er begann ohne Umschweife:

»Kameraden, ihr seid ab heute ein Sanitrupp.«

Die Pfleger umringten ihn neugierig. Er kannte sie alle, sie waren jung, kühn und zuverlässig und schon lange im Lager.

»Was ist das, ein Sanitrupp?«

Krämer erläuterte in knappen Worten den Sinn ihres Einsatzes. Bei einem Angriff auf das Lager würden sie als Sanitäts-Hilfspersonal für die SS eingesetzt werden.

»Wir sollen sie wohl trockenlegen?« meinte einer der Pfleger sarkastisch. Die anderen lachten und hörten dann interessiert zu, als Krämer bekanntgab, daß sie mit Stahlhelmen, Gasmasken und Verbandkästen ausgerüstet werden sollten und ohne Bewachung außerhalb der äußeren Postenkette ...

Junge, Junge, rumorten die Pfleger durcheinander, das ist noch nicht dagewesen. Krämer kniff die Lippen zusammen und nickte ihnen zu.

»Es geht dem Ende entgegen«, sagte er.

»Und die da oben scheinen nervös zu werden, was?« fragte ein anderer. Wieder nickte Krämer.

»Ich brauche euch nicht viel zu erzählen, ihr werdet selber wissen, worauf es ankommt.« Er sah jeden einzelnen an und fuhr fort:

»*Wir* haben euch ausgesucht und nicht die da oben. Für die seid ihr nichts anderes als der Sanitrupp, verstanden?«

Er hielt inne. Die sechzehn hatten sofort erkannt, daß es hier um Besonderes ging, und als Krämer fortfuhr, gedämpfter und eindringlicher als zuvor, begriffen sie.

»Macht die Augen auf, guckt euch um, ihr kommt überall hin. Was ihr entdeckt, teilt ihr Erich Köhn mit, der übernimmt das Kommando. Alles Weitere habe ich bereits mit ihm besprochen.«

Köhn nickte zustimmend.

»Hört zu!« Krämer wandte sich im Kreise: »Strengste Disziplin, strengste Verschwiegenheit! Es darf für die da oben an euch nichts auszusetzen sein.«

Er musterte die sechzehn schweigend. Sie kannten Krämer und fragten nicht weiter; ihre Aufgabe war ihnen bekannt.

Krämer brachte sie zum Tor.

Mit süffisantem Lächeln empfing sie Reineboth. Er war aus seinem Zimmer gekommen, stand vor den sechzehn und zog sich genießerisch die gelben Schweinslederhandschuhe über. Mit eleganten Schritten ging er die Reihe ab, die Häftlinge standen stramm, und kein Muskel in ihrem Gesicht bewegte sich.

Reineboths Lächeln wurde hämischer.

»Da haben Sie sich wohl die Besten ausgesucht?« meinte er zu Krämer.

»Die Allerbesten, Rapportführer!« antwortete Krämer ohne Scheu. Frage und Antwort waren zweideutig genug.

»Hoffentlich haben Sie Ihre Genossen schonend darauf aufmerksam gemacht, was dem Lager blüht, wenn einer von ihnen stiftengehen sollte.«

»Jawohl, Rapportführer, die Häftlinge haben durch mich die nötigen Instruktionen erhalten.«

»Großartig«, entgegnete Reineboth in geschmeidiger Zweideutigkeit.

»Wer ist der Hauptmann von diesen Sachen?«

Köhn trat vor: »Ich!«

»Aha.« Reinboth schob den Daumen hinter die Knopfleiste seines eleganten Mantels und trommelte mit den Fingern.

»Köhn. Natürlich. Der ist immer dabei, wo etwas los ist.«

Krämer nahm Köhn in Schutz und erklärte:

»Er ist der Erste Pfleger im Revier.«

»Aha«, machte Reineboth wieder, »so also hängt die Sache zusammen.«

Mit einer Kopfbewegung gab er Krämer zu verstehen, daß er ihn nicht mehr brauche, und ließ den Trupp abmarschieren.

Die beiden im Winkel ahnten nicht, daß sie schon seit geraumer Weile einen heimlichen Zuhörer hatten – Zweiling.

Er war unverhofft nach der Kammer gekommen. Pippig, der im Gang zwischen den Kleidersäcken stand und aufmerksam den Winkel beobachtete, hatte ihn nicht bemerkt. Bei seinem Eintritt aber hatte Zweiling am Verhalten Pippigs sofort entdeckt, daß da hinten etwas los war.

Er trat leise hinter den ahnungslosen Pippig und sagte mit seiner teigigen Stimme:

»Was glotzen Sie denn?«

Pippig fuhr herum und blickte erschrocken auf Zweilings offenen Mund. Der Scharführer lächelte grau und sagte hinterhältig:

»Jetzt bist du mal ganz schön still.«

»Herr Hauptscharfü ...«

»Biste still!« Zweiling zischte Pippig gefährlich an und schlich sich auf den Stiefelspitzen nach hinten, in der Nähe der Stapel stehenbleibend und lauschend. Höfel und Kropinski hatten ihn nicht gesehen, als sie den Winkel verließen und den Eingang mit einem Sackstapel verstellten. Erst als sie sich zum Gehen wandten, sahen sie sich plötzlich dem Scharführer gegenüber.

In Höfel erstarrte das Blut, sein Herz wurde zu Eis. Aber er hatte sich sofort wieder in der Gewalt. Gleichmütig zeigte er auf einige Stapel und sagte äußerlich ruhig zu Kropinski:

»Und dann stellst du das Zeug hier auf.«

Zweiling tat ebenfalls gleichgültig. »Ihr stapelt wohl um?« »Jawohl, Hauptscharführer, damit die Motten nicht hineinkommen.«

Kropinski schob geistesgegenwärtig noch einen weiteren Stapel vor den Eingang.

Zweiling trat schnell heran, drückte Kropinski das Knie ins Kreuz und rückte die Stapel beiseite.

Vorn stand Pippig und sah in höchster Angst, wie Zweiling im Winkel verschwand. Mit stummen Blicken verständigten sich Höfel und Kropinski über das Gefährliche der Situation.

Als Zweiling im Winkel auftauchte, kroch das Kind vor dem SS-Mann flüchtend in eine Ecke und verkrümmte sich.

Da trat auch schon Höfel hinzu.

Zweilings Mund verzog sich zu einem dummen Lächeln, daß die Falten am Kinn eine Krone bildeten.

»Na klar, hier gibt es Motten ...«, sagte er listig.

Die gefährliche Freundlichkeit warnte Höfel, der sofort entschlossen war, der Gefahr in den Rachen zu greifen. Hier konnten nur Mut und Offenheit noch etwas retten.

»Hauptscharführer ...«, setzte Höfel an.

»Was denn?«

»Ich wollte Ihnen erklären ...«

»Na klar, das müssen Sie machen.« Zweiling wies mit der Stiefelspitze auf das Kind.

»Bringen Sie die Motte da gleich mit.«

Kropinski war den beiden gefolgt und mit in das Zimmer des Scharführers gegangen. Höfel hatte das Kind abgesetzt, es verkroch sich scheu in eine Ecke. Zweiling machte gegen Kropinski von unten her eine wegfegende Handbewegung. Kropinski mußte das Zimmer verlassen.

Kaum hatte sich Zweiling, nachdem er mit Höfel allein war, an seinen Schreibtisch gesetzt, als vom Tor die Sirene aufheulte, sie schrie wie ein Raubtier. Zweiling blickte zum Fenster, und Höfel nutzte die willkommene Gelegenheit, um abzulenken.

»Fliegeralarm, Hauptscharführer. Wollen Sie nicht in den Keller gehen?«

Zweiling grinste, es sah aus, als ob er lächeln wollte. Erst als die Sirene mit gutturalem Ton verlosch, antwortete er: »Nee, ich bleibe diesmal oben bei euch.«

Er zündete sich eine Zigarette an, rauchte und sah vor sich hin. Sein Mund klaffte. Er schien über etwas nachzudenken.

Höfel, auf alles gefaßt, verfolgte mißtrauisch Zweilings eigenartiges Verhalten. Endlich hob Zweiling die Augen zu Höfel empor, es lag etwas Abtastendes in seinem Blick.

»Gestern waren sie über Erfurt«, sagte Zweiling plötzlich. Höfel schwieg, was wollte der von ihm? Zweiling schob die Zunge auf die herabhängende Unterlippe, musterte den Häftling, der ohne Spur einer inneren Anteilnahme vor ihm stand, und sagte nach einer Weile:

»Eigentlich habe ich euch immer gut behandelt ...«

Er kniff dabei die Augen zusammen und fixierte Höfel durch die Schlitze, auf eine Antwort wartend. Doch Höfel schwieg beharrlich, unklar, wohinaus Zweiling wollte.

Zweiling stand auf, ging mit schlaffen Knien zur Ecke, in die das Kind sich verkrochen hatte. Mit leerem Blick sah er eine Weile auf das Lebewesen und berührte es dann vorsichtig mit der Stiefelspitze. Das Kind rutschte vor dem Stiefel davon. Höfels Spannung wuchs.

Draußen an der langen Tafel standen Kropinski und Pippig. Sie waren angelegentlich mit den Effekten des abgehenden Transportes beschäftigt, doch beobachteten sie, was da drinnen vor sich ging. Sie hatten eine dramatische Szene erwartet und wunderten sich, wie ruhig es im Zimmer von Zweiling zuging. Jetzt sahen sie, wie er an Höfel herantrat und diesem anscheinend freundlich etwas sagte. Was war da drinnen los?

Tatsächlich war Zweiling mit einem breiten Lächeln vor Höfel getreten. »Wenn ich will«, sagte er »wenn ich will, dann sitzen Sie heute abend schon im Bunker ...« Er blinzelte leutselig, lauerte auf Höfels Reaktion.

Die beiden an der Tafel sahen, wie sich Zweiling grinsend mit dem Zeigefinger quer über den Kehlkopf fuhr.

»Du, das wird mulmig«, zischte Pippig erschrocken Kropinski zu. In Höfels Gesicht verriet sich keine Regung. Er stand bewegungslos vor Zweiling, doch in seinem Kopf rumorte es. Der will etwas von dir.

Auf einmal hob Zweiling lauschend den Kopf. Das böse Brummen der Fliegerverbände war jetzt genau über der Kammer. Eine ganze Weile hörte er auf die drohenden Geräusche, und dann blickte er Höfel wieder an. Sie sahen sich stumm in die Augen, jeder mit seinen eigenen Gedanken beschäftigt. Zweilings Gesicht war zu arm an Ausdruckskraft, um die Gedanken widerspiegeln zu können, nur die blitzenden Augen zeigten, daß sich hinter der öden Stirn etwas abspielte.

»Aber ich will nicht ...«, sagte er nach einer langen Pause des Schweigens.

»Wenn ich nur wüßte, was der mit ihm vorhat«, flüsterte Pippig erregt, und Kropinski flüsterte ebenso zurück: »Wird ihn schicken in Bunker?«

In Höfel schoß plötzlich das angestaute Blut zum Kopf. Mit einem Schlag hatte er den Sinn von Zweilings Gebaren verstanden. Die Überraschung war so stark, daß er nicht fähig war, etwas zu erwidern. Zweiling merkte, daß ihn Höfel verstanden hatte. Vor seiner eigenen Courage erschrocken, wandte er sich von Höfel weg und setzte sich wieder an den Schreibtisch, begann sinnlos im Ablagekasten herumzukramen. Höfels prüfender Blick machte ihn unsicher, aber nun gab es kein Zurück mehr.

Das Enthüllende war ausgesprochen.

Noch um einen Ton vertraulicher sagte er:

»Wenn es hier oben ist, dann ist es sicher ...«

Nun war es noch unzweideutiger ausgesprochen. In Höfel jagten sich die Reaktionen. Alles, was ihn bisher so belastet hatte, war mit einem Schlag hinweggewischt, und er sah die Möglichkeit, das Kind gefahrlos verstecken zu können. Er machte einen hastigen Schritt auf Zweiling zu. Dieser bekam es plötzlich mit der Angst. Er schüttelte heftig den Zeigefinger gegen Höfel und kreischte auf:

»Wenn Sie erwischt werden, dann sind *Sie* dran, und nicht *ich!* Haben Sie mich verstanden?«

Alle Vorsicht außer acht lassend, entgegnete Höfel: »Ich habe Sie sogar sehr gut verstanden.«

Zweiling, in Sorge, sich zu weit vorgewagt zu haben, riß sich zusammen, sein gewöhnlicher Befehlston gewann die Oberhand. Er machte eine harte Kopfbewegung nach dem Kind: »'raus damit!«

Höfel nahm das Kind auf den Arm und wollte das Zimmer verlassen. Schon an der Tür, wurde er von Zweiling noch einmal zurückgerufen. »Höfel!« Sie sahen sich an, schätzten sich mit stummem Blick ab, Zweiling kniff die Augen zu:

»Sie wollen doch lebend hier herauskommen, was?«

Eine kurze Pause des gegenseitigen Belauerns, bis Höfel erwiderte: »So wie auch Sie, Hauptscharführer.«

Hastig verließ er das Zimmer.

Pippig gewahrte die Erregung, in der sich Höfel befand, als er zur Tafel trat, und hielt sich klugerweise mit neugierigen Fragen zurück. Höfel zwang sich zur Ruhe.

»Bring es wieder nach hinten«, sagte er zu Kropinski und gab ihm das Kind. Kropinski wollte fragen, doch Pippig zischte ihn an: »Weg damit, schnell!«

Kropinski drückte das Kind an sich und eilte nach hinten.

Die erwartete Katastrophe war nicht nur ausgeblieben, sondern sie hatte sich zu einer gänzlich neuen und für den Augenblick noch unfaßbaren Situation gewandelt. Höfel war nicht fähig, eine Erklärung zu geben, Pippig bedurfte dieser auch gar nicht. In seinem Blick, mit dem er Höfel ansah, lag bereits das Wissen um das, was sich in Zweilings Zimmer ereignet hatte.

Sie sprachen kein Wort miteinander. Höfel drehte sich schwer um und ging, als würde er geschoben, in die Schreibstube. Pippig ließ ihn allein und blieb zurück.

Von seinem Fenster aus hatte Zweiling die Vorgänge beobachtet, mit bösen und gehässigen Augen. Die da draußen waren jetzt zu seinen Mitwissern geworden. Es würgte in ihm, sich auf sie zu stürzen und sie anzubrüllen, um im gewohnten Machtrausch seine eigene Unsicherheit zu verstecken. Aber plötzlich fuhr er erschrokken herum, ganz deutlich hörte er in der Ferne das Bumsen und Kollern der Einschläge, einen nach dem anderen. Mit schreckhaft offenem Mund starrte er ins Leere hinein und lauschte. Nervös rieb er sich die Wange, als wäre sie nicht rasiert... Der Fliegeralarm hatte die sechzehn überrascht, als sie in ihrer ungewöhnlichen Maskierung vor dem Dienstzimmer des Kommandanten angetreten waren, um ihm vorgestellt zu werden.

Im Lager rannten die Häftlinge in ihre Blocks. Auf den Straßen vor dem Lager wurde es lebendig. Arbeitskommandos traten an und rückten im Laufschritt ins Lager ein. SS verzog sich eilig in ihre Unterkünfte.

Infolge des Alarms waren hohe Chargen im Dienstzimmer des Kommandos versammelt, und als Reineboth eintrat, um den Sanitrupp zu melden, fuhr Schwahl nervös zu dem Rapportführer herum.

»Wieso? – Ach so.«

Er machte eine fahrige Armbewegung, jetzt sei keine Zeit zum Redenhalten. Die sechzehn hätten sofort ihren Dienst anzutreten.

Das Gebrumm der Fliegerverbände erfüllte die Luft ringsum. In der Nähe waren Einschläge zu hören. Reineboth trat aus dem Dienstgebäude und gab den Befehl des Kommandanten in seiner schnoddrigen Art an den Sanitrupp weiter.

»Haut ab, ihr Vögel!«

Köhn kommandierte: »Sanitrupp, stillgestanden!«

Die Gruppe erstarrte.

»Linksum! Im Laufschritt ... marschmaarsch!«

Reineboth sah den Davoneilenden skeptisch nach, seufzte und zog sich hastig in seine Bombenunterkunft zurück.

Weit und breit war niemand mehr zu sehen, als die sechzehn Mann durchs Gelände trabten. Sie feixten sich unter den ungewohnten Kopfbedeckungen verständnisinnig zu.

Über ihnen brummten die Pulks im Entenflug über das Lager hinweg. Pulk auf Pulk. Einschläge rumsten und kollerten.

Ob das in Gotha war oder in Erfurt? – An der äußeren Postenkette angelangt, meldete Köhn den Trupp beim Postenführer und schien ein besonderes Vergnügen daran zu haben, seine »Leute« zackig einzuteilen.

»Vier Mann nach den SS-Kasernen! Vier Mann zum Divisionsnachschub! Vier Mann zu den Truppengaragen, und der Rest geht mit mir zu den Führerhäusern. Binnen zehn Minuten nach Entwarnung ist der Trupp vollzählig wieder hier, verstanden?!«

»Jawohl!« dröhnte es kräftig im Chor.

»Ausschwärmen, marschmaarsch!«

Die Eingeteilten spritzten nach den angegebenen Richtungen auseinander, und der Postenführer stand stumm und hatte diesmal nichts zu befehlen.

Höfel hatte sich an seinen Tisch gesetzt und starrte auf die Transportliste, die vor ihm lag. Zum Glück hatten die Häftlinge im Schreibbüro die Vorgänge draußen nicht bemerkt, und Höfel blieb darum von neugierigen Fragen verschont. Nicht das hinterhältige Angebot Zweilings hatte Höfel so aufgewühlt, sondern die unverhoffte Möglichkeit, das Kind zu retten. Es war so verlockend leicht und einfach, dennoch riß und zerrte es in Höfels Brust. Eben noch hatte er Krämer versprochen, das Kind aus dem Lager zu schaffen. Und der vertraute seinem Wort. Wenn er es brach? – Wenn er das Kind heimlich zurückhielt? – Vor Zweiling brauchte er sich nicht mehr zu fürchten. Höfel starrte auf die Zahlenkolonnen der Liste. Jede Nummer war ein Mensch, und einer davon fehlte, das Kind. Es hatte keine Nummer. Es war nicht vorhanden. Man brauchte es nur in einen Koffer zu stecken und ... Einer unter den Tausend, die am Nachmittag durchs Tor zogen, würde das Etwas mit sich schleppen ... Höfel preßte die Augen zu. War denn die korrekte Erfüllung seiner Pflicht nicht das beste Alibi vor seinem eigenen Gewissen?

Doch da war es wieder, das quälende Schuldgefühl. Wieder hatte Höfel die drückende Empfindung, als ob aus weiter Ferne zwei Augen auf ihn gerichtet wären, stumm und stetig. Waren es Kinderaugen? Waren es die Augen seiner Frau? Noch nie in allen Jahren seiner Haft hatte sich Höfel so allein gefühlt wie jetzt.

Vor dem verlockenden Angebot war er geflüchtet. Vor Pippigs stummen Augen war er geflüchtet. Nur sich selbst konnte er nicht entfliehen, obwohl er fühlte, daß er zu schwach war, die Entscheidung aus eigener Kraft herbeizuführen.

Höfel ging hinaus zu Pippig. Der stand noch immer an der langen Tafel, als warte er auf ihn. In der Luft brummte es ununterbrochen. Das mußte diesmal ein Großangriff sein. Zweiling stand in seinem Zimmer am Eckfenster und beobachtete den Himmel. Mit schnellem Blick überzeugte sich Höfel, daß er von Zweiling nicht gesehen werden konnte, und sagte rasch zu Pippig: »Komm mit.«

Sie gingen nach hinten in den Winkel. Kropinski, der sich bei dem Kind aufhielt, trat zu den beiden. Sein ganzes Wesen war von gespannter Erwartung erfüllt. Die drei standen eng beisammen. Höfel machte eine bezeichnende Kopfbewegung nach vorn. »Der hat mir ein Angebot gemacht, das Kind kann hierbleiben.«

»Aha«, bemerkte Pippig trocken, »als Lösegeld, wenn's andersrum geht. Gar nicht dumm. Und du, was hast du ...?«

Höfel zuckte unentschlossen mit den Schultern.

Pippig wurde ärgerlich. »Wovor fürchtest du dich? Den hast du jetzt in der Hand, er kann dich nicht verraten.«

Höfel, unentschlossen, machte schwache Einwände. »Behalten wir das Kind zurück, dann glaubt er, ich sei auf sein Angebot eingegangen ...«

Pippig entgegnete: »Und wenn schon, es kann uns egal sein.« Kurz entschlossen entschied er: »Das Kind bleibt hier!«

Mit einem Rest von Widerstand wollte Höfel aufbegehren, da klopfte ihm Kropinski schon auf die Schulter. »Du bist guter Kamerad.« Höfel schob wortlos die Hände in die Taschen, stand überrumpelt und lächelte bitter über seine Unentschlossenheit.

Noch immer dauerte der Fliegeralarm an. In den Blocks hockten die Häftlinge um die großen Füllöfen herum, die nur eine dünne Wärmehülle um sich verbreiteten, denn die Feuerung war knapp. Die zusätzliche Wärme kam von den Ausdünstungen der Menschen, die hier auf engem Raum zusammengedrängt waren. Manche schliefen mit aufgelegten Armen am Tisch, der Lärm um sie herum störte sie nicht. Das Lager war wie ausgestorben, und der große Appellplatz lag verödet. Auch am Tor rührte sich nichts. Nur auf den Türmen rings um das Lager vertraten sich die Posten die Füße und schauten zum Himmel hinauf.

Im Gelände der SS-Mannschaftskasernen patrouillierten vier Mann des Sanitrupps. Gemächlich schritten sie zwischen den Kasernen dahin, aber sie hatten die Augen offen. Wieviel von den Kasernen waren belegt?

Eine andere Gruppe ging an der Nordseite des Lagers das Waldgelände ab. Von hier aus konnte man, sofern der Wald die Sicht freigab, weit ins Thüringer Land hineinsehen. Von den Posten scheel beobachtet, gingen die vier am Zaun entlang.

Auch sie hatten eine Aufgabe. Wo war – in Verbindung zum Lager, den Türmen und dem Wald – die Stelle am Zaun, die für einen Ausbruch am geeignetsten erschien? Die sowjetischen Stahlhelme verbargen vor den Posten die spähenden Blicke. Manchmal blieben die vier stehen, um durch einen Rundblick im Gelände die Langeweile der stundenlangen Patrouillen zu vertreiben. Doch dieser harmlose Blick war Abschätzen und Abmessen. Von den Posten ungehört, flüsterten sich die vier ihre Beobachtungen zu.

Erst am Nachmittag wurde der Alarm aufgehoben. Die Sirene gab es mit langem Heulton bekannt. Das Lager belebte sich. Aus den Blocks strömten die Häftlinge.

An der Küche klapperten die Kübel mit dem verspäteten Mittagessen, die armselige Suppe war inzwischen kalt geworden. Auch am Tor regte es sich wieder, und es dauerte nicht lange, bis Reineboth durch das Lagermikrophon den Transport ans Tor forderte. Ein Befehl, der das Kleine Lager wie einen Ameisenhaufen aufwimmeln ließ. Vor den Pferdeställen wirrten die Häftlinge durcheinander. Es hatte getaut, und die hin und her quirlenden Menschen patschten im Dreck und Schlick. Die Blockältesten und Stubendienste hatten Mühe, das Durcheinander zu ordnen, es wurde geschrien, gestoßen, gedrängelt, bis endlich nach vielem Lärm und Hin und Her die Marschkolonnen gebildet waren.

Auf der Effektenkammer war die Ausgabe der wenigen Habseligkeiten schnell erledigt worden. Wie drei Verschwörer standen Höfel, Pippig und Kropinski beisammen. In jedem Nerv spürte Höfel die Krise. Nervös wehrte er Pippigs Vorschlag ab, Jankowski zu holen, um ihn von dem Kind Abschied nehmen zu lassen. Er wollte ihn nicht sehen, er wollte nichts wissen, nichts hören.

»Mensch, André, du kannst doch den armen Kerl nicht so ziehen lassen ...«

»Laß mich in Ruhe damit!« Höfel fieberte an jedem Nerv. Er ließ die beiden stehen und verkroch sich im Schreibbüro.

Pippig war verzweifelt.

»Geh, Marian«, sagte er schließlich, »lauf zum Kleinen Lager und bringe es Jankowski bei.«

Dieser befand sich in höchster Aufregung. Gleich würde der Transport abmarschieren, und keiner brachte ihm das Kind. Immer wieder lief er aus der Reihe des Marschzugs heraus und beschwor den rundköpfigen Blockältesten in wortreichem Polnisch, er möge ihn zur Effektenkammer gehen lassen. Der Blockälteste, froh, den Zug beisammen zu haben, hatte kein Ohr für Jankowskis Flehen und schob ihn ungeduldig in den Zug zurück. Jankowski flatterte wie ein gefangener Vogel.

So fand ihn Kropinski. In heller Aufregung lief Jankowski ihm entgegen und klammerte sich an ihm fest. Tränen rannen ihm über das verstörte Gesicht. Er wollte es nicht verstehen, ohne Kind das Lager verlassen zu müssen. Kropinski fand kaum Worte, den Unglücklichen zu trösten. »Du mußt nicht weinen, Bruder«, sagte er ein über das andere Mal, »wir können den kleinen Stephan viel besser beschützen als du, glaube es mir.« Jankowski schüttelte heftig mit dem Kopf. Als ein Bild des Erbarmens stand er da. Die graue Zebramütze hatte er, um sich vor der Kälte zu schützen, über die Ohren gezogen, sie war ihm tief in die Stirn gerutscht, der schlottrige Anzug war ihm viel zu groß, die nackten Füße steckten in unförmigen Holzschuhen. Mit dem langen, ausgefransten Jackenärmel wischte sich Jankowski die Tränen aus den blinden Augen. Ein armseliges Stück Mensch, das nur noch so viel Kraft des Herzens hatte, bescheiden zu bitten: »Gebt ihn mir, bitte gebt ihn mir.« Er wollte vor Kropinski in die Knie sinken, der hielt ihn an den Ellenbogen aufrecht und rüttelte ihn, als könnte er ihn damit zur Besinnung bringen. »Weine nicht, Bruder, weine nicht«, bat er den Verstörten. »Warum weinst du nur so sehr? Du bist doch gar nicht der Vater.« Jankowski begehrte auf: »Ich bin mehr als der Vater!« In heißer Aufwallung preßte Kropinski den Unglücklichen an sich und küßte ihn: »Geh, Bruder, die heilige Gottesmutter beschütze dich.«

Jankowski wollte nicht von ihm lassen und hielt sich

an ihm fest, doch Kropinski ertrug die Qual nicht mehr. Wieder und wieder drückte er den Verlassenen an sich, dann befreite er sich von ihm und floh.

»Bruder, Bruder!« rief Jankowski ihm nach, aber der Fliehende wollte nichts mehr hören. Kraftlos ließ Jankowski die Arme fallen, er wimmerte nur noch leise, und der nervöse Blockälteste, der den Polen wieder außerhalb der Reihe stehen sah, fuhr wütend auf ihn ein: »Verdammt noch mal, was stehst du bloß immer 'rum, scher dich endlich in dein Loch!«

Ergeben kroch Jankowski in sein Marschglied zurück und torkelte, von Herzweh verkrümmt, mit dem langen Zug den Berg zum Appellplatz hinauf. Hier gab es noch einmal ein Gebrüll und Geschrei.

Reineboth zählte den Transport durch und stellte ihn neu zusammen, dann öffnete sich das Tor, und der graue Tausendfüßler quoll träge und mühselig zum Lager hinaus.

In der Hast der Abfertigung hatte Krämer nicht mehr an das Kind gedacht. Jetzt, da der Elendszug an ihm vorbeikroch und er einen Häftling mit einem Sack auf dem Rücken im Zug entdeckte, fiel es ihm wieder ein. Wird es dieser sein? dachte er.

Aber es war nicht der polnische Jude Zacharias Jankowski. Der taumelte seiner nächsten Station ohne Gepäck entgegen.

Nun war es also geschehen! Das Unwiderrufliche seiner Tat stand Höfel in aller Deutlichkeit vor Augen. Müde saß er im Schreibbüro und machte die Effektenliste des eben abgegangenen Transports zur Abgabe an Zweiling zurecht.

Pippig indessen atmete erleichtert auf. In Ordnung, das Kind war gesichert. Klarer Fall! Er hatte ein diebisches Vergnügen daran, wieder einmal ein Schnippchen geschlagen zu haben. Wem? Der SS? Dem armen polnischen Juden Jankowski? Dem Leben? Dem Schicksal? – Alles viel zu kompliziert. Darüber dachte er nicht nach, freute sich vielmehr, ein kleines Miezekätzchen organisiert zu haben.

Und Kropinski? Der saß im Schutz des Winkels, hatte das Kind auf dem Schoß und sang ihm leise, ganz leise, Lieder aus der Heimat vor.

Höfel brachte die Effektenliste. »Wegen der Motte da«, sagte Zweiling, »die sollte wohl mit auf Transport gehen, stimmt's?« Er zog die Unterlippe herab und schob die Zunge vor. Höfel zögerte einen Moment mit der Antwort und entgegnete nach kurzem Entschluß: »Jawohl, Hauptsturmführer.« – »Nun müssen Sie aber dichthalten und die anderen auch.« – »Jawohl, Hauptsturmführer. «

Zweiling verzog unmutig das Gesicht: »Jawohl, jawohl«, äffte er, »wir brauchen uns doch nichts vorzumachen. In ein paar Wochen sind die Amerikaner hier, und dann können Sie Ihre Motte auf den Arm nehmen und zu den Amerikanern sagen: Das haben wir unserem Hauptscharführer zu verdanken ...«

Höfel quälte sich die Antwort ab: »Jawohl, Hauptscharführer.«

Zweiling vergaß seine Freundlichkeit: »Mensch, mit Ihrem ewigen Jawohl! Schließlich ist es eine tolle Sache, daß ich ... wenn es 'rauskommt, fliegt ihr alle in den Bunker. Mir kann dabei gar nichts passieren, das ist Ihnen doch wohl klar?«

Zweiling lehnte sich im Stuhl zurück: »Dann sagen Sie also Ihren Leuten, daß sie die Schnauze halten sollen.«

»Jawohl, Hauptscharführer.«

Pippig hatte dem Kind eine Tasse warmer Kaffeebrühe gebracht, in die er einige Löffel Rübensaft verrührt hatte. Das Kind nahm einen Schluck und schob die Tasse weit von sich. Pippig seufzte sorgenvoll: »Mir würde das Zeug auch nicht schmecken.«

»Was sollen wir geben kleinem Kind?« hob Kropinski hilflos die Schultern, »es haben so dünne Ärmchen und so dünne Beinchen ...«

Pippig griff den kleinen Körper prüfend ab. »Viel ist nicht dran ...«

»Kleines Kind muß haben Brot, weißes, und Zucker und Milch. «

Pippig lachte auf: »Milch? Mensch, Marian! Ich habe doch keine Mutterbrust.« Kropinski wiegte sorgenvoll den Kopf. Pippig rieb sich mit beiden Händen den kurzgeschorenen Schädel und platzte plötzlich heraus: »Na klar, der Junge muß Milch haben.«

»Woher du willst nehmen?«

Doch Pippig schien schon einen Plan zu haben, und hatte er einmal einen Entschluß gefaßt, dann vertrug er keinen Zweifel. »Pippst du oder pipp' – ich? Ich pippe!« Das war bös gesagt, doch gleich kauerte sich Pippig zu dem Kind nieder und tätschelte dessen Händchen: »Nun paß mal auf, mein Kleiner. Morgen geht Onkel Pippig auf eine große Weide, da sind viel Kühe, und die machen Muuuuh ...« Das Kind lächelte. Erfreut nahm Pippig das Gesichtchen zwischen die Hände: »Du lernst noch lachen bei uns, Kleiner.« Dem staunenden Kropinski aber drückte er den Finger auf die Schulter: »Und du legst ihn dir morgen an die Brust, verstanden?« Im Schreibbüro machte Höfel nicht viel Worte über die veränderte Situation. Das Kind würde auf der Kammer verbleiben, die Sache ginge bereits in Ordnung, erklärte er mit einer bezeichnenden Kopfbewegung nach Zweilings Zimmer. Die Häftlinge des Kommandos hatten ihn sofort verstanden.

»Redet im Lager nicht darüber, daß bei uns auf der Kammer ...«, den Schluß des Satzes ergänzte er mit einer die »Sache« überdeckenden Handbewegung. Damit war alles gesagt.

Nach Arbeitsschluß saß Höfel allein am Tisch. Pippig war nicht da. Viele Häftlinge waren schon in die Betten gekrochen. Hinter Höfels Tisch saß eine Gruppe zusammen, eifrig flüsternd.

In Höfel rumorten die Gedanken. Ein beklemmender

Druck lag ihm auf der Brust. Er stützte den Kopf zwischen die Hände und schloß die Augen. Längst war es ihm klar, daß er Bochow Rechenschaft zu geben hatte. War er zu feig dazu ? Sollte er das Kind versteckt halten und niemandem davon sagen? Keinem Bochow, keinem Krämer? Höfel brütete vor sich hin. Das Geflüster hinter ihm drang an sein Ohr.

Bei Oppenheim haben die Amerikaner einen neuen Brückenkopf gebildet. Panzer sind nach Osten durchgebrochen! Ihre Spitzen haben den Main bei Hanau und Aschaffenburg erreicht. Bewegungskämpfe östlich von Bonn. Die Besatzung von Koblenz wurde auf das Ostufer zurückgenommen. In Bingen Straßenkämpfe. Höfel wurde aufmerksam. So weit vor sind sie schon. So schnell geht das.

Das Kind einfach versteckt halten ..., raunte es in ihm wieder. Er öffnete die Augen.

Hatte er eigentlich kühl und klar gehandelt? Er war dem Trieb des Herzens gefolgt und hatte sich von ihm überrumpeln lassen. War das Herz stärker als der Verstand?

Fühlen – denken. Denken – fühlen ...

Wie auf einem steuerlosen Schiff trieb er mit seinen Überlegungen dahin und flüchtete sich in tausend Rechtfertigungen hinein. Was hätte er denn getan, wenn er an einem reißenden Strom vorübergegangen wäre, in dem ein Kind zu ertrinken drohte? Ohne Rücksicht auf sich selbst wäre er in die Fluten gesprungen, und nichts hätte selbstverständlicher sein können.

Höfel atmete tief. Zu Bochow? Zu Krämer? Wem sagte er, was er getan?

In Block 3 waren die »Kommandierten« untergebracht, jene Häftlinge, die als Kellner im Offizierskasino beschäftigt waren oder in der Küche oder als Schneider, Schuster, Läufer und Kalfaktoren für die SS.

»'n Ahmd, Karl.« Pippig setzte sich neben den in der

SS-Küche beschäftigten Wunderlich und blinzelte diesen verschmitzt an. Wunderlich merkte sofort, daß der Kleine etwas auf dem Herzen hatte. »Was willst du denn?«

»Milch.«

»Milch? Wozu denn?«

»Zum Trinken, Rindvieh.«

»Für dich?«

Pippig war beleidigt. »Ich trinke Bier, wenn ich welches hätte ...« Er zog Wunderlich zu sich heran, flüsterte ihm ins Ohr: »Wir haben ein Kind.«

»Ein was?«

»Pscht«, Pippig sah vorsichtig im Kreise, tuschelte Wunderlich das Geheimnis zu, legte ihm die Hand auf die Schulter.

»Siehste, Karl, und da brauchen wir eben ein bißchen Milch für das Kleine. – So 'ne Ärmchen hat es und so 'ne Beinchen. Das Würmchen geht uns noch ein. – Na, wie denn, Karl – 'n halben Liter?«

Wunderlich überlegte. »Wie willst du die Milch durchs Tor bringen?« Das war Zustimmung. Pippig strahlte.

»Das laß mal ganz meine Sorge sein.«

»Und wenn sie dich schnappen?«

Pippig wurde ärgerlich: »Pippst du oder pipp' – ich?«

Wunderlich lachte. Sie berieten die Sache, die nicht so einfach war, denn wie kam Pippig an die Milch heran? Er konnte sich ein »Bewerbchen« nach »draußen« verschaffen und ein paar alte Klamotten zur SS-Schneiderei bringen.

Das war möglich. Die Milch mußte demnach zur Schneiderei gebracht werden.

Wunderlich blickte sich im Block um und winkte einen Läufer zu sich heran.

»Was ist?« fragte dieser, als er zum Tisch trat.

»Hör zu, du kommst morgen früh mal zu mir und bringst eine Flasche Milch zur Schneiderei. Rudi holt sie sich dort ab.«

Der Läufer reichte Pippig die Hand zum Gruß: »'n Abend, Rudi.«

»'n Abend, Alfred.«

Für den Läufer war der Auftrag eine Kleinigkeit, der kam im ganzen SS-Bereich herum.

»Ist gemacht«, sagte er darum nur, ohne viel zu fragen, denn das Besondere wurde stets als das Selbstverständliche getan.

»Nun müssen wir Otto noch Bescheid sagen«, meinte Wunderlich und ging mit Pippig nach dem anderen Flügel des Blocks.

Otto Lange, der Kapo von der SS-Schneiderei, ein älterer, ehemals selbständiger Schneidermeister, der wegen Flüsterpropaganda ins Lager gekommen war, stand am Durchsage-Lautsprecher und hörte die Nachrichtensendungen ab.

Wunderlich zog ihn beiseite.

»Ich schicke dir morgen früh eine Flasche Milch. Pippig holt sie sich bei dir ab.«

Der Schneider nickte und strich sich kreuzweise über die Oberlippe. Eine Angewohnheit noch aus seinem Zivilleben, früher hatte er einen Schnurrbart getragen.

»Paß auf«, instruierte Pippig den Schneider, »ich bringe ein paar alte Mäntel zu dir. Du hast sie von uns angefordert, verstanden?«

Lange nickte: »Jaja, bring sie nur.«

Ein umständlicher Weg, um einen halben Liter Milch zu organisieren, und bei aller Bereitschaft der Beteiligten ein gefährlicher Weg. Wurde Pippig am Lagertor erwischt, platzte die Sache. Er flog unweigerlich in den Bunker, hatte er Glück, bekam er seine 25 übergezogen.

Hatte er Pech, dann landete er im Krematorium, und der Bart war ab.

Doch Pippig fürchtete sich nicht. Bei allen tollen Sachen, die er angestellt hatte, beherrschte ihn stets ein optimistisches Gefühl: Der liebe Gott verläßt keinen Freidenker.

Als er sich vor dem Block von Wunderlich verabschiedete, ermahnte ihn dieser:

»Mensch, laß dich bloß nicht schnappen.«

Pippig setzte zu einer empörten Erwiderung an, aber Wunderlich winkte lachend ab:

»Ich weiß schon, du pippst ...«

Pippig trollte sich befriedigt von dannen.

In den Block zurückgekehrt, traf Wunderlich auf den Sanitäter vom SS-Revier.

»Du, Franz, kannst du mir morgen früh ein bißchen Traubenzucker 'rüberschicken?«

Der Sanitäter wiegte bedenklich den Kopf. »Traubenzucker? Von dem Zeugs haben wir selber nicht mehr viel.«

»Ich brauch's für einen Kumpel.«

Der Sanitäter seufzte: »Eine Packung, mehr nicht. Ich schicke sie dir mit dem Läufer.«

Wunderlich klopfte Franz auf die Schulter.

Krämer saß noch über dem Appell für den morgigen Tag, als Höfel eintrat. Er setzte sich auf einen Schemel und zündete sich eine Zigarette an. Krämer warf einen kurzen Blick auf ihn.

»Hat es geklappt?«

Höfel raucht schweigend.

»Da hatte einer im Zug einen Sack auf dem Buckel, das war doch sicher ...«, fragte Krämer überm Schreiben. Höfel brauchte nur zu nicken, und Krämer wäre zufriedengestellt worden. Doch er reagierte nicht, sondern blickte zu Boden. Krämer wurde stutzig.

»Was ist?«

Höfel schob den Rest der Zigarette unter die Schuhsohle und zerscheuerte ihn.

»Ich muß dir was sagen ...«

Krämer legte den Bleistift aus der Hand.

»Hast du etwa das Kind nicht mitgegeben?«

Höfel sah ihm ins Gesicht: »Nein.«

Ein plötzliches Schweigen stand zwischen ihnen.

»Mensch ...« Krämer sprang auf, lief zur Tür und öffnete. Es war seine Gewohnheit, sich zu überzeugen, ob sie allein waren. Die Schreibstube war leer. Krämer schloß die Tür wieder und lehnte sich dagegen. Er schob die Hände in die Taschen, preßte die Lippen fest aufeinander und sah vor sich hin. Höfel wartete auf den Ausbruch, entschlossen, sich mit aller Kraft entgegenzustemmen.

Doch Krämer blieb seltsam ruhig, und es dauerte eine ganze Weile, ehe er sprach.

»Du hast dich einer Anweisung widersetzt!«

»Ja und nein!«

Krämer wartete, daß Höfel weitersprach, aber der schwieg.

»Und?« fragte Krämer schließlich.

Höfel schöpfte Atem.

»Es ist etwas eingetreten ...« Er stockte, und stockend auch berichtete er, was sich zwischen ihm und Zweiling zugetragen hatte. Es sollte Erklärung und Entschuldigung zugleich sein.

Krämer ließ ihn zu Ende sprechen, seine Backenknochen arbeiteten, und er schwieg noch, als Höfel längst zu Ende war. Sein Gesicht bekam einen harten Zug, die Pupillen wurden eng. Endlich sagte er mit sonderbar heiserer Stimme:

»Glaubst du das alles auch, was du mir da erzählst?«

Höfel hatte seine Sicherheit zurückgewonnen und entgegnete barsch: »Ich lüge dir nichts vor.«

Krämer stieß sich mit einer umständlichen Bewegung der Schultern von der Tür ab, ging einige Male hin und her und sagte mehr zu sich selbst:

»Natürlich belügst du mich nicht, aber ...« Er blieb vor Höfel stehen. »Aber vielleicht belügst du dich selber?«

Höfel machte eine unwillige Bewegung, da brach es aus Krämer heraus:

»Du hast dich mit einem Spitzbuben eingelassen! Zweiling ist doch ein Spitzbube! Der Bursche sucht bei uns nur Rückendeckung!«

Aber auch Höfel, entschlossen, den Kampf aufzunehmen, wurde lebendiger: »Damit haben wir ihn in unserer Hand.«

Ein trockenes Lachen kollerte aus Krämer heraus.

»In der Hand? Mensch, André, wie lange bist du im Lager? Sechs Monate, was?« Er fuchtelte mit dem Daumen. »Der schafft sich auch Rückendeckung bei seinen Leuten. Mal so, mal so, wie der Wind weht. Sie brauchen die Amerikaner nur fünf Kilometer zurückzuschlagen, schon kriegt mein Zweiling wieder Luft auf den Kasten, und dann hat er dich beim Arsch, und das arme Wurm dazu! Mensch, André, was hast du da angerichtet!«

Höfel hob die Hände, es sah aus, als wolle er sich die Ohren zuhalten.

»Mach es mir doch nicht so schwer!«

»Du machst es *uns schwer!*« Höfel stöhnte gequält:

»Ich konnte doch das Kind nicht ...«

»Du solltest das Kind an seinen Betreuer zurückgeben, so war die Anweisung. Du hast sie nicht befolgt. Das ist Disziplinbruch!«

»Wenn wir lebend herauskommen, dann werde ich es vor der Partei verantworten, verlaß dich darauf«, versicherte Höfel.

Krämer sah ihm hart in die Augen: »Die Partei ist *hier!*«

Höfel hatte eine heftige Entgegnung bereit, aber sie erstarb ihm auf den Lippen.

Von Krämers Blick festgehalten, schlug er die Augen nieder. Zu seiner eigenen Zerknirschung mußte er sich gestehen, daß Krämer recht hatte. Dennoch bäumte sich alles in ihm auf, wenn er auch nur daran dachte, das Kind seinem Schicksal überlassen zu müssen. Als ob eine mächtige Hand einen Schlüssel ihm ins Herz stoßen und es verschließen würde, so war es ihm. Schuldig fühlte er sich am Kind und schuldig an der Partei. Der Kopf sank ihm auf die Brust.

»Ich konnte nicht anders ... ich ... konnte ... es nicht«, sagte er leise, es war Bitte und Qual.

In diesem Augenblick liebte Krämer den gepeinigten Mann, aber er bezwang sich. »Nicht irgendwann einmal, sondern hier und jetzt wird das geregelt«, sagte er unerbittlich.

Beide schwiegen.

Krämer hatte eine scharfe Falte zwischen den Brauen. Unruhig begann er umherzuwandern, er schien nach einem Ausweg zu suchen.

»Das Kind nimmt mir keiner mehr ab«, sagte er schließlich aus seiner Überlegung heraus und fuhr zugleich auf Höfel los: »Oder bildest du dir ein, daß ich es irgend jemandem noch als Reisegepäck mitgeben kann?«

Er geriet in neuen Ärger und stapfte wütend umher.

»Hättest du das Kind dem Polen zurückgegeben, dann wäre es schon aus dem Lager, und alles wäre gut. Und was ist nun? Was ist nun?«

Er setzte sich auf den Tisch und faltete die Hände zwischen den offenen Knien. Höfel ließ sich müde auf dem Schemel nieder. In ihm war nichts mehr von jenem befreienden Flug des Herzens ...

Der erwartete Zusammenstoß war ausgeblieben, und alles Hohe und Hehre der Tat hatte sich verflüchtigt. Zurückgeblieben war nur ihr nackter und nüchterner Bestand: Disziplinbruch! Höfel sah vor sich hin.

Krämer zog die gefalteten Hände auseinander und sagte endlich, milder als sonst:

»Wir wollen nicht zu Feinden werden, André, nicht zu Feinden. Der Spitzbube ist es nicht wert.«

Schwerfällig ließ er sich vom Tisch gleiten und setzte, einem plötzlichen Entschluß folgend, hinzu:

»Du mußt mit Bochow sprechen. *Du mußt!*« beharrte er, als Höfel heftig verweigerte. »Laß es unter uns bleiben, Walter. Mag Bochow glauben, das Kind sei mit dem Polen gegangen.«

Höfels Bitten machten Krämer nervös.

»Jetzt, da das Kind im Lager bleiben muß – *muß!* hörst du?« knurrte er, »ist es nicht mehr unsere Sache allein. Ich kenne deine Funktion nicht. Du sollst mir gar nichts davon erzählen, aber du mußt wissen, in welche Gefahr du dich mit dem Kind gebracht hast.«

»Was hätte ich tun sollen, als ich es fand?«

»Quatsch! Darum geht es nicht. Du hattest Anweisung, das Kind aus dem Lager zu bringen.«

»Ja, natürlich, aber ...« Höfels verzweifelter Ruf war wie ein Schnitt. Krämer schnaufte, sein Blick wurde finster, die beiden Männer standen sich wortlos gegenüber und grübelten. Krämer vermochte es nicht länger zu ertragen. Nach einem Ausweg suchend, stapfte er auf und ab.

Er hörte nur halb auf Höfel, der ihn bedrängte.

»Es dauert nicht mehr lange, Walter, bestimmt nicht. Jeden Tag kann der Amerikaner hier sein. Walter! Die paar Tage halten wir durch. Warum soll ich noch mit Bochow sprechen und ihn unruhig machen? Das Kind kriegen wir doch nicht mehr aus dem Lager. Du sagst es selbst. Also was dann? Laß es unter uns bleiben. Keiner weiß es. Nur du und ich, und sonst aus.«

»Und Zweiling?«

»Der kuscht.«

Krämer lachte in bitterem Hohn. Die Situation drängte zum Handeln, gleich, ob Bochow verständigt wurde oder nicht. Das Kind kam nicht aus dem Lager. Den Auftrag, der ihm durch Bochow gegeben worden war, hatte er nicht korrekt durchgeführt. Seine Pflicht wäre es gewesen, Höfel zu kontrollieren, aber er hatte es diesem überlassen, und nun ...? »Verdammter Mist«, knurrte Krämer, wütend über sich und alles, und stapfte, wie getrieben, umher.

Da es ihm widerstrebte, Höfel Zugeständnisse zu machen, bellte er ihn ärgerlich an:

»Und wenn wir Bochow nichts davon sagen? Was dann? Was dann?«

Das war halbe Zustimmung! Höfel hob erfreut die Hände, als wolle er sie Krämer auf die Schulter legen. Der entzog sich ihm und schnauzte: »Das Kind muß 'raus aus der Kammer, weg von dir!«

»Wohin?« fragte Höfel.

»Ja, wohin? Siehst du, was du angerichtet hast? Wohin stecken wir nun das Kind? Es muß weg von dir und dem verfluchten Zweiling, an eine Stelle, wohin keine SS kommt.«

Es gab dafür nur einen Ort, die Seuchenbaracke im Kleinen Lager. Um diese machte jeder SS-Mann einen scheuen Bogen, aus Furcht, sich mit Typhus oder Fleckfieber anzustecken.

Krämer blieb vor Höfel stehen und sah ihn hart an.

»Block 61!« sagte er knapp.

Höfel erschrak. »In die Seuchenbaracke? Ausgeschlossen!«

»Das Kind kommt nach 61!« Krämer redete sich selbst in die Richtigkeit seines Entschlusses hinein.

»Die polnischen Pfleger hausen monatelang in der Baracke und haben sich noch nichts geholt. Die sind auf Draht. Über das Kind halten sie alle Hände, verlaß dich drauf. Ist doch ihr Kind, ein polnisches. – Oder soll ich es vielleicht bei mir im Papierkorb verstecken?«

Höfel schwieg, biß die Lippen aufeinander. Krämer polterte:

»Es gibt nichts anderes, basta. Genug, daß du mich mit hineingezerrt hast! Also keine Geschichten! Das Kind kommt nach 61!«

Höfel stierte vor sich hin. Immer noch besser als auf Transport.

Er schaute auf. »Und Bochow?«

Krämer wurde ungehalten.

»Ich denke, das ist unsere Sache? Hast du es nicht selber gesagt?«

Höfel nickte wortlos, er hatte nicht die Kraft, froh zu sein.

Zweiling wohnte abseits vom Lager in einer hübschen, von Häftlingen erbauten Siedlung für die SS. Seit zwei Jahren war er verheiratet und hatte in der 25jährigen Hortense eine Frau, um die er im geheimen von so manchem Scharführer aus der Siedlung beneidet wurde. Vollbrüstig war die Frau und von strotzender Gesundheit. Doch die Ehe war aus vielerlei Gründen nicht in Ordnung. Die schicke Uniform hatte Hortense ehedem mächtig imponiert, doch konnte dieser Umstand im Laufe der kurzen Ehe nicht darüber hinwegtäuschen, daß unter der schneidigen Dekoration ein öder und willensschlapper Kerl steckte. Hortense hatte oft schon heimliche Vergleiche angestellt zwischen ihrem Mann und dem straffen Hauptsturmführer Kluttig, der zwar nicht ansehnlich, dafür aber männlich war. Als Ergebnis dieser Vergleiche blieben nur Verachtung und Geringschätzung für Zweiling übrig. Die Ehe wurde immer langweiliger und lustloser, und die beiden hatten sich kaum noch etwas zu sagen. Doch das war nicht die größte Enttäuschung für die Frau. Hortense bekam keine Kinder. Auch der Arzt konnte nicht helfen, innere Verwachsungen verhinderten die Konzeption. Die Frau hatte sich damit nicht abfinden können, und sie schob heimlich die Schuld auf ihren engbrüstigen Mann, der mit seinem untrainierten Körper und seiner käsigen Haut so unvorteilhaft von ihr abstach. Hortenses Gefühlsleben hatte sich verhärtet, und oft hatte sie den Mann im Bett von sich gewiesen mit einem unwirschen: »Ach, laß mich.«

Manchmal aber tat er ihr leid, und wenn sie es ihm dann lustlos gestattet hatte, war er hinterher wie ein gestreicheltes Hündchen in sein Bett zurückgekrochen. In ihrer Haushaltführung war Hortense sehr selbständig und ließ sich von Zweiling in nichts hineinreden, wie sie überhaupt alles tat, ohne ihn vorher um seine Meinung gefragt zu haben.

An diesem Abend saß Hortense im Wohnzimmer vor

der Anrichte und packte Porzellangeschirr, vorsorglich mit Zeitungspapier umwickelt, in eine Kiste.

Zweiling war nach Hause gekommen. Er hatte einen Stiefel ausgezogen und den nackten Fuß auf einen Polstersessel gestellt. Mit der dicken grauen Socke wischte er zwischen den warmfeuchten Zehen, von denen ein säuerlicher Geruch aufstieg, und betrachtete sich sorgenvoll die wieder einmal wundgelaufene Ferse.

Hortense beachtete ihn nicht. Sie war mit dem Verpakken beschäftigt. Zweiling zog die Socke wieder über und zwängte sich den anderen Stiefel ab. Er trug die Stiefel hinaus, kam, Latschen an den Füßen, mit aufgeknöpfter Uniformjacke, wieder ins Wohnzimmer zurück und setzte sich in den Polstersessel.

Eine Weile sah er Hortense zu, die Unterlippe zurückgezogen. Ihm kam es in den Sinn, daß ein Scharführer mit appetitvollem Schmunzeln gesagt hatte: »Beine hat deine Frau ... oho ...«

Zweiling betrachtete Hortenses runde, ein wenig zu volle Waden und das Stück nackten Schenkels unter dem hochgerutschten Rock. – Das könnte dem so passen.

»Was machst du da?«

Hortense antwortete nebenhin:

»Man kann nie wissen ...«

Zweiling war diese Antwort unverständlich. Er versuchte einen Sinn hineinzudenken, es gelang ihm nicht. Er fragte wieder: »Was meinst du?«

Hortense sah von ihrer Beschäftigung hoch und entgegnete gereizt: »Denkst du, ich lasse mein schönes Porzellan im Stich?«

Jetzt hatte Zweiling begriffen. Er machte eine nichtssagende Handbewegung:

»Soweit ist es noch nicht.«

Hortense lachte häßlich auf, sie packte weiter, wütend geworden. Zweiling hatte sich im Sessel zurückgelehnt, die Beine behaglich ausgestreckt und die Hände überm Bauch gefaltet.

Nach einer Weile sagte er: »Aber ich habe schon vorgebaut ...«

Hortense antwortete nicht sogleich, es schien ihr nicht wichtig, doch dann drehte sie den Kopf nach Zweiling um und fragte neugierig: »So? Was denn?«

Zweiling lachte vor sich hin.

»Na, dann rede doch?« fuhr Hortense ihn heftig an.

»Da hat einer bei mir – mein Kapo – einen Judenbalg versteckt.«

Zweiling lachte aufs neue vor sich hin. Hortense drehte sich auf ihrer molligen Sitzfläche vollends zu ihrem Mann um:

»Na und? – Was dann?«

»Geschnappt habe ich ihn.«

»Hast du ihm das Kind weggenommen?«

»Ich bin doch nicht blöde.«

»Na, was hast du denn gemacht?« drängte Hortense ungeduldig.

Zweiling verzog hämisch den Mund und kniff ein Auge zu, dabei beugte er sich vertraulich zu Hortense: »Du versteckst Porzellan und ich ein Judenbalg.«

Er kicherte tonlos.

Hortense erhob sich schnell: »Erzähle!«

Zweiling lehnte sich im Sessel zurück und meinte:

»Was gibt's da groß zu erzählen? – Ich habe ihn eben dabei geschnappt, und das andere ging alles ganz einfach. – Wenn ich ihn in den Bunker gebracht hätte, dann hätte er jetzt schon 'nen kalten Arsch.«

Hortense hörte immer gespannter zu: »Ja ... warum hast du ihn denn nicht ...?«

Zweiling tippte sich schlau an die Schläfe:

»Haust du meinen Juden – nicht, dann hau' ich deinen Juden – nicht. Sicher ist sicher.«

Überrascht bemerkte er, daß Hortense ihn angstvoll anstarrte, und fragte sie deshalb verwundert:

»Na, was ist, was glotzt du denn so?«

»Und das Kind?« fragte Hortense atemlos.

Zweiling hob die Schultern und bemerkte beiläufig:
»Das ist noch bei mir auf der Kammer. – Die Kerle passen schon auf, darauf kannst du dich verlassen.«
Hortense setzte sich sprachlos auf einen Stuhl.
»Und du verläßt dich auf die Kerle? – Du willst wohl gar noch im Lager bleiben, wenn die Amerikaner kommen? Ja, sag mal ...«
Zweiling winkte gelangweilt ab. »Red doch nicht so 'n Blech zusammen. Im Lager bleiben? Aber weißt du, ob ich schnell genug aus dem Lager 'rauskomme, wenn's soweit ist? Dann ist das Judenbalg 'ne ganz großartige Sache. Meinst du nicht? Da wissen sie wenigstens, daß ich ein guter Mensch bin.«
Hortense schlug entsetzt die Hände zusammen.
»Gotthold, Mann! Was hast du da gemacht?l«
Zweiling wunderte sich über ihre Erregung: »Was willst du, das geht doch alles in Ordnung.«
»Wie stellst du dir das eigentlich vor?« entgegnete Hortense heftig. »Wenn das mal andersrum geht, dann fragen die Kerle nicht danach, ob du 'n guter Mensch gewesen bist. Die legen dich noch um, ehe der erste Amerikaner da ist.«
Sie schlug wieder die Hände zusammen. »Sechs Jahre ist der Mann nun bei der SS ...«
Zweiling wollte aufbrausen. Seiner Zugehörigkeit zur SS wegen ließ er sich von Hortense nicht verspotten, hier duldete er keine Kritik. Doch die Frau schnitt ihm respektlos das Wort ab: »Was hast du nun weiter gedacht? Na? – Wenn's mal andersrum kommt, was willst du dann machen?«
Von ihrer Heftigkeit irritiert, blickte Zweiling auf. Hortense keifte plötzlich unbeherrscht los:
»Ich kann arbeiten! Kochen kann ich gehen! Und du? – gelernt hast du nichts! Und wenn's aus ist mit dir bei der SS, was dann?«
Zweiling hatte nur eine lässige Geste zur Antwort, damit gab sich Hortense nicht zufrieden.

»Soll ich dich etwa ernähren?«

»Quatsch nicht so!« Zweiling spürte Hortenses Geringschätzung. »Warte erst mal ab, was kommt. Du siehst doch, daß ich vorgebaut habe.«

»Mit deinem Judenbalg?« Hortense lachte kreischend auf. »Vorgebaut! Na so was! Hand in Hand mit der Kommune!«

»Das verstehst du nicht.«

Zweiling ruckte sich ärgerlich hoch und ging mit heftigen Schritten durchs Zimmer. Hortense lief ihm nach und zerrte ihn am Ärmel zu sich herum, seine hochmütige Zurechtweisung hatte keine Wirkung auf sie. »Und wenn's 'rauskommt? Na?«

Zweiling blickte Hortense erschrocken an.

»Was soll denn 'rauskommen?«

Sie rüttelte an seinem Ärmel und wiederholte drängend: »Wenn's 'rauskommt ...?«

Zweiling stieß ihre Hand unwillig von sich, aber Hortense gab nicht nach, sie vertrat ihm den Weg, als er an ihr vorbeigehen wollte.

»Mensch! – Bist du denn von Gott verlassen? – So was noch anzurichten zu guter Letzt! – Begreifst du nicht, was du da angestellt hast? Wenn's 'rauskommt, dann knallen dich deine eigenen Leute im letzten Moment noch ab.«

Zweiling, unsicher geworden, bellte:

»Was soll ich denn machen?«

»Schrei nicht so«, zischte Hortense scharf, »du mußt dir das Judenbalg vom Halse schaffen, so schnell wie möglich!«

Hortenses echte Angst griff auf Zweiling über. Er erkannte plötzlich die Gefahr.

»Wie ich das machen soll, will ich wissen!«

Hortense schrie:

»Das weiß *ich* doch nicht! *Du* bist doch der Scharführer und nicht *ich!*«

Sie hatte zu laut geschrien und schwieg erschrocken. Das Gespräch stockte plötzlich.

Hortense kniete sich vor den Korb und packte weiter. Wütend zerrte sie die Zeitungsbogen auseinander, und sie sprachen den ganzen Abend über kaum noch ein Wort miteinander.

Zweiling suchte nach einem Ausweg. Er grübelte noch darüber, als er schon lange im Bett lag. Plötzlich richtete er sich auf und stieß die Frau ins Kreuz.

»Hortense!«

Erschrocken fuhr diese hoch und konnte sich, verschlafen, wie sie war, nicht zurechtfinden, als Zweiling triumphierend rief:

»Ich hab's!«

»Was denn?«

Zweiling knipste das Licht an: »Los, 'raus hier!«

In der Kälte zusammenschauernd, maulte Hortense mürrisch:

»Was soll ich denn?«

Zweiling war schon an der Tür und knurrte befehlend: »Los, komm!«

Das war der Scharführer, und vor dem hatte Hortense Angst. Sie kroch daher aus dem warmen Bett, zog den Morgenrock über das dünne Nachthemd und folgte Zweiling nach der Stube. Der kramte bereits in einem Kasten der Anrichte herum.

»Papier brauche ich zum Schreiben.«

Hortense schob ihn beiseite und wühlte in dem Kram, der liederlich im Kasten durcheinanderlag.

»Da hast du.« Sie reichte Zweiling eine alte Einladung der NS-Frauenschaft, doch Zweiling warf den Zettel wütend in den Kasten zurück.

»Bist wohl verrückt?« Er sah sich suchend um. Auf einem Stuhl lag ein eingewickeltes Paket. Zweiling riß von der Verpackung ein Stück ab.

»Das ist das Richtige.« Er legte den Fetzen auf den Tisch und herrschte Hortense an: »Bleistift, los! Setz dich her, du mußt schreiben.«

In Eifer geraten, schabte er sich die Backe.

»Wie schreibt man da?«

»Ich weiß doch noch gar nicht, was du willst«, keifte Hortense, die sich mit dem Bleistift an den Tisch gesetzt hatte.

»Schreib!« herrschte Zweiling sie an, hielt ihr aber sofort die Hand fest, als Hortense den Bleistift aufsetzte. »Nicht so, mit Druckbuchstaben. Es muß aussehen, als ob es ein Häftling geschrieben hat.«

Hortense warf den Bleistift hin: »Na höre mal ...«

»Quatsch, schreib!«

Er schabte sich die Backe, dann diktierte er:

»Der Kapo Höfel und der Pole Kropinski haben auf der Effektenkammer ein Judenkind versteckt, und Hauptscharführer Zweiling weiß nichts davon.«

Hortense malte es mit kräftigen Druckbuchstaben aufs Papier. Zweiling überlegte. Das war noch nichts.

Er riß ein neues Stück von der Verpackung ab und schob es Hortense hin.

»Höfel von der Effektenkammer und der Pole Kropinski wollen Hauptscharführer Zweiling eins auswischen. Sie haben ein Judenkind versteckt in der Kleiderkammer rechts hinten in der Ecke.«

Zweiling trat hinter Hortense und schaute ihr über die Schulter zu.

»So ist's richtig. – Und nun schreibst du drunter: Ein Häftling von der Effektenkammer.«

Noch während Hortense malte, fragte sie:

»Was willst du mit dem Zettel?«

Zweiling scheuerte genüßlich die Hände aneinander:

»Den schiebe ich Reineboth unter die Weste.«

»Du bist mir vielleicht 'n Gauner«, meinte Hortense verächtlich.

Zweiling nahm es als Anerkennung. Hortenses pralle Brüste unter dem dünnen Nachthemd kitzelten seine Augen.

Gleich nach dem Morgenappell des anderen Tages lief Pippig zum Revier hinunter. Hier erwischte er Köhn in der Ambulanz.

»Du, ich brauche eine Gummiwärmflasche.«

»Wozu?« Köhn blickte verwundert auf Pippig, der vom schnellen Lauf noch außer Atem war, und schüttelte verneinend den Kopf.

»Wir haben selber bloß ein paar von den Dingern.«

»Ich bringe sie dir gleich wieder.«

Pippig bettelte, und es bedurfte seiner ganzen Überredungskunst, dem mißtrauischen Köhn einen dieser kostbaren Wärmbeutel abzuringen. Damit rannte Pippig zur Kammer zurück und ließ sich von Kropinski die Wärmflasche auf den Leib binden. Mit einem Packen von Kropinski schon zurechtgelegter Mäntel verließ er die Effektenkammer und stieg den Appellplatz hinauf zum Tor. Hier meldete er sich ab. Der SS-Mann hinter dem Schalterfenster schrieb gleichmütig den Passierschein aus, und der Blockführer, der vor dem Fenster den Einlaßdienst versah, musterte Pippig.

»Was schleppst du da für Klamotten fort?«

Pippig, auf Fragen und Zwischenfälle vorbereitet, machte ein straffes Linksum, wohl wissend, daß militärische Exaktheit, auf die die SS besonderen Wert legte, der beste Passierschein war.

»Ausgesuchte Wollsachen für Reparaturzwecke zur SS-Schneiderei!« meldete er und drückte einen Akzent auf das Wort »Wollsachen«, das im Ohr des Blockführers besonders wohlklingend sein mußte. Der Krieg stand immerhin im fünften Jahr ...

Mit Genugtuung ließ Pippig die Mäntel von dem Blockführer begutachten. Die korrekt abgegebene Erklärung und die vorzügliche Qualität der Mäntel gaben dem Blockführer keinen Grund, an dem Häftling etwas auszusetzen. Mit einer kurzen Kopfbewegung entließ er ihn.

»Hau ab, du Vogel.«

Pippig riß sich überflüssigerweise noch eine vorbildliche Kehrtwendung aus den Hacken. Als er das Tor passiert hatte, war ihm zumute, als wäre er soeben durch ein Nadelöhr geschlüpft.

In der Schneiderei nahm ihn ein Rottenführer in Empfang.

»Was bringen Sie da für Zeug?«

Noch ehe Pippig antworten konnte, rief Lange von hinten dem SS-Mann zu: »Ausbesserungsmaterial, Rottenführer, ich habe es von der Effektenkammer angefordert. Geht in Ordnung.« Der Rottenführer ließ Pippig passieren.

Dieser schleppte die Mäntel durch die Reihen der an ihren Maschinen emsig nähenden Häftlinge und knallte den Packen auf den Zuschneidetisch vor Lange hin. Der Kapo begutachtete umständlich jeden einzelnen der Mäntel. Er hielt ihn hoch, drehte und wendete ihn nach allen Seiten, breitete ihn auf der Tafel aus, prüfte das Futter und den Stoff und war sehr beschäftigt. Nur seine Augen gingen während dieser eifrigen Tätigkeit in bestimmter Richtung, die Pippig gelehrig ablas.

Aha, in der Lumpenkiste unter der Tafel!

Pippig kauerte sich schnell nieder. Sein Verschwinden wurde von Lange durch hochgehaltene Mäntel gedeckt, und unten war Pippig durch die Umspannung um die Tafel vor Sicht verborgen. Mit flinken Fingern öffnete Pippig Jacke und Hemd, schraubte den Verschluß von der Wärmflasche ab, wühlte im Lumpenkasten, fand die Flasche, und noch während er die Milch umgoß und die leere Flasche wieder in den Lumpen versteckte, fiel von oben ein Päckchen herab. Der Traubenzucker! Pippig blickte zu Lange auf. Der kniff ein Auge zu. Sie hatten sich verständigt.

Pippig steckte das Päckchen ein, brachte seine Kleidung in Ordnung und richtete sich auf. Noch einige belanglose Worte, und dann zockelte der Kleine davon.

Die eiskalte Milch kühlte Pippigs Bauch. Unterwegs legte er das Päckchen Traubenzucker in die Griffstelle seiner schirmlosen Häftlingsmütze, so daß er es immer in der Hand hielt, wenn er vor einem SS-Mann die Mütze ziehen mußte.

Als Pippig zum Lagertor kam, sah er schon von weitem einen Haufen von Häftlingen am Schalter stehen und gewahrte, daß der Blockführer jeden einzelnen von ihnen abtastete.

Verflucht! Der Kerl filzt!

Umkehren oder stehenbleiben konnte Pippig nicht mehr, dazu war er zu nah am Tor. Was machen? Frechheit siegt! Pippst du oder pipp' ich? – Ich pippe! Furchtlos ging Pippig auf das Nadelöhr zu. Hier zwängte er sich durch den Häftlingshaufen, riß die Mütze mit dem Päckchen herunter, knallte mit den Hacken und rief: »Häftling 2398 von SS-Schneiderei ins Lager zurück!«

Als der mit dem Filzen beschäftigte Blockführer sich umdrehte, hielt ihm Pippig den Passierschein hin, machte eine elegante Kehrtwendung und – da war er auch schon durchs Nadelöhr geschlüpft. Sekunden, mit Spannung angefüllt bis zum Zerreißen! Würde es hinter seinem Rücken schreien: »He! Der von der Effektenkammer! Zurück ans Tor!«

Mit jedem Schritt, der Pippig vom Tor wegführte, lokkerte sich die Spannung. Die Kälte auf dem Bauch fühlte er nicht mehr. Der Ruf blieb aus! Hinter Pippig dehnte sich eine unendliche, schützende Leere. Als er die Hälfte des Appellplatzes hinter sich gebracht hatte, verfiel Pippig in Trab. Die Spannung entwich vollends, und an ihrer Stelle strömte ein ungeheurer Jubel in seine Brust.

Pippig rannte! Freu dich, Kleiner, es gibt Milch!

Kropinski hatte Freudentränen in den Augen. Immer wieder streichelte er Pippigs Arm, als sie beide vor dem Kinde kauerten und andächtig zusahen, wie es dem Kleinen schmeckte. Das Kind hielt die große Aluminiumtasse mit beiden Händen fest, sah aus wie ein kleiner Bär und schmatzte – schmatzte ...

»Guter Bruder, tapferer Bruder«, flüsterte Kropinski.

Pippig erwiderte:
»Mensch, wenn du wüßtest, was ich für 'nen Schiß in den Hosen gehabt habe ...«
Er lachte, er glaubte es selber nicht.
Unvermittelt stand Höfel hinter ihnen, sie schauten glücklich zu ihm auf.
»Woher habt ihr die Milch?«
Pippig griente Höfel an, stach dem Kind mit dem Zeigefinger in den Bauch: »Auf der Weide steht 'ne Kuh, und die macht Muuuhhh ...«
Das Kind lachte.
Pippig ließ sich auf den Hintern fallen und schlug die Hände zusammen.
»Es hat gelacht! Habt ihr's gehört? Es hat gelacht!«
Höfel blieb ernst. Er sah müde aus, weil er eine unruhige Nacht hinter sich hatte. Noch vor dem Morgenappell hatte er durch Krämer erfahren, daß mit Zidkowski, dem polnischen Blockältesten von 61, alles klargemacht worden war.
Nun stand Höfel vor dem Kind, sah zu, wie diesem die Milch schmeckte.
Jetzt galt es, den beiden begreiflich zu machen, daß das Kind ... »Hört zu«, begann Höfel.
Pippig, der Krämers morgendlichen Besuch beobachtet hatte, wußte sofort, daß aus Höfel der Lagerälteste sprach, und der mußte Gründe haben, das Kind aus der Kammer zu entfernen. Aber ausgerechnet in die Seuchenbaracke?
Höfel beruhigte die beiden. Am hellen Tag war es nicht möglich, das Kind nach dem Kleinen Lager zu bringen. Es konnte nur in der Dunkelheit geschehen. Nach dem allgemeinen Appell verließ Zweiling in der Regel die Effektenkammer. Das war die günstige Gelegenheit. Pippig schob die Hände in die Hosentaschen und sagte voll Trauer: »So 'n kleines Miezekätzchen ...«
Ein Häftling kam und warnte sie. Zweiling sei eben gekommen. Sie mußten abbrechen.

Zweiling hatte sich sofort in sein Zimmer zurückgezogen und noch keine Gelegenheit gehabt, den Zettel unterzubringen. Als er ins Lager gekommen war, hatte er vorsichtig ins Rapportzimmer hineingesehen. Reineboth, am Schreibtisch sitzend, hatte verwundert aufgesehen, als sich Zweiling mit einem verlegenen Gruß zurückzog. Was wollte der blöde Heini von der Effektenkammer? –

Am Vormittag war Zweiling des öfteren nach draußen gegangen, aber niemals klappte es, immer war am Tor etwas los.

Für den Rest des Nachmittags saß Zweiling grübelnd in seinem Zimmer. Nach dem Abendappell schwang sich Reineboth gewöhnlich auf sein Motorrad und fuhr zu seinem Liebchen nach Weimar hinunter.

Um den Zettel loszuwerden, blieb Zweiling nichts übrig, als den Appell vorbeizulassen und abzuwarten, bis Reineboth das Lager verlassen hatte.

War es überhaupt richtig mit dem verdammten Zettel?

Die Angst, die Hortense ihm eingejagt hatte, saß ihm noch immer lähmend in den Gliedern. Solange er bei der SS war, hatte er es nie nötig gehabt, sich über seine Zukunft Gedanken zu machen. Seine Zugehörigkeit zum Totenkopfverband und zur Lager-SS hatte ihn bisher aller Mühe des Lebens enthoben. Erst seit der gestrigen Auseinandersetzung mit Hortense sah er das Ende des Lagers erschreckend nahe vor sich, es ließ sich nicht mehr in eine bequeme Ferne schieben. An seinen möglichen Tod dachte Zweiling nicht, dazu war er zu träge. Während er durch das Fenster in stumpfer Langeweile die Häftlinge betrachtete, die im Kleiderraum beschäftigt waren, schwelten die Gedanken in ihm. Was wurde aus ihm?

»Soll ich dich etwa ernähren? Gelernt hast du nichts, gar nichts ...« Das zupfte ihn immer wieder, und die Unbequemlichkeit eines Lebens in ungewisser Zukunft machte ihn verdrießlich. Daß es aber auch so schiefgehen mußte mit dem Krieg!

Bis jetzt hatte Zweiling sein Auskommen gehabt. Auf einmal sollte das nicht mehr so weitergehen? Der Führer hatte sich verkalkuliert. Führer? – Scheiße! An diesen dachte Zweiling im Augenblick wie an einen völlig Fremden und Unerreichbaren, der irgendwo in einem sicheren Bunker saß, bombensicher!

Zweiling fühlte sich allein gelassen. Der Lagerkommandant beachtete ihn kaum. Und die anderen? Kluttig? Reineboth? Sie taten nur schön mit ihm, wenn es bei ihm etwas abzukochen gab. Ein goldenes Zigarettenetui von einem Juden, einen Brillantring, einen goldenen Füllhalter ... Kamerad Hauptscharführer ... und auf die Schulter geklopft.

Kamerad? Zweiling lachte sich selbst den Hohn zu, mit dem diese »Herren Kameraden« ihn bedenken würden, wenn er eines Tages ihre Hilfe notwendig hatte. Die allgemeine Angst wurde plötzlich zur Angst vor Kluttig und Reineboth. Diese ließen ihn unweigerlich hops gehen, wenn es mit dem Judenbalg herauskommen würde. –

Höfel war an die lange Tafel getreten und unterhielt sich mit den Häftlingen. Feindselig sah Zweiling durchs Fenster. Die Angst in ihm verfärbte sich zum Haß auf den Sauhund da draußen, der ihm die Schweinerei mit dem Judenbalg eingebrockt hatte. Dem habe ich's zu danken, dachte Zweiling, über den Rost lasse ich dich gehen, du Aas! –

»Mach die Luke dicht, du sabberst wieder ...«

Hortense hatte sich diese Redensart angewöhnt, weil sie Zweilings ewig offenen Mund nicht leiden mochte.

Als hätte sie es eben wieder gesagt, schreckte Zweiling aus seinem Grübeln auf, klappte ertappt den Mund zu, erhob sich, stakte zur Tür, öffnete: »Höfel!«

Der Angerufene blickte hoch und folgte Zweiling ins Zimmer nach. Sooft sie sich gegenüberstanden, war etwas zwischen ihnen, das geflissentlich ignoriert werden mußte, die Sache mit dem Kind! Sie lauerte nur als gefährliches Wissen hinter den Stirnen, und Höfel wartete stets mit einer gewissen Spannung auf das, was Zweiling ihm zu sagen hatte. Ruhig und mit geradem Blick sah er den Scharführer an. Dieser streckte hinter dem Schreibtisch die langen Beine aus.

»Heute kommt kein Transport mehr. Nach dem Appell schert ihr euch alle auf eure Blocks.«

Was bedeutete das?

»Es paßt euch wohl nicht mal, wenn ihr zeitig Feierabend habt?« Leutselig sollte es klingen.

»Wir haben noch sehr viel zu tun.«

Zweiling winkte ab. »Morgen. Für heute ist Schluß. – Ist sowieso bald Schluß«, fügte er hinzu.

»Wie meinen Sie das, Hauptscharführer?« stellte Höfel sich naiv.

»Tun Sie nicht so«, entgegnete Zweiling mit gemachter Vertraulichkeit. »Wir zwei wissen doch Bescheid ...«

Sie maßen sich mit Blicken.

»Lassen Sie zum Zählen antreten. Den Schlüssel nehme ich heute selber mit.«

Als Höfel das Zimmer verließ, meinte er Zweilings lauernden Blick im Rücken zu spüren. Ein kurzes Zwinkern der Verständigung zu Pippig, der an der Tafel gestanden und den Vorgang argwöhnisch beobachtet hatte, sagte diesem, daß etwas im Gange war. Sie wechselten kein Wort, nur ihre Augen sprachen: Aufpassen!

»Antreten zum Zählappell!« Höfel ging durch die Kammer. »Antreten zum Zählappell!«

Die Häftlinge des Kommandos, verwundert über das vorzeitige Zählen, sammelten sich im Raum vor der langen Tafel. Indessen ging Höfel durch die Kammer und kontrollierte die verschlossenen Fenster. Dabei überlegte er. Schaffte Zweiling diesmal den Schlüssel selbst zum Tor, dann waren sie ausgesperrt und konnten nur von außen in das Gebäude gelangen.

Der ursprüngliche Plan mußte umgestoßen werden.

Das Gefühl einer versteckten Gefahr ließ Höfel nicht

mehr los. Warum blieb Zweiling länger als sonst in der Kammer, was hatte er vor?

Kropinski, ebenfalls über den frühen Zählappell verwundert, kam aus dem Winkel.

»Was ist?«

Höfel beruhigte den Polen und schickte ihn nach vorn. Als er allein war, öffnete Höfel eines der beiden Fenster, die sich an der Stirnseite des Gebäudes befanden, und beugte sich orientierend hinaus. Knapp drei Meter unter dem Fenster lag das Dach eines Verbindungsgebäudes, das von der Bekleidungskammer im ersten Stock nach dem Bad führte. Höfel sah es mit Befriedigung. Er klappte die Fensterflügel zu, sperrte aber deren Verriegelung so lose, daß sie nachgeben mußte, wenn man von außen gegen den Fensterrahmen drückte. Dann ging er nach vorn.

Es war schon finster und der Appell des Lagers längst vorbei, doch Zweiling befand sich noch immer in der Effektenkammer. Im bergenden Dunkel einer Ecke zwischen der Küche und dem Bad standen Höfel, Pippig und Kropinski. Schweigend beobachteten sie die Fenster im zweiten Stock des großen Steingebäudes.

Im scharfen Sprühregen frierend, die Hände tief in die Taschen der dünnen Hosen vergraben, starrten sie zu den Fenstern empor. Reglos lastete die Stille über dem Lager. Kein Häftling war zu sehen. Hin und wieder lief ein eiliger Blockältester, von der Schreibstube kommend, über den knackenden Schotter und verschwand irgendwo in einem Block. Die aufgescheuchte Stille beruhigte sich und erstarrte wieder. Verhalten glimmten die roten Lämpchen am Zaun. Der regenfeuchte Asphalt des weiten Appellplatzes schimmerte fahl. Rund um das Lager stand der schwarze Wald.

Kropinski flüsterte etwas, es war nicht zu verstehen, und keiner der beiden antwortete.

Ob das Kind schon schlief?

Zweiling hatte die Lampe unter den Schreibtisch gestellt und sie mit einem Tuch verhängt, um das Licht gegen die nicht abgedunkelten Fenster abzuschirmen. Jetzt durfte er sicher sein, daß Reineboth das Lager verlassen hatte und die Torwache abgelöst worden war. Den Zettel steckte er griffbereit in die obere Außentasche der Uniform, knipste die Lampe aus und stellte sie auf den Tisch zurück. An der Fensterseite des Kleiderraums tappte er sich im Dunkeln nach hinten zum Winkel, schob den Stapel zur Seite. Mit einer Stablampe leuchtete er in den Raum hinein. Das Kind blickte mit aufgerissenen Augen in das blendende Licht und verkroch sich unter der Decke.

Draußen riß Kropinski Höfel am Arm: »Da!«

Die drei starrten auf das letzte Fenster, hinter dem der Schein geisterte. – Plötzlich rannte Pippig auf die Effektenkammer zu. Höfel erwischte ihn, noch ehe er durch die unverschlossene Tür ins Gebäude jagen konnte, zerrte ihn zurück und zischte: »Bist du verrückt?«

Pippig keuchte: »Den Hund schlage ich tot!«

Auch Kropinski war hinzugekommen. Oben knarrte eine Tür. Nur Sekunden blieben für Entscheidungen. Die drei flüsterten miteinander, heiß und hastig.

Höfel verschwand im Gebäude, und die beiden anderen huschten wie Mäuse in die dunkle Nische unter einer vorgebauten Treppe. Blitzschnell hatte Höfel die Tür hinter sich zugemacht. Über ihm klappten die Stiefeleisen auf dem Stein der Stufen. Ein fahler Lichtschimmer der abgeblendeten Stablampe gespensterte die Stufen herunter. Der Hausflur war dunkel. Weniger als eine Sekunde hatte Höfel Zeit zu überlegen, wo er sich verstecken konnte, und hatte keine Wahl. Es blieb nur die Ecke der zwei Meter breiten Wand neben der Eingangstür. Stehen oder kauern? Instinktiv kauerte sich Höfel blitzschnell an der nackten Wand zusammen, drückte den Kopf auf die Knie und legte die Arme darunter. Sogar die Augen preßte er zu, als könne er sich dadurch noch unsichtbarer machen.

Zweiling hatte den letzten Treppenabsatz erreicht und

ging auf die Tür zu. Jetzt entschied sich, ob der kommende Augenblick ein glücklicher war oder ... Die Stablampe brauchte nur lässig zur Seite zu schwenken, und Höfel war entdeckt. Doch Zweiling richtete den Lichtschlitz auf die Klinke der Tür.

Höfel preßte die Luft in die Lungen zurück und lauschte den abrasenden Sekunden nach. Sie blieben ohne Ereignis!

In tiefer Erleichterung hörte Höfel, wie die Tür geöffnet und wieder geschlossen wurde. Von außen lärmte der Schlüssel im Schloß, und es schnappte zweimal. Schritte knirschten davon.

Höfel hob den Kopf. Ihm wurde bewußt, daß er in diesen Sekunden rasend schnell gedacht hatte. Aber es war nicht Zeit, sich zu erinnern.

Er richtete sich auf.

In der Nische unter der Steintreppe hielten die beiden den Atem an und drückten sich noch flacher an die Mauer. Ganz nah ging Zweiling an ihnen vorbei. Sein Ledermantel glänzte, und der hochgeschlagene Kragen stieß an den Mützenrand.

Mit seinen langen Beinen, deren Knie sich niemals durchdrückten, stakte er den bergansteigenden Weg hinauf, und die hagere, nach vorn gekrümmte Gestalt verwischte schemenhaft im Regen und Dunkel.

Jetzt ging alles so, wie sie es in der Zeit zwischen ihrem und dem Appell des Lagers besprochen und vorbereitet hatten.

Pippig und Kropinski schlichen sich an der Fassade des Kammergebäudes entlang. Zu ebener Erde befanden sich die Lichtschächte der vielen Fenster des unterirdischen Kellers. In den letzten von ihnen ließen sie sich lautlos hinabgleiten. Ein paarmal sanft gegen das Fenster gewippt, und die Flügel öffneten sich. Die beiden schlüpften durch.

Zur gleichen Zeit befand sich Höfel im ersten Stockwerk. Er hatte alles genau durchdacht. Während er blitzschnell vom Dach des Verbindungsgebäudes in die Effektenkammer gelangen mußte, konnte das Kind auf dem gleichen Wege nicht befördert werden. Der Vorgang hätte zuviel Zeit in Anspruch genommen, und die Gefahr der Entdeckung war zu groß.

Höfel öffnete das Fenster des Treppenflurs und horchte ins Dunkel hinein. In der Spannung des Augenblicks spürte er, wie hell wach er war. Das tat gut. Haarscharf konstruierte er den Ablauf des Kommenden. Erst einmal warten und lauschen. Zwei, drei Augenblicke lang, bis er das sichere Gefühl hatte, daß nichts, aber auch gar nichts in nahem Umkreis war. Kein Häftling, kein SS-Mann, der vielleicht gerade in dieser Minute irgendwo aus dem Lager ging. Dort hinten war der Zaun, im Dunkel nicht zu sehen, nur die verschwiegenen roten Pünktchen verrieten ihn. Der Giebelwand gegenüber stand ein Wachturm. Er machte Höfel keine Sorge. Zwischen diesem und dem Kammergebäude war das Bad, und das deckte die Sicht. Der nächste Turm befand sich in 25 Meter Entfernung. Das war schon gefährlicher. Aber auch diesen Gefahrenpunkt hatte Höfel immer wieder durchdacht. Der Posten hätte in diesem Regendunkel schon eine geraume Weile auf einen bestimmten Punkt zu starren, um etwas wahrzunehmen. Es gab keinen Grund zur Annahme, daß ein Posten gerade in dem Augenblick, als sich Höfel vom Dach aus ins obere Fenster schwingen mußte, den Punkt fixieren würde. Gewiß, man konnte auch Pech haben. Dann leuchtete die Suchlampe auf, und … aus war es.

Das Leben wurde jedoch bereits für weniger wichtige Sachen riskiert, und etwas Dusel gehörte immer dazu. Also los, André! Lautlos kroch Höfel aufs Dach des Verbindungsgebäudes, blieb platt liegen, horchte um sich.

Vorsichtig rutschte er an die Giebelwand der Effektenkammer, zog sich kauernd zusammen. Mit dem ersten Sprung bereits mußte er den Sims über sich erwischen.

Höfel hockte sich hin wie ein Läufer am Start, Bewußtsein und Willen auf einen Punkt konzentriert, dann schnellte er hoch, mit aller Kraft. Die Hände griffen, hielten fest, er hing! Doch der Klimmzug ging viel langsamer und mühseliger vonstatten als in der Vorstellung. In Bruchteilen von Sekunden hatte Höfel das Gefühl, in helles Licht getaucht und allen sichtbar zu sein. Angst schoß plötzlich in ihm auf, heiß und schneidend. Aber sie verteilte sich sofort als zähe Kraft in den Muskeln. So zog er sich hoch. Mit der Stirn drückte er gegen den Fensterrahmen, hatte das Gefühl, sich von der Wand, an der er klebte, abzudrücken und zu stürzen. Völlig unvorbereitet ließ er eine Hand los, preßte die Flügel auseinander, als wäre es das Selbstverständlichste, und schon klammerte sich die Hand am Fensterrahmen fest. Ein Schwung noch, und Höfel war drinnen. Schnell schloß er das Fenster, duckte sich zusammen, schloß die Augen und ließ die Welle der Entspannung über sich hingleiten.

Ein kurzer Augenblick des Mattseins, dann war Höfel wieder hell wach. Er zerrte den Stapel beiseite. Seine Hände ertasteten den Körper des Kindes.

»Ich bin's, Kleiner, still, ganz still!«

Ursprünglich wollte sich Kropinski in die Effektenkammer einschließen lassen, um das Kind zu holen, aber Höfel hatte dem widersprochen, denn er wäre, falls Zweiling ihn erwischt hätte, mit diesem besser fertig geworden als der Pole.

Höfel eilte mit dem Kind durch die lange Kleiderkammer nach vorn in das Schreibbüro. Es mußte alles schnell vor sich gehen, im Keller warteten sie auf ihn. Das Kind, an außergewöhnliche Vorgänge in seiner Lagerwelt gewöhnt und durch Kropinski vorbereitet, verhielt sich musterhaft. Höfel setzte es auf den Fußboden, holte aus dem Kleiderraum eine der vielen Bockleitern, die zum Aufhängen der Kleidersäcke benutzt wurden. An der Leiter hing, anscheinend vergessen, ein solcher Sack. Er enthielt eine lange Leine. Höfel nahm sie heraus, packte das Kind in den Sack, verschnürte ihn und befestigte die

Leine daran. Dann stellte er die Leiter auf einen Tisch und stieg hinauf. Neben dem Kamin befand sich die Ausstiegluke zum Dach. Jedes Geräusch vermeidend, öffnete Höfel die Luke. Wieder witterte er in die Dunkelheit hinaus, ehe er, mit der Leine in der Hand, auf das schrägabfallende Dach kroch. Hinter der Lucke sich verbergend, zog er den Sack nach. Er drückte sich platt aufs Dach, robbte an den niedrigen Kamin heran und lauschte. Dann hob er mit einem entschlossenen Griff den Sack in den Kamin hinein.

Im Keller horchten sie am geöffneten Rußloch. Ungeduldig steckte Pippig den Kopf durch die enge Öffnung. Sehen konnte er nichts, im Kaminschacht war es stockdunkel. Dreck fiel ihm ins Gesicht. Pippig zog den Kopf zurück und rieb sich fluchend den Staub aus den Augen. Die Leine schürfte kratzend an den scharfen Kanten der Kaminöffnung. Wenn sie sich aufrieb und zerriß?

Höfel hielt erschrocken inne und überlegte in Sekundenschnelle. Die Gefahr der Entdeckung mißachtend, richtete er sich am Kamin auf, legte den Arm als Schutz unter die Leine und ließ sie abrollen.

Sie rutschte vom schützenden Ärmel auf das nackte Handgelenk und zischte glühend über die Haut. Um nicht aufzustöhnen, preßte Höfel die Stirn gegen den Kamin. Endlich kam vom Keller das verabredete Zeichen, ein Rucken an der Leine. Höfel ließ sie locker und sank erschöpft aufs Dach. Er schob die brennende Hand unter die Achselhöhle und ließ den Kopf nach vorn fallen. So saß er eine ganze Weile, bis er Herr des Schmerzes geworden war.

Im Keller bemühten sich die beiden, den Sack durch das Rußloch zu ziehen. Das Kind wimmerte.

»Mensch, Marian, sei vorsichtig!«

Kropinski hielt inne und redete flüsternd auf das Kind ein. Es verstummte und bewegte sich. An dem schlaff heraushängenden Teil des Sackes half Kropinski, vorsichtig ziehend, nach. Das Kind arbeitete sich selbst aus der engen Öffnung heraus.

»Ist es da?«

»Tak.«

Kropinski löste mit fliegenden Fingern die Leine ab und öffnete den Sack.

»Gott sei Dank«, stöhnte Pippig. »Das war die reinste Zangengeburt.«

Das kleine Menschenwesen zitterte am ganzen Leibe. Sein Seelchen war in Erschütterung geraten. Kropinski streichelte und tröstete den Knaben, der sich schluchzend und hilfesuchend an den Mann drückte. Endlich hatte sich das Kind so weit beruhigt, daß sie es wagen konnten, den gefährlichen Weg durchs Lager anzutreten. Sie verpackten das Kind wieder im Sack und brachten das Rußloch in Ordnung. Höfel hatte die Leine schon nach oben gezogen. Sie besprachen sich. Kropinski hatte vorauszugehen und zu sichern. Falls er in einer Entfernung von zwanzig Metern nichts Verdächtiges bemerken würde, sollte er zurückkommen und Pippig holen. Sie krochen aus dem Lichtschacht ins Freie. Ein Glück, daß der Regen dicker geworden war. Sie bohrten ihre Blicke in die Dunkelheit hinein.

»Los, Marian!«

Kropinski ging davon, und Pippig blieb im dunklen Winkel an der Kammer zurück. Kropinski ging an den ersten Barackenreihen entlang. An einigen von ihnen standen die Türen offen. Dort rauchten sie ihre Kippen. Kropinski blieb stehen und horchte. Sein ausgezeichnetes Gehör drang weit in die Stille hinein. Untrüglich hätte er den Schritt eines Scharführers von dem eines Häftlings unterschieden. Der eine Schritt in schweren festen Stiefeln war knirschend und sicher, der andere, in unbequemen Holzschuhen, noch dazu in diesem häßlichen Regen, war klappernd und eilend. Kropinski lauschte. Nichts war in der Nähe. Schnell lief er zurück und holte Pippig. Sie gingen gemeinsam bis zu der Stelle, an welcher Kropinski eben gestanden hatte. Hier blieb Pippig im Schutz einer dunklen Baracke stehen, und Kropinski ging weitere zwanzig Meter voraus. So lotste er Pippig an den Baracken entlang, die Zwischenwege überquerend, bis in die Nähe des Kleinen Lagers. Das letzte Stück des Weges war das unsicherste. Aus den schützenden Blockreihen heraus mußten sie ein beträchtliches Stück auf dem breiten Weg, der zum Revier führte, zurücklegen, ehe sie seitwärts abbiegen konnten. Hier gingen, wenn auch infolge des Regens in geringerer Zahl als sonst, Häftlinge zur Ambulanz. Im Schutz einer Baracke beobachteten die beiden den Weg. Es waren nur noch wenige Häftlinge unterwegs, ein Zeichen dafür, daß bald abgepfiffen wurde. Mancher von ihnen hatte sich zum Schutz vor dem Regen den dünnen Zebramantel oder einen Sackfetzen über den Kopf gehängt.

»Wollen wir, Marian?« fragte Pippig.

»Werden eben brauchen Glück«, meinte der Pole.

»Da, an die drei dort hängen wir uns an. Los.«

Schon sprang Pippig auf den Weg. Kropinski ihm nach. Sie hielten sich hinter drei Häftlingen, die zum Revier gingen. Zwei von ihnen hatten sich gegen den Regen vermummt. Kaum waren sie einige Schritte gegangen, als Kropinski Pippig am Arm packte. »SS!«

Tatsächlich kamen ihnen in einiger Entfernung zwei Scharführer entgegen. Pippig erschrak nicht weniger als Kropinski, doch seine im Lager erworbene Geistesgegenwart ließ ihn in Sekundenschnelle reagieren. Noch ehe die Scharführer nahe genug heran waren, hatte sich Pippig den Sack auf die Schulter gehoben und sich den überhängenden Teil desselben über den Kopf geworfen. Er fühlte, wie sich der Körper des Kindes an den seinen drückte und die Händchen unter dem Sack versuchten, sich anzuklammern. Als gleichsam Vermummter dirigierte er sich geschickt an den Scharführern vorbei, die drei Häftlinge als Deckung benutzend. Die Scharführer hatten den Vorgang nicht bemerkt, sie stapften verdrießlich den regennassen Weg hinaus.

Endlich konnten sie nach dem Kleinen Lager abbiegen, hinter dessen Stacheldraht waren sie in Sicherheit. Hierher kam keine SS. Die Baracke 61 war einer jener fensterlosen Pferdeställe. Ein entsetzlicher Geruch schlug den beiden entgegen, als sie den düsteren Raum betraten, der von ein paar armseligen Glühbirnen notdürftig erhellt wurde. Die ganze Fläche der Baracke war mit Strohsäkken belegt. Zidkowski und seine Helfer mußten haushalten mit dem kargen Raum und jedes Fleckchen ausnutzen, um alle Kranken unterzubringen. Die Sterbenden lagen auf den Strohsäcken. Es war weniger umständlich, einen Toten von ebener Erde nach draußen zu tragen, als ihn aus einem Fach der dreifach gestaffelten Holzgestelle zu zerren, die sich längs der Wände hinzogen. Hier waren die »leichteren« Fälle untergebracht. Zweifellos hätten sie der Strohsäcke dringender bedurft als die Sterbenden, die ohnehin nicht mehr lange mitmachten. Doch diese lagen ausnahmslos auf dem weichen Lager. Hier hatte nicht das vernünftige Denken, sondern das unvernünftige menschliche Gefühl entschieden, und die »leichteren« Fälle lagen deshalb auf blanken Brettern, mit einer zerschlissenen Decke oder einem alten Zebramantel gegen die Kälte geschützt.

Stumpf und starr lagen die Kranken, die »leichten« und die sterbenden, denen der Tod voreilig die Züge geprägt hatte, und das Leben war nur noch in einem kindhaften Wimmern oder in einem rasselnden Atemzug vernehmbar.

Pippig und Kropinski hasteten durch den schmalen Gang, den die Strohsäcke eben noch freiließen, nach vorn. Ein polnischer Pfleger trat aus einem Verschlag und sah ihnen entgegen. Mit ihm verschwanden die beiden hinter dem Verschlag. Zidkowski war auf ihr Kommen vorbereitet. Er half Pippig, den Kleinen aus dem Sack zu befreien, nahm das Kind mit väterlichen Händen hoch und setzte es behutsam auf die Bettstatt. Alle Männer standen um das Wesen herum und lächelten es neugierig an. Das Kind, noch von den Ereignissen erschüttert, blickte ängstlich auf die fremden Gestalten. Es wollte weinen und streckte sehnsüchtig die Ärmchen nach Kropinski aus.

Pippig drängte. Sie mußten Abschied nehmen.

Als die beiden auf dem Wege zu ihren Baracken waren, stöhnte Kropinski auf: »Ich kann nicht vergessen die beiden Scharführer. Was würde sein gekommen, wenn sie dich gefragt hätten: Was haben Sie da im Sack? Oh, oh ...«

Er konnte den überstandenen Schreck noch nicht verwinden, darum klopfte ihm Pippig beruhigend auf den Buckel.

»Man keine Bange, Marian, der liebe Gott verläßt keinen Freidenker.«

Schüpp führte einen Auftrag Krämers aus. Dazu war es gekommen, als er nach den Truppengaragen gerufen wurde, um hier den Radioapparat des Unterscharführers Brauer, der die Oberaufsicht über die Garagen hatte, in Ordnung zu bringen.

»Bei dieser Gelegenheit kannst du ein bißchen herumhorchen«, hatte Krämer gesagt und das Abhören ausländischer Sender damit gemeint. In letzter Zeit, seit Remagen, waren die Frontberichte sehr undurchsichtig geworden.

Brauer war nicht allein in seinem Zimmer, als Schüpp mit der üblichen Meldung: »Lagerelektriker bittet eintreten zu dürfen« den Raum betrat. Meisgeier, der Rottenführer, der sich mit Brauer in die Aufsicht teilte, war mit anwesend.

»Komm her, du Radiot!« brüllte Brauer, offenbar in bester Laune. »In fünf Minuten hast du die Klamotte in Ordnung gebracht, sonst verbiege ich dir jeden Finger einzeln.«

Schüpp sah auf den ersten Blick, daß die beiden angetrunken waren. Der hagere Rottenführer, dessen Gesicht von dicken Pusteln überzogen war, hatte die Mütze schief auf dem Kopf und saß vor dem defekten Apparat, dem er vergeblich Töne zu entlocken versuchte. Mit seiner hohen, gequetschten Stimme fistelte er ebenfalls auf Schüpp ein: »Hier ist ein Furz in der Röhre, den wirst du uns schön herauspolken, und wenn du Arschloch das nicht fertigbringst, dann verbiege ich dir auch noch den Hals.«

Schüpp ließ sich durch den rüden Ton nicht beeindrukken. Er stellte den Werkzeugkasten ab und entgegnete ungescheut: »Das lassen Sie lieber bleiben, wer soll Ihnen dann den Quatschkasten wieder in Ordnung bringen? Immer haben Sie etwas daran herumzuspielen.«

»Herumspielen«, krächzte Meisgeier belustigt auf und gab dem Skalensucher einen verächtlichen Schwung. Die grobe Behandlung rief in Schüpp den Protest des Fachmanns hervor.

»So was macht man nicht«, verwies er Meisgeier. Er konnte sich den freien Ton leisten, denn die SS war auf seine Fachkenntnisse angewiesen. Die beiden Kerle lachten auf, und Brauer, der am Tisch saß, trat, unsicher auf den Beinen, ebenfalls an den Apparat. Er grinste Schüpp an.

Plötzlich verzog sich sein Gesicht. Staunend wies er auf Schüpp und winkte Meisgeier zu sich.

»Guck dir mal das dämliche Gesicht an«, sagte er, und die beiden betrachteten sich den Elektriker. Schüpp, der nicht begriff, machte seine runden Augen.

Plötzlich grölte Brauer:

»Der Radiot sieht aus wie unser ›Reichsheini‹!«

Meisgeier bestätigte die unerhörte Entdeckung. Schüpp durchzuckte ein unvernünftiger Schreck. Die Kerle waren gefährlich. Im nächsten Augenblick konnte Brauers Faust ihm im Gesicht sitzen, weil er die Frechheit besaß, Himmler ähnlich zu sehen.

Die Schrecksekunde löste sich ebenso plötzlich auf, wie sie eingetreten war. Brauer und Meisgeier brachen gleichzeitig in schallendes Gelächter aus. Brauer schlug Schüpp anerkennend auf die Schulter und lachte brüllend, von Meisgeiers Diskant sekundiert.

Die Gefahr war vorüber, und Schüpp machte klugerweise ein freundliches Gesicht zu dem üblen Spiel, das für die beiden mit der großartigen Entdeckung noch nicht zu Ende war.

Brauer zerrte Meisgeier die SS-Mütze vom Kopf und stülpte sie Schüpp auf, riß ihm die Hälftlingsmütze aus der Hand und drückte sie Meisgeier auf den Schädel.

Jetzt erst war der Spaß komplett. Vor ihnen stand die gelungene Karikatur ihres »Reichsheinis«, und Meisgeier nahm vor ihr in grotesker Weise Haltung ein, vor Lachen prustend.

In einer Viertelstunde gab der Engländer den Heeresbericht durch, den mußte Schüpp erwischen. Tapfer kämpfte er den Schmerz der menschlichen Erniedrigung in sich nieder und wartete vorsichtig, bis sich die zwei üblen Schläger ausgelacht und an dem Spaß genug hatten. Dann nahm er die SS-Mütze vom Kopf und legte sie auf den Tisch. Die Geste, mit der Schüpp dies tat, war so unmißverständlich, daß sie Brauer nicht entging. Er zog anerkennend die Stirn in Falten und sagte zu Meisgeier:

»Guck mal, den kannste sogar beleidigen.«

In Schüpp zuckte eine Entgegnung, doch unterließ er sie.

Hätte er durch eine entsprechende Erwiderung die Beleidigung bestätigt, dann wäre der Spaß umgeschlagen. Erfahrungsgemäß wußte er, wie unberechenbar die Kerle waren, gleich Raubtieren im Käfig, deren verspielte Pranken plötzlich zuschlagen konnten. Darum dirigierte Schüpp die Situation geschickt um, ging zum Radio und begann, an ihm zu hantieren.

Hier, in seiner sachlichen Beschäftigung, war er immun, und mit Genugtuung stellte er fest, daß das Lachen der beiden verebbte. Meisgeier warf ihm das wertlos gewordene Requisit, die Häftlingsmütze, zu, stülpte sich seine eigene auf und verließ das Zimmer: Einen war er los.

Den Schaden am Apparat hatte er bereits entdeckt, es war ein Wackelkontakt, den er mit ein paar Handgriffen hätte in Ordnung bringen können. Aber er hütete sich, das zu tun, denn es kam ihm darauf an, auch Brauer noch loszuwerden. Der steckte seinen Kopf in den Kasten und wollte wissen, was eigentlich kaputt sei. Mehr als einmal hatte Schüpp seine fast immer erfolgreiche Methode angewandt, einen aufdringlichen SS-Mann fortzugraulen. Je unwissender die SS-Leute in fachtechnischen Dingen waren, desto mehr gaben sie sich den Anschein vom Gegenteil, um sich vor einem Häftling keine Blöße geben zu müssen. Das nützte Schüpp aus, und so gab er Brauer auf dessen Frage eine ausschweifende Darstellung von der Geschichte des Radios. Er kam von Faraday auf Maxwell zu sprechen, ging von Heinrich Hertz zu Marconi über, garnierte sein Referat mit technischen Floskeln, schlug dem Unterscharführer elektrische Wellen um die Ohren, verstopfte dessen Gehirnkasten mit Kondensatoren, Spulen, Röhren, umnebelte ihn mit Schwingungskreisen und magnetischen Feldern, mit Induktionen, Hoch- und Niederfrequenzen, bis das Mühlrad kreiste.

Brauer knurrte ungeduldig:

»Was ist nun aber an der Klamotte kaputt?«

Schüpp machte sein unschuldigstes Gesicht.

»Das müssen wir erst einmal feststellen.«

Brauer hatte genug. Er drückte sich die Mütze fester und brüllte:

»Wenn du in einer Viertelstunde nicht fertig bist, dann mache ich dich zu Mus. Hast du es gehört, du Radiot?«

Wütend knallte er die Tür hinter sich zu.

Der Spitzbube in Schüpp feixte sich eins. Schnell brachte er den Kontakt in Ordnung und stellte den Apparat auf Empfang. Ganz leise und fern hörte er die vier bekannten

Schläge der Kesselpauke. Das war der Engländer! Und dann, ebenso leise und fern, in deutscher Sprache mit englischem Akzent:

»Von der unteren Sieg bis zur Rheinschleife nördlich Koblenz tobt die Schlacht.

Aus dem Brückenkopf Oppenheim sind amerikanische Panzerköpfe nach Osten durchgebrochen. Ihre Spitzen haben den Main bei Hanau und Aschaffenburg erreicht. Zwischen den nördlichen Ausläufern des Odenwaldes und dem Rhein sind heftige Bewegungskämpfe im Gange ...«

Schüpp kroch fast in den Lautsprecher hinein. Jedes Wort brannte er sich ins Gehirn, um nichts zu vergessen.

Als Brauer zurückkam, hing Schüpp noch immer am Lautsprecher, er verwischte aber sofort den Empfang und gab volle Lautstärke, so daß der Apparat aufkreischte. Begeistert stürzte Brauer herzu:

»Mensch! Radiot! Wie hast du das fertiggebracht? Ich habe selber schon dran herumgemurkst, aber bei mir wollte es nicht klappen. Du bist doch ein ...«

Mehr Lob war einem Häftling nicht zuträglich, Brauer revidierte deshalb seine Anerkennung mit einem groben:

»Ach, leck mich am Arsch, die Hauptsache, der Kasten ist wieder in Ordnung.«

Schüpp packte sein Werkzeug ein.

Kurze Zeit darauf stand er mit Krämer in dessen Raum vor der Landkarte, die sich Krämer an die Wand geheftet hatte. Von Remagen waren sie in wenigen Tagen schon bis Oppenheim durchgestoßen.

Von hier aus ging es in Richtung Frankfurt, und nördlich Koblenz zeigte sich bereits die Stoßrichtung nach Kassel an. Ohne Zweifel, es ging nach Thüringen hinein! –

Die beiden Männer sahen sich wortlos an, dachten beide das gleiche. Krämer nahm ein Lineal und maß die Strecke Remagen–Frankfurt. Er übertrug sie von hier bis

Weimar. Es waren noch knapp zwei Drittel bisher zurückgelegten Weges, und ...

Krämer machte einen tiefen Atemzug, er legte das Lineal auf den Tisch zurück und sagte mit schwerer Stimme: »In vierzehn Tagen sind wir frei oder tot ...«

Schüpp lachte:

»Tot? Mensch, Walter, die da oben tun uns nichts mehr. Denen kocht doch schon das Wasser im Arsch.«

Krämer warnte:

»Abwarten ...«

Plötzlich packte er Schüpp beim Arm und wies durchs Fenster. Sie sahen Kluttig und Reineboth mit schnellen Schritten über den Appellplatz eilen. Häftlinge, die den beiden auf dem Platz begegneten und ihre Mütze zogen, drehten sich verstohlen nach ihnen um. Krämer und Schüpp verfolgten gespannt den Weg, den die beiden einschlugen, bis sie ihnen aus dem Gesichtskreis entschwunden waren.

»Da ist etwas los, lauf, Heinrich, häng dich an sie und paß auf, wohin sie gehen.«

Schüpp lief fort.

Krämer überkam eine nervöse Unruhe. Er hatte plötzlich das Gefühl, als wären die beiden seinetwegen ins Lager gekommen, als müßte jeden Augenblick die Tür aufgerissen werden und Kluttigs schneidende Stimme aufpeitschen: »Sie kommen sofort mit!«

Krämer preßte die Fäuste an die Schläfen, die Unruhe steigerte sich zur Angst, daß alles entdeckt worden sei.

Alles!

Und als tatsächlich die Tür aufgerissen wurde, fuhr Krämer entsetzt herum. Es war Schüpp, der hastig eintrat.

»Sie sind nach der Effektenkammer gegangen.«

Einen Augenblick lang empfand Krämer eine wohltuende Erlösung, die aber sofort in neue, noch größere Angst umschlug. Er starrte Schüpp entgeistert an.

Reineboth hatte am Morgen den Zettel hinter seiner Tür gefunden und ihn verständnislos hin und her gewendet.

»Höfel und Kropinski wollen Hauptscharführer Zweiling eins auswischen. Sie haben ein Judenkind versteckt, im Kleiderraum rechts hinten in der Ecke ...«

Reineboth überlas den Text mehrere Male.

»Ein Häftling von der Effektenkammer«, stand als Unterschrift darunter.

Reineboth fiel plötzlich die Szene ein, die er am vergangenen Morgen mit Zweiling erlebt hatte. Der hatte die Tür geöffnet, war verdutzt stehengeblieben, hatte einen verlegenen Gruß gestammelt und war wieder gegangen.

Reineboth pfiff durch die Zähne und schob den Zettel in die Tasche.

Später zeigte er ihn Kluttig. Auch dieser las ihn einige Male durch, ohne etwas damit beginnen zu können. Er drückte die rotgeränderten Augen zusammen, und auf den dicken Brillengläsern brach sich hart das Licht.

Reineboth rekelte sich unter dem Schreibtisch:

»Was sagst du zu der Unterschrift?«

Kluttig meinte verständnislos: »Da hat einer gezinkt.«

»Ein Häftling?«

»Wer sonst?«

Reineboth setzte ein überlegenes Lächeln auf.

»Zweiling«, sagte er und erhob sich phlegmatisch.

Er nahm Kluttig den Zettel weg und schlug unvermittelt einen scharfen Ton an.

»Zweiling und kein anderer hat den Zettel geschrieben!«

Kluttigs dummstaunendes Gesicht machte Reineboth ärgerlich. Gallig fuhr er auf den Lagerführer ein:

»Mensch, begreifst du denn nicht? Das ist doch ein klarer Fall. Dieser blöde Heini hat mit der Kommune gemauschelt, und jetzt stinkt es ihm in der Hose.«

Kluttig bemühte sich, den scharfsinnigen Gedanken des Jünglings zu folgen. Der legte den linken Arm auf den Rücken und schob den Daumen der rechten Hand hinter die Knopfleiste der Dienstjacke. So stelzte er vor Kluttig auf und ab, und seine Worte waren voll Zynismus:

»Belieben Herr Hauptsturmführer den Bericht des hochgeschätzten OKW mit der Durchgabe der Engländer zu vergleichen?«

Er blieb vor Kluttig stehen und sagte scharf:

»Dann wirst du nämlich feststellen, mein Lieber, daß der Amerikaner von Oppenheim vorrückt. Sie sind schon bei Aschaffenburg. Kriegsschauplatz gefällig?« Mit verbindlichem Hohn wies Reineboth auf die Karte an der Wand.

»Stoßrichtung Thüringen! Na also, wie bitte? – Machen wir uns nichts vor, meine Herren, sagt unser Diplomat. Kombinieren, sage ich!« Er stelzte zufrieden auf und ab und forderte den schweigenden Kluttig auf: »Nun bitte, Herr Lagerführer, kombiniere!«

Kluttig schien den Zusammenhang zu sehen.

»Du meinst, Zweiling hätte mit der Kommune, um sich, wenn es schiefgeht ...?«

»Scharfsinnig«, spöttelte Reineboth, »jeder auf seine Weise. Es kann schnell gehen, sehr schnell sogar. In einer Woche von Remagen bis Frankfurt, dann kannst du dir ausrechnen, wann sie hier sein werden. – Mal herhören, was *ich* kombiniere. Mit dem Judenbalg haben sie den Zweiling weichgemacht. ›Herr Hauptscharführer, drükken Sie mal ein Auge zu, wir machen dasselbe, wenn's andersrum geht.‹ Stimmt's?«

Reineboth wartete Kluttigs Anwort nicht ab, er stach mit dem Finger in die Luft:

»Das hat der Höfel eingerührt, und das ist einer von der Organisation. Ergo, wer steckt hinter dem Rummel? Die illegale Organisation; gefressen? Wir müssen uns den Höfel schnappen und den Polen dazu, den Dingsda, wie heißt der Kerl?«

Jetzt hatte Kluttig begriffen. Er stützte empört die Hände in die Hüften.

»Was machen wir mit Zweiling?«

»Nichts«, entgegnete Reineboth, »haben wir Höfel und den Dingsda, dann halten wir das Ende des Fadens in der Hand. Der lahmarschige Heini wird noch froh sein, uns beim Aufspulen behilflich sein zu dürfen.«

Kluttig staunte ihn in ehrlicher Bewunderung an:

»Mensch, was bist du für ein gerissener Hund ...«

Die uneingeschränkte Anerkennung seines Scharfsinns vergoldete die Eitelkeit des Jünglings, er trommelte mit den Fingern auf der Knopfleiste.

»Das machen wir alles ohne unseren Diplomaten, vielmehr *gegen* ihn. Wir müssen klug sein, Herr Hauptsturmführer, sehr klug! Es kann auch schiefgehen. Habe dir schon einmal gesagt und wiederhole deshalb: Wenn wir zuschlagen, dann auf die Richtigen, verstanden? Wir können uns nur einen Schlag leisten, und der muß haargenau sitzen.«

Reineboth trat dicht an Kluttig heran und sprach eindringlich:

»Jetzt darfst du keine Dummheiten machen. Kein Wort über die Organisation, die existiert nicht, verstanden? Es geht nur um das Judenbalg, kapiert?«

Kluttig nickte und vertraute sich Reineboths Klugheit an. Der wollte keine Minute mehr verlieren, er ruckte sich entschlossen die Mütze in die Stirn: »Also los!«

Sie rissen die Tür zur Effektenkammer auf und traten rasch ein.

Die Häftlinge, die im Kleiderraum beschäftigt waren, fuhren überrascht herum, einer rief:

»Achtung!«

Und alle nahmen dort, wo sie sich gerade befanden, stramme Haltung an. Höfel, durch den Achtungsruf im Schreibbüro aufmerksam geworden, erschrak, als er den Lagerführer und Reineboth gewahrte. Er kam eilig in den Kleiderraum und meldete gewohnheitsmäßig:

»Kommando Effektenkammer bei der Arbeit!«

Reineboth, mit dem Daumen hinter der Knopfleiste, schnarrte:

»Alles antreten lassen!«

Mit überlauter Stimme gab Höfel den Befehl durch die Räume. In seinem Kopf wirbelte es. Noch während die Häftlinge aus allen Richtungen herbeieilten und sich, des Gefahrvollen bewußt, das in dem plötzlichen Auftauchen der beiden lag, hastig in den gewohnten zwei Zählreihen aufstellten, fragte Kluttig nach Zweiling.

Höfel meldete: »Hauptscharführer Zweiling ist heute morgen noch nicht hiergewesen.«

Eine unheilvolle Stille lag über dem Raum. Die Häftlinge standen reglos und starrten auf Kluttig und Reineboth, die kein Wort sprachen. Die wenigen, so ereignisvollen Augenblicke seit ihrem Erscheinen waren wie wilde Vögel über die Köpfe der Häftlinge hinweggerauscht. Jetzt erschien die Stille wie vereist.

Kluttig gab Reineboth ein Zeichen. Dieser ging schnell in den Kleiderraum hinein, nach rechts hinten. Kluttig setzte sich derweil auf die lange Tafel und baumelte mit dem hängenden Bein. Im hinteren Glied standen Pippig und Kropinski nebeneinander. Pippig stieß Kropinski verstohlen mit der Faust an. Im ersten Glied stand Rose. Sein angstoffenes Gesicht unterschied sich merklich von den verschlossenen Mienen der übrigen. In Höfel, der am Ende der ersten Reihe seinen üblichen Platz hatte, rasten die Gedanken.

Sein Herz schlug pulsend am Hals, übermäßig fühlte er das heiße Tucken. Merkwürdigerweise brachte er das Auftauchen der beiden weniger mit dem verschwundenen Kind als mit der 7,65 mm Walther in Verbindung. Außer ihm wußte niemand von ihrem Versteck.

Plötzlich kam ihm das alte Kindersuchspiel in den Sinn, und er frohlockte: Wasser, Wasser, Wasser ... In Gedanken tastete er das Versteck der Waffe ab, rechnete die Möglichkeiten der Entdeckung aus und erinnerte sich, wie er als Knabe aufgejubelt hatte, wenn das Versteck trotz eifrigen Suchens nicht aufzufinden war.

Wasser, Wasser, Wasser! – Er wurde ganz ruhig, das

böse Tucken verebbte, und die Erregung glättete sich. Jetzt konnte er sogar aus den Augenwinkeln heraus Kluttig beobachten, der mit den Fingern auf sein Knie trommelte. Kluttigs Augen liefen heimtückisch die bewegungslosen Reihen der Häftlinge ab, jeden einzelnen von ihnen fixierend, die Blicke der Häftlinge waren geradeaus ins Leere gerichtet. Im Raum hing eine lähmende Spannung, die jeden Augenblick zu zerreißen drohte. Es dauerte eine ganze Weile, bis Reineboth wieder nach vorn kam. Er hatte ein mokantes Lächeln aufgesteckt und zog die Brauen hoch.

»Nichts«, sagte er lakonisch. Kluttig sprang vom Tisch. Die Spannung zerriß. Wut schoß wie ein jäher Windstoß in Kluttig hoch.

»Höfel vortreten!«

Höfel trat aus der Reihe und blieb zwei Schritte vor Kluttig stehen. Der blickte suchend über die Köpfe der Häftlinge hinweg.

»Wer ist das polnische Schwein Kropinski? Herkommen!«

Kropinski löste sich langsam von seinem Platz, ging durch die Reihen und stellte sich neben Höfel auf. Reineboth wippte in den Knien. Rose stand wie erstarrt und preßte alle Kraft in die Kniekehlen, die ihm weich zu werden drohten. Die Gesichter der anderen Häftlinge waren hart, finster, reglos. Pippigs Augen glitten von Reineboth zu Kluttig.

Dem saß die Wut in der Kehle. Sein Kopf stand steif auf dem langen Hals. Er wollte sich beherrschen und zischte unheilvoll durch die Zähne:

»Wo ist das Kind?«

Kropinski schluckte aufgeregt. Keiner gab Antwort. Kluttig verlor die Beherrschung, kreischend schrie er: »Wo das Judenbalg ist, will ich wissen!!!«

Gleichzeitig fuhr er auf Höfel los: »Antworten Sie!!!« Speichel spritzte ihm von den Lippen.

»Hier ist kein Kind.«

Kluttig sah hilfesuchend auf Reineboth, die Wut verklemmte jedes Wort in seiner Kehle. Nachlässig ging Reineboth auf Kropinski zu, zog ihn sich an der Jacke heran und sagte fast freundlich: »Sag es, Pole, wo ist das Kind?«

Kropinski schüttelte heftig mit dem Kopf.

»Ich nicht wissen ...«

Da holte Reineboth aus. Mit einem gut trainierten Boxhieb schlug er gegen Kropinskis Kinn. Der Schlag war so kräftig geführt, daß Kropinski, rückwärts taumelnd, in die Reihen der Häftlinge fiel. Sie fingen ihn mit den Armen auf, aus dem Mundwinkel sickerte ihm ein dünner roter Faden.

Reineboth holte sich Kropinski wieder heran, ein zweiter Schlag auf die gleiche Stelle. Kropinski sackte zusammen. Reineboth staubte sich die Hände ab und schob den Daumen hinter die Knopfleiste.

Mit den beiden Schlägen hatte er Kluttig das Signal gegeben, der jetzt ebenfalls zuschlug, wild und unbeherrscht mit beiden Fäusten in Höfels Gesicht hinein, und dann kreischte:

»Wo habt ihr das Judenbalg? 'raus mit der Sprache!«

Höfel hielt die Arme schützend vor den Kopf. Kluttig trat ihn mit solcher Wucht in den Unterleib, daß Höfel mit einem Wehlaut zusammenknickte.

Pippigs Atem ging stoßweise. Er verkrampfte die Hände zu Fäusten. Sinnlos dachte er: Durchhalten, durchhalten! Sie sind schon bei Oppenheim! Es dauert nicht mehr lange. Durchhalten, durchhalten ...!

Kluttigs Unterlippe zitterte, er straffte die verrutschte Uniform zurecht. Höfel erhob sich mühsam. Der Stiefeltritt hatte ihm die Luft genommen. Keuchend und mit vorhängendem Kopf stand er da. Kropinski blieb unbeweglich liegen.

Reineboth blickte lässig auf seine Armbanduhr.

»Ich gebe euch allen eine Minute Zeit. Wer mir sagt, wo das Judenbalg versteckt ist, bekommt eine Belohnung.«

Die Häftlinge standen starr. Pippig lauschte in das

Schweigen hinein. Wird einer etwas sagen? – Seine Augen suchten Rose. Von ihm sah er nur den Rücken, aber er gewahrte, wie Roses Finger zitterten.

Nach einer unendlich langen halben Minute kontrollierte Reineboth die Uhr. Nach außen schien er gelassen, doch er überlegte intensiv die Taktik. Den Kerlen einen Schock einjagen, dachte er, das macht sie weich.

»Noch 30 Sekunden«, sagte er verbindlich, »dann nehmen wir die beiden mit ... zum Mandrill ...«

Er machte eine eindrucksvolle Pause und verzog gefährlich lächelnd die Lippen.

»Was mit ihnen dann passiert, geht auf euer Konto.«

Geschickt vermied er es, die Häftlinge anzusehen, schaute wie ein Starter auf die Uhr.

Kluttigs Augen irrten wild von einem zum andern. Die Reihen standen wie gegossen. In Pippig zitterte es. Soll ich alles auf mich nehmen? Vortreten, sprechen: Ich habe das Kind, ich ganz allein ... ?

Die Minute war um. Reineboth senkte die Uhr. Pippig hatte die Empfindung, als würde er in den Rücken gestoßen! Jetzt! Vortreten! Aber er stand starr.

Reineboth stakte Kropinski mit der Stiefelspitze in die Seite: »Aufstehen!«

Jetzt, jetzt, jetzt! zerrte es in Pippig, und tatsächlich war es ihm, als ob er vortreten würde, schwerelos, wie im Traum. Kropinski erhob sich wankend und erhielt von Reineboth einen Tritt ins Kreuz, daß er zur Tür taumelte. Und doch waren es weder Angst noch Feigheit, die Pippig zurückhielten. Mit starren Augen sah er Höfel nach, der ebenfalls zur Tür ging ...

Noch eine geraume Weile standen die Häftlinge steif und stumm, nachdem sie allein waren, von der ausgestandenen Erschütterung gelähmt, bis Rose die Fäuste in die Luft warf und mit zerrissenen Nerven losschrie:

»Ich mache das nicht mit!«

Da endlich kam Leben in die Reihen, und auch Pippig erwachte aus seiner Starre. Er stürzte durch das Gewirr der sich auflösenden Reihen zu Rose, packte diesen hart und drohte mit erhobener Faust:

»Schnauze halten!«

Zweiling hatte tatsächlich abgewartet, bis alles vorüber war, erst dann erschien er auf der Kammer. Mit scheelen Blicken musterte er die Häftlinge. Im Schreibbüro saßen sie untätig an den Tischen, und an der langen Tafel im Kleiderraum standen die anderen, die offenbar auch noch nichts getan hatten und erst bei seinem Eintritt Geschäftigkeit zur Schau trugen.

Zweiling wollte die gedrückte Stimmung der Häftlinge geflissentlich übergehen und in sein Zimmer retirieren. Ein unbehagliches Gefühl überkroch ihn mit einem Male. Sollten sie es etwa wissen, daß der Zettel von ihm stammte? Er blieb unschlüssig stehen und verzog das Gesicht zu einem ungeschickten Lächeln.

»Was macht ihr für dumme Gesichter? Wo ist denn der Höfel?«

Pippig, ebenfalls an der Tafel stehend, sah Zweiling nicht an und zerrte die Verschnürung eines Kleidersackes auf.

»Im Bunker«, antwortete er finster, und Zweiling hörte den Unterton heraus.

»Hat er was ausgefressen?« Zweiling schob die Zunge auf die Unterlippe. Pippig antwortete nicht, und das harte Schweigen der anderen blockierte in Zweiling jede weitere Frage. Wortlos ging er in sein Zimmer, von den mißtrauischen Blicken der Häftlinge verfolgt. Pippig schickte ihm einen unterdrückten Fluch nach. Zweiling warf den braunen Ledermantel achtlos auf einen Stuhl und überlegte. Das unbehagliche Gefühl wollte nicht weichen. Sein Instinkt sagte ihm, daß die Häftlinge auf ihn Verdacht hatten. Er blinzelte trübe vor sich hin. Das beste war, freundlich zu sein und sich im übrigen dumm zu stellen.

Er rief Pippig zu sich.

»Nu erzählen Sie mal, was ist los gewesen?«

Pippig antwortete nicht sofort.

In diesem Augenblick, da es um das Schicksal seiner liebsten Kameraden ging, erlebte Pippig den unwiderstehlichen Drang, das tief Menschliche aus sich hervortreten zu lassen, in der trügerischen Hoffnung, bis zum Herzen jenes durchzustoßen, der mit lauernden Augen vor ihm saß. Es wäre das Höchste und Edelste gewesen, was Pippig an einen SS-Mann zu vergeben gehabt hätte, sein ewig getretenes Menschentum, das hinter den Gitterstäben der blau-grau gestreiften Häftlingskleidung gefangengehalten wurde. Der Drang, als Mensch zu sprechen, war so stark, daß ihm das Herz zerschmelzen wollte, und einen Augenblick lang glaubte Pippig auch wirklich an die allbezwingende Gewalt jener unzerstörbaren Stimme; die Gedanken hinter seiner Stirn wollten sich schon zu Worten formen. Doch als ihm die fade Lüsternheit in Zweilings Gesicht bewußt wurde, riß es ihn zurück.

So, wie seine Zebrakleidung ein Gitter war, hinter dem der Mensch niedergehalten wurde, so war die graue Uniform des SS-Mannes ein Panzer, undurchstoßbar, und dahinter lauerte es, verschlagen, feig und gefährlich, wie eine Raubkatze im Dschungel.

Vor ihm saß der Zinker, der kaltblütig genug war, das in einem schwachen Augenblick dargebotene Menschentum auszunutzen und zu vernichten, wenn es ihm zum Vorteil gereichte.

Pippig schämte sich, auch nur eine Minute lang dem Drang seines Herzens verfallen gewesen zu sein.

»Na, nu erzählen Sie mal ...«

Pippigs Herz wurde kühl.

»Was soll schon los gewesen sein? Höfel und Kropinski sind wegen des Kindes in den Bunker geflogen.«

Zweiling blinzelte.

»Es muß einer gezinkt haben.«

Pippig antwortete schnell:

»Jawohl, Hauptscharführer, es hat einer gezinkt!«

Zweiling ließ die Entgegnung in sich verhallen und sagte daraufhin:

»Da müßt ihr doch einen Schweinehund unter euch haben?«

»Jawohl, Hauptscharführer, wir haben einen Schweinehund unter uns!«

Wie stark sich das sagen ließ.

»Und da haben sie ... das ... wohl mitgenommen?«

»Nein, Hauptscharführer!«

»Wo ist es denn?«

»Ich weiß es nicht.«

Zweiling war sichtlich überrascht.

»Wieso? Gestern abend war es noch da.«

»Weiß ich nicht.«

Zweiling sprang auf.

»Ich habe es selber gesehen!«

Jetzt hatte er sich verraten. Was bisher starker Verdacht gewesen war, wurde Pippig nun zur Gewißheit: Zweiling war der Zinker. Er war es!

Zweiling starrte in Pippigs undurchdringliches Gesicht. Plötzlich brüllte er Pippig an:

»Alle sollen antreten, das ganze Kommando! Den Schweinehund kriegen wir schon!«

Im gleichen Augenblick aber schlug er um.

Er sprang mit einem Satz zu Pippig, der bereits die Türklinke in der Hand hatte, und sagte mit einem Anflug von Vertraulichkeit:

»Nee, Pippig, das machen wir nicht. Wir reden lieber erst gar nicht von der Sache. Meiner Anständigkeit wegen geht es mir vielleicht noch an den Kragen. Wir hängen es nicht an die große Glocke. Versuchen Sie 'rauszukriegen, wer der Schweinehund gewesen ist, und den melden Sie mir dann. Wir lassen ihn hochgehen.«

Auf Pippigs Zustimmung lüstern, schob Zweiling die Zunge auf die Unterlippe. Doch Pippig schwieg. Er machte die vorgeschriebene Kehrtwendung und verließ das Zimmer. Zweiling sah ihm durchs Fenster nach. Der Mund stand ihm offen. –

Von seinem Raum aus sah Krämer die Verhafteten über den Appellplatz gehen, hinter ihnen Kluttig und Reineboth, Kropinski schwankte, und Höfel ging mit gesenktem Kopf.

Hinter den Fenstern der Schreibstube standen die Häftlinge und verfolgten mit neugierig aufgerissenen Augen die Gruppe.

Pröll kam zu Krämer gestürzt. Jetzt waren die vier oben am Tor angelangt. Man mußte scharf hinsehen, um auf die weite Entfernung noch etwas zu erkennen. Dennoch gewahrten die beiden am Fenster, daß die Verhafteten in den rechten Flügel des Torgebäudes gebracht wurden. Der Bunker verschluckte sie.

Pröll sah Krämer an, keines Wortes mächtig, nur in seinen Augen flackerte die entsetzte Frage: Warum?

Krämers Züge verfinsterten sich.

Die Kunde von dem Ereignis sprang schnell durchs Lager, Höfels Verschleppung roch nach »dicker Luft«. Was war los? Häftlinge trugen die erregende Neuigkeit in die Blocks. In die Optikerbaracke brachte sie ein Läufer.

»Eben haben sie Höfel und einen Polen in den Bunker geschafft. Kluttig und Reineboth haben sie geholt. Da ist etwas faul ...«

Pribula und Kodiczek sahen sich besorgt an: Der militärische Ausbilder im Bunker? Was bedeutete das? Auch bis zum Revier eilte die Nachricht. Van Dalen verhielt sich still, als er davon erfuhr. Er wusch im Spülraum schmutzige Binden aus. Seine buschigen Brauen zogen sich nachdenklich zusammen. Das konnte eine gefährliche Sache sein. Er war versucht, alles stehen- und liegenzulassen und zu Bochow zu laufen. Doch unterließ er es klugerweise, eingedenk des obersten Gebots für alle illegalen Funktionäre, unauffällig zu bleiben. Wenn es wirklich gefährlich war, dann würde er rechtzeitig entsprechende Anweisungen erhalten.

Schüpp, der sich in der Gegend der Effektenkammer

herumgedrückt hatte, wurde von Häftlingen des in der Nähe befindlichen Bades ausgefragt. Sie brachten es zu Bogorski, der verbarg seine Besorgnis hinter Gleichgültigkeit.

»Nun, was wird sein? Wird Höfel nicht aufgepaßt haben.«

Bochow erfuhr es durch die Stubendienste, die es aus der Küche mitbrachten. Die Unruhe hielt ihn nicht lange auf dem Block. Er benutzte einen Vorwand, um nach der Schreibstube zu gehen. Zum Glück traf er Krämer allein an. Insgeheim hatte sich dieser vor der Begegnung mit Bochow gefürchtet. Nur zu gut wußte Krämer, warum er es dem bedrängten Höfel überlassen hatte, mit Bochows Anweisung allein fertig zu werden. Es war der geheimnisvolle, menschliche Widerstand gewesen, der sein Gewissen beide Augen zudrücken hieß, nachdem er den Auftrag weitergegeben hatte. Nichts mehr damit zu tun haben. Nichts mehr sehen, nichts mehr wissen!

Aus dem gleichen Widerstand heraus begehrte er gegen Bochow auf, der ihm Vorwürfe machte, das Fortbringen des Kindes nicht bis zum Abgang des Transports überwacht zu haben. »Ich habe meine Pflicht getan!« verteidigte er sich überlaut. Bochow erwiderte nichts darauf. Seine disziplinierte Art, der Wirklichkeit in ihrer jeweils veränderten Form zu begegnen, ließ ihn sofort erkennen, daß es nutzlos war, über begangene Fehler zu streiten. Durch Höfels Verhaftung war eine gefährliche Lage eingetreten. Sein sicherer Instinkt ließ Bochow wissen, daß zwischen der Verhaftung und dem Bestreben Kluttigs und Reineboths, sich an den Apparat heranzutasten, ein Zusammenhang bestand.

Bestimmt vermuteten die beiden in Höfel einen illegalen Mann, des Kindes wegen hätten sie sich nicht in so auffälliger Weise bemüht.

Bochow preßte die Lippen aufeinander, suchte nach Auswegen, fand sie aber nicht.

»Was nun? –«

Krämer hob hilflos die Schultern hoch.

»Aus dem Lager kriegen wir das Kind nicht mehr. Ich bin froh, daß ich es noch rechtzeitig habe beiseite bringen lassen. Der Zweiling steckt dahinter.«

Bochow hörte nur mit halbem Ohr zu. Er überlegte. Nur Krämer als Lagerältester hatte die Möglichkeit, aufzuspüren, was mit Höfel und Kropinski im Bunker geschah.

»Hör zu, Walter«, sagte er schließlich, »du mußt helfen. Es hat keinen Zweck mehr, dich nur immer in halbem Wissen zu lassen. Du weißt ohnedies mehr, als ich dir sagen kann.«

»Was ich nicht wissen soll, das weiß ich nicht, selbst wenn ich es weiß«, entgegnete Krämer.

»Sind wir jetzt ungestört?«

»Red nur«, knurrte Krämer. Bochow dämpfte die Stimme.

»Du weißt, daß wir Waffen besitzen. Wo wir sie versteckt halten, ist Nebensache. Höfel ist der militärische Ausbilder der Widerstandsgruppen. Einer unserer wichtigsten Kumpel! Begreifst du?«

Krämer zog die Brauen zusammen und nickte stumm.

»Was sie mit ihm jetzt im Bunker anstellen, weiß keiner«, fuhr Bochow fort. »Sicher ist, daß sie ihn aushorchen werden. Wenn Höfel schwach wird, dann kann durch ihn der ganze Apparat hochgehen. Er kennt die Waffenverstecke, er kennt die Kumpel der Widerstandsgruppen, er kennt uns, die illegale Leitung ...«

Bochow machte eine Pause. Auch Krämer schwieg. Er senkte die Hände langsam in die Taschen und sah vor sich hin. Von der Standhaftigkeit eines einzelnen hing das Leben vieler, wenn nicht gar die Existenz des gesamten Lagers ab!

Die Ungeheuerlichkeit erschütterte Krämer.

»Es wäre richtiger gewesen, wenn ich rechtzeitig mit dir gesprochen hätte«, sagte Bochow nach einer Weile,

»dann hättest du Höfel das Kind weggenommen, bevor Zweiling dahinterkam ...«

Krämer nickte stumm.

»Hör zu, Walter, du mußt herausbekommen, ob Höfel dichthält. Wir kommen an den Bunker nicht heran. Wie du es anstellst, muß ich dir überlassen, ich kann dir keinen Rat geben. Vielleicht kannst du Schüpp einspannen.«

Krämer hatte schon manchmal selbst an diese Möglichkeit gedacht.

»Gib mir über alles, was du erfährst, sofort Bescheid. Du weißt nun, worum es geht. Sei vorsichtig, Walter. Wen du auch einspannen magst, sag ihm nur das Notwendigste, sonst aber – Schweigen!«

»Das brauchst du mir nicht erst unter die Weste zu schieben«, brummte Krämer.

Bochow klopfte ihm auf die Schulter.

»Ich weiß, ich weiß ...«

Es lag nicht in Bochows Natur, bei Gefahr den Kopf zu verlieren. Sein Mut war nicht draufgängerisch, sondern abwägend, beobachtend und berechnend. Wenn Bochow etwas als richtig erkannt hatte, dann setzte er es in stiller Beharrlichkeit durch, manchmal sogar ohne Wissen der Genossen, wie es beim Verbergen der sechs Karabiner geschehen war, die im August 1944 unter Ausnutzung des allgemeinen Durcheinanders nach dem amerikanischen Bombenangriff ins Lager geschmuggelt worden waren.

Bochow hatte den Auftrag erhalten, die kostbaren Waffen schleunigst an einem absolut sicheren Ort zu verstecken, und zwar so, daß sie jederzeit griffbereit und vor dem Verderben geschützt waren. Am anderen Tage meldete er den Genossen vom ILK die Ausführung des Auftrags.

Auf ihre Frage, wo er die Gewehre verborgen habe, antwortete er: »Im Revier« und war nicht zu bewegen, das Versteck genauer anzugeben.

»Wenn ich es euch vorgeschlagen hätte, dann wäret ihr bestimmt dagegen gewesen.«

Die Genossen bekamen es mit der Angst, doch Bochow schwieg sich aus.

»Sucht«, sagte er, gegen alle Vorwürfe und Bedenken gefeit, »wer die Waffen findet, dem trete ich für eine Woche lang meine Brotration ab.«

Van Dalen, selbst im Revier beschäftigt, kroch überall herum. Kodiczek und Pribula, sobald sie tagsüber Gelegenheit hatten, nach dem Revier zu kommen, suchten mit heimlichen Blicken alle möglichen Stellen ab, an denen sie das Versteck vermuteten. Es war für sie ein ärgerliches, für Bochow jedoch ein erheiterndes Suchspiel. Nur Bogorski beteiligte sich nicht daran.

»Wird Herbert schon richtig gemacht haben.«

An einem Sonntagnachmittag, Ende August, spazierte Bochow mit Kodiczek und Pribula zum Revier. Van Dalen gesellte sich ihnen zu, und die vier saßen auf einer Bank gegenüber der langen Hauptbaracke des Reviers. Sie waren zusammengekommen, weil Bochow ihnen das Versteck nennen wollte.

»Du nun sagen«, drängte Pribula, »wo sie sind.«

Er meinte die Karabiner.

Bochow lächelte im Mundwinkel.

»Du sitzt ja vor ihnen.«

Pribula und die anderen schauten über den freien Platz und tasteten mit verstohlenen Blicken die Front der Hauptbaracke ab. Bochow half ihnen und machte mit dem Kopf verschwiegen eine hinweisende Bewegung nach den grünen Blumenkästen vor den Fenstern, in denen rote Geranien blühten.

Van Dalen begriff zuerst.

»Da drinnen?« flüsterte er überrascht.

Bochow bestätigte mit den Augen. Sprachlos starrten

sie auf die Blumenkästen. Bochow überließ sie ihrem Staunen.

»Hättet ihr mir zugestimmt«, fragte er, »wenn ich dieses Versteck vorschlagen hätte?«

Keiner antwortete, in ihrem Schweigen lag die Verneinung.

»Das ist gewagt«, sagte van Dalen endlich.

»Aber richtig«, fügte Bochow schnell hinzu.

»Wer nach Verborgenem sucht, kriecht in Winkel, geht aber an dem vorüber, was ihm vor der Nase liegt, und außerdem ...«

Bochow stockte. Ein SS-Mann bog vom Revierweg nach der Hauptbaracke ein. Er ging achtlos an den Blumenkästen vorbei. Vor dem letzten jedoch, zunächst der Eingangstür, blieb er stehen. Etwas an dem Kasten hatte sein Interesse geweckt. Erschrocken griff Pribula nach Bochows Hand, die auf der Bank lag. Sie sahen, wie der SS-Mann eine Geranie, die schief über den Kasten hinaushing, aufrichtete und sie in der Erde festdrückte. Mit unerhörter Spannung verfolgten sie das Tun des SS-Mannes. Bochow lächelte sicher. Und lächelnd nahm er den abgebrochenen Satz wieder auf, nachdem der SS-Mann in der Baracke verschwunden war.

»... und außerdem bringt die sentimentale Bestie zwar Menschen um, aber keine Blumen ...«

Sie schwiegen. Der Vorgang hatte sie überzeugt. Bochow sagte ruhig:

»Auftrag ausgeführt. Sie liegen sicher, jederzeit griffbereit und vor Verderben geschützt.«

Köhn hatte sie nämlich sorgfältig in ölgetränkte Lappen gewickelt.

Als sie sich trennten, kniff Bochow ein Auge zu:

»Kann ich meine Brotration behalten?«

Van Dalen ging kopfschüttelnd ins Revier zurück. Pribula knuffte Bochow anerkennend ins Kreuz.

Bochow lachte.

Der Winter war vergangen, er hatte die Geranien verdorren lassen. Die Blumenkästen standen noch immer an den Fenstern. Von niemand beachtet. Trocken und unansehnlich war ihre Erde ...

Doch so sicher, wie er damals gewesen, war Bochow heute nicht. Die Unruhe trieb ihn zu Bogorski. Jede Stunde war kostbar, denn jede Stunde konnte sich unübersehbares Unheil ereignen. Die Zeitnot zwang Bochow, das Gebot der Vorsicht zu durchbrechen. Vielleicht fand sich eine sichere Gelegenheit, mit Bogorski zu beraten, was zu geschehen hatte. Auch jetzt kam Bochow ein günstiger Zufall zu Hilfe.

Der Scharführer des Bades lungerte in seinem Zimmer herum, der Brauseraum war leer, und die Häftlinge des Kommandos schleppten die vor dem Bad abgelegten Klamotten eines kurz zuvor angekommenen Transportes nach der Desinfektion hinüber. Bogorski war unter ihnen. Kurz entschlossen packte Bochow mit zu, raffte sich einen Berg Lumpen zusammen und ging mit den anderen nach der Desinfektion. Bogorski hatte den Sinn von Bochows Verhalten sofort verstanden und folgte ihm unauffällig. Durch die Häftlinge hatten sie nichts zu befürchten, und in der Desinfektion waren sie ungestört. Sie hielten sich an einem hohen Haufen zusammengeworfener Kleidungsstücke auf, von dem aus sie den Eingang beobachten konnten. Bogorski hatte von der Verhaftung bereits erfahren.

»Wenn sie Höfel da oben weich machen ... Wenn er nicht durchhält.«

Stumm sahen sich die beiden an. Bogorski hob ein wenig die Arme, eine andere Antwort hatte er nicht. Über die ungeheure Gefahr wagten sie kaum zu sprechen. Dunkel und schwer schob sie sich zusammen und türmte sich auf wie ein Berg. Sie empfanden ihre Wehrlosigkeit. Was konnten sie tun, wenn Höfel auch nur einen einzigen Namen angab ...

Dann rollte die Kette ab. Und sie riß alle in die Tiefe.

So gut getarnt der Apparat auch war, so bestand er doch aus Menschen, entschlossenen zwar und allen Gefahren trotzenden Menschen. Und dennoch, da oben in den einsamen Zellen des Bunkers galten andere Gesetze. Hier war der Mensch ganz mit sich allein, und wer wußte von sich, ob er unter den körperlichen und seelischen Foltern wahrhaft eisenhart blieb oder zu erbarmungsvoller Kreatur zusammenschrumpfte, zu einem zusammengeschlagenen Bündel Mensch, in dem, angesichts der Qualen und eines sicheren und martervollen Todes, die nackte Lebensangst zuletzt nicht doch stärker war als aller Wille und aller Mut? Jeder einzelne hatte den Schwur gegeben, eher zu sterben als Verrat zu begehen. Aber zwischen Schwur und Bewährung lagen viele Stationen der unbekannten menschlichen Natur.

Schon in dieser Minute konnte Höfel zusammengeschlagen in seiner Zelle liegen, mit bebender Seele an Frau und Kinder denken, schwach werden und nur einen einzigen Namen nennen, einen Namen, von dem er glaubte, daß er wenig wichtig sei. Dann rollte die furchtbare Kette.

Welches einzelne von den tausend Mitgliedern der Widerstandsgruppen insgesamt wußte von sich, ob es da oben stark genug war, bis zum Letzten standzuhalten?

»Das kann einen Erdrutsch geben ...«, flüsterte Bochow.

Bogorski riß seinen Blick aus der Leere heraus, in die er ihn gesenkt hatte. Er lächelte matt, gleichsam das Gewirr der unruhigen Gedanken hinter sich lassend und die Schwächen des Augenblicks überwindend.

»Was wird sein«, sagte er leise, »noch wissen wir gar nichts.«

Bochows Gesicht wurde finster.

»Wir müssen zu Höfel Vertrauen haben«, sagte Bogorski.

»Vertrauen, Vertrauen! Weißt du so sicher, ob er durchhalten wird?«

Bogorski zog die Brauen hoch.

»Weißt du es von mir? Oder von dir? Oder von anderen?«

Mit unwilliger Hand wischte Bochow die harten Fragen hinweg.

»Natürlich weiß es keiner von sich. Gerade darum hätte Höfel sich nicht in die Geschichte mit dem Kind einlassen sollen. Von allem Anfang an nicht. Na, und was ist nun? Erst versteckt er das Kind bei sich, dann begeht er einen großen Disziplinbruch, jetzt sitzt er im Bunker und ... und ...«

»Und du hast auch gemacht Fehler mit dem Kind.«

»Ich?« fuhr Bochow auf. »Was habe ich damit zu tun?«

»Du sagst, es ist nicht Sache von mir, es ist Sache von Höfel.«

»Na und?« verteidigte sich Bochow. »Habe ich nicht Höfel die Anweisung gegeben, das Kind aus dem Lager zu schaffen?«

»Wer hat das gesagt? Hat es auch dein Herz gesagt?«

Bochow hob entsetzt die Hände.

»Um Gottes willen, Leonid, wohinaus willst du? Ist es nicht genug, daß sich Höfel vom Herzen hat irreleiten lassen? Und nun verlangst du von mir ...«

»Nicht gutt, gar nicht gutt!« Bogorski zog unwillig die Stirn in Falten. »Du hast einen Fehler gemacht mit dem Kopf, Höfel mit dem Herzen, Beide waren für sich allein, der Kopf vom Herbert und das Herz vom André.«

Bochow gab keine Erwiderung. Gefühlsbetonte Erwägungen lagen ihm nicht. Ärgerlich warf er ein paar der mitgebrachten Klamotten auf den Haufen und hörte Bogorski mißmutig zu, der ihm Vorhaltungen machte.

Er habe einfach befohlen und angeordnet, und er habe Höfel in seiner Herzensnot allein gelassen. Statt ihm zu helfen, habe er ihn fortgeschickt. »Du mußt das Kind an den Polen zurückgeben. Basta!«

Bochow schlug wütend die Faust auf den Lumpenberg. »Was hätte ich sonst tun sollen?« Bogorski zog den Kopf zwischen die Schultern. »Ich weiß nicht …«, sagte er.

»Na also«, trumpfte Bochow auf. Bogorski blieb gleichmütig. Neben dem Fehler steht das Richtige, wie der Schatten neben dem Licht. Und so, wie Bochow das Falsche getan habe, so hätte er ebensogut das Richtige tun können. Carascho!

Fort mit dem Kind aus dem Lager!

Das war das Richtige, und das habe er von Höfel verlangt, beharrte Bochow.

»Nun gutt«, gab Bogorski zu, aber warum habe es Höfel nicht getan? Wütend fuhr Bochow auf: »Weil er …«, doch plötzlich stockte der Aufgebrachte vor Bogorskis Blick. Bochow sah Bogorski schweigend an, im Gesicht des Freundes las er dessen Gedanken:

Kopf allein – Herz allein …

Vielleicht hätte er sich selber darum kümmern müssen, daß das Kind tatsächlich aus dem Lager geschafft wurde … Hätte er Höfel bis zur letzten Minute hart kontrollieren sollen? Vielleicht hatte er Höfel nur darum sich selbst überlassen, weil in ihm, dem so verstandeskühlen Bochow, der gleiche menschliche Widerstand gewesen war wie in Krämer, der beide Augen zugedrückt hatte, nachdem der Auftrag gewissenhaft erfüllt worden war. Von allen allein gelassen, hatte Höfel die ganze Last auf seine Schultern nehmen müssen. Wer hatte schuld? Wer hatte den Fehler gemacht? Keiner! Alle! … Bochow sah in die Augen seines Freundes …

Menschenaugen! In deren Licht wie unter dem Spiegel des unergründlichen Meeres all das Geheimnisvolle des Wissens und Nichtwissens verborgen lag, alle Fehler und Irrungen des Herzens, alles Verstehen und Begreifen und alle Liebe.

Ein tiefes Gefühl spürte Bochow in seiner Brust. Er dachte: Du bist ein Mensch, beweise es …

Dachte er es von sich? Von Höfel? Oder war der Gedanke so weltengroß, daß er alles umfaßte, was diesen Namen trug?

Du bist ein Mensch, beweise es!

Bochow spürte, daß es jenseits des Verstandes eine unergründbare Tiefe gab, in der alle Worte und Gedanken ohne Echo waren und aus der keine Antwort kam. Vielleicht hatte Höfel in diese Tiefe hinabgesehen und das Selbstverständliche getan ohne Frage und Antwort. Ein Mensch, der Anspruch erhebt, diesen Namen zu tragen, muß sich in all seinem Tun stets für die höhere Pflicht entscheiden.

In Bochows Brust wirbelte es. Er mochte nicht weich werden. »Also, was machen wir?« fragte er darum und verbarg hinter der Sachlichkeit seine Scham.

Bogorski hob wieder die Schultern. Was konnten sie tun? – Alle militärischen Übungen mußten sofort unterbleiben. Kein Waffenunterricht durfte mehr stattfinden, keine Zusammenkunft der Gruppen. Das weitgespannte Netz des Apparates mußte tief auf den Grund der Verborgenheit versenkt werden. Das war alles, was getan werden konnte. Es galt zu warten, abzuwarten.

Die Einlieferung in den Bunker war vor sich gegangen, ohne daß den beiden etwas geschehen war. Keine der üblichen Mißhandlungen hatte stattgefunden. Mandrak, der Bunkerscharführer, der eben dabei war, sein Frühstück zu verzehren – es roch in seinem Aufenthaltsraum lieblich nach Bratkartoffeln –, war kauend auf den Gang getreten und hatte Höfel und Kropinski auf einen Wink Kluttigs gemeinsam in eine der Zellen gesperrt. Ein weiterer Wink des Lagerführers bedeutete ihm, mit in das Zimmer Reineboths zu kommen. Mandrak tat es ohne Eile. Er ließ die beiden vorangehen und zog sich in seinem Raum erst die Uniformjacke an. Gelassen trat er dann ins Zimmer des Rapportführers und knöpfte sich die Jacke zu. Er blieb stehen, obwohl Kluttig und Reineboth sich gesetzt hatten. Kluttig sog nervös an der Zigarette, Reineboth lag lässig im Stuhl zurückgelehnt und hatte den Daumen hinter der Knopfleiste. Mandrak kaute noch am Rest des Frühstücks. »Hören Sie zu, Kamerad«, begann Kluttig, »das mit den beiden ist ein besonderer Fall, wir bearbeiten ihn gemeinsam.«

»Vernehmung bis zur Aussage«, warf Reineboth ein und zog hämisch einen Mundwinkel nach oben. Kluttig hob beschwörend die Hand. »Um Gottes willen, daß Sie mir keinen von den beiden kaltmachen, wir brauchen sie.«

Er setzte Mandrak die Zusammenhänge auseinander und wies ihn darauf hin, daß sie mit Höfel den Schlüsselmann zur Aufdeckung der illegalen Organisation in der Hand hätten. Mandrak hörte wortlos zu, er fuhr nur einmal mit der Zunge über die Lippen. In seinem Gesicht, dessen erdfahle Haut von zahlreichen Pockennarben übersät war, zeigte sich keine Anteilnahme. Auch der stumpfe Blick seiner dunklen, lichtlosen Augen verriet nichts. So, wie er vor dem Lagerführer stand, schien er fast unterwürfig. Kluttig hatte sich erhoben. »Sie wissen nun«, sagte er eindringlich, »worum es geht.«

Mandrak schob die Hände langsam in die Hosentaschen und fragte mit leiser Stimme:

»Was soll ich mit ihnen machen?«

Reineboth trommelte mit den Fingern. »Hätscheln, Mandrill, hätscheln«, sagte er zynisch.

Mandrak warf aus den Augenwinkeln einen Blick auf Reineboth, um seinen Mund huschte so etwas wie ein Grinsen. Er mochte es gern, »Mandrill« genannt zu werden. Dieser furchtbare Name hatte in seiner Unheimlichkeit etwas Urwaldhaftes und Schreckenerregendes, das Mandrak mit Behagen genoß. Er sprach nicht viel und fragte noch weniger. Und als Kluttig ängstlich dazwischenfuhr: »Nein, Mandrill, lassen Sie die beiden vorläufig in Ruhe, wir sprechen noch darüber«, wandte der Mandrill langsam den Kopf zum Lagerführer und nickte nur stumm. Er verließ das Zimmer, und es war ihm anscheinend unbequem, die Hand aus der Tasche zu ziehen, um die Klinke niederzudrücken. Draußen stieß er die Tür mit dem Fuß zu. Er schlenderte nach dem Bunkerflügel hinüber. Der langgestreckte, kaum zwei Meter breite Gang lag ständig im Halbdunkel. Einige nackte Glühbirnen an der Decke verstärkten mit ihrem trüben Schein das Zwielicht. Der Gang war durch eine starke Gittertür gesichert, und am hinteren Ende des Ganges war ein kleines vergittertes Fenster angebracht. Hinter den massiven, eisenbeschlagenen Holztüren der Zellen regte sich nichts. Sie lagen beiderseits des Ganges starr und steif wie Totenkammern. Als einziges lebendes Wesen huschte der Bunkerkalfaktor Förste herum.

Der Mandrill trat an die Zelle Nummer 5 und schob den Verschluß des Spions beiseite. Eine ganze Weile blickte er durch das Loch. Die Bunkerzelle war vollkommen leer, kein Möbelstück, weder Tisch noch Stuhl, kein Strohsack und keine Decke befanden sich in ihr. Sie war ein viereckiger Kasten. Zwei Meter lang, drei Meter hoch und knapp anderthalb Meter breit. Als einziges Inventar war oben an der nackten Decke eine vergitterte Glühbirne angebracht. An der Stirnwand der Zelle befand sich ein kleines, stark vergittertes Fenster. Der Mandrill schloß die Zelle auf. Höfel und Kropinski nahmen die übliche militärische Haltung ein. Wortlos packte der Mandrill Kropinski an der Brust und zerrte ihn nach vorn, mit dem Gesicht zur Tür. Dasselbe machte er mit Höfel, den er ein wenig seitlich vor Kropinski aufstellte. Er kontrollierte Haltung und Position der Arrestanten und trat beiden gegen die Kniescheiben. »Strammstehen«, sagte er finster. »Wer sich rührt, kriegt Prügel, bis er lacht.« Er verließ die Zelle und winkte Förste zu sich.

»Kein Fressen.«

Förste nahm den Befehl in strammer Haltung entgegen. Höfel und Kropinski standen reglos lauschend, wie erschreckte Tiere. Gebannt starrten sie auf die Tür der Zelle und warteten auf Ungeheuerliches, das sich jeden Augenblick ereignen konnte. Ihre Gedanken waren erstarrt, und nur der Gehörsinn war hell wach. Sie lauschten auf die Lagergeräusche, die vom Tor auf sie eindrangen. Da draußen ging alles weiter im gewohnten Gang. Wie verwunderlich das war ...

Der diensttuende Blockführer schnauzte am Tor herum, Holzschuhe klapperten, eilig und ängstlich. – Im Lautsprecher knackte das eingeschaltete Mikrophon, der Strom summte, eine Stimme rief nach dem Kapo der Arbeitsstatistik. Nach einer Weile bat eine andere Stimme irgendeinen Obersturmführer zum Kommandanten. Dann klapperte ein ganzes Rudel von Holzschuhen durchs Tor, es klang wie Pferdegetrappel. Der Blockführer schimpfte, schnauzte, schrie. Höfel wurde aufmerksam. Die vereiste Starre löste sich, die Gedanken tauten auf. Er hörte in das geschäftige Lärmen des Lagertages hinein, das, sonst nie beachtet, jetzt in seine Ohren hineinschrie wie das erschreckte Klingeln einer Straßenbahn. Verrückte Gedanken durchgeisterten ihn. Du bist doch im Konzentrationslager! Was ist das eigentlich? Plötzlich entdeckte er, daß er die wirkliche Welt, das Leben draußen, vergessen hatte. Über den Stacheldraht hinaus konnte er weder denken noch fühlen. Das einzig Wirkliche und Begreifliche war das stumpfe Gebrüll des Blockführers, das ewige Geschrei, Gestampf und Geklapper. Im Augenblick des gespannten Hinhörens wurde Höfel auch diese Wirklichkeit geisterhaft und gespenstisch. Auf einmal dachte er ganz klar: Das ist doch alles gar nicht echt, das ist doch nur ein Spuk!

Wie aus weiter Ferne in diese gespenstische Wirklichkeit hereinkommend, fühlte Höfel eine unendliche Zärtlichkeit: »... ich küsse Dich innig ...«

Aber auch das war ebenso gespenstisch und schemenhaft und suchte sich verloren irrend einen Weg. Höfel durchschauerte es frostig. Er starrte auf die Essenklappe an der Tür, hatte vergessen, daß Kropinski hinter ihm stand ...

Und auf einmal sah Höfel die Wirklichkeit! Von fern nur, aber sie rückte heran, unaufhaltsam, auf Panzern und Geschützen! *Das ist echt,* nur das! Nichts anderes! Plötzlich wurde er sich Kropinskis bewußt. »Marian ...« hauchte er, denn Sprechen war verboten.

»Tak?« hauchte es zurück.

»Die Amerikaner kommen immer näher ... das dauert nicht mehr lange ...« Kropinski erwiderte erst nach einer Weile:

»Haben ich doch gesagt, immer ...«

Sie sprachen nicht mehr. Sie standen reglos. Aber sie hatten einen Halt tief in sich. Das wiedererwachte Lebensgefühl durchblutete sie warm ...

Kluttig war von regelrechtem Lampenfieber befallen worden. Er saß mit Reineboth im Kasino. Sie hatten sich bei einer Flasche Wein in eine ungestörte Ecke zurückgezogen und steckten tuschelnd die Köpfe zusammen. Kluttigs Brillengläser glitzerten vor Jagdlust. Der Fang mußte ausgewertet werden! Reineboth kniff die Augen zusammen und riet:

»Zuerst hauen wir ihnen den Arsch voll. Dann lassen wir sie schmoren im eigenen Saft, und in der Nacht machen wir Vernehmung bis zur Aussage.«

Kluttig soff ein Glas Wein nach dem anderen. Er rutschte unruhig auf dem Stuhl herum. »Und wenn wir nichts 'rauskriegen?«

Reineboth tröstete. »Dann klopfen wir sie so lange, bis sie nicht mehr wissen, ob sie Männchen oder Weibchen sind. Ohne Sorge, die Kerle singen wie die Nachtigallen.«

Reineboth nahm genüßlich einen Schluck und verwies Kluttig tadelnd, der ein neues Glas hinunterschüttete: »Sauf nicht soviel.« Nervös fuhr sich Kluttig mit der Zunge über dic Lippen und meinte besorgt: »Und wenn der Schlag danebengeht? Er muß sitzen!«

Reineboth bewahrte seine Gelassenheit, lehnte sich im Stuhl zurück und entgegnete kühl:

»Weiß ich, Robert, weiß ich.«

Um so zerrissener wurde Kluttig. »Mensch, Hermann, wie kannst du nur so ruhig sein?«

Von sich eingenommen, schürzte Reineboth die Lippen; er ruckte sich von der Stuhlkante ab und beugte sich über den Tisch hinweg nah zu Kluttig. Der saugte jedes Wort in sich hinein, das ihm Reineboth zuflüsterte: »Jetzt müssen wir zeigen, was wir können. Verstehst du was von Psychologie? – Herhören, Herr Lagerführer. Der Höfel und der Dingsda müssen für das Lager gestorben sein. Ihre einzige Gesellschaft sind nur noch wir. Du und ich und der Mandrill. Sie müssen sich vorkommen wie vom lieben Gott verlassen.«

Er tippte gegen Kluttigs Ellenbogen, Kluttig blinzelte in Reineboths schlaues Gesicht hinein, und dieser wartete, bis seine Gedanken in Kluttigs Gehirn eingedrungen waren, dann fuhr er fort:

»Je gottverlassener sie sich vorkommen, desto leichter können wir sie ausquetschen. Der Mandrill kriegt Vollmacht, mit ihnen zu spielen, wie er will, nur kaltmachen darf er sie uns nicht.«

Kluttig nickte zustimmend.

»Aus dem Höfel prügeln wir die Bestätigung eines jeden Namens einzeln heraus. Das haut hin, all right.«

»Englisch lernen und auf dem Kien sein, kapiert, Herr Lagerführer?« Er stand auf. »Volk ans Gewehr«, meinte er dabei.

»Wohin?« fragte Kluttig.

»Arsch vollhauen«, antwortete Reineboth freundlich.

»Jetzt schon?« Kluttig blickte mit weintrüben Augen zu Reineboth hoch.

Der rezitierte: »Schmiede das Eisen, solange es warm ist.«

Der Mandrill schloß die Zelle auf. Wortlos packte er Höfel und schlenkerte ihn auf den Gang hinaus, Kropinski folgte hinterher. Der Mandrill schloß die Zelle wieder. Dieser kurze Augenblick der Ablenkung genügte Höfel, mit Kropinski einen Blick zu wechseln, einen angstvoll erwartenden, in dem aber auch Entschlossenheit lag. Der Mandrill trat sie in den Hintern und trieb sie zum Bunker hinaus, an Förste vorbei, der sich vor ihnen im engen Gang an die Wand drückte. In der großen Blockführerstube des gegenüberliegenden Torflügels stand bereits der Bock. Ein Rudel dienstfreier Blockführer lungerte herum, auf das Schauspiel neugierig. Hinter dem Bock saß Kluttig auf einem herangeschobenen Stuhl und wippte mit dem übergelegten Bein. Als der Mandrill die beiden ins Zimmer stieß, ging Reineboth auf Kropinski zu, faßte ihn am Knopf der Jacke.

»Wo ist das Judenbalg?« fragte er, und als Kropinski nicht antwortete, wurde Reineboth eindringlich: »Überlege es dir, Pole.«

In Kropinskis Augen irrlichterte es, er versuchte eine Ausflucht.

»Ich nicht verstehen Deutsch ...«

Das war hilflos und ungeschickt.

»Ah«, entgegnete Reineboth, »du nicht verstehen Deutsch. Wir dir geben Unterricht im Deutschen.«

Mit Vorbedacht hatte sich Reineboth zuerst den Polen gegriffen. Höfel sollte zusehen.

Drei der Blockführer packten Kropinski und stießen ihn zum Bock. Kropinski mußte die Füße in einen herausgezogenen Kasten stellen, der wieder zugeschoben wurde und die Füße festklemmte.

Die Blockführer zerrten Kropinski die Hosen herunter und warfen ihn über den nach der Kopfseite zu abfallenden, muldenförmigen Lattenrost. Das Gesäß stand nach oben. Mit geübten Griffen rissen zwei Blockführer Kropinskis Arme nach vorn, hielten die Handgelenke fest und drückten die Schultern an. Der dritte preßte Kropinskis Kopf auf die Latten. Nun war der Körper wie angeschraubt. Inzwischen hatten sich Reineboth und der Mandrill bereitgemacht. Reineboth zog sorgsam die schweinsledernen Handschuhe über und bog prüfend den überlangen, fingerdicken Rohrstock. Dann begann die Exekution.

Höfel stand aufgereckt, ein erstickter Schrei würgte ihm die Kehle ab, sein Herz flatterte wild. In grausamer Sachlichkeit sah er zu. Reineboth hatte die Beine gegrätscht. Zielnehmend legte er den Stock auf das nackte Gesäß. Elegant ausladend, mit geschmeidig zurückgebogenem Oberkörper schwang er den Arm nach hinten, und dann fauchte der Stock durch die Luft. Klatsch! Kropinskis Zucken war das durch die Blockführer gefesselte Aufbäumen des Körpers. Nach Reineboth schlug der Mandrill. Dessen Schlag, mit gleicher Wucht geführt, wenn auch nicht mit Reineboths sportlicher Eleganz, traf die Hüftgegend.

Kropinski ächzte erstickt, seine Lenden flatterten. Die Blockführer preßten sich auf die zuckenden Schultern. Wieder legte Reineboth den Stock fixierend an, der glührote Streifen vom ersten Hieb diente zur Orientierung. Während er ausholte, schob sich sein Unterkiefer wollüstig vor. Zuschlagend zielte er durch die Augenschlitze auf den roten Streifen. Kropinski gab einen hohen, speichelblasigen Ton von sich. Der Mandrill schlug mit unbeteiligter Routine dorthin, wo die Nieren saßen. Es folgte Hieb auf Hieb. Von Reineboth sportlich exakt gezielt, klatschten die Schläge fast genau auf dieselbe Stelle. Der Striemen verbreiterte sich, schwoll an und platzte auf. Das angestaute Blut spritzte heraus, floß an den Schenkeln herab. Kropinski wimmerte erstickt. Darauf schien Reineboth nur gewartet zu haben.

Sein genüßliches Lächeln verhärtete sich, die Augen wurden zu Schlitzen, die folgenden Hiebe trafen haarscharf das offene Fleisch. Kropinski sackte zusammen. Reineboth und der Mandrill unterbrachen die Exekution. Während die Blockführer von dem leblosen Körper abließen und einer von ihnen einen Guß Wasser aus dem bereitgestellten Eimer über den Ohnmächtigen ausschwabbte, warf Reineboth einen abschätzenden Blick auf Höfel. Der hatte die ganze Zeit über starr und steif dagestanden wie ein Stock. In seinem Gesicht war das Entsetzen zu Stein geworden. Jetzt fühlte er Reineboths Augen auf sich gerichtet. Ihrer beider Blicke trafen sich. Reineboth spürte die Wirkung auf Höfel und war zufrieden. Ein fadendünnes Lächeln lag ihm zwischen den Lippen, er schwenkte die Augen von Höfel auf Kluttig, die Verständigung mit diesem herstellend. Der Mandrill hatte sich inzwischen eine Zigarette angesteckt.

Kropinski bewegte sich, er machte den Versuch, sich aufzurichten. Da drückten ihn die Blockführer auf den Lattenrost zurück. Der Mandrill warf die Zigarette fort, und die Exekution nahm ihren Fortgang. Durch den Wasserguß wach geworden, begann Kropinski zu schreien, und die Blockführer hatten Mühe, den sich bäumenden Körper festzuhalten. Die Hiebe hagelten mit wilder Wucht nieder, bis es den beiden dünkte, daß es genug sei. Die Blockführer rissen den zermarterten Kropinski vom Bock hoch und schleuderten ihn beiseite. Kropinski fiel wie ein Sack in sich zusammen.

»Aufstehen!« brüllte Kluttig.

Mechanisch versuchte Kropinski, den Befehl auszuführen. Mit zitternden Armen und Beinen kroch er hoch und blieb schaukelnd aufgerichtet.

»Zieh die Hosen hoch, du Schwein!« brüllte Kluttig aufs neue. »Oder willst du uns deine Nippsachen zeigen?«

Kropinski reagierte wie ein Automat.

Reineboth stieß Höfel mit der blutigen Spitze des Rohrstocks gegen die Brust und wies auf den Bock. Die Geste hatte etwas Einladendes: Bitte Platz zu nehmen ...

Mit steifen Beinen ging Höfel die wenigen Schritte und wurde von den Blockführern über den Bock gezogen.

Seit der Verhaftung waren schon einige Stunden vergangen, und es hatte sich noch nichts ereignet. Das war quälend. Zwischen Lager und Bunker gab es keine Verbindung. Keine Kunde drang von dem, was dort oben geschah, ins Lager hinein. Nur wenn am Morgen die Leichenträger ans Tor gerufen wurden, wußte man, daß der Mandrill wieder einen fertiggemacht hatte.

Sicher würden Höfel und Kropinski so rasch nicht erledigt werden. Gerade das aber war es, was Bochow am stärksten beunruhigte. Er war allein auf dem Flügel seines Blocks. Runki befand sich in der Schreibstube, und die Stubendienste schafften die Eßkübel nach der Küche. Bochow malte sinnlose Sprüche für den Blockführer, und quälende Unrast war in seinem Herzen. Er warf den Halter fort und stützte den Kopf in die Fäuste. Die Gruppen mußten verständigt werden. Das konnte erst am Abend geschehen, wenn das Lager eingerückt war. Was aber mochte sich bis dahin abspielen? Bochow zergrübelte sich das Hirn. Vielleicht waren alle Sorgen grundlos? Vielleicht hielt Höfel durch und ließ sich selber erschlagen, als daß er ... Aber noch lebte er, und solange er lebte, war auch die Gefahr ... Bochow stierte vor sich auf die Tischplatte. Wünschte er Höfels Tod?

Erschauernd drückte er den grausamen Gedanken in den Abgrund seines Herzens zurück ...

Noch viele andere Gedanken waren übriggeblieben, und sie dehnten sich in Wellenkreisen aus. Bochow dachte an die Waffen, die gut verborgen waren. Höfel kannte einige der Verstecke. Von den Karabinern in den Blumenkästen wußte er nichts.

Aber hatte Höfel nicht selbst in den nach Tausenden zählenden Kleidersäcken auf der Effektenkammer einige Pistolen verborgen, die von sowjetischen und polnischen Genossen ins Lager gebracht worden waren, damals, als die Rüstungsanlagen vor dem Lager noch nicht von den Amerikanern zerstört worden waren?

Für den Uneingeweihten war es unmöglich, sie zu entdecken, die Kleidersäcke trugen falsche Nummern. Für den Wissenden jedoch genügte ein Griff. Der einzig Wissende war Höfel. Die Verstecke waren sicher und konnten nur durch Verrat ...

Bochow preßte die Augen zu, verbarg sich im eigenen Dunkel. An nichts wollte er denken, an gar nichts! Aber die Wellenkreise, von jenem Punkt sich ausdehnend, an dem der grausame Wunsch in die Tiefe gesunken war, kehrten immerfort zurück ... Nur durch Verrat ...

Es war fast nicht mehr zu ertragen! Wenn einem ahnungslosen Häftling des Kommandos einer der Säcke durch einen dummen Zufall in die Hände geriete?

Bochow stöhnte. Die fürchterliche Lähmung der Illegalität saß ihm schmerzhaft in den Gliedern. Sie machte ihm die Gelenke schwer und lag ihm als lastender Druck im Magen. Was nun machen? Galt es, zuerst den Apparat vor einem möglichen Verrat zu sichern? Gab es überhaupt eine Sicherung? Oder mußten zuerst die schutzlosen Pistolen in Sicherheit gebracht werden? Und wie machte man das? Wie nur, wie?

Bochow konnte aus seiner Verborgenheit nicht zu irgendeinem Kumpel der Effektenkammer gehen: Hör zu, ich habe dir was zu sagen, aber halte die Schnauze, verstehst du?

Bochow drückte die Fäuste an die Augen. Wie eine Ratte zernagte die Unruhe all seine Gedanken. Plötzlich fühlte er Haß auf Höfel, der die tausend lauernden Gefahren verschuldet hatte und dessen Leichtsinn ihn zwang, ein Geheimnis nach dem anderen preiszugeben. So schnell Bochow auch den aufkommenden Haß wieder in sich niederstemmte, wissend, wie gefährlich es war, Gefühlen zu erliegen, so schnell reagierte sein Verstand, und Bochow war sich im Augenblick darüber im klaren, daß er nur zu Krämer gehen konnte und diesen in das Geheimnis des Waffenverstecks einweihen mußte. Nur Krämer war wiederum der einzige, der den Schutz der Pistolen übernehmen konnte. Ihm mußte er den Auftrag geben, einen Kumpel aus dem Kommando ausfindig zu machen, der die Sicherheit des Verstecks übernahm. Verflucht! So schlüpfte ein Geheimnis nach dem andern durch die Maschen des Netzes!

Bochow nahm die Hände von den Augen und zwang sich mit Gewalt zur Klarheit der Gedanken. Was nützten alle Grübeleien? Es blieb ja doch nichts weiter übrig.

Auch Krämer saß in seinem Raum, ballte die Hände zu harten Fäusten, verfluchte Höfels Weichherzigkeit und das Kind, das so schuldlos schuldig ins Lager gekommen war. Auch in seinem Kopf nagte die Unruhe, und auch er empfand die gleiche Machtlosigkeit vor den Gefahren, die wie Naturgewalten drohten. Doch er durfte hier nicht herumsitzen und sich den Kopf zergrübeln, es mußte etwas getan werden.

Plötzlich wurde Krämer betriebsam. Aus seiner Taschenlampe, die zu benutzen ihm als Lagerältestem gestattet war, nahm er die Batterie heraus und vertauschte sie mit einer alten, ausgebrannten, steckte die Lampe ein und verließ seinen Raum.

Er ging zu Schüpp. Wie gut, daß Krämer auf den Gedanken gekommen war, die Taschenlampe mitzunehmen. Der Scharführer war in der Baracke anwesend, und so hatte Krämer einen Vorwand für seinen Besuch. Er ließ sich durch Schüpp die Batterie auswechseln. Ein paar leise Worte, ein kurzer Blick genügten, sich zu verständigen, und kurze Zeit später war Schüpp bei Krämer.

»Du mußt versuchen, 'rauszukriegen, was sie von Höfel wollen. Ich muß es wissen.«

Schüpp schabte sich sorgenvoll das Genick. »Wie soll ich das machen?«

Krämer fuhr mit ungeduldiger Hand durch die Luft. »Egal, wie, du hast schon andere Sachen gemacht. Geh in den Bunker und repariere meinetwegen die Lichtleitung.«

Schüpp seufzte: »Da muß sie erst mal kaputt sein.«

Plötzlich bekam sein Gesicht einen unschuldig-staunenden Ausdruck. Mund und Augen rundeten sich, ihm schien ein Gedanke gekommen zu sein. »Förste«, sagte er nur. Krämer wiegte bedenklich den Kopf. »Ich habe auch schon daran gedacht. Wer ist der Förste eigentlich? Hält er zu uns, oder ist er eine Kreatur des Mandrill?«

Schüpp blinzelte angestrengt, er blickte durch das Fenster auf die große Uhr am Lagertor und hatte es plötzlich eilig. »Ich versuche es.«

»Sei vorsichtig, Heinrich«, rief Krämer noch, aber Schüpp war schon draußen. Um diese Zeit, das wußte er, hatte der vom Lager streng isoliert gehaltene Bunkerkalfaktor seine tägliche freie halbe Stunde, die er gewöhnlich an der Außenseite des Lagertores spazierend verbrachte. Was Schüpp über Förste wußte, war nicht viel. Auf seinen Gängen hatte Schüpp den Kalfaktor oft spazierengehen sehen. Aus reiner Neugierde heraus, die innere Beschaffenheit des Menschen zu erproben, hatte ihm Schüpp im Vorbeigehen vertraulich zugeblinzelt.

Förste hatte nicht merklich auf die freundschaftliche Geste reagiert, aber in seinem Gesicht war auch nichts Abweisendes gewesen. Für Schüpp ein gutes Zeichen, dem er vertraute, als er jetzt mit seinem Werkzeugkasten zum Tor ging.

Er brauchte sich nicht abzumelden, sein Ausweis legitimierte ihn. An der Außenseite des Vorgebäudes machte er sich zu schaffen. Er überprüfte das Kabel für das Stativmikrophon, das vom Zimmer des Rapportführers um das Gebäude herum ins Lager lief. Um diese Stunde war es ruhig am Tor. Der diensttuende Blockführer langweilte sich und flegelte am Schaltfenster herum. Manchmal trat er zu Schüpp und sah zu, wie dieser am Steckkontakt hantierte.

»Ist was kaputt?« fragte er.

»Bis jetzt noch nicht«, antwortete Schüpp philosophisch. »Aber wenn der Rapportführer das Mikrophon anschließt, kann es kaputt sein, und dann ist immer der Teufel los.« Schüpp tippte auf den Kontakt. »Das ist nämlich Kriegsware, und da ist immer mal was dran. Sehen Sie, hier drinnen sind Lamellen, die schmoren oft durch.«

Der Blockführer verzog gelangweilt das Gesicht. »Halt die Schnauze«, sagte er gemütlich, an Schüpps Erläuterungen desinteressiert. Schüpp war zufrieden. Er suchte sich eine Beschäftigung nach der anderen. Der Bunkerkalfaktor mußte jeden Augenblick erscheinen. Tatsächlich klirrte bald darauf das Eisengitter des Bunkers, und Förste trat heraus, sich bei dem Blockführer zur Freistunde meldend. In Schüpp wuchs die Spannung. Nachdem er umständlich den Kontakt untersucht hatte, ging er dem Kabel nach. Er richtete es so ein, daß er vom Blockführer gehört werden konnte, als er Förste unbefangen fragte: »Ist eure Leitung in Ordnung?«

Der so unvermittelt angesprochene Kalfaktor blickte verwundert auf Schüpp und antwortete mit einem kurzen Nicken. Vom Blockführer unbemerkt, kniff Schüpp ein Auge zu. Förste fing das heimliche Zeichen auf, ohne sich etwas anmerken zu lassen. Für Schüpp kam die zweite Phase des Manövers. Das Kabel abgehend, pirschte er sich um das Eingangstor herum nach der Außenseite des Gebäudes. Wenn Förste durch den Wink neugierig geworden war, mußte er Verbindung suchen. So rechnete Schüpp. Mit Befriedigung stellte er fest, daß der Kalfaktor seine Nähe suchte. Fragend blickte er Schüpp an, der angelegentlich am Kabel hantierte und Förste durch die Zähne zuraunte:

»Schade, ich hätte eure Leitung gerne mal repariert. – Was wollen sie von Höfel?« Hastig hatte es Schüpp herausgestoßen.

Förste ging vorüber, überkreuzte den Toreingang, um sich vom Blockführer sehen zu lassen. In Schüpp war die Spannung zum Zerreißen. Das entscheidende Wort war ausgesprochen. Wie würde der Kalfaktor reagieren? Dem war nichts anzusehen. Gleichgültig setzte er seinen Spaziergang fort. Als er aber erneut an Schüpp vorbeikam, gewahrte dieser im Gesicht des Kalfaktors einen bestimmten Ausdruck. Ernst und unbeweglich waren dessen Züge, doch senkte er langsam den Blick. Das war Zustimmung. Schüpp wußte genug. Er hängte sich den Werkzeugkasten über. Das Mikrophonkabel war in Ordnung.

Zu Krämer zurückgekehrt, sagte er: »Ich glaube, das haut hin ...«

Das Netz der Gruppen, die sich jeweils nur aus fünf Mann zusammensetzten, überzog die Blocks aller Nationalitäten. In jedem Block gab es eine oder mehrere dieser Gruppen, die nach außen hin in keiner Weise erkennbar waren. Nur sie selbst kannten sich untereinander. Das ILK hatte sich ein System der Benachrichtigung geschaffen. Verbindungsmänner, die eine Art Instrukteurtätigkeit ausübten, sorgten dafür, daß Nachrichten und Anweisungen schnell zu den Führern der einzelnen Gruppen gelangten, die ihrerseits wieder die Mitglieder verständigten.

Zu Bochow selbst gab es nur einen Verbindungsmann, der dessen Anweisungen anderen Instrukteuren überbrachte, ohne daß diese wußten, woher sie kamen. – Bis nach dem Abendappell hatte Bochow warten müssen, ehe er seinen Verbindungsmann erreichen konnte. Das war ein qualvolles Warten gewesen. Nun aber sprang seine Anweisung wie ein schneller Funke durchs Lager, kreuz und quer von Block zu Block, und in kurzer Zeit wußte jedes einzelne Mitglied der Widerstandsgruppen von der Gefahr, wußte, daß jede Zusammenkunft und der Waffenunterricht unterbunden waren. Der gesamte Apparat hatte sich, solange die Gefahr bestand, totzustellen.

Jeder einzelne wußte von sich, daß er zu schweigen und sein Geheimnis mit in den Tod zu nehmen hatte, falls er verhaftet werden sollte.

Eine Lähmung, die von dem schweigenden Bunker dort oben am Tor ausging, breitete sich unter allen aus.

In dieser Nacht schlief der Bunkerkalfaktor nicht. Er lag auf seinem Strohsack in der Zelle und wartete. Um diese Zeit saß der Mandrill gewöhnlich im Kasino und soff. Kam er zurück, griff er sich einen Bunkerinsassen und veranstaltete in seinem Raum eine Vernehmung auf eigene Faust.

An der Art des Wehgeschreis, das dann durch den nachtstillen Bunker gellte, konnte der Kalfaktor den Grad der Vernehmung feststellen. Manchmal wurde er geholt und mußte einen blutüberströmten Körper in die Zelle zurückschleifen. Manchmal auch fand er am Morgen, bevor die Leichenträger kamen, unter dem Feldbett des Mandrill einen Toten. Den zerrte er dann in den Waschraum hinüber.

Im Bunker war es totenstill. Förste lag mit hinter dem Kopf gekreuzten Armen. Wie spät mochte es inzwischen geworden sein? Draußen schauerte der ewige Regen über das Lager hinweg.

Förste verfiel in einen leisen Dämmerschlaf, aus dem er plötzlich aufschreckte. Im Gang war es lebendig geworden.

Schwere Schritte lärmten. Förste lauschte mit wach gewordenen Sinnen. An den Schritten, die an seiner Zelle vorbeiknirschten, erkannte er den Mandrill. In der Nähe wurde eine Zelle aufgeschlossen. Mit dem Mandrill zusammen waren Reineboth und Kluttig gekommen und hatten ihre nassen Mäntel abgelegt. Reineboth saß auf dem Feldbett. Kluttig ging mit aufgeknöpfter Uniformjacke unruhig hin und her. Auf dem Tisch des Mandrill stand ein Totenschädel, der innen beleuchtet war. Daneben lag eine Knute aus langen Lederriemen, zu einem elastischen Vierkant zusammengenäht und mit dicken Messingkuppen versehen. Sie waren nicht zur Zierde angebracht.

Vom Mandrill hereingestoßen, wankten Kropinski und

Höfel ins Zimmer. Sie blieben schwankend stehen und zitterten am ganzen Körper. Ihre Kleidung war noch naß. Kropinski stand zusammengekrümmt und hatte den Kopf tief in die Schultern gezogen. Er fror entsetzlich. Auch Höfel bebte vor Kälte. Die Kinnladen zitterten ihm. Er wollte die Schwäche bekämpfen und krampfte den Unterkiefer fest, aber die Zähne schlugen um so heftiger aufeinander.

Reineboth betrachtete die beiden mit Kennermiene. Die Prügel schienen ihre Wirkung getan zu haben. Er erhob sich ohne Eile und stellte sich breitspurig auf.

»Mal herhören, ihr zwei«, sagte er schnoddrig. »Heute mittag haben wir mit euch noch Spaß gemacht. Jetzt wird es ernst.« Wieder griff er sich Kropinski als ersten.

»Wie ich sehe, hast du unser Deutsch sehr gut verstanden. Brav, mein Sohn.« Reineboth nahm die Knute vom Tisch und ließ sie wippend auf Kropinskis Nasenspitze tänzeln.

»Wohin habt ihr das Judenbalg gebracht?« Kropinski sah mit einem wehen Zug im Gesicht auf Reineboth, es lag etwas Bittendes darin. Reineboth ließ die Knute durch die Luft zischen. »Ich zähle bis drei, antworte!« Kropinski preßte die Lippen aufeinander, sein Gesicht verzog sich, als ob er weinen wollte. »Eins, zwei, drei...« Kropinski schüttelte heftig den Kopf. Reineboth schlug ihm die Knute kreuz und quer übers Gesicht. Kropinski schrie wild auf, die Hiebe prasselten auf ihn nieder. – Geblendet taumelte er rückwärts, prallte auf Kluttig, der stieß ihn mit einem Fußtritt zurück, und Kropinski torkelte unter dem Sturzregen der Hiebe hin und her, bis er stöhnend zusammenbrach. Reineboth schlug mörderisch auf den Gestürzten ein, der sich wild am Boden wälzte. Das alles geschah hinter Höfels Rücken. Er stand mit vorgestrecktem Kopf, nach hinten lauschend, und blickte abwesend in das graue Gesicht des Mandrill. Der schien über etwas nachzudenken und betrachtete sich Höfels Kehlkopf, der beim Schlucken auf und nieder ging. Auf einmal legte der Mandrill die Pranken um Höfels Hals und drückte die Daumen auf den Kehlkopf. Höfel schwand das Augenlicht. Ersticken und Brechreiz würgten ihn. Im gleichen Augenblick aber, als ihm die Sinne vergehen wollten, bekam er wieder Luft. Der Mandrill hatte den Griff gelockert.

Höfel atmete schwer. Hinter sich hörte er das kreischende Wutgeschrei Kluttigs und die gurgelnd verröchelnden Schmerzenslaute von Kropinski. Reineboth ließ nicht eher ab, als bis der Pole verstummt war. Dann erst warf er dem Mandrill die Knute zu, die dieser geschickt auffing. Das Gesicht des Jünglings hatte nichts mehr von seiner glatten Gepflegtheit, es war häßlich verzerrt. Reineboth verkrallte die Hände in Höfels Brust und keuchte, vom Schlagen abgehetzt: »Jetzt bist du dran!« Höfel wurde von Kluttig hinterrücks überfallen, der ihm die Arme nach hinten umbog. Höfel krümmte sich vor Schmerz. Kluttig stemmte das Knie in Höfels Kreuz und drückte ihm die Arme so hoch, daß Höfel in wahnsinnigem Schmerz laut zu schreien begann und in die Knie brach. Da schlug der Mandrill zu. Das messingbeschlagene Ende der Knute sauste unbarmherzig auf Höfels Hinterkopf nieder. Höfel fiel aufs Gesicht und verlor unter den Hieben das Bewußtsein.

»Genug für jetzt«, hielt Reineboth den Mandrill auf. »In einer halben Stunde geht's weiter.«

Der Mandrill schleppte die Zusammengeschlagenen in die Zelle zurück, übergoß sie mit einem Sturz eiskalten Wassers und schloß die Tür ab.

Durch den kalten Guß munter geworden, bewegte sich Kropinski. Er versuchte sich zu erheben, doch die Arme knickten ihm ein. Er fiel aufs Gesicht zurück und blieb liegen. Das erwachende Blut durchbrauste sein Gehirn, nur allmählich nahm er von sich selbst wieder Besitz. Im Mund schmeckte es salzig. Kropinski öffnete die Augen. Es war lähmende Stille um ihn in diesem unbekannten Dunkel. Im Rücken verspürte er stechende Schmerzen, und jeder Atemzug war wie ein Messerschnitt. So lag er eine ganze Weile. Trotz der Schmerzen hatte er traumhafte Empfindungen, und sein dämmerndes Bewußtsein versank in ihnen wie im schmeichelnden Wasser. »... hat so kleine Händchen und so kleines Näschen, ist alles noch so klein ...«, hörte er sich selbst und glaubte zu lächeln. Plötzlich schoß das traumhaft Schwebende in sich selbst zusammen. Kropinski erschrak heftig. Er tastete um sich, fühlte Nässe und Kälte, und seine Hand stieß gegen etwas Körperhaftes. Das machte Kropinski völlig wach. Obwohl es dunkel um ihn war, wußte er, daß er sich in der Zelle befand und der Körper, den er ertastet hatte, Höfel war. Noch eine Weile brauchte Kropinski, bis er die Herrschaft über seinen zerschlagenen Körper erreicht hatte. Mühselig richtete er sich auf den Knien hoch.

Er wollte sprechen und entdeckte, daß seine Lippen unmäßig geschwollen waren. Gurgelnd rief er Höfel an: »André ...«

Der rührte sich nicht, und erst, als ihn Kropinski an der Schulter rüttelte, gab Höfel ein hohles Stöhnen von sich.

»André ...«

Kropinski wartete auf die Antwort, er fühlte übermäßig das Pulsen der Striemen in seinem Gesicht. – Unvermittelt begann Höfel zu weinen, schütter und trocken. Kropinski tastete Gesicht und Körper Höfels ab und wußte nicht zu helfen.

»André ...« Höfel verstummte. Er lag noch einen Augenblick starr und still, dann richtete er sich auf. Es kostete ihn große körperliche Mühe. Erschöpft stützte er sich auf die Hände und ließ den Kopf hängen wie ein Übermüdeter. Wasser tropfte an ihm herunter. Er griff sich an den schmerzenden Hinterkopf, das Haar war verklebt. Nur vorsichtig konnte er über die Stellen streichen, wo die Knute getroffen hatte, die Berührungen schmerzten. Was ihm von hinten her über die Wangen tropfte, war kein Wasser ... Höfel wischte mit dem Handrücken über den Mund hinweg und stöhnte.

»Marian ... «

»André?«

»Was haben sie mit dir gemacht?«

Kropinski versuchte, Höfel zu trösten.

»Ich wieder sein – schon – ganz – gesund ...«

Sie schwiegen. Nur ihr Atem ging hörbar. Sie lauschten in sich den überstandenen Erschütterungen nach. –

Plötzlich ging an der Zellendecke die elektrische Glühbirne an. Die Tür wurde aufgerissen, und Kluttig trat hastig ein. Hinter ihm Reineboth und der Mandrill, der ein paar Stricke in der Hand hielt.

»Aufstehen!« Unbarmherzig riß Kluttigs schneidende Stimme das schützende Alleinsein hinweg wie eine Dekke, und die Sinne der beiden, nackt und bloß, bebten kommenden Martern entgegen. Mit Mühe hielten sie sich aufrecht. Kluttig war voller Gier, er schrie Höfel an: »Wer sind die anderen von eurer geheimen Organisation?« Höfel durchfuhr ein eiskalter Schreck. »Willst du reden?« Kluttig packte Höfel hart an der Brust und schleuderte ihn gegen die Wand. Höfel knickte nieder. Der Mandrill warf sich über ihn, preßte ihm die Hände auf dem Rücken zusammen, band sie mit dem Strick fest und riß Höfel hoch. Dieser spürte Kluttigs Atem in seinem Gesicht, der ihn wieder anschrie: »Wer sind die anderen? Rede, Mensch! Ich bringe dich um!«

Höfel ächzte. Klatschend schlug ihm Kluttig die Hände ins Gesicht und schrie in einem fort: »Wer sind die anderen? Sag die Namen!« Reineboth ließ Kluttig eine Weile schlagen, dann schob er den rasenden Lagerführer beiseite und sagte mit eindringlicher Gelassenheit »Rede, Höfel, oder wir lassen dich baumeln, bis du nach der Mutti schreist.«

Jetzt wußte Höfel, was sie von ihm wollten, und wußte aber auch, was er zu erwarten hatte, wenn er schwieg. Er preßte alle Kraft in sich zusammen und wand sich stöhnend unter der Last der inneren Qual. Reineboth beobachtete den Kampf, der sich in Höfels Gesicht abzeichnete, und als er glaubte, daß die Krise herannahte, gab er dem Mandrill einen Wink. »Hängen!«

Höfel durchfuhr es wie ein Feuerstoß. Er stieß einen langgezogenen Schrei aus. Die Angst vor der entsetzlichen Tortur machte seinen Körper so nackt, als wäre er ohne Haut. Schreiend stemmte er sich gegen den Mandrill, der ihn zum Fenster zerrte und den Strick durch das Gitter warf. Eben wollte der Mandrill anziehen, als ihn Reineboth daran hinderte. Höfels irres Schreien übertönend, brüllte er: »Sag zwei Namen! Sag einen, hörst du, nur einen! Los! Sag!«

Noch einen Augenblick wartete Reineboth. Gleich mußte die Angst den Damm des Willens zerreißen und ihn überfluten.

»Los, schnell! Rede!« Doch Höfel hörte nicht. Er schrie. Warf den Kopf in den Nacken und bewegte ihn konvulsivisch hin und her. Da zog der Mandrill den Strick mit einem Ruck zu.

Höfels Arme wurden nach hinten hochgerissen, die Schultergelenke knackten. Er baumelte! – Sein Geschrei ging in einen pfeifenden Ton über. Die bis zum Platzen gespannten Nackenmuskeln wurden eisenhart und der weit vorgereckte Hals starr und steif wie Stein. Nachdem der Mandrill den Strick am Gitter verknotet hatte, stürzte er sich auch auf Kropinski, der angstvoll in einer Ecke zusammengekrochen war.

»Ich gar nichts wissen«, weinte er auf. Er wurde gefesselt, zum Fenster gezerrt und neben Höfel hochgezogen. Sie schrien beide wie Tiere. Reineboth kannte den Ablauf des Prozesses. Länger als zwei Minuten hielten die Schreie selten an, dann war die Kraft verbraucht und reichte nur noch zu einem kindhaften Wimmern. Kluttig stand mit hüftgestützten Fäusten vor den Hängenden. Seine Augenlider zitterten. Solange die beiden schrien, hatte es keinen Zweck, mit ihnen zu sprechen, sie hörten doch nichts. Man mußte warten. Der Mandrill zündete sich eine Zigarette an.

Alle drei benahmen sich wie bei einem Experiment. Höfels Kopf sank zuerst auf die Brust. Er röchelte nur noch. Jetzt war es soweit.

»Hör zu, Höfel! Wir binden dich jetzt ab; wenn du nicht aussagst, was du weißt, dann baumeln wir dich so lange auf, bis aus dir ein Hampelmann geworden ist.« Reineboth trat zu Kropinski. »Das gilt auch für dich, Pole!« Zur Bekräftigung seiner Drohung faßte Reineboth beiden an den Hosenbund und riß daran wie an einem Klingelzug. Jeder Ruck, der die Last der hängenden Körper um Zentner vermehrte, ließ die beiden messerscharf aufschreien. Ihre Gesichter verfärbten sich. Reineboth begleitete das teuflische Spiel mit freundlichen Worten: »Damit ihr seht, daß wir keine Unmenschen sind, binden wir euch jetzt los. Ich rate euch, dafür dankbar zu sein.« Auf seinen Wink hin löste der Mandrill die Stricke, und die beiden sackten zu Boden.

Reineboth wechselte mit Kluttig einen Blick, der nickte zustimmend. Der Mandrill richtete die Körper an der Wand zu halb sitzender Stellung auf. Reineboth schob Höfels herunterhängenden Kopf mit der Stiefelspitze hoch.

»Was weißt du über Krämer?« Höfel hielt die Augen geschlossen. Reineboth wartete eine Weile, dann ließ er Höfels Kopf fahren, der auf die Brust zurücksank. »Gut«, sagte er dabei, »fangen wir von der anderen Seite an. Was hast du uns über dich selber zu erzählen?«

Die sekundenlange Stille des Wartens wurde durch Kluttig zerrissen, der in gellender Wut losbrüllte und wie ein Fußballspieler auf die beiden eintrat.

»Wollt ihr reden, ihr Halunken?«

Reineboth, klüger und beherrschter als Kluttig, hielt diesen von weiteren Mißhandlungen zurück und bedeutete ihm durch ein Zeichen, ihn gewähren zu lassen. Er beugte sich zu den beiden, die am Boden lagen. »Hört zu. Wir lassen euch jetzt in Ruhe. Wir kommen bald wieder. Schnappt inzwischen Luft und überlegt es euch genau.

Entweder ihr erzählt uns, was wir wissen wollen, und bleibt am Leben, oder wir hängen euch am Halse auf, und dann hat euer kleines Kind keine lieben Onkels mehr.«

Reineboth richtete sich auf und sagte höhnisch: »Kommen Sie, meine Herren, die Patienten brauchen Ruhe zum Nachdenken.«

Der Schlüssel knackte unbarmherzig hart im Schloß, das Licht erlosch.

Gütig war die Nacht. Ihre schützenden Stunden glitten lautlos, wie heilende Hände, über die beiden hinweg. Förste brauchte nicht mehr zu lauschen, er wußte, für heute war es vorbei.

Er schlief ein. In der Zelle aber, unweit der seinen, hatte es zu flüstern begonnen, so leise, daß die Luft im Raum kaum davon bewegt wurde.

»Was die wollen wissen für Namen von uns?«

Höfel antwortete nicht auf Kropinskis Frage. Aneinandergestützt, hatten sie sich an der Wand aufgerichtet, um in ihren nassen Sachen auf dem eisigen Zementboden nicht zu erfrieren.

»Du es mir nicht wollen sagen?« begann Kropinski nach einer Weile wieder. Doch Höfel schwieg noch immer. Er ließ den Kopf hängen, und die Dunkelheit schützte ihn davor, daß Kropinski sein Gesicht sehen konnte. Dessen Fragen waren wie eine Pflugschar in Höfel eingedrungen und hatten die alte Schuld aufgeworfen wie Erdreich. Der Schmerz seines Herzens floß zusammen mit den Schmerzen des zerschundenen Körpers. Höfel zerbröckelte wie morsches Gestein. Nun hatte er Kropinski mit hineingerissen! Um seiner Schuld willen mußte der Schuldlose alle Qualen mit erdulden und ging mit ihm in den sicheren Tod. Aus dieser Zelle führte kein Weg wieder hinaus.

Im Glauben, des Kindes wegen hierzusein, fragte ihn der Ahnungslose, warum wohl Namen von ihnen erpreßt wurden, die in keinem Zusammenhang zum Kind standen. – Die Kälte der Zementwand drang Höfel durch die durchnäßte Jacke. Die Arme, vom Hängen gelähmt, hingen leblos herab. Kropinski fragte nicht mehr. Er war mit seiner eigenen Not beschäftigt. Auch ihm fraß sich die Kälte immer tiefer in den Körper. Die Dunkelheit in ihrem Zellenkasten war ein schwarzer, abgestorbener Klumpen Nacht, herausgeschnitten aus dem Leib der draußen atmenden Natur. Nun besaßen sie nichts mehr als ihr eigenes Herz, das so lebendig pochte, wie eine emsige Uhr.

Höfels Gedanken kamen vor dem Block der Schuld nicht weiter. Sie verirrten sich in dem Geröll seines geborstenen Ichs, stolpernd einen Weg sich suchend in dem weglosen Gewirr. Seine Nerven glichen glühenden Drähten, und in ihm schrie es, als würde er noch immer hängen. Um der Angst zu entfliehen, flüsterte er hastig und getrieben: »Sie kommen wieder! Du! – Sie kommen wieder! – Wir werden noch mal aufgehängt!... Du, das halte ich nicht noch einmal aus! – Ich ...« Höfel preßte den Kehlkopf zu. Die Worte stauten sich. Höfel lauschte neben sich. Dort blieb es still. Kropinski sagte nichts. Die Verzweiflung wurde Höfel zur Qual. Der da neben ihm stand, hatte die gleiche Angst wie er selbst und warf ihm kein helfendes Wort zu, an das Höfel sich im Strudel der Auflösung hätte klammern können.

»Feig bin ich«, flüsterte er völlig vernichtet, mochte nun auch der letzte Rest in ihm zerbrechen. Er konnte nicht sehen, daß Kropinski mit energischem Kopfschütteln abwehrte, saugte aber gierig das Geflüster neben sich auf.

»Du nur haben Angst. – Ich haben auch Angst«, flüsterte Kropinski brüderlich. »Wir sind nur arme kleine Menschen, wie kleines Kind.« Sein schlichtes Wesen schenkte ihm keine stärkeren Worte. Plötzlich wurde Höfels Atem heiß. Tonlos schrie er auf:

»Es geht doch gar nicht mehr um das Kind! – Es geht um anderes!« Er stöhnte. »Wenn sie wiederkommen! – Ich kann nicht noch einmal hängen, ich kann nicht! O mein Gott! – Du weißt doch gar nicht, Marian, du weißt doch gar nicht ...«

Im Drang zu helfen, flüsterte Kropinski: »Was nur ist? – Du müssen es mir sagen.«

Höfel trieb es, darüber zu sprechen, um sich vor Kropinski von der Schuld zu entlasten, dennoch war ein Widerstand in ihm, das tief zu Bewahrende aufzudecken. Doch der da neben ihm stand, war ja sein Todeskamerad und würde es mit hinübernehmen. – Dieser Gedanke gab den Ausschlag, und Höfel begann zu erzählen, erst stokkend, Fetzen um Fetzen von seinem Geheimnis abreißend. »Sie wollen wissen, wer die Genossen im Apparat sind ... Wir haben nämlich einen Apparat ... Davon weiß das Lager nichts. Keiner weiß etwas ...«. Er berichtete von seiner Tätigkeit als militärischer Ausbilder. »Weißt du, wir sitzen abends unter einer Baracke im Revier, unter der Erde, verstehst du? ... Ich zeige ihnen, wie man eine Pistole anschlägt und wie man zielt ...« Er berichtete, wie sowjetische Genossen heimlich Waffen ins Lager geschmuggelt hatten, und als Kropinski fragte, ob es auch polnische Kameraden in den Gruppen gäbe, bejahte Höfel und schilderte die mutige Tat des Joseph Lewandowski. »Das war vor dem Bombenangriff aufs Lager gewesen, damals standen die Gustloffwerke noch, und in der großen Halle wurden Karabiner hergestellt. Wir wollten einen davon ins Lager bringen. Das hat der Lewandowski gemacht ... Wir haben einen Tag abgewartet, an dem der schiefe Blockführer vom Block 19 Tordienst hatte, der kann nämlich kein Blut sehen, und an diesem Tag hat Lewandowski getan, als ob ihm übel wurde, und ist an der Maschine umgefallen, und da hat er ...« Höfel schluckte, »da hat er absichtlich den Arm in den Support gehalten. – Der ganze Unterarm ist ihm dabei aufgerissen worden. Er hat schrecklich geblutet, und wir haben ihn auf die Bahre gelegt, und unter Lewandowski lag der Karabiner ... Das Blut hat nur so getropft, aber Lewandowski war ganz still, als wir zum Tor kamen, und hat sich nicht gerührt. Dem schiefen Blockführer ist es in die Knie gefahren, und wir haben Lewandowski schnell durchs Tor getragen. – Den Karabiner haben wir nachher am Lauf und am Kolben abgeschnitten. Der ist unser Übungskarbiner geworden. An ihm zeigte ich den Genossen, wie man ladet und wie man das Schloß bedient und wie man es auseinandernimmt.«

Höfel brach ab. Er hatte genug gesagt von dem, was die Angst aus ihm herausgetrieben ...

Jetzt war er froh, neben sich einen zu haben, der es nun auch wußte und mit dem er sich verbunden fühlte.

Kropinski hatte atemlos zugehört. Er wollte so gern etwas sagen, doch war er zu überwältigt. »Dobrze«, flüsterte er nur immer wieder, »dobrze, dobrze.«

Die Erzählungen hatten Höfel etwas gefestigt. Er wußte von sich, daß er im Grunde nicht feig war und den Willen hatte durchzuhalten. Die entsetzliche Angst kam von den Nerven. Er brauchte nur daran zu denken, daß sie wiederkommen und ihn noch einmal hängen würden, sofort schauerte er zusammen. Die Muskeln zitterten, und die Angst überflutete ihn. Er bebte vor dem entsetzlichen Moment zurück, da die Brücke zwischen Kraft und Willen zerreißen wollte, darum suchte er jetzt Halt bei Kropinski, und es war fast eine flehentliche Bitte um diesen Halt, als er nach einer Weile zu Kropinski sagte: »Siehst du, darum wollen sie die Namen wissen.«

»Aber du wirst nicht verraten?«

»Verraten, verraten, ich *will* nicht verraten! Sie hängen mich wieder, und ich halte es nicht mehr aus!« Kropinski verstand es, er wollte helfen und hatte nichts als seine Solidarität. »Ich werde auch hängen, und ich nun alles wissen, wie du. Wir sind arme kleine Menschen und ganz allein, und keiner uns beschützen. Aber wir werden nichts sagen, kein Wort. Nicht wahr, André, wir werden nichts sagen, kein Wort. Wir werden schreien, immer schreien, wenn sie wissen wollen die Namen. Das ist besser, als wenn wir sagen ...«

Kropinskis einfache Worte erwiderte Höfel mit einem innigen Gefühl des Dankes. »Ja, du! – Du hast recht. Wir schreien eben, nicht wahr, dann können wir nichts verraten.« So halfen sie sich und benutzten die Schwäche als Kraft, stärkten die Pfeiler der Brücke, damit sie unter den bald wieder über sie hereinbrechenden Fluten nicht zusammenstürzen würde.

Die Stunden des Vormittags gingen Krämer in quälender Ungewißheit dahin. Schon einmal war Bochow bei ihm gewesen, aber er hatte nichts melden können und wußte nicht, ob es Schüpp gelingen würde, in den Bunker einzudringen. Es gehörte zu seiner Funktion als Lagerältester, daß er oft zum Tor gerufen wurde. Das war für ihn niemals ein angenehmer Gang. Heute hatte ihn Reineboth schon zweimal zu sich beordert. Wieder knackte es im Lautsprecher, und Reineboths lässiger Jargon quakte in Krämers Raum. »Der Lagerälteste sofort zum Tor, aber dalli!«

Krämer zog den Mantel über, stülpte sich die Mütze auf. Verflucht, was will der Kerl schon wieder?

Krämer rannte über den Appellplatz zum Tor hinauf wie über dünnes Eis. Wie lange wird es noch halten? Hat Höfel inzwischen Aussagen gemacht? Um seine Person fürchtete Krämer niemals, mochte mit ihm auch geschehen, was wollte. Er wußte von sich, daß ihn nie, auch in der gefährlichsten Situation nicht, die Schwäche niederwerfen würde. Sein Puls ging um keinen Schlag schneller. Die Fähigkeit, alles in sich zu verschließen, machte ihm den Kopf frei, und Krämer blieb bei aller inneren Leidenschaft kühl und dem Gegner überlegen.

So stand er auch jetzt vor Reineboth. Der setzte sich mit schlenkerndem Bein auf die Tischkante, bot Krämer sogar eine Zigarette an.

»Ich bin Nichtraucher.«

»Richtig, unser Lagerältester raucht ja nicht. – Ein seltsamer Lagerältester . . .« In Krämers Gesicht bewegte sich nichts, was Reineboth hätte zeigen können, ob der Scherz angekommen war. Während sich Reineboth eine Zigarette anzündete, entschied er sich, gerade aufs Ziel loszugehen.

»Über Höfel wissen Sie wohl Bescheid?«

»Jawohl, Rapportführer, zwei Mann von der Effektenkammer wegen eines versteckten Kindes im Arrest.«

»Sie sind gut unterrichtet.«

»Das muß ich als Lagerältester sein.«

»Dann wissen Sie wohl auch, was in dieser Nacht im Bunker passiert ist?«

»Nein.«

»Nicht?«

»Nein.«

»Höfel ist tot.«

Reineboth machte die Augen schmal, als blickte er über den Lauf eines Revolvers, doch er entdeckte nichts. Weder in Krämers Augen noch in dessen Zügen. Hinter Krämers Stirn konnte Reineboth nicht sehen. Dort stand ein Gedanke als Gewißheit: Du lügst!

Reineboth verlor durch Krämers Sicherheit an Boden, er wandte sich ab und bemerkte scheinbar gleichgültig: »Beim Abendappell streichen Sie zwei als Abgang vom Bestand. Den Höfel und den Polen, den Dingsda ...«

»Den Kropinski.«

Reineboth wurde unsicherer, ärgerte sich und schnauzte:

»Jawohl, den Kropinski.«

Er hatte sich nicht mehr in der Hand und machte Fehler.

»Da haben die zwei wohl zur rechten Zeit einen kalten Arsch gekriegt?« sagte er mit verzogenen Lippen, er besaß die Fähigkeit, selbst ein derbes Wort elegant zu servieren. »Darüber sind Sie froh, was?« Sein Blick huschte über Krämers Gesicht.

»Aber da ist ein kleines Pech passiert. Sie haben vor ihrem seligen Ende noch gebeichtet.«

Wieder der huschende Blick.

Krämer zog die Augenbrauen hoch.

»Sie haben das Kind also gefunden?«

Das überrumpelte den Fuchs. Reineboth machte einen weiteren Fehler. »Das Kind? – Ich bin dem Kind sehr dankbar. Es hat uns auf die Schliche geholfen.«

Jetzt war die Lüge offenkundig!

»Gebeichtet« haben konnte nur Höfel, Kropinski wußte von nichts. Und Höfel lebte und hatte nichts gestanden.

Sie redeten um die Sache herum. Reineboth fürchtete, sich zu weit nach vorn gewagt zu haben. Um einen letzten Triumph auszukosten, trat er dicht vor Krämer, zielte wieder über Kimme und Korn:

»Also buchen Sie ab.«

»Jawohl.« Krämer hielt dem Blick stand, nicht einmal die Lider zuckten ihm. Sie standen sich gegenüber und beherrschten sich unerhört. Reineboths Blick wurde kalt und gefährlich, der Jüngling hörte sich selbst zu, wie er tief innen auf Krämer loszubrüllen begann. Doch davon ließ er Krämer auch nicht durch die geringste Veränderung seiner äußeren Haltung etwas wissen, er gab ihm nur einen kurzen Wink: »Ab!«

Als Krämer gegangen war, schleuderte Reineboth die Zigarette fort, stieß die Hände in die Hosentaschen und warf sich ungeschickt auf den Stuhl, stierte vor sich hin. Den psychologischen Weg hatte er sich versperrt.

Wenn sie Höfel nun wirklich umgebracht haben? – Einen Lebenden als tot vom Bestand zu streichen, das hatte es noch nie gegeben. – Krämer ging mit schweren Gedanken in seinen Raum zurück.

Hatte ihm Reineboth die Wahrheit gesagt? Wo begann die Lüge? – Es ging ja nicht um das Kind!

Wie unheimlich und gefahrgeladen waren die Stunden, seit Höfel im Bunker saß! Jede Stunde, die noch verging, konnte wie ein Geschoß explodieren, von innen heraus bersten. Schlagartig würden sämtliche Blockführer ausschwärmen, sich auf die einzelnen Kommandos rund um das Lager und in die Blocks stürzen, dort, wo die Genossen des Apparats zu finden waren. In weniger als einer Stunde wären die Genossen zusammengetrieben. Der Bunker war dann ihre letzte Station!

Hatte Krämer das Gefühl gehabt, auf dünner Eisdecke zu gehen, als er zu Reineboth eilte, so ging er jetzt den Weg zurück wie auf schmalem Steg über einen Abgrund. Eben bog er um die Schreibstube, als es aus dem Hauptlautsprecher am Tor über das Lager rief: »Der Lagerelektriker zum Tor.« Krämer blieb stehen. Der Befehl wurde wiederholt: »Der Lagerelektriker zum Tor. Tempo!« Krämer machte kehrt und lief in Richtung der Elektrikerbaracke. Schüpp, den Werkzeugkasten über der Schulter, kam ihm schon entgegen.

»Paß auf, Walter, es klappt.«

Sie verständigten sich kurz.

»Höfel soll tot sein ...« Schüpp bekam vor Schreck runde Augen.

»Mensch, Walter!«

Und Krämer: »Lauf, Heinrich, vielleicht kannst du was Genaues erfahren.«

Schüpp eilte fort, Krämer sah ihm nach.

Förste hatte Wort gehalten. Auf unerklärliche Art war der Strom im Bunker weggeblieben. Die Sicherungen waren durchgebrannt. Schüpp untersuchte den elektrischen Kocher im Aufenthaltsraum des Mandrill und ließ sich von Förste zur Hand gehen. Der Mandrill stand mißtrauisch daneben, er ließ ungern einen Häftling in sein Reich. Zwischen Schüpp und Förste war schweigendes Einverständnis. Schüpp vermied jede Vertraulichkeit. Knapp und sachlich gab er dem Kalfaktor Bescheid, was dieser zu tun hatte. Er mußte den Kocher festhalten, als Schüpp die Schrauben löste. Umständlich untersuchte er die Eingeweide des Kochers und fand nichts daran auszusetzen.

»Der Kocher ist in Ordnung«, sagte er mit einem Anflug von Redseligkeit. »Gewöhnlich ist so ein Ding schuld, wenn es Kurzschluß gibt.«

Der Mandrill fuhr ihn barsch an: »Quatsch mich nicht voll und bring das in Ordnung.«

»Jawohl, Herr Hauptscharführer«, entgegnete Schüpp folgsam und übertrug seine Geschäftigkeit auf Förste. Die Schalter prüfend, meinte er zu ihm: »Die Leitung scheint tot zu sein ...« Mit dem sicheren Instinkt des Gefangenen verstand der Kalfaktor die Chiffre der Anspielung. Sofort hatten die beiden Häftlinge den notwendigen Kontakt, um sich trotz der Gegenwart des Mandrill weiter zu verständigen.

»Der Hauptscharführer hat schon selbst den Apparat untersucht und nichts gefunden«, sagte Förste. Schüpp verwischte die Chiffre mit einer unverfänglichen Bemerkung:

»Da müssen wir die Leitung nachsehen, irgendwo steckt der Kurzschluß.« Sie suchen nach dem Apparat, und Höfel ist nicht tot. Er hat auch noch nichts gestanden. So übersetzte sich Schüpp die versteckte Rede. Das war eine wertvolle Nachricht. Wie aber ließ es sich einrichten, durch Förste über das Schicksal der beiden Verhafteten auf dem laufenden gehalten zu werden? Denn Schüpp konnte nicht tagelang an der Leitung herumreparieren.

»Warum mußt du die Leitung nachsehen?« fragte der Mandrill mit kratziger Stimme. Schüpp beruhigte ihn: »Das geht schnell, Herr Hauptscharführer, es kann an einer Stelle der Draht gebrochen sein.« Er ließ sich von Förste eine Leiter bringen und begann, die Oberleitung zu untersuchen. Förste mußte die Leiter halten. Vom Aufenthaltsraum rückten sie Meter für Meter in den düsteren Bunkergang hinein. Der Mandrill stand an der Tür seines Raums und beobachtete sie. Schüpp setzte schweigend seine Arbeit fort. Mit diesem finsteren Tier mußte er vorsichtig umgehen, in seinem Hirnkasten indessen arbeitete es angestrengt nach einer Möglichkeit, ungefährdet mit Förste sprechen zu können. Gerade das Schweigen zwischen ihnen drängte zur Aussprache, die nur möglich war, wenn der Mandrill ihnen nicht folgen würde. Sie rückten im Gang immer weiter vor, und die Entfernung zwischen ihnen und dem Mandrill wurde größer. Stieg er ihnen hinterher?

Um ihn zu beschwichtigen, entwickelten sie eine emsige Betriebsamkeit, doch zwischen laut hingeworfenen Worten, die dem Mandrill galten: »Stelle die Leiter ein bißchen steiler ... so ist es gut ... halt fest ...«, schmuggelten sie hastige Hauchfetzen ein, die weniger als ein Flüstern waren.

»Ich passe auf, wenn du Freistunde hast ...«

Ohne Försters Antwort abzuwarten, stieg Schüpp auf die Leiter und fingerte am Draht herum.

Sie behielten beide den Mandrill scharf im Auge. Mit Interesse verfolgte Förste die Arbeit des Elektrikers, und als Schüpp herabgestiegen kam und sie die Leiter gemeinsam weitertrugen: »Nun wollen wir auch noch das letzte Stück nachsehen ...«, gab Förste zurück: »Wenn Höfel singt, bücke ich mich und mache mir den Schuh zu ...« Schüpp hatte verstanden, das genügte, um die weitere Nachrichtenübermittlung zu sichern. Er stieg hinauf und rief nach einer Weile zu Förste hinunter:

»Das geht in Ordnung!« Sie nickten sich mit den Augen zu und hatten sich nichts mehr zu sagen. Gemeinsam trugen sie die Leiter wieder nach vorn.

»Na, was ist?« knurrte der Mandrill böse. Schüpp hob bedauernd die Schultern. »An der Oberleitung finde ich nichts. Ich muß mal nach draußen gehen und den Anschluß nachsehen.«

Die Oberleitung lief am Giebel des Bunkerflügels zum Erdanschluß hinunter. Kurz über dem Boden ragte die Anschlußstelle aus der Erde. Hier war der Draht gerissen. Schüpp schmunzelte. Der Förste war ein findiger Kerl. Schnell hatte Schüpp den kleinen Schaden behoben und ging zum Bunker zurück. Er schraubte neue Sicherungen ein, und das Licht war wieder da! – Der wortkarge Mandrill schien zufrieden.

»Was war denn los?«

»Nichts Besonderes, Herr Hauptscharführer, nur ein kleiner Kurzschluß am Erdkabel.«

»Warum hast du das nicht gleich nachgesehen?«

Schüpp breitete unschuldig die Arme aus. »Wenn man das nur immer sofort wüßte ...«

Der Mandrill hatte dem Fachmann nichts zu erwidern, er entließ ihn mit einer herrischen Kopfbewegung. Schüpp schulterte seinen Werkzeugkasten. Förste beachtete den Elektriker gar nicht, als dieser den Bunker verließ.

Schüpp berichtete. Es schien, als ob Krämer aufmerksam zuhören würde. Wie es seine Art war, saß er mit breit ausgelegten Ellbogen und auf die Fäuste gestütztem Kinn am Tisch. Aber er hörte längst nicht mehr zu. Lebhaft schilderte Schüpp, wie es ihm gelungen war, die Aufmerksamkeit des Mandrill abzulenken. Höfel hatte standgehalten! – Jetzt erst wußte Krämer, wie aufgerissen er gewesen war seit Höfels Verhaftung. Er hatte ihn geliebt, rauh. Er hatte ihn verflucht, und nun liebte er ihn wieder.

Eine Frage des Elektrikers machte ihn wach. »Ist Höfel in der Leitung?« Als hätte ihn die Frage selbst erschreckt, fügte Schüpp schnell hinzu: »Du brauchst mir nicht zu antworten.«

Krämer hob den Blick und sah Schüpp wortlos an. Schüpp erkannte darin die Antwort, er fragte nicht weiter, ihm genügte das wenige. Sie saßen gegenüber, jeder von seinen eigenen Gedanken umgeben. In Krämer löste sich die letzte Starre und wandelte sich zu einem starken, brüderlichen Gefühl für Höfel.

»Nun gehen sie uns wegen dieser dummen Geschichte mit dem Kind noch vor die Hunde ...« Er starrte gedankenvoll vor sich hin.

»Man muß was riskieren«, sagte Schüpp, »sie aus dem Bunker 'rausholen.« Krämer lachte ungläubig. »Wie willst du das anstellen?«

»Mit Zweiling!« Schüpps rasche Antwort war keine Augenblicksidee. Krämer winkte ab. »Der Hund hat sie doch erst hineingebracht ...«

»Weiß ich«, nickte Schüpp, »Pippig hat es mir erzählt. Gerade darum sollten wir es probieren. Bei der Sonderkompanie hat es doch auch geklappt.«

Krämer blieb unüberzeugt.

»Das war etwas anderes.«

Vor Jahren war eine Anzahl politischer Häftlinge durch eine großangelegte Zinkerei krimineller Elemente in eine Sonderkompanie gesteckt und durch die Solidarität ihrer Kameraden des Lagers wieder daraus befreit worden. Schüpp ließ sich durch Krämers Einwand nicht von seinem Gedanken abbringen, er rutschte eifrig auf die Stuhlkante vor.

»Zweiling will sich hüben und drüben ein Loch offenhalten und bei keinem anecken. Das sollten wir ausnützen. Pippig muß ihn 'rumkriegen. Soll ich mal mit ihm reden?«

Für einen Augenblick war Widerwillen in Krämer. Nicht, weil er sich sträubte, die SS zu benutzen, um bedrohten Gefährten zu helfen, das hatte man seinerzeit bei der Sonderkompanie auch getan. Damals hatte der Machtkampf zwischen den Kriminellen und den Politischen die Kameraden in Gefahr gebracht. Diesmal aber war es ein SS-Mann, der Höfel und Kropinski mit der Vernichtung bedrohte.

Ausgerechnet dieser Zinker sollte ... Welch skurriler Gedanke. Und dennoch, Krämer bohrte sich in ihn hinein. Zwischen dem Kommandanten und Kluttig bestand eine ewige Gegnerschaft. Kluttig hielt es mit den Ganoven des Lagers, der Kommandant ließ nichts auf die Politischen kommen. Gelänge es, Zweiling auf den Kommandanten zu hetzen ... Krämer traute Pippig diese Wendigkeit schon zu. Schüpps runde Augen hingen sehnsüchtig an Krämer. Der brummte und wischte mit der Handkante über die Tischplatte hinweg, mochten nicht ja, nicht nein sagen.

»Aber packt mir die Sache vorsichtig an«, meinte er schließlich.

Seit Schüpp mit ihm gesprochen hatte, war Pippig die Möglichkeit, über Zweiling den Freunden zu helfen, bewußt geworden. Er spannte auf eine Gelegenheit, mit Zweiling ins Gespräch zu kommen. Die ergab sich bald.

»Haben Sie über den Zinker noch nichts 'rausgekriegt?« fragte er Pippig, der ihm eine Liste ins Zimmer brachte.

»Nein, Hauptscharführer, wir werden ihn wohl auch nicht 'rauskriegen.«

»Warum nicht?« Zweiling schob die Zunge auf die Unterlippe.

Pippig war aus anderem Holz geschnitten als der warmherzige Höfel und ging kühn auf sein Ziel zu. Wie ein Seiltänzer vorsichtig und dennoch sicher seinen Fuß aufsetzend, so setzte Pippig seine Worte auf den messerscharfen Grad der Zweideutigkeit.

»Der Lump hat sich viel zu gut getarnt.« Hintergründig fügte er hinzu: »Aber wir wissen jetzt, warum er das gemacht hat.«

»Da bin ich aber neugierig.«

»Der Kerl hielt sich nämlich für besonders gescheit und glaubte, sich beim Lagerführer einen Schinken in Salz legen zu können.«

»Warum denn?« fragte Zweiling lauernd. Pippig zögerte mit der Antwort.

Er überlegte blitzschnell, und blitzschnell auch folgte die Entscheidung, nun war er auf dem Seil, und es hieß, darüberzukommen.

»Hauptscharführer, da braucht man bloß auf die Frontkarte zu gucken.«

Unwillkürlich drehte sich Zweiling nach der Wand um, an der die Karte hing. Gespannt verfolgte Pippig die Bewegungen, und als Zweiling ihn wieder ansah, hatte Pippig ein vielsagendes Lächeln um den Mund. Zweiling wurde unsicher. Galt das ihm?

Auch er lief wie auf einem Seil. Er entschloß sich, das Versteckspiel mitzumachen.

»Sie meinen, der Zinker will sich ein Loch aufmachen, wenn's mal andersrum geht? ...«

»Na klar«, antwortete Pippig trocken. Das Gespräch verklemmte sich. Jetzt mußte Pippig in die beabsichtigte Richtung vorstoßen.

»Wenn's mal andersrum geht«, wiederholte er Zweilings Worte und machte mit den Händen eine bezeichnende Geste des Wendens. »Aber *wie* 'rum? – Das weiß keiner ...«

Zweiling lehnte sich zurück und entgegnete leer und belanglos: »Na, so schlimm wird es nicht werden.«

In Pippig knisterte die Spannung, er war verstanden worden. Noch einen Schritt weiter wagte er sich nach vorn.

»Das hängt von Ihnen ab, Hauptscharführer.« Zweiling schob die Zunge wieder auf die Unterlippe, in ihm war nicht weniger Spannung. Er antwortete nicht, so daß Pippig fortfahren mußte:

»Wir würden gern sagen: Hauptscharführer Zweiling ist ein feiner Kerl, er hat uns Höfel und Kropinski aus dem Bunker geholt ...«

In Zweiling schlug eine heiße Welle hoch, das war ein offenes Angebot. Blitzschnell rollten in ihm die Reaktionen ab. Noch schützte ihn die Kluft zwischen ihm und den Häftlingen. Eines Tages könnte sie zusammenstürzen, dann hatten sie ihn an der Gurgel: Du hast Höfel und Kropinski auf dem Gewissen! – Auch für die SS gab es das unerbittliche Entweder-Oder. Für die Häftlinge Freiheit oder Tod, für die SS Kampf bis zum letzten

Mann oder Flucht ins Ungewisse. Zweiling hatte keine Lust, bis zum letzten Mann mitzukämpfen.

Das Angebot lockte.

»Wie soll ich denn das machen?« fragte er unsicher.

Triumph! Jetzt war Pippig über das Seil hinweg und hatte wieder festen Boden unter den Füßen.

»Ihnen kann es doch nicht schwerfallen, mal mit dem Kommandanten zu reden, Sie wissen doch, was der für große Stücke auf die Politischen hält.«

Zweiling stand brüsk auf und trat rasch zum Fenster. In ihm arbeitete es. Sollte er Pippig 'rausschmeißen oder zusagen? – Unklar und verwaschen tat er beides, drehte sich zu Pippig herum und sagte grob: »Scheren Sie sich hinaus!«

Als Pippig sich abkehrte, fuhr er ihn an: »Und halten Sie da draußen die Schnauze, verstanden?«

»Aber Herr Hauptscharführer, darüber redet man doch nicht . . .«

In Zweiling war grenzenlose Wut! Er setzte sich an den Schreibtisch. Sein Blick wischte über die Landkarte hinweg.

Noch vor wenigen Tagen hatte er die Pfeile bis Mainz ziehen müssen, jetzt rückten sie bereits bis Frankfurt vor . . .

Oben, im Norden der Westfront, zeigten die Pfeile auf Duisburg. Wie lange würde es noch dauern, und er mußte die Pfeile nach Kassel richten? Dann ging es von Westfalen und Hessen nach Thüringen hinein . . .

Die hohle Wut, sich Pippig ausgeliefert zu haben, ging über in fressende Angst . . . Du hast Höfel und Kropinski auf dem Gewissen . . . Wie sicher sich die Kerle bereits fühlten . . .

Um die Mittagszeit kam Bochow zu Krämer.

»Neues?«

»Nichts Neues.«

Bochow kniff die Lippen zusammen. Die Unruhe war ihm vom Gesicht abzulesen.

»Ist was passiert?« fragte Krämer. Bochow gab keine Antwort. Er schob die Mütze aus der Stirn, machte eine Bewegung, als wolle er sich auf den Stuhl setzen, und unterließ es. Der Entschluß, über Krämer die Sicherung des Waffenverstecks einem Außenstehenden anzuvertrauen, fiel ihm unendlich schwer. Zum ersten Male ging ein Geheimnis über den Kreis der Eingeweihten hinaus. Krämer sah Bochows Kampf. »Na, rede schon!«

Bochow ächzte. »Ach, Mensch, Walter, so ein Leben, so ein Leben ... manchmal möchte ich den Kerl da oben verfluchen.« Er meinte Höfel.

»Nicht doch«, verwies ihn Krämer, gleichzeitig tröstend. »Ist doch unser Kumpel. Hat Mist gemacht, natürlich, aber verfluchen? Mann! Behalte die Nerven beisammen.«

Krämers rauhe Herzlichkeit tat Bochow wohl.

»Jaja, hast recht, hast recht. – Also da ist noch eine Sache, sie muß geregelt werden, schnell. « Krämer überraschte es nicht, von Bochow zu erfahren, daß eines der Waffenverstecke die Effektenkammer war, und es gab für ihn auch nur einen, dem man es anvertrauen konnte – Pippig!

»Das mache ich schon, laß nur«, beruhigte ihn Krämer. Bochow nannte ihm die Nummer der Säcke und den Platz, an dem sie hingen, und stöhnte: »Das schlimmste an der Sache ist, daß man beiseite stehen muß und gar nichts unternehmen kann ...«

Krämer schob die Unterlippe vor. »Warum soll man nichts machen können? – Wir sollten zum Beispiel versuchen, die beiden aus dem Bunker zu holen.«

Bochow lachte wie über einen Scherz.

»Ich habe schon was unternommen ...«

Bochows Lachen verdorrte. »Bist du verrückt?«

»Nee«, entgegnete Krämer trocken. »Ich hoffe, daß du einverstanden bist.« Er erzählte, was er mit Schüpp abgesprochen hatte.

»Der hat sich inzwischen den Pippig vorgeknöpft, das

ist sicher. Und der Pippig, verlaß dich drauf, ist ein schlauer Bursche. An irgendeiner faulen Stelle kriegt er den Zweiling zu packen. Sollten wir es unversucht lassen?«

»Was kommt nun noch?« knirschte Bochow durch die Zähne und drückte sich das Gesicht mit beiden Händen zu. Kopfschüttelnd betrachtete Krämer den von wildwuchernder Nervosität Gepeinigten. »Der Bochow – habe ich mir immer gesagt –, das ist ein Klotz, den kann nichts aus der Ruhe bringen. Nun guckt euch mal den Klotz an ...« Bochow reagierte nicht, es tat so wohl, sich hinter den eigenen Händen zu verstecken. Erst nach einer Weile ließ er die schützenden Hände sinken und nickte Krämer zu. Ein müdes Lächeln wehte über sein Gesicht.

»Hast recht, Walter, man darf jetzt nicht den Kopf verlieren.« Er wollte sich zum Gehen wenden, doch verharrte er: »Und die Sache mit dem Zweiling ... gut, wir wollen nichts unversucht lassen ...«

Bochow verließ den Raum.

In tiefem Mitgefühl sah Krämer ihm nach. Wie müde Bochow die Schultern herabhingen ...

Um die gleiche Mittagsstunde beobachtete der Mandrill im Kasino einen Häftling, der in einer Ecke des Speiseraumes einen defekten Tisch reparierte. Mit stumpfem Interesse verfolgte der Mandrill die Hantierungen und sah, wie der Häftling eine Leimzwinge anschraubte, die mit festem Druck das Holz zusammenpreßte. Es war ein alltäglicher Vorgang.

Am selben Abend aber fiel dem Mandrill der Zwinger wieder ein, als er im Kasino seinen Schnaps trank. Plötzlich war sein Interesse erwacht. Er ging zu dem beiseite gestellten Tisch und betrachtete sich das Werkzeug. Schließlich versuchte er, die Zwinge abzuschrauben, sie saß sehr fest und ließ sich nur mit starker Kraftanwendung lösen. Das Kasino war um diese Zeit nur noch schwach besucht. Einige Blockführer saßen am Tisch und verfolgten das sonderbare Tun des Mandrill. Von den bedienenden Häftlingen wurde er verstohlen beobachtet. Der Mandrill hielt die Zwinge in der Hand, hinter seiner starren Stirn schien etwas vorzugehen. Die Blockführer sprachen den unheimlichen Menschen nicht an, der mit der Zwinge an seinen Tisch zurückging. Ein fahler Zug lag um den farblosen Mund, als der Mandrill die verstohlenen Blicke ringsumher bemerkte. Es war schon spät, als der Mandrill das Kasino verließ. Die Trunkenheit trat bei ihm niemals nach außen.

Je mehr er an Alkohol in sich hatte, desto gerader war sein Gang. Obwohl ihm das Gehirn schwamm, verlor er in allem, was er tat, nicht die Orientierung. Sie hatte nur etwas Starres und von innen her Gelenktes an sich.

»Vernehmung bis zur Aussage.«

Die Leimzwinge hatte ihn auf einen Gedanken gebracht.

In der Nacht begab er sich in die Zelle Nummer 5. Höfel und Kropinski lagen eng aneinandergedrängt auf dem kalten Fußboden und erhoben sich, als Licht wurde und der Mandrill eintrat. Frierend und aufgeschreckt standen sie vor ihm. Das erdfahle Gesicht des Mandrill war ohne Ausdruck, als er Höfel fragte: »Na, hast du es dir inzwischen überlegt?« Höfel schluckte. Schwieg. Wie ein aufgescheuchter Vogel flatterte die Angst in ihm. Der Zellenraum schwamm im trüben Licht der Glühbirne, die nicht Kraft genug hatte, scharfe Schatten zu werfen. Der Mandrill wartete noch einen Augenblick das Schweigen ab, als könnte noch etwas kommen, dann drängte er Kropinski, der neben Höfel stand, in die äußerste Ecke der Zelle. Höfel fragte er: »Redest du?«

Höfel stieg es heiß in die Kehle, er schluckte wieder, sein Atem ging leise.

Kropinski stand in die Ecke gedrückt, als wolle er eins werden mit ihr. Der Mandrill hatte keine Eile. »Na, was ist? Redest du nun?«

Höfels Brustkasten war wie ein hohles Gewölbe, in dem ein Heulton schallte. Er wollte fliehen, zu Kropinski in die Ecke. Doch seine Füße waren wie angeschmiedet.

»Also nicht.«

Der Mandrill trat an Höfel heran und setzte ihm, wie er es bei dem Tischler gesehen hatte, die Zwinge an die Schläfen. »Redest du ...?«

Höfel riß entsetzt die Augen auf, der Mandrill hatte den beweglichen Teil der Zwinge angedrückt und ihn mit einer Drehung festgeschraubt.

Kropinski stieß einen leisen, pfeifenden Schrei aus.

In Höfels Schläfen pulste das aufgewirbelte Blut, der Schrei, der ihm im Kehlkopf saß, riß ihm den Mund auf und erstickte in der Höhle.

Der Mandrill steckte die Hände in die Hosentaschen und stieß Höfel mit dem Knie ermunternd vor den Bauch. »Einen Namen weiß ich schon, deinen. – Wer ist der zweite? – Redest du?«

Unter Höfels Hirnschale brannte es wie Höllenfeuer. Er preßte die Fäuste aneinander, das Grauen saß ihm in der Kehle.

Der Mandrill fuhr sich mit der Zungenspitze über die Lippen, zog bequem die Hand aus der Tasche und drehte an der Schraube. Höfel stöhnte. Grauenhaft unentrinnbar stand er zwischen zwei Felsblöcken, die ihn zusammenquetschten.

Kropinski sank in die Knie. Im namenlosen Elend der Hilflosigkeit kroch er wimmernd auf den Mandrill zu, der trieb das Bündel in die Ecke zurück. »Hier bleibst du liegen, du Dreck, und rührst dich nicht.«

Den Augenblick der Ablenkung hatte Höfel genutzt, sich die mörderische Zwinge herunterzureißen. Sie fiel polternd zu Boden. Das Blut raste und rauschte im Kopf. Höfel wurde es schwarz vor Augen, er drückte die Fäuste gegen die Schläfen und torkelte. In plötzlicher Wut stürzte sich der Mandrill auf den Taumelnden und boxte ihn mit wuchtigen Schlägen zu Boden. Durch den plötzlichen Überfall waren Höfels Sinne wieder wach geworden.

Um den auf ihn niederprasselnden Schlägen zu entgehen, wälzte er sich hin und her, es gab ein Handgemenge. Geschwächt und zermartert unterlag Höfel der Kraft des Mandrill. Der kniete sich über ihn, preßte die Arme Höfels mit den Knien fest und quetschte die Zwinge erneut an die Schläfen.

Höfel warf schreiend den Kopf hin und her, aber die Zwinge saß fest. Der Mandrill drückte die Schraube fester an.

Höfel gurgelte, die Augen quollen aus ihren Höhlen.

»Wer ist der zweite?«

Kropinski hatte die Fäuste vor den Mund gepreßt, in namenlosem Entsetzen über das, was mit seinem Bruder geschah.

»Wer ist der zweite?«

In höllischem Schmerz trommelte Höfel mit Fäusten und Füßen auf den Steinboden.

Die Namen! Die Namen ...!

Sie saßen ihm im gurgelnden Kehlkopf und lauerten darauf, herausgelassen zu werden.

»Wer ist der zweite? Redest du ...?«

Als der Mandrill die Hand wegzog, brach der erstickte Schrei wie ein Strahl aus Höfels Mund: »Chrraahhh ...«

»Wer ist der zweite?«

»Chrraahhh ...«

Das waren sie, die Namen. Jeden einzelnen schrie Höfel aus sich heraus. »Chrraahhh, chrraahhh ...«

Plötzlich begann auch Kropinski zu schreien, er preßte die Hände an den Kopf und schrie ...

Die Luft im Raum schrie, die Wände konnten die Schreie nicht schlucken, und der Wahnsinn raste durch die Zelle. Der Mandrill erhob sich und stellte sich breitbeinig über Höfels tobenden Körper; sterben durfte der ihm noch nicht, darum löste der Mandrill die Zwinge.

Höfels irres Schreien erstickte in einem hohlen, trockenen Röcheln, der Körper streckte sich erlöst.

Kropinski krümmte sich furchtsam zusammen und kroch, als der Mandrill die Zelle verließ und das Licht verlöschte, zu Höfel, mit zitterndcn Händen tastete er ihn ab, begann in stiller Verzweiflung zu wimmern.

Höfel fühlte, wie das Leben den Tod abwehrte. Wie von Peitschen getrieben, raste das Blut durch den Körper, das Gehirn schien von Schmerzen zu zerfließen, und selbst die Gedanken brannten wie fiebernde Flammen. Der Atem flackerte. »... die Namen ... Marian ...« Kropinski strich über Höfels fliegende Brust.

»Du haben geschrien, Bruder, nur immer geschrien ...«

Höfel keuchte, zu schwach, um zu antworten. Sein gequältes Bewußtsein taumelte am Rand der Ohnmacht entlang, aber es stürzte nicht in den wohltätigen Abgrund hinunter. »O mein Gott«, wimmerte Höfel, »o mein Gott ...« Es war kaum noch zu ertragen.

Am anderen Tag sah Förste während seiner Freistunde den Elektriker auf der Zugangsstraße. Sie beobachteten sich. Würde der dort sich den Schuh zubinden?

Förste schien den Elektriker nicht zu beachten. Er drückte die auf dem Rücken liegenden Hände nach hinten hoch, und es sah aus, als mache er Freiübungen. Als Schüpp an ihm vorbei zum Schalterfenster ging, legte sich Förste die Hand aufs Herz. Schüpp meldete sich ins Lager zurück. Er hatte verstanden. Sie wurden gefoltert, doch die Hand auf dem Herzen sagte aus, daß sie tapfer waren.

Zwei Tage erst waren vergangen, aber sie waren angefüllt mit einer Last, die nach Jahren zu zählen schien. Der ganze Apparat war lahmgelegt worden, und in den einzelnen Widerstandsgruppen hatte die Nachricht von der Verhaftung eine Erstarrung ausgelöst. Die Genossen der Gruppen vermieden jedes Gespräch. Wenn sie sich im Lager begegneten, gingen sie aneinander vorbei und grüßten sich nur mit einem verstohlenen Blick. Sie durften sich nicht kennen. Unheil lag in der Luft. Als sich am ersten und auch am zweiten Tag nichts ereignete, war das keinesfalls eine Beruhigung. Jeder hatte das Gefühl, als ob sich die Gefahr nur tückisch verstecken würde, um in dem Augenblick hervorzubrechen, wenn man glaubte, erlöst aufatmen zu können. So erging es allen.

Auch das ILK hatte sich streng isoliert. Der einzige, mit dem Bochow in diesen beiden Tagen zusammentraf, war Bogorski. Die Informationen, die Krämer ihm über das Verhalten Höfels gebracht hatte, gaben Bochow eine gewisse Sicherheit, eine Zusammenkunft mit den Genossen des ILK riskieren zu können. Bogorski war damit einverstanden, und am Abend kamen die Genossen in der Fundamentgrube der Revierbaracke zusammen. Sie waren sehr schweigsam, und schweigend auch nahmen sie Bochows Bericht entgegen. Sie erfuhren die Zusammenhänge. Das Kind war willkommener Anlaß für Kluttig und Reineboth, die verborgenen Spuren des Apparats aufzustöbern. Sie erfuhren, daß Höfel und Kropinski unerhört gemartert wurden, und wußten, daß es für die beiden eine Zerreißprobe war. Nur eines wußten sie nicht: das, was morgen sein würde oder übermorgen ...

Die Zukunft war mit Explosivstoff geladen.

Sonst ging es bei den Besprechungen lebhaft zu, heute saßen sie um die kleine Kerze, die leise knisterte, und sprachen kaum ein Wort.

Die Ruhe nach der Verhaftung war trügerisch, und sie mißtrauten ihr. Was Bochow so schmerzvoll durchlebt hatte, das durchlebten jetzt die schweigenden Männer um ihn herum.

Wie sorgfältig war der Aufstand vorbereitet. Was war im Laufe der Zeit an Waffen und Munition herangeschleppt worden, gefahrvoll und heimlich. Manchmal hatte ein waghalsiges Unternehmen an einem seidenen Faden gehangen. An alles war gedacht worden. Tausende von Verbandpäckchen lagen an sicheren Stellen im Revier bereit. Medikamente waren gehortet worden, Operationsinstrumente abgezweigt. Brechstangen, isolierte Drahtscheren für den Zaun, alles war da.

Es gab Operativpläne für die Stunde der Befreiung. Die

Kampfgruppen der einzelnen Nationalitäten waren für diese Stunde vorbereitet, längst festgelegt deren Aufgaben. Schon war das Lager in Kampfsektoren aufgeteilt. Stoßkeilartige Aktionen nach den verschiedenen Richtungen sollten die Kampfhandlungen einleiten. Die polnischen Gruppen hatten nach dem Norden des Lagers durchzubrechen. Die sowjetischen Gruppen waren für den Sturm auf die SS-Mannschaftskasernen vorgesehen. Die Gruppen der Franzosen, der Tschechen, der Holländer und der Deutschen mußten den Bereich der Kommandantur in Besitz nehmen. Der Gesamtstoß hatte sich in westlicher Richtung zu vollziehen, um die Verbindung mit dem nahenden Amerikaner herzustellen und den Aufstand zu sichern.

Spezialtrupps für besondere Aufgaben befanden sich unter den Gruppen. Die weitverzweigte Organisation, unsichtbar, allgegenwärtig und für jede Stunde schlagbereit, war ein kunstvolles Werk der Konspiration. Wenn die Stunde gekommen war, dann konnte der Sturm losbrechen. Aber die Stunde war noch nicht da und der Amerikaner noch weit ... Jetzt aber lag ein Mann da oben in verlassener Zelle ... Ein Wort von ihm genügte, ein Wort aus vergessener Vorsicht oder aus Lebensangst, und der Boden des Lagers würde sich öffnen und seine Geheimnisse preisgeben. Waffen, Waffen! Noch ehe 50000 ahnungslose Gefangene das Unerhörte begriffen hätten, würde ein wüster Sturm der Vernichtung dahinbrausen über das Lager ...

Die Genossen stierten vor sich hin, starrten in die knisternde Flamme der Kerze. Verhalten und ruhig gab Bochow seinen Bericht. Er erzählte, daß Höfel und Kropinski bis jetzt tapfer durchhielten. Sie hörten zu, die vielen Gehirne wurden zu einem Gehirn, in dem die Gedanken aller zusammenschmolzen.

Darum auch brauchte es keiner Worte. Aber das Schweigen nagte in ihren Gesichtern. Bochow wurde unwillig. »So geht es nicht, Genossen. Zusammensitzen und die Köpfe hängenlassen? Verdammt noch mal! Wir müssen überlegen, was wir tun können, wenn ...«

»Wenn! Ja, wenn!« knirschte Kodiczek. »Können wir die Waffen vergraben?« Er lachte kratzig. »Sie sind ja schon vergraben.«

In seinen Augen flackerte die Nervosität.

»Unsinn«, fauchte Bochow, »die Waffen bleiben, wo sie sind.« Er nahm ein großes Stück Muschelkalk zur Hand und warf es fort. Seine Augen irrten unruhig über den steinigen Boden. Es war ihm anzusehen, daß er die eben verlorene Beherrschung zurückgewinnen wollte. Streit durfte jetzt nicht aufkommen. Er machte gegen Kodiczek, der sich in finsteres Brüten zurückzog, eine abschließende Geste.

»Das letzte Mal sagte ich euch schon, daß sie nach uns suchen«, sagte er dumpf. »Wir haben darüber gelacht. – Höfel war ja auch noch nicht im Bunker, jetzt wird es ernst damit. Wenn er es nicht schafft, wenn er nicht durchhält ...«

Bochow sah jeden einzelnen eindringlich an. Sie bissen die Lippen aufeinander. Was sie dachten, sprach Bochow unerbittlich aus: »Wenn sie uns herauskriegen, dann steht für jeden der Tod.«

Die Kerze knisterte leise.

»Wir können manchen von uns noch rechtzeitig in Sicherheit bringen.« Die Genossen horchten auf, und Bochow schlug vor: »Wir schicken ihn auf Transport in ein anderes Lager. Dort taucht er unter ...«

Es kam lange keine Antwort.

Endlich sagte van Dalen:

»Das ist doch nicht dein Ernst, Herbert?«

»Doch«, beharrte Bochow, »Höfel kennt unsere Namen. Er braucht nur einen davon zu nennen ...«

Van Dalen hob resigniert die Schultern. »Dann wird der eine eben sterben müssen.«

»Und wenn er uns alle angibt?«

»Dann werden wir alle sterben«, antwortete van Dalen

schlicht. Pribula wurde unruhig. Bochow schüttelte den Kopf.

»Wer will auf Transport gehen?« fragte er hartnäckig.

Pribula schlug sich mit der Faust aufs Knie.

»Willst du uns machen feig?« Seine leise Frage hatte aufgeschrien. Erst nach einer Weile sagte Bochow merkwürdig ruhig. »Es ist meine Pflicht, Genossen, euch zu fragen.« Er senkte dabei den Blick. »Ich bin mit daran schuld, daß es soweit gekommen ist.« Sein Ton erschien den Genossen fremd, sie schauten verwundert auf ihn. Er preßte die Lippen zusammen.

»Ich habe Höfel alleingelassen«, fuhr er noch leiser fort. »Hätte mich seiner und des Kindes sofort annehmen müssen. Hab's nicht gemacht ...« Das war ein Bekenntnis. Bogorski verstand als einziger den Sinn, aber er schwieg dazu. Riomand hüstelte. »Nun, camerade Herbert«, sagte er gütig. »Fehler, aber nikkt sprekken von Schuld.«

Bochow sah den Franzosen an. »Aus dem Fehler wächst die Schuld«, sagte er dunkel. Kodiczek zischte unbeherrscht: »Verdammt mit Höfel, verdammt mit Kind!«

Pribula schnellte hoch: »Sind zusammen Höfel und Kamerad aus Polen im Bunker«, schrie er tonlos, »und da sagen du verdammt? Haben beschützt Deutscher und Pole kleines polnisches Kind, und da sagen du verdammt? – Verdammt du selber!«

Seine Lippen zitterten und wurden weiß. Der jähe Zorn schoß ihm in die Augen. Van Dalen hielt Pribula am Arm fest. Der junge Pole schleuderte die Hand des Holländers von sich, eine plötzliche Feindschaft sprühte aus seinen Augen.

Da geschah etwas Merkwürdiges; Bogorski begann vor sich hin zu lachen, leise und mit schütteren Schultern. Das Lachen stand in so schroffem Gegensatz zu der gespannten Erregung, daß sie alle wie erschreckt auf den Russen blickten. Der breitete die Hände mit den Flächen nach außen gegen sie und rief in bitterer Heiterkeit: »Was sind wir doch für lustige Menschen!«

Er meinte »komische« Menschen und sagte »lustige«, weil er das deutsche Wort nicht fand.

Plötzlich schlug sein Gebaren um. Sein Gesicht zog sich zusammen, aus den Augen zuckte es. Er riß beide Arme über den Kopf und ließ die Fäuste wuchtig niedersausen. »Wir sind aber nicht lustige Menschen, wir sind Kommunisten!« Er stieß auf russisch einen derben Fluch aus und wetterte in seiner Muttersprache auf die Genossen ein. Sein Russisch überraschte ihn selbst, da keiner ihn verstand, und er brach mitten im Satz ab, wetterte aber sofort weiter in gebrochenem Deutsch. Fehler, Schuld, Flüche auf das Kind und die Genossen! Setzen sich Kommunisten so mit einer gefährlichen Lage auseinander? Soll die Situation uns beherrschen? Oder gehört es vielmehr zum Kommunisten, selbst Herr der Situation zu sein? – Er schwieg. Sein Zorn verwandelte sich. Ruhiger fuhr er fort. Nun gut, carascho. Irgendwo im Lager ist ein kleines Kind versteckt und bringt alle in Verwirrung. – Wo es eigentlich sei, wollte Pribula wissen. Bogorski hob beschwichtigend die Hand. Es befinde sich im Block 61 des Kleinen Lagers, keine Sorge, fügte er schnell hinzu, es sei gut untergebracht ... Er blickte reihum. Ist es nicht im Grunde unser aller Kind, nachdem seinetwegen schon zwei Genossen in den Bunker mußten? – Wäre es nicht Aufgabe des ILK, das Kind unter seinen Schutz zu stellen? – Auf einmal lächelte Bogorski. Viel wichtiger wäre es jetzt, dem Kind etwas Anständiges zum Futtern zu verschaffen. Dabei blickte er mit verkniffenem Auge auf Riomand. Der französische Koch verstand sofort, lachte und nickte. Bogorski lachte zurück. Carascho! Ist es ein Knabe oder ein Mädchen? Bochow, an den die Frage gerichtet war, sagte unwirsch: »Ich weiß es nicht.«

Bogorski stemmte die Arme in die Seiten und rief in komischer Verwunderung: »Wir haben ein Kind, und wir wissen nicht einmal, ob es ist Bub oder Mädchen ...« Das reizte alle zu einem Lachen, die hängenden Köpfe hoben sich. Bogorski wurde es leichter ums Herz. Die Genossen lebten sichtlich auf und begannen zu diskutieren. Konnte man Höfel und Kropinski helfen?

Abenteuerliche Pläne tauchten auf, sie reichten von der gewaltsamen Befreiung bis zum Aufstand, mußten aber alle wieder verworfen werden. Das Gespräch führte zu der Erkenntnis, daß es unmöglich war, die beiden aus den Klauen des Mandrill zu befreien. Bochow hatte schnell begriffen, daß Bogorskis sonderbare Art des Eingreifens nur eine Brücke gewesen war, die Niedergeschlagenheit zu überwinden, war er ihr doch selbst zum Opfer gefallen. Sein Unwille schwand um so schneller, als er den Genossen die abenteuerlichen Pläne ausreden mußte. Es gab nur eine Möglichkeit zur Rettung, eine wenig aussichtsreiche, erklärte er und entwickelte seinen mit Krämer besprochenen Entschluß, Zweiling dafür auszunutzen. Ein Akt der Verzweiflung! Doch welcher Weg blieb sonst noch offen? Die Genossen des ILK billigten den Versuch. Doch immer wieder kehrte die Sorge zurück. Sie fraß sich durch alles hindurch. Was war zu tun, wenn Höfel nicht standhalten würde? – Bogorski schnitt die fruchtlose Fragerei ab. Nichts war zu tun, gar nichts, wiederholte er schroff. Oder wollte jemand etwa auf Transport gehen? – Hatten die Genossen auf Bochows Frage noch betreten geschwiegen, so rumorten sie jetzt dagegen. Keiner wollte das Lager verlassen, alle wollten sie bleiben. Carascho! Bogorski nickte. Er hatte selbst nicht an den Ernst von Bochows Vorschlag geglaubt, wußte, daß dieser ihn nur aus seinem unsinnigen Schuldgefühl heraus gemacht hatte. Doch die Depression war überwunden. Wenn die heutige Zusammenkunft kein anderes Ergebnis haben konnte als dieses, dann war schon viel gewonnen. Die Angst mußte zuerst erschlagen werden, sie war der gefährlichste Feind.

»Auch ich, Genossen, habe Angst«, sagte Bogorski, »aber wir müssen auch Vertrauen haben. – Bis jetzt hat

Höfel allen Torturen getrotzt! Wer gibt uns das Recht, an ihm zu zweifeln? Zweifeln wir damit nicht an uns selber? Die Gefahr liegt nicht so sehr bei Höfel und seinem polnischen Bruder, sie liegt bei den Faschisten. Von Küstrin und Danzig bis hinunter nach Breslau drückt die Rote Armee die Faschisten immer tiefer nach Deutschland hinein. Die zweite Front ist schon bis Frankfurt durchgestoßen.«

Bogorski machte mit den Armen eine ausladende Bewegung, als hole er aus weitem Raum etwas zusammen, und drückte die Fäuste aneinander.

»So, Genossen, sieht es aus«, sagte er mit verhaltener Kraft. »Je näher die Faschisten das Ende kommen sehen, desto wilder werden sie. Hitler und auch Schwahl und Kluttig. Sie wollen uns vernichten, wir wissen es doch. Darum setzen wir ihnen im Verborgenen unsere Kraft entgegen. Solange wir stark bleiben wie Höfel und Kropinski – ja«, rief Bogorski, sich an seiner eigenen Begeisterung entzündend – »ja, sie werden stark bleiben! Solange wir es auch sind, werden die Faschisten die verborgene Kraft nicht entdecken, aber sie werden sie spüren. Laßt sie suchen, sie werden nichts finden. Keine Patrone und keinen Mann.« In seinen geballten Händen, die wie zwei Steine auf den Knien lagen, war Kraft. »Die Faschisten«, fuhr er beherrschter fort, »haben uns die Köpfe kahl geschoren, haben uns das Gesicht genommen und den Namen. Haben uns eine Nummer gegeben, haben uns die Kleider ausgezogen und uns in Streifen gesteckt ...«

Er zerrte an seiner gestreiften Jacke. »Fleißige Arbeitsbienchen sind wir ihnen, bauen ihnen die Häuser und die Gärten. Summ, summ, summ! Jedes Bienchen hat seine Streifen. Ich sehe aus wie du, und du siehst aus wie ich.« Seine Fäuste öffneten und schlossen sich. »Carascho«, flüsterte er hintergründig. »Bienen haben aber auch einen Stachel. Summ, summ, summ. Nun soll Kluttig einmal hineingreifen in den Schwarm ... Sieht einer aus wie der andere ...

Wie gut, daß sie uns das Gesicht genommen und Streifen gegeben haben, wie gut. Ihr verstehen, Genossen?« Bogorski strich zärtlich über seine Jacke, lehnte sich zurück und schloß die Augen. Bochow schämte sich vor diesem Mut. Seiner spröden Natur war es nicht gegeben, das Harte biegsam und geschmeidig zu machen. Bogorskis bildhafte Worte übten ihren geheimen Zauber aus. Die Genossen bekamen andere Gesichter, im Widerschein der knisternden Kerze leuchteten sie. Kein Beschluß wurde diesmal gefaßt, es bedurfte dessen nicht. Jeder trug ihn in sich. Nur als sie auseinandergehen wollten, forderte Pribula, daß ein Genosse für den Schutz des Kindes persönlich verantwortlich gemacht werden sollte. »Nicht notwendig«, erklärte Bochow in seiner kargen Art, »das mache ich schon ... Und wenn du für das Wurm etwas zu futtern hast, dann laß es zu Krämer bringen, der sorgt für das Weitere«, wandte er sich an Riomand. »Oui, oui!« nickte der Franzose.

Sie verließen die Fundamentgrube, einzeln und in Abständen, und mischten sich draußen auf dem dunklen Weg unter die anderen, die hin und her gingen, bis der Lagerälteste abpfeifen würde.

Hortense war reisefertig. Alles war klar, bis auf die Transportmöglichkeit. Zweiling besaß kein Auto, dafür aber hatte Kluttig einen Wagen. Schon lange spielte Hortense mit dem Gedanken, sich des forschen Hauptsturmführers zu versichern, der würde das Gepäck bestimmt mitnehmen. Das war überhaupt ein anderer Kerl als ihr schlappschwänziger Mann. – Manchmal, auf sogenannten Kameradschaftsabenden, hatte Kluttig sie zum Tanzen aufgefordert. Hortenses weiblicher Instinkt genoß des Hauptsturmführers stilles Vergnügen an ihrer üppigen Gestalt, und sie kam ihm während des Tanzes bereitwillig entgegen. Sonst aber war nichts zwischen ihnen. Kluttig hatte keine Frau. Er war seit Jahren geschieden.

Im Gegensatz zu anderen gab es bei ihm keine Weibergeschichten. Das machte ihn in Hortenses Augen noch wertvoller. Sie war im Grunde ein Mensch ohne Leidenschaften, phlegmatisch und seelisch träge. Die enttäuschende Ehe hatte das ihre noch dazugetan. –

An diesem Abend, als Zweiling noch nicht nach Hause gekommen war, stand Hortense im Schlafzimmer vor dem Spiegel und betrachtete sich gelangweilt. Sie kämpfte mit dem Entschluß, Kluttig aufzusuchen. Das ging nicht so von ungefähr. Schließlich bestand zwischen ihm und ihrem Mann ein beträchtlicher Rangunterschied. Rangunterschied? Hortense schürzte verächtlich die Lippen. Damit war es bald vorbei. Wie lange noch, und aus Zweiling wurde wieder das, was er vordem gewesen war, nämlich nichts. Und Kluttig? Hortense hob gleichgültig die Schultern. Sie wußte, daß Kluttig früher Besitzer einer Plissieranstalt gewesen war. Jedenfalls war er ein Mann! Die Sorge um ihr Gepäck überwog alle Bedenken. Sie war entschlossen, zu Kluttig zu gehen. Kritisch überprüfte sie sich im Spiegel.

Die Bluse gefiel ihr nicht, und sie vertauschte sie mit einem eng anliegenden Pullover, der die Formen besonders aufreizend zur Geltung brachte. Sie umgriff ihre Brüste, wendete sich vor dem Spiegel hin und her und blubberte dabei: »Was muß man nicht alles machen, bloß um die paar Klamotten fortzubekommen.« Schade, daß sie nicht auch die schönen Möbel mitnehmen konnte. –

Kluttig war zu Hause. Er bewohnte im Kommandanturgelände ein Haus für sich allein. Verwundert ließ er Hortense eintreten. Sie setzte sich auf den dargebotenen Stuhl und vergaß, den Mantel abzulegen.

»Es ist nur meiner Sachen wegen. Gotthold hat doch kein Auto.« Kluttig blinzelte sie verständnislos an. Hortense faltete ergeben die Hände auf den Knien und machte bittende Augen. »Würden Sie die Sachen in Ihrem

Auto mitnehmen? Es sind nur ein paar Koffer und Kisten.«

»Wohin denn?« platzte Kluttig heraus.

Hortense hob ratlos die Schultern. Jetzt hatte Kluttig begriffen. Er meckerte, schob die Hände in die Taschen und stelzte vor Hortense auf und ab.

»Sie meinen, wenn ...«

Hortense nickte eifrig.

Kluttig blieb breitbeinig vor ihr stehen.

»Eine militärische Aktion«, sagte er schneidig, »eine militärische Aktion ist doch kein Umzug.«

Hortense seufzte. Von militärischen Aktionen verstand sie nichts. »Sie sind der einzige, der mir helfen kann. Was soll ich denn machen? Gotthold hat doch kein Auto ...« Sie hatte den Mantel aufgeknöpft und ihn zurückgeschlagen. Kluttigs Augen klebten an ihren Brüsten. Er schluckte versteckt. Sein Adamsapfel stieg. Hortense sah, wie es im Gesicht des Hauptsturmführers arbeitete. Sie lächelte zweischneidig zwischen Hoffnung und Erfolg. Doch sie irrte. Die erotischen Reflexe, die sich auf Kluttigs Gesicht abzeichneten, waren gar nicht so aktiv, wie es Hortense gewünscht hätte. Hortenses Anblick löste in Kluttig leise Empörung darüber aus, daß diese begehrenswerte Frau an den Trottel Zweiling geraten war. Gut und gern hätte sie die Frau eines Hauptsturmführers abgeben können.

Rasch zog Kluttig einen Stuhl heran und setzte sich Hortense gegenüber. »Sind Sie eigentlich glücklich?« fragte er unvermittelt.

Hortense erschrak, von seinem Blick fasziniert.

»Nein, Herr Hauptsturmführer. Nein, gar nicht. Überhaupt nicht ...«

Kluttig legte seine Hand auf ihr Knie. »Gut, ich nehme Ihr Gepäck mit.«

»Oh, Herr Hauptsturmführer ...« Vor Freude ermattet, drückte Hortense seine Hand, die seitwärts geglitten war, zwischen ihren Knien fest. Einen Augenblick lang wollte Kluttig dem Angenehmen erliegen, aber er zog die Hand weg, lehnte sich im Stuhl zurück und fixierte Hortense. Sie fühlte seinen scharfen Blick in sich eindringen und erlebte einen kurzen, lang entwöhnten Schauer.

»Sie wissen doch Bescheid«, sagte Kluttig übergangslos, »was Ihr Mann mit dem Judenkind gemacht hat?« Hortense erschrak. Sie öffnete den Mund. Doch ehe sie etwas erwidern konnte, zischte Kluttig gefährlich: »Und den Zettel hat er auch geschrieben.«

Der Wechsel der Situation überrumpelte Hortense derart, daß Kluttig an ihrem Benehmen den Verrat Zweilings erkannte. Die Größe der Entdeckung überraschte ihn selbst. Hortenses Erstarrung wandelte sich in heiße Angst.

»Ich habe aber damit gar nichts zu tun ...«

»Natürlich nicht«, entschied Kluttig, die Frau in Schutz nehmend. Er fühlte sich auf einmal mit ihr verbündet. Scharf sagte er:

»Auf Verrat steht der Tod!«

Hortense schnellte heulend hoch: »Um Gottes willen, Hauptsturmführer, um Gottes willen!« Ihr Gesicht war von Angst aufgerissen. Auch Kluttig erhob sich. Sie standen sich gegenüber. Kluttig vermeinte, Hortenses Körperwärme zu spüren. Er faßte Hortense an den Armen, während aber in ihr die helle Angst alle sexuellen Regungen verbannte, schossen sie in Kluttig hoch.

Jetzt betrachtete er Hortense unversteckt.

»So eine Frau«, sagte er plötzlich erregt, »so eine Frau ...« Doch Hortense hatte dafür kein Ohr mehr. In ihr zitterte alles. »Machen Sie ihn tot?« Kluttig ließ Hortense los und lächelte schief. Die Angst der Frau bereitete ihm Genuß. Er antwortete nicht. Reineboths Worte über Zweiling: »Der lahmarschige Heini wird noch froh sein, uns beim Aufspulen zu helfen ...« gaben ihm einen Gedanken ein, der sich in der Spur von Reineboths kühnen Kombinationen fortbewegte.

»Totmachen«, sagte er schließlich nach einer Weile,

»das wäre billig für ihn. *Gutmachen* soll er seine Schweinerei!«

Hortenses Angst wechselte in Hoffnung über.

»Wie denn?« wagte sie zu fragen. Kluttig antwortete schnell: »Wenn er sich schon mit den Kommunisten eingelassen hat, dann kennt er die Brüder. Nicht irgendwelche, die kennen wir natürlich auch, sondern die richtigen aus der Leitung der illegalen Organisation.« Hortense hatte keine Ahnung von den Vorgängen im Lager, das für sie nichts weiter bedeutete als die Arbeitsstätte ihres Mannes. Sie erschrak darum aufs neue: »Um Gottes willen, Herr Hauptsturmführer!« Ihre Augen flackerten. Kluttig trat ganz dicht an sie heran, er war um einen Kopf größer als sie, und Hortense mußte zu ihm aufsehen. Er blickte in die unruhigen Augen hinein, eine Welle der Begehrlichkeit schoß in ihm hoch, die ihm die Kehle zuschnürte.

»Reden Sie mit Ihrem Mann«, sagte er heiser und unterdrückte krampfhaft das Zittern seiner Stimme. Hortense nickte in Angst und Gehorsam. Sie raffte den Mantel über der Brust zusammen und wandte sich zum Gehen. Kluttig hielt sie schroff an den Armen fest. In der Meinung, daß er ihr noch etwas Wichtiges sagen wolle, sah Hortense ihn fragend an, aus seinen Zügen aber las sie nur die nackte Begehrlichkeit.

»Lassen Sie ihn laufen«, keuchte Kluttig. »Ihre Sachen nehme ich mit«, versprach er ihr. Hortense hatte nur den Wunsch, schnell von hier fortzukommen. Die Sinnlichkeit des Mannes, auf die sie eben noch spekuliert hatte, ekelte sie plötzlich an.

Kluttig warf sich in einen Stuhl, nachdem Hortense gegangen war, wischte sich übers Gesicht und atmete schwer. Die Erregung saß ihm noch zitternd im Hals.

Zur gleichen Stunde, da Hortense bei Kluttig war, befand sich Zweiling in Reineboths Dienstzimmer. Den Weg zum Kommandanten hatte er nicht gewagt. Reineboth schien bester Laune zu sein. »Na, mein Lieber«, hatte er Zweiling empfangen, »da hast du aber Pech gehabt mit deinem Kapo.« Er hatte dabei süffisant gelächelt. Zweiling sah es als günstiges Zeichen und machte einen behutsamen Versuch, für Höfel ein »gutes Wort« einzulegen. Reineboth zog bedauernd den Kopf ein.

»Das ist eine dumme Geschichte. Es geht leider nicht nur um Höfel, sondern auch um dich.« Zweiling horchte auf. »Was habe ich damit zu tun?« Er schluckte einen Knödel hinunter. Reineboth sah es mit stillem Vergnügen.

»Das frage ich mich auch«, entgegnete er scheinheilig und zog aus dem Rapportbuch Zweilings Zettel.

»Ich kann es noch gar nicht glauben ...« In Zweiling wühlte es bereits, er hatte den Zettel sofort erkannt. Reineboth seufzte teilnahmsvoll, es bereitete ihm Vergnügen, Zweiling auf die Folter zu spannen.

»Wir haben Höfel und den Polen, den Dingsda, nur ein bißchen gestreichelt, und da ...« Reineboth kniff ein Auge zusammen und gab dem unvollständigen Satz eine bestimmte Aussage.

»Kurz, die beiden wälzen alle Schuld auf dich ab.«

Zweiling wollte hochschnellen, doch um sich nicht zu verraten, verwandelte er den Ruck des Erschreckens in ein belangloses Abwinken mit der Hand.

»Das ist doch nur ein Racheakt.«

Reineboth lehnte sich im Stuhl zurück und stützte die gestreckten Arme an die Tischkante.

»Das habe ich mir auch schon gesagt.«

Er ließ eine kleine Pause verstreichen, auffällig mit dem Zettel spielend. Zweiling machte einen schwachen Versuch, sich zu rechtfertigen.

»Du glaubst doch nicht etwa, daß ich ...«

»Ich glaube gar nichts«, schnitt ihm Reineboth das Wort ab. »Die Chose ist nicht ganz astrein. Es gibt da einige Kleinigkeiten. Den Zettel zum Beispiel ...«

Reineboth warf Zweiling das Papier lässig zu. Der versuchte zu staunen, als er sich den Zettel besah, doch Reineboth gewahrte das Gespielte. Er wurde seiner Sache immer sicherer.

»Den hat keiner aus deinem Kommando geschrieben.« Zweiling wurde es immer schwüler zumute.

»Woher weißt du das?« wagte er zu fragen. Reineboth steckte ein komplicenhaftes Lächeln auf und nahm den Zettel an sich, faltete ihn zusammen und schob ihn in die Tasche, Zweiling mit der Umständlichkeit der Hantierung quälend. Dem fehlte die Gewandtheit, mit einer Entgegnung zu parieren, und darum wurde das Schweigen zur Vernehmung und zum Geständnis zugleich.

Reineboth wußte nun genug. Er lehnte sich im Genuß des Erreichten wieder im Stuhl zurück, steckte den Daumen hinter die Knopfleiste und trommelte mit den Fingern.

»Tja, mein Lieber ...«

Zweiling war aschfahl geworden. Einem Ertrinkenden gleich, versuchte er sich an der Oberfläche zu halten.

»Wer will beweisen, daß ich ...«

Schnell beugte sich Reineboth vor.

»Wie willst *du* beweisen, daß *du nicht?*«

Ihre Blicke flatterten ineinander. Unvermittelt machte Reineboth wieder sein freundliches Gesicht.

»Ich bin überzeugt, daß du mit der ganzen Chose nichts zu tun hast.« Das war eine glatte Irreführung, und Zweiling sollte sie auch so verstehen.

»Vorläufig wissen nur Kluttig und ich Näheres.« Er lächelte drohend und hob den Finger. »Vorläufig! – Man könnte auch sagen: Hauptscharführer Zweiling hat sich in die Geschichte mit dem Judenbalg eingelassen, um der illegalen Organisation auf die Spur zu kommen ..., ja, man könnte sogar sagen, Hauptscharführer Zweiling hat im geheimen Auftrag gehandelt ...«

Reineboth rieb sich mit dem Zeigefinger am Kinn. »Das könnte man alles sagen ...«

Hier fand Zweiling die Sprache wieder.

»Aber ... ich kenne sie doch gar nicht ...«

Reineboth schnellte den Zeigefinger gegen ihn.

»Siehst du, das ist's, worüber ich mir noch im unklaren bin. Ich bin ehrlich, mein Lieber, und sage es dir.«

Zweiling wollte beteuern, Reineboth fuhr ihn hart an. »Rede jetzt keinen Quatsch, Zweiling. Es geht um deinen Kopf! Es ist fünf Minuten vor zwölf! Mache mir nichts vor!«

Zweiling war völlig hilflos. »Wie soll ich denn ...«

Reineboth erhob sich. Das Aalglatte seines Wesens war verschwunden. Kalt und gefährlich fauchte er Zweiling an.

»Wie du das machst – deine Sache. Du hast mit der Kommune gemauschelt, wie weit du mit ihr verfilzt bist – deine Sache. Wie du deinen Kopf aus der Schlinge ziehst – deine Sache. Alles ist deine Sache, kapiert? Wir wollen wissen, wer dahintersteckt. Wen kennst du?«

Zweilings Augen irrlichterten hin und her.

»Ich kenne Höfel und Kropinski.«

»Und wen noch?«

»Ich kenne Pippig.«

»Pippig, gut. Wen noch?«

Zweiling hob ratlos die Schultern und nannte aufs Geratewohl.

»Ich kenne Krämer.«

»Krämer kennst du auch, natürlich«, höhnte Reineboth. »Leider sind sie uns bereits selbst bekannt, die anderen brauchen wir.«

»Was für andere?«

Reineboth krachte mit der Faust auf den Tisch, hatte sich aber augenblicklich wieder in der Gewalt. Er richtete sich auf, zog die Uniform straff und sagte geschmeidig: »Die Frist ist kurz. Strenge dich an, mein Lieber ...«

Völlig aufgelöst kam Zweiling nach Hause.

»Mensch, weißt du, daß sie dir an den Kragen wollen?« empfing ihn Hortense.

Zweiling fiel erschöpft auf einen Stuhl und knöpfte sich die Jacke am Halse auf.

»Ich soll ihnen die geheime Organisation bringen.«
»Dann mach's«, fuhr Hortense auf ihn ein.
»Ich kenne doch keinen.«
Hortense kreuzte die Arme über der Brust.
»Das hast du davon, wegen des verfluchten Judenbalgs. Hättest du es totgeschlagen!«
Zweiling wand sich verzweifelt hin und her.
»Wen soll ich bloß angeben?«
Hortense keifte:
»Das weiß *ich* doch nicht? *Du* kennst doch die Halunken im Lager und nicht ich!«
»Und wenn ich die Falschen nenne?«
Hortense lachte spöttisch.
»Was geht es uns an? Du hast deinen Kopf zu retten!«
Zweiling fuhr sich über den Hals.
Die Nacht war für ihn ohne Schlaf, er grübelte Stunden hindurch. Neben ihm im Bett schniefte die Frau. Auch sie warf sich des öfteren unruhig hin und her.

Von einem Tag zum andern war ein Neuer im Kommando der Effektenkammer aufgetaucht, angeblich als Ersatz für die beiden Verhafteten. Die Umstände, unter denen der Neue ins Kommando gekommen war, schienen nicht nur Pippig, sondern auch allen anderen verdächtig. In keines der wichtigen Kommandos des Lagers, sei es das Revier oder die Effektenkammer oder die Arbeitsstatistik oder die Schreibstube, kam ein Neuer hinein, dessen charakterliche Zuverlässigkeit nicht vorher von verantwortlichen Häftlingen der Arbeitsstatistik und der Schreibstube geprüft worden war, die die Arbeitskommandos zu beschicken hatten. Es lag dies in der Eigenart der Häftlingsverwaltung begründet, daß die Vorschläge für die Aufnahme eines Neuen in ein solches Kommando von diesen Häftlingen an den SS-Arbeitsdienstführer gegeben wurden. Die SS-Lagerführung kümmerte sich nicht um die inneren Zusammenhänge, die einem solchen Vorschlag vorangingen. Sie hatte lediglich Interesse daran, daß im Lager »alles klappte«, weil sie selbst weder fähig noch willens war, den komplizierten Verwaltungsapparat zu dirigieren. Die Bequemlichkeit der SS-Führer war von den im Lager verantwortlichen Häftlingen ausgenützt worden, im Laufe der Jahre einen zuverlässigen Stamm von Häftlingsfunktionären zu schaffen. Das ungewöhnliche Erscheinen des Neuen auf der Effektenkammer machte die Häftlinge des Kommandos argwöhnisch. Den Neuen hätte ihm der Arbeitsdienstführer geschickt, behauptete Zweiling, und außerdem – er zwinkerte Pippig vertraulich zu, der vor ihm im Zimmer stand –, »außerdem habe ich vorgefühlt, vielleicht kriegen wir Höfel und Kropinski 'raus.«

Pippig spürte die Unwahrheit und ging nicht darauf ein. Was der Neue machen solle, fragte er.

»Was soll er schon machen?« Zweiling entgegnete in einem Ton, als sei ihm der Zuwachs selbst nicht angenehm. Der Neue trug die Markierung der Politischen, keiner im Kommando kannte ihn. Wo kam er her?

Pippig ließ es keine Ruhe. Unter einem Vorwand stahl er sich aus der Kammer fort und eilte aufgeregt zu Krämer: »Wir haben einen Neuen. Mit dem stimmt was nicht.« Krämer ließ sich durch Pröll die Karteikarte des Wurach, so hieß der Neue, aus der Schreibstube bringen. Sie sagte nichts aus. Wurach, Maximilian, ehemaliger Wehrmachtsangehöriger. Seit zwei Jahren in Haft. – Über den Grund gab die Karte keine Auskunft. Sicher Kameradendiebstahl, vermutete Krämer.

Vor einigen Monaten war Wurach als Einzeltransport vom Konzentrationslager Sachsenhausen nach Buchenwald gekommen.

Das ging aus der Karte hervor. Einzeltransport?

Vor einigen Monaten waren in Sachsenhausen eine Anzahl politischer Häftlinge verzinkt und erschossen worden ... Häftlinge, die aus Sachsenhausen nach Buchenwald gekommen waren, hatten es erzählt. Pröll, Krämer und Pippig sahen sich an.

»Mensch, Walter ...« Pippig machte starre Augen. Krämer fuhr sich über die Stirn. »Verflucht!«

Maximilian Wurach, Einzeltransport, vom Arbeitsdienstführer persönlich ins Kommando gesteckt – das war ein Zinker!

»Mensch, Walter ...«

Krämer gab Pröll wortlos die Karte zurück, die dieser wieder nach der Schreibstube schaffte.

Pippig war beunruhigt.

»Will der Kerl ausbaldowern, wohin wir das Kind gebracht haben?«

Mit breit ausladenden Ellenbogen war Krämer am Tisch sitzen geblieben, er sah in Pippigs erregtes Gesicht hinein, und seine Gedanken gingen weit über die Vermutung des Kleinen hinaus.

Es gab in einem Kommando nichts Gefährlicheres als einen Zinker und dessen schleichende Hinterhältigkeit.

Krämers erster Gedanke hatte den Pistolen gegolten. Ein unbehagliches Gefühl in ihm – Witterung von Gefahr – brachte den Gedanken an die Waffen mit dem Zinker in Verbindung. Krämer kam nicht mehr davon ab. Welchen Auftrag hatte der Zinker? – Auf einmal schienen Krämer die Säcke nicht mehr sicher genug. Die Pistolen mußten weg aus den Säcken! Mußte darüber nicht erst mit Bochow gesprochen werden? Krämer schob die Bedenken hinweg, der Entschluß zum selbständigen Handeln war gereift. Krämer stand auf, bemerkte, daß Pippig noch immer auf ihn einsprach, und schnitt dessen Worte mit knapper Handbewegung ab.

»Hör zu jetzt.«

Pippig verstummte.

Krämer ging zur Tür, verhielt einen Augenblick, als horche er nach außen, trat darauf dicht an den Kleinen heran und tippte ihm mit dem Zeigefinger vor die Brust. »Hör genau drauf, was ich dir sage und – Schnauze halten darüber, verstanden?«

Pippig nickte bereitwillig.

Krämer schob, die Gedanken ordnend, die Unterlippe vor, dann sagte er knapp: »Drei Kleidersäcke, verstanden?« Er nannte Pippig deren Nummern. »Sie hängen ganz oben in der siebenten Reihe in gerader Richtung vom mittleren Fenster aus.«

Krämers Worte waren Pippig dunkel, er wartete gespannt, daß der Lagerälteste weitersprach. Krämer preßte für einen Augenblick die Lippen zusammen, sah Pippig fest an und sagte unvermittelt: »Drei Pistolen! – In jedem Sack eine.«

Pippig stockte der Atem, doch in seinem Gesicht zeichnete sich nichts ab von der Überraschung. Das war gut so, konstatierte Krämer.

»Die Dinger müssen verschwinden, verstehst du?«

Pippig schluckte schweigend, sein Adamsapfel stieg. Das war ja ... Junge, Junge ... Plötzlich mußte Pippig an Höfels Weigerung denken, das Kind zurückzubehalten, und er schämte sich, Höfel der Feigheit verdächtigt zu haben. Jetzt waren die Zusammenhänge klar. Krämer bedrängte ihn: »Du mußt ein besseres Versteck finden. Guck dich um bei euch auf der Kammer. Sag mir sofort Bescheid, wenn du was gefunden hast.«

Pippig war zu überwältigt, um sprechen zu können. Er nickte nur und gab Krämer fest die Hand. Das war ein Versprechen.

Dann ging Pippig in die Effektenkammer zurück.

Die Brust wurde ihm weit. Mit veränderten Augen sah er das Lager und dessen Menschen. Die bogenförmig aufgestellten Reihen der niedrigen Baracken erschienen ihm nicht mehr so ängstlich an den Boden geduckt. Über den Kranz der Holzbauten ragte das hohe Steinhaus der Effektenkammer hervor. Dort waren Waffen verborgen. Jetzt erst nahm Pippig diese ungeheure Tatsache voll in sich auf. Sie wollte ihm schier das Herz abdrücken. Das Vorhandensein einer unsichtbaren, allgegenwärtigen Kraft durchschauerte ihn und erfüllte ihn mit einer nie gekannten Freude.

Waffen!

Ein Blockführer stieg an ihm vorbei. Pippig mußte seine Mütze vor ihm ziehen. Er tat es gewohnheitsmäßig. Es war verboten, einen Angehörigen der SS dabei anzusehen. Auch der Uniformierte würdigte den Häftling keines Blickes. Dreck war für ihn nicht vorhanden. – In grimmiger Lust riß sich Pippig die Mütze vom Kopf, es war wie eine stumme Herausforderung. Pippst du oder pipp' ich? Der kleine Schriftsetzer aus Dresden mit den ein wenig krummen Beinen hatte noch nie eine so innige Genugtuung empfunden wie in diesem Augenblick. Ich pippe, verlaß dich darauf, ich pippe.

Der Blockführer ging an ihm vorüber. Pippig nestelte sich die Mütze wieder auf. Na klar, ich pippe ... Das Herz hüpfte. Plötzlich aber durchflog Pippig ein heißer Schreck! In seiner Vorstellung sah er den Neuen in den Kleidersäcken herumstöbern!

Pippig rannte los. Außer Atem betrat er das Schreibbüro. Die Häftlinge empfingen ihn ungeduldig.

»Wo warst du? Seit einer halben Stunde ist der Neue bei Zweiling. Was haben die miteinander?«

Rose knurrte: »Nächstens sperren sie uns alle zusammen in den Bunker. Ihr wollt die Finger nicht von solchen Geschichten lassen.«

Pippig fauchte ihn an. »Für die Geschichte bin ich verantwortlich, ich allein, verstehst du? Laß die Kumpel damit aus dem Spiel.«

Rose trumpfte auf: »Deinetwegen gehen wir alle noch über den Rost.«

Pippig geriet in Zorn: »Meinetwegen kannst du lieber heute als morgen nach Hause gehen in deinen Schrebergarten.«

Die Häftlinge schlichteten den aufkommenden Streit.

Pippig verließ ärgerlich das Büro. Er warf einen schnellen Blick in Zweilings Zimmer. Der Neue stand in strammer Haltung vor dem Schreibtisch. Der Kleiderraum war leer. Unauffällig ging Pippig durch die langen Reihen der

Kleidersäcke. Hier in der Mitte mußte es sein. Pippig suchte die Reihen ab. Die Säcke hingen in zwei Etagen, deren obere nur mit der Leiter erreichbar war. In der siebenten Reihe und in gerader Richtung vom mittleren Fenster aus, so hatte es Krämer ihm beschrieben. Da oben? Pippig erkannte die Nummern, die übersichtlich auf die Säcke gepinselt waren. Auf einer Leiter stieg er hinauf, befühlte einen der Säcke – nichts. Der Sack schien das übliche zu enthalten, Anzug, Mantel, Wäsche, Schuhe ... Alle drei Säcke tastete Pippig ab. Nichts.

Doch fiel ihm auf, daß jeder Sack langschäftige Stiefel enthielt. Mit wiegender Hand prüfend, erschien ihm jeweils einer der Stiefel schwerer. Pippig stellte die Leiter an ihren Platz zurück und atmete tief. Im Kleiderraum roch es nach Trockenheit und Naphtalin.

Der Arbeitsdienstführer hatte Wurach auf Betreiben Zweilings dem Kommando zugeteilt. Zweiling hatte sich, nach einem Ausweg suchend, das Hirn zergrübelt. In welches Dilemma war er geraten? Nun war es so weit mit ihm gekommen, daß SS und Häftlinge ihn im gleichen Verdacht hatten. Vor Reineboth mußte er sich reinwaschen, ganz gleich, wie. Selbst wenn er darum hundert Häftlinge hätte hochgehen lassen müssen, das wäre ihm völlig gleichgültig gewesen. Aber konnte er aufs Geratewohl irgendwelche Namen angeben? Reineboth würde ihn der Irreführung bezichtigen und in ihm erst recht den Verräter sehen. Hortense, ohne daß sie es gewollt, hatte ihm schließlich zu einem brauchbaren Gedanken verholfen. Zornig hatte sie auf Zweiling eingebelfert: »Nun sitzt du zwischen zwei Stühlen! Nein, so ein Mann! Und der will ein SS-Mann sein? Sieh zu, wie du aus diesem Schlamassel herauskommst. Hast ja genug Kroppzeug im Lager, das dir zu den richtigen Namen verhelfen kann.« Da hatte sich Zweiling des Wurach entsonnen. Bei seiner Einlieferung war »oben« über ihn gesprochen worden.

Wurach war nach Buchenwald abgeschoben worden,

um ihn, seiner Zinkerei wegen, dem Zugriff des Sachsenhausener Lagers zu entziehen. Der Arbeitsdienstführer hatte gegrient. »Warum ausgerechnet den?«

»Du weißt doch, was bei mir passiert ist«, hatte Zweiling entgegnet. Alles andere war Formsache gewesen. Nun stand Wurach vor Zweiling. Der musterte den Häftling.

Eine gedrungene Gestalt mit zu großem Kopf, in dem breiten Gesicht saß die viel zu kleine Nase wie ein Knopf – ein Schlägertyp!

»Soldat gewesen?«

»Jawoll, Hauptscharführer.«

»Und was haben Sie ausgefressen?« Zweiling schob die Zunge auf die Unterlippe. Wurach war es sichtlich unangenehm, »daran« erinnert zu werden, er versuchte sich mit der Antwort vorbeizudrücken.

»Ich habe eben mal eine Dummheit gemacht.«

»Kameradendiebstahl, was?«

Wurach sah Zweiling wie ein Hund an, der seinem Herrn nicht traut. Zweiling schob Wurach eine Schachtel Zigaretten zu und ermunterte ihn, als dieser zuzugreifen zögerte.

»Na, nehm' Sie schon ...«

Wurach steckte die Schachtel schnell ein.

»In Sachsenhausen haben Sie so 'ne großartige Sache vom Stapel gelassen«, führte Zweiling das Gespräch weiter. Wurach, der nach der »großartigen Sache« mit Entlassung gerechnet hatte, machte aus seiner Enttäuschung kein Hehl. Er hob die Schultern.

»Was habe ich davon?« Er zog sich in stillem Ärger zurück. »Ich werde mich darum kümmern, daß Sie 'rauskommen.«

Wurach wurde aufmerksam. Zweiling ließ Andeutungen fallen. »Unser Kommandant ist ein anständiger Kerl, er weiß, was er einem Mann wie Ihnen schuldig ist ...«

Interessiert fragte Wurach: »Sie meinen, daß ich ...?«

»Umsonst habe ich Sie nicht in mein Kommando geholt«, schürte Zweiling die Hoffnung. »Natürlich muß ich erst was in der Hand haben, das können Sie sich denken.«

Wurach nickte, ihm leuchtete es ein.

»Sie wissen doch, was bei mir passiert ist?« Zweiling sah mit langem Hals zum Fenster hinaus, und als er sich überzeugt hatte, daß sie von draußen nicht beobachtet wurden, fuhr er fort: »Bei uns stinkt es nämlich auch. Wir haben, wie bei euch in Sachsenhausen, solche Illegale, verstehn Sie? An die müssen wir 'ran. Das ist ein geheimer Auftrag. Vom Kommandanten persönlich, verstehn Sie? Sie haben doch Erfahrung?«

Zweiling bleckte die Zähne. Wurach überlegte bereits.

Zweiling bohrte weiter. »Wenn wir die Drahtzieher ausfindig machen und ich dem Kommandanten melden kann: der Häftling Wurach hat ... Na also, ich muß doch erst was in der Hand haben.«

Wurach schmeckte mit den Lippen. »Ich kenne natürlich viele, mit dem Desinfektionskommando, wo ich erst war, bin ich überall im Lager herumgekommen ...«

»Na, sehn Sie«, unterbrach Zweiling eifrig.

Wurach zog den Kopf ein. »Ob es auch die Richtigen sein werden?«

»Das müssen Sie eben 'rauskriegen. In meinem Kommando stecken bestimmt welche von der Sorte. Na, was ist?«

Wurach machte eine verlegene Handbewegung. »So schnell geht das nicht, da muß ich überlegen.«

»Überlegen Sie, Mann, überlegen Sie.« Zweiling stand auf.

»Ich stelle Sie jetzt Pippig vor, der gehört bestimmt auch mit dazu. Und wir zwei, wir haben nichts miteinander zu tun.« Das kannte Wurach, und über seinen Mund flog ein verstecktes Grinsen. Zweiling rief Pippig herein. Mit dem Daumen wies er auf Wurach. »Ich habe dem Kerl auf den Zahn gefühlt. Nehmen Sie ihn ins Schreibbüro und gucken Sie sich ihn selbst noch mal genau an.

Wenn er nicht spinnt, fliegt er wieder. Spitzbuben wollen wir nicht bei uns haben.«

Außer Rose sah keiner der Häftlinge auf, als Pippig mit dem Neuen ins Schreibbüro trat. Wurach spürte abweisende Kälte. Hier galt es, vorsichtig zu sein.

Wohin mit den Pistolen? Pippig zergrübelte sich den Kopf.

Den Nachmittag über, sich hinter geflissentlicher Geschäftigkeit verbergend, war er auf der Suche nach einem geeigneten Versteck. Vom Dach bis zum Fußboden forschte er die Kammer ab. Wohin mit den Dingern, wohin? Er fand keine Stelle, die ihm sicher genug schien. Gottverdammich! Hinter dem Fenster sah er Zweiling träg am Schreibtisch sitzen.

Schreibtisch, dachte Pippig voll Verachtung. Als ob der da drinnen in seinem Leben schon jemals was geschrieben hätte außer seinem krakeligen Namen unter die Bestandsmeldung, aber einen Schreibtisch hat er wie ein Generaldirektor.

Plötzlich veränderte sich der nachdenkliche Blick des kleinen Schriftsetzers. Sein Gesicht spannte sich. Er hatte einen Einfall, hatte das richtige Versteck gefunden!

Wie gewöhnlich verließ Zweiling nach dem Abendappell die Kammer, und das Kommando setzte bis kurz vor dem Abpfeifen zur Nacht seine Arbeit fort.

Pippig hatte es an Stelle des verhafteten Höfel übernommen, die Kammer abzuschließen und die Schlüssel bei der Torwache abzugeben. Am Morgen, vor dem Appell, holte er sie wieder. Dieser günstige Umstand war ein wichtiger Bestandteil von Pippigs Plan.

Wenn er ihm nicht wie damals beim Wegschaffen des Kindes durch Zweiling zerstört wurde, mußte alles klappen.

Diesmal ging es gut. Zweiling war gegangen. Eine halbe Stunde vor dem Abpfeifen verließ das Kommando die Kammer. Pippig schloß ab. Zweimal schnappte der Riegel, doch das war eine geschickte Täuschung. In Wirklichkeit waren die Zugänge offen. Pippig brachte die Schlüssel zum Tor.

Es war dunkel. Eine Kleinigkeit war es für Pippig, sich mit seinem Blockältesten zu verständigen.

»Paß auf, Max, ich schlafe diese Nacht nicht im Block, ich bleibe auf der Kammer.« Zwar brummte der Blockälteste gutmütig: »Was hast du wieder vor, alter Gauner?« Doch Pippig huschte davon.

Die Effektenkammer lag abseits im Gebäudekomplex der Küche, der Wäscherei, der Desinfektion und des Bades. Pippig mußte sich geschickt heranpirschen, um nicht von einem Häftling oder einem SS-Mann, der verspätet das Lager verließ, gesehen zu werden. Im Schutz der dunklen Gebäude war er dann sicher. Ein leises Öffnen der Tür, ein Husch ins Haus ...

Im dunklen Kleiderraum, sich für alle Fälle im Winkel hinter dem Stapel verbergend, der auch das Kind geschützt hatte, wartete Pippig seine Zeit ab. Heute regnete es einmal nicht, es war windstill, und der volle Mond stand am klaren Himmel. Nicht lange dauerte es, und Pippig hörte den schrillen Pfiff des Lagerältesten. An verschiedenen Orten wiederholte er sich, näher, ferner ... Dann zog das Lager die dunkle Decke des Schweigens über sich.

Pippig wartete, eine Stunde, zwei ... Er hatte keine Uhr, prüfte die Zeit nach dem Gefühl. Als es ihm Mitternacht schien und die Stille im Gebäude Sicherheit versprach, verließ Pippig das Versteck. Hammer, Zange, Stemmeisen holte er sich aus dem Schreibbüro. Derlei Werkzeug war vorhanden. Darauf schlich er in Zweilings Zimmer. Die Reihenfolge dessen, was geschehen mußte, hatte sich Pippig längst durchdacht, und die einzelnen Handgriffe lösten sich folgerichtig ab. Zuerst hob Pippig den schweren Schreibtisch an und rückte ihn vorsichtig zur Seite. Dann schlug er den abgetretenen Teppich um die Hälfte zurück, wohlberechnend, daß jeder Gegenstand genau auf seine ursprüngliche Stelle zurückversetzt werden mußte. Zweiling durfte nicht merken, daß an seinem Schreibtisch gerückt worden war.

Darauf begann Pippig mit der schwierigsten und umständlichsten Arbeit. Unter der freigelegten Stelle mußte er ein meterlanges Dielenbrett aus der Vernagelung lösen. Im fahlen Nachtschimmer suchte er mit angestrengten Augen und tastenden Fingern die Nägel ab. Sie saßen tief im Holz! Das hatte er nicht bedacht.

Jetzt nicht nervös werden.

Pippst du oder pipp' ich ...

Er fühlte in einem Umfang, der der Breite des Schreibtisches entsprang, die Bretter ab. Einer der Nägel ragte mit dem Kopf um ein weniges heraus. Zu gering jedoch, um ihn mit der Zange erfassen zu können. Pippig versuchte es mit dem Stemmeisen. Es fand keinen Halt und glitt über den Nagelkopf hinweg.

Ruhe, Rudi, Ruhe! Nicht das Holz beschädigen! An alles denken!

Pippig tastete mit dem Eisen um den Nagelkopf herum. Mit äußerster Konzentration spürte er dem Eisen nach. Irgendwo mußte es hängenbleiben. Es gab auf der ganzen Welt keinen Nagel, dessen Kopf nicht doch ein wenig schief im Holz saß. Pippig fand die Stelle. Jedoch das Eisen unter den Kopf zu schieben, und sei es nur um den Bruchteil eines Millimeters, das war Präzisionsarbeit von Werkzeug, Muskeln und Nerven. Das Eisen faßte ein wenig. Mit wippenden Bewegungen versuchte Pippig anzuheben. Unendlich lange mühte er sich und spürte Erfolg. Mit aller Vorsicht war es ihm endlich gelungen, den Rand des Nagelkopfes so weit aufzubiegen, daß er ihn mit der Zange fassen konnte. Doch auch mit diesem Werkzeug noch mußte er behutsam umgehen, jede rohe Gewalt vermeiden, um keine Druckspuren auf dem Holz zu hinterlassen. Mit der Zange glitt er kauend um den Nagelkopf herum, und als sie endlich sicher gefaßt hatte, legte Pippig seine

Mütze unter die Zangenbacke und drückte mit weichen Hebelbewegungen den Nagel Millimeter um Millimeter aus seinem Bett.

Endlich!

Noch fünf Nägel mußten gelöst werden. Doch das war Spielerei gegen das eben Vollbrachte. Er setzte das Stemmeisen als Wipphebel an das gelöste Brett. Vorsichtig, immer die Mütze als Unterlage benutzend, drückte er das Brett schließlich aus der Vernagelung und hob es ab. Pippig, der in früheren Jahren seiner Haft selbst im Baukommando gearbeitet hatte, wußte, daß sich unter dem Dielenbelag nur Schlacke befand. Nun ging alles schnell vor sich. Pippig drückte die Schlacke unter die Dielen, huschte in den Kleiderraum, stellte die Leiter auf und holte sich die Säcke herunter. Bis jetzt war er ruhig gewesen. Doch als er die Säcke durchwühlte, in die Stiefelschäfte fuhr, überkam ihn nervöse Hast. Ruhe, verdammt noch mal. Aber er konnte es nicht hindern, daß die Hand ihm zitterte, als er auf dem Grund des Stiefels etwas Fremdes und Geheimnisvolles entdeckte, in Lappen gewickelt. Pippig griff zu, und es überrieselte ihn, als seine Hand die Formen der Waffe fühlte. Er zog die Pistole heraus.

Sie duldete es – schwer, herrisch und stolz –, von der zitternden Menschenhand gewogen zu werden. Nur für einen kurzen Augenblick gönnte sich Pippig den Schauer. Schnell zog er die übrigen Pistolen hervor, band die Säcke zu, hängte sie an ihren Platz zurück, stellte die Leiter fort und eilte mit seinem Schatz in Zweilings Zimmer zurück.

Er nahm sich nicht die Zeit, die Umhüllungen zu entfernen, um sich die Dinger zu betrachten, sondern drückte sie hastig in das vorbereitete Bett, als wäre jeder Augenblick, den sie ihrer Verborgenheit entrissen waren, eine Entweihung. Im selben Augenblick, als Pippig das Dielenbrett wieder auflegen wollte, durchjagte ihn ein entsetzensvoller Schreck.

Draußen knarrte es!

Deutlich hörte Pippig, wie die Tür leise geöffnet und wieder geschlossen wurde.

Für einen Augenblick war es still.

Dann knarrten vorsichtige Schritte. Noch mit dem Brett in den Händen kniete Pippig vor der Öffnung. Alle seine Sinne waren erstarrt und hatten Front gemacht gegen das Unheilvolle, das da draußen vor sich ging. Ein kalter Schweißtropfen rann Pippig die Brust hinab, hinterließ einen rieselnden Schauer als Spur. Die Schritte kamen näher, mit unheimlicher Folgerichtigkeit hielten sie auf die halboffene Tür des Zimmers zu. Pippigs Atem wurde enger und stockte, als die Tür geöffnet wurde und zwei Gestalten ins Dunkel des Zimmers traten. Es waren Müller und Brendel vom Lagerschutz. Sie hatten auf ihrem Rundgang zufällig an der Tür des Gebäudes geklinkt.

»Was machst du denn hier?« fragte Brendel verhalten und dunkel. Pippig öffnete den Mund, aber seine erstarrten Sinne machten ihn unfähig, zu antworten. Brendel und Müller traten heran. Sie beugten sich über die Öffnung, und Brendel, dem das Dunkel nur ein schwaches Erkennen der Gegenstände gestattete, die hier lagen, griff nach ihnen.

Da erwachte Pippig aus seiner Erstarrung. Er stieß Brendel heftig vor die Brust. »Pfoten weg!« Doch auch Müller hatte zugegriffen, und die beiden hielten jeder bestürzt eine Pistole in der Hand.

»Wo hast du das Zeug her?«

Pippig war aufgesprungen. »Das geht euch nichts an!«

Der kräftige Brendel hatte den Kleinen schon gepackt.

»Woher? Sag's!« Der Augenblick war kritisch.

Müller trat dazwischen und trennte die beiden.

»Mit uns kannst du reden, Rudi. Wenn du kein Halunke bist, der uns was auswischen will, dann sag, was du hier . . .«

»Halunke? Du hast wohl 'nen Vogel?« fuhr Pippig auf.

»Ihr wißt doch selber, was los ist. Wir haben eine Laus im Fell. Die Dinger hier sind von Höfel. Wenn ihr es nun schon gesehen habt, dann quatscht nicht 'rum, sondern helft mir, sie zu verbuddeln.«

Die Lagerschutzler sahen sich an. Höfel war ihr Ausbilder, und sie hatten den Zusammenhang sofort erkannt. Ihr ursprüngliches Mißtrauen war mehr die Überraschung des Augenblicks als Verdacht auf Pippig gewesen, den sie als guten und zuverlässigen Kumpel seit vielen Jahren schon kannten. Ihr Spürsinn, in den langen Jahren der Haft wohltrainiert, ließ sie auch in unvorhergesehenen Situationen das Echte vom Falschen scheiden und folgerichtig handeln. Ohne Zögern halfen sie Pippig, die Pistolen zu verbergen. Nur über den Ort des Verstecks wunderte sich Brendel.

»Mensch«, flüsterte er, »wie kommst du bloß auf die Idee, das Zeug ausgerechnet hier unter Zweilings Schreibtisch zu verstecken?«

Pippig flüsterte: »Weil der Arsch eines Scharführers noch immer der sicherste Verschlußdeckel ist. Wenn sie uns zwischen die Kimmen gucken, hier suchen sie nicht. Klar?«

Die bezwingende Logik verblüffte Brendel.

»Rudi, du bist ein Genie ...«

»Quatsch nicht«, gab Pippig, aufs angenehmste geschmeichelt, zurück.

Den leeren Raum zwischen den Pistolen füllten sie mit Schlacke auf. Ehe sie das Brett wieder auflegten, zählte Brendel von der Außenwand des Zimmers her die Dielen und stellte fest, daß die Pistolen unter der elften lagen. Jedes Geräusch vermeidend, klopften sie das Brett fest.

Pippig legte die Mütze auf die Nägel und dämpfte damit die Schläge des Hammers ab. Jede Schmutzspur beseitigten sie, ehe der Teppich zurückgeschlagen wurde. Gemeinsam transportierten sie den Schreibtisch an seinen Standort zurück. Pippig hatte ihn sich am Muster des Teppichs gemerkt. Der fahle Nachtschimmer im Raum gestattete ihnen, zu überprüfen, daß die alte Ordnung wiederhergestellt war. Jetzt erst erwachte in Pippig die Sorge um das Geheimnis.

»Kumpel«, flehte er, »ihr haltet die Schnauzen, nicht wahr?«

Wenn sie ihm hätten erklären können, was der Lagerschutz in Wirklichkeit war – so aber konnten sie Pippig nur auf die Schulter klopfen. »Keine Bange, Kleiner, wir wissen, was gespielt wird.«

Leise, wie sie gekommen waren, verschwanden sie.

Pippig räumte das Werkzeug hinweg und verbarg sich im Winkel, den Anbruch des Morgens abwartend. Schlafen konnte er nicht. Er hockte auf ein paar alten Mänteln, die er sich zurechtgelegt hatte, die Arme um die hochgezogenen Knie geschlungen.

Die drei Pistolen waren bestimmt nicht die einzigen Waffen, die es im Lager gab. Zwar wehrte sich sein sauberes Disziplingefühl gegen jede Neugier, doch jetzt hätte er gern etwas mehr von dem Geheimen gewußt. Daß es so was wie eine verborgene Leitung gab, das wußte er – was aber gab es noch alles? Pippig drückte das Kinn auf die Knie. Verdammt noch mal, Rudi, da haust du nun schon jahrelang in dieser Unterwelt hier, ein armseliger, geprügelter Hund unter armseligen, geprügelten Hunden, mit der einzigen verlorenen Vorstellung im dummen Schädel, daß das Endlose eines Tages doch mal zu Ende gehen würde, so oder so ... Was hast du dir eigentlich unter dem So-oder-So vorgestellt, du Dunselmann?

Mit diesem Rutenbündel prügelte ihn das Schicksal in das Ende hinein. War er nicht wirklich nur ein geprügelter Hund, der jetzt im Winkel hockte und mit Staunen feststellen mußte, daß andere, die er für gleiche arme Hunde gehalten, das Rutenbündel längst schon überm Knie zerbrochen und das So-oder-So in ein entschlossenes Entweder-Oder verwandelt hatten?

Bitter schmeckte Pippig diese Erkenntnis. Warum gehörte er nicht zu jenen, zu denen auch Höfel gehörte?

Traute man ihm nichts zu, weil er klein war und krumme Beine hatte? Wen kannte er von »jenen«? Keinen!

War Krämer einer von ihnen?

Sicher!

Morgen, das nahm Pippig sich vor, morgen spreche ich mit ihm. Ich will kein armseliger So-oder-so-Hund sein!

Noch nachtschwarz war der Morgen, als Pippig nach dem Anpfeifen das Kammergebäude verließ. Auf den Wegen zwischen den Blocks war schon Leben. Stubendienste zogen aus allen Richtungen zur Küche, um die großen Kübel mit dem Morgenkaffee nach ihren Behausungen zu schleppen.

Auf dem Block war seine Abwesenheit nicht bemerkt worden. Im Schlafsaal bauten sie bereits ihre Betten, als Pippig kam, sein Bettnachbar fragte ihn, wo er in der Nacht gewesen sei.

»Bei einem kleinen Mädchen«, entgegnete Pippig trokken und mit einem Ton, der keine weiteren Neugierfragen zuließ.

Unterdessen lief unauffällig die Benachrichtigung an Bochow. Kurz nach dem Anpfeifen hatte sein Verbindungsmann durch den Kapo des Lagerschutzes den Bericht über die nächtlichen Ereignisse in der Effektenkammer erhalten. Zwischen dem Verbindungsmann und Bochow fand im Dunkel des Morgens vor dem Block ein kurzes Gespräch statt. Erst wollte in Bochow Unmut über Krämers Eigenmächtigkeit aufkommen, mit der dieser die Anweisungen überschritten hatte, aber da es Bochow inzwischen bekannt geworden war, daß sich im Kommando der Effektenkammer ein fragwürdiges Element befand, hielt er den Wechsel des Verstecks für zweckmäßig, zumal, wie er anerkennen mußte, der kleine Pippig mit besonderer Schlauheit gehandelt hatte. Bochow war durch den Verbindungsmann Pippigs Gutachten wörtlich überbracht worden. »Der Arsch eines Scharführers ist noch immer der sicherste Verschlußdeckel ...« Bochow mußte lächeln.

Förste wußte nun, worum es bei den beiden in der Zelle Nummer 5 ging. Aus den nächtlichen Vernehmungen und den Gesprächen zwischen Reineboth, Kluttig und dem Mandrill hatte er manches erfahren. Infolge seiner Isolierung wußte er nichts Bestimmtes von dem, was im Lager vor sich ging.

Immerhin, es gab so etwas wie eine geheime Organisation, und die Zelle Nummer 5 sollte der Kanal sein, von dem aus in die geheimen Gänge des Apparates vorgedrungen werden sollte. Das war Förste klargeworden.

Sein Vater war ein hoher Staatsbeamter in Wien gewesen, und er selbst, Hans Albert Förste, hatte nach Abschluß seiner Studien ebenfalls den Staatsdienst aufgenommen. Nach der Besetzung Österreichs war er mit seinem Vater zusammen verhaftet und im Laufe der Jahre von Gefängnis zu Gefängnis geschleppt worden, bis er schließlich in Buchenwald gelandet war. Förste wurde in den Bunker eingeliefert. Hier war er verblieben und vom Mandrill zum Kalfaktor gemacht worden. Im Gegensatz zu seinem Vorgänger hatte sich Förste niemals an Mißhandlungen von Arrestanten beteiligt. Zwischen ihm und dem Mandrill war nie eine Beziehung entstanden.

Förste verrichtete seine Arbeit schweigend und gehorsam. Lebte im Bunker wie ein Schatten. Der Mandrill brauchte ihn nie zu rufen, immer war Förste zur rechten Zeit da, der Mandrill brauchte sich um nichts zu kümmern, immer war alles in bester Ordnung. So hatte sich der Mandrill im Laufe der Zeit an seinen Schatten gewöhnt.

Seit Höfel und Kropinski eingeliefert worden waren und Förste die großartige Verbindung mit dem Elektriker aufgenommen hatte, war in ihm der Wille aufgebrochen, den beiden Unglücklichen zu helfen. Doch was konnte er tun?

Er wußte, daß Höfel und Kropinski nicht sterben durften, noch nicht. Seit der Tortur mit der Leimzwinge lag Höfel auf dem naßkalten Zementboden der Zelle in hohem Fieber. Nicht nur Kropinski, auch Förste zitterte, daß der Kranke in seinem Fieberwahn die Geheimnisse preisgeben könnte, die er bis jetzt so tapfer bewahrt hatte. Eifrige Betriebsamkeit vortäuschend, schlich Förste ruhelos um die Zelle Nummer 5 herum, denn Reineboth, Kluttig und der Mandrill befanden sich drinnen. Sie hatten Kropinski in die Zellenecke vertrieben und beugten sich neugierig über den von Fieberschauern Gerüttelten.

Höfel phantasierte.

Die Druckstellen an den Schläfen waren schwarzblau und unmäßig angeschwollen. Der Unterkiefer zitterte Höfel, und die Zähne schlugen bebend aufeinander.

Der Mandrill stand unbeteiligt daneben und rauchte eine Zigarette. Kluttig hatte sich tief über den Fiebernden gebeugt und lauschte. Zerrissene Worte, zerrissene Sätze stießen aus dem zuckenden Mund heraus. Manchmal als Flüstern, wirr und heiß, manchmal als Stöße, messerscharf geschrien. »Du hast ... recht ... Walter ..., du ... hast ... recht ...«

Höfel stöhnte, er öffnete die Augen, stierte ins Leere und erkannte die Umgebung nicht. Im Krampf zog er die Arme an, und die Fäuste bebten auf der Brust. Plötzlich schrie er: »Die Partei ist hier ... hier ...!« Der Körper straffte sich, das Gesicht färbte sich dunkel, Höfel preßte den Atem in sich hinein, und auf einmal zerrissen schrille Schreie den Krampf. »Chraahhh ... ich nenne – doch – die Namen ... chraahhh -ha-ha-haahhh ...« Die Schreie zerflatterten im bebenden Kehlkopf.

Kluttig geriet in helle Erregung. Fauchte: »Der will die Namen nennen!« Als könne er sie aus dem Fiebernden herausschütteln, rüttelte er den Körper mit dem Stiefel. Höfel bewegte den Kopf konvulsivisch hin und her, die fuchtelnden Arme sanken zur Seite, und der Fiebernde verfiel in ein Weinen, das den ganzen Körper überschüttete. »Hier ... hier ...«, wimmerte er. »Du – hast – recht, Walter ... sie ist hier ... hier ... und das Kind, das Kind ... muß sie schützen, schützen ...«

Wie damals im unbeschreiblichen Schmerz der Tortur trommelte Höfel mit Fäusten und Füßen auf den Steinboden. Der Körper bebte, und das laute Weinen ging in ein kindhaftes Wimmern über, Speichel trat blasig auf die heißen Lippen.

Reineboth hatte den Daumen hinter der Knopfleiste und trommelte mit den Fingern. Kluttig richtete sich auf und sah Reineboth fragend an. Der setzte sich das Fiebergestammel sinnvoll zusammen. »Die Partei hat von Walter den Auftrag erhalten, das Kind zu schützen.« Reineboth kniff die Augen zusammen. »Kapiert, Herr Hauptsturmführer? Wenn wir das Kind haben, dann haben wir die Partei.« Mit schnellen Schritten ging Reineboth in die Ecke, trieb Kropinski mit dem Stiefel hoch, packte den Polen an der Brust und stieß dessen Kopf unbarmherzig gegen die Mauer. »Wo ist das Kind? Verfluchtes polnisches Aas! Wo ist das Kind? Du Hund krepierst noch vor dem anderen, wenn du es nicht sagst. Wo ist das Kind?« In nervöser Zerfahrenheit stürzte Reineboth zu Kluttig zurück. »Das Kind muß her!« In wilder Sucht blickte er auf den fiebernden Höfel nieder.

»Verrecken darf der uns nicht, den brauchen wir noch. Hier hat es jetzt keinen Zweck mehr. Komm!« forderte er Kluttig auf und verließ mit ihm die Zelle. Der Mandrill folgte ihnen auf den Gang.

Als er in die Zelle zurücktrat, lag Höfel auf einem alten Strohsack, in zwei verschlissene Decken eingehüllt. Förste kniete vor dem Kranken.

Dem Mandrill stockte vor Überraschung der Atem. Mit seinem schnellen und kühnen Entschluß zu helfen, hatte Förste alles auf eine Karte gesetzt.

Würde ihn der Mandrill jetzt zusammentreten und den Todkranken vom Strohsack zerren, oder ...

»Was soll denn das bedeuten?« hörte Förste die kratzige Stimme hinter sich. Der tollkühne Sprung ins Ungewisse schien gelungen. Jetzt galt es, das Gewonnene zu festigen. Gleichgültig richtete sich Förste auf und sagte nebenhin, während er die Zelle verließ: »Der darf nicht verrecken, den brauchen Sie noch.« Sogleich aber – das hatte er schon vorbereitet – kehrte er mit einem nassen Lappen zurück, den er Höfel auf die heiße Stirn legte. Gerade dem Ungewöhnlichen – im Bunker war noch kein Arrestant gepflegt worden, am allerwenigsten ein Todgeweihter –, gerade diesem Ungewöhnlichen hatte Förste vertraut. Der Mandrill sah dem Kalfaktor zu, erstaunt, daß man mit so einfachen Handhabungen einen Sterbenden noch »gebrauchsfähig« erhalten konnte.

Er gab ein kurzes Knurren von sich, das Unwillen und Zustimmung zugleich bedeuten konnte. »Aber nur, was notwendig ist.«

»Wir sind doch hier nicht im Sanatorium«, erwiderte Förste.

Her mit dem Kind! Kluttig wollte das ganze Lager nach ihm absuchen lassen. Reineboth lachte. »Mann Gottes! Wie stellst du dir das vor? 50000 Menschen! Das Lager ist eine Stadt! Kannst du in einer Stadt an allen Orten zugleich sein? Die Kerle werfen sich das Kind gegenseitig zu, und wir rennen im Kreis wie die blöden Hammel. Willst du dich zu guter Letzt noch lächerlich machen?« Reineboth krachte sich auf einen Stuhl, schob den Daumen hinter die Knopfleiste.

»Verfluchte Scheiße!« knirschte er wütend durch die Zähne. Die Unrast trieb ihn wieder hoch. Er knallte die Mütze auf den Tisch.

»Was wird aus uns?«

Kluttig probierte sich im Spott.

»Ich denke, du willst dich nach Spanien absetzen?«

»Ach, Spanien ...« Reineboth machte eine mißgelaunte Handbewegung. Kluttig zog an seiner Zigarette. »Jetzt willst du wohl die Nerven verlieren?«

»Nerven verlieren?« Reineboth lachte giftig. Plötzlich ließ er Kluttig stehen und trat zur Landkarte.

Vorgestern hatte der Wehrmachtsbericht durchgegeben, daß es den Engländern und Amerikanern nach sechstägigen Anstrengungen gelungen sei, ihren Brückenkopf bis Bocholt, Borken und Dorsten zu erweitern und in Hamborn einzudringen. Heute morgen gab es schon wieder neue Meldungen. »Die Festung Küstrin ist nach schwerem Ringen der feindlichen Übermacht erlegen ...«

Die Bolschewiken!

Von gestern auf heute tauchten an der Westfront ganz neue Namen auf. Im Norden schienen schon in der Nähe von Paderborn Kämpfe zu sein. Im Süden ging der Stoß aus dem Lahntal nach Bad Treysa, Hersfeld und Fulda.

Die Amerikaner!

Treysa, das war der Weg nach Kassel. Fulda, von hier aus ging es in gerader Richtung auf Eisenach zu. Reineboths Augen liefen wie unruhige Fliegen auf der Karte herum. »Verfluchte Scheiße!«

Sein Gesicht hatte etwas Breitgelaufenes, als er sich Kluttig wieder zuwandte. »Jaja, mein Lieber ...

Und unser Diplomat macht sich schon zum Empfang bereit: Bitte eintreten, meine Herren! Bitte sehr: Juden, Bolschewiken, alles zu Ihrer Verfügung!« Er schob den Unterkiefer vor und verzog häßlich die Oberlippe. »Verfluchte Scheiße!«

Plötzlich schlug er um. »Mit denen im Bunker haben wir die Falschen erwischt!« Kluttig vergaß, die Zigarette zum Mund zu führen.

»Die Falschen? Na hör mal ...«

Reineboth fuhr Kluttig ärgerlich an.

»Die Hunde sagen nichts! Wir müssen noch mal das ganze Kommando ausquetschen! Einer ist bestimmt darunter, der in die Hosen scheißt. Das ist dann der Richtige!«

»Du willst wieder zur Kammer?« fragte Kluttig verwundert. Mit fahriger Hand strich Reineboth durch die Luft.

»Allein schaffen wir das nicht mehr, keine Zeit! – Gestapo!« Wie ein Messerwerfer schleuderte er das Wort aus sich heraus, und Kluttig wurde empfindlich davon getroffen.

»Das geht zu weit! Schon genug, daß wir die Geschichte auf eigene Rechnung machen, und nun noch Gestapo? – Wenn der Kommandant dahinterkommt ...«

Reineboth baute sich brüskierend vor Kluttig auf: »Und so was wollte selber mal Kommandant werden ... Morgen laufen wir sowieso alle in Zivilklamotten herum, falls wir noch dazu kommen. Aber solange ich diese Uniform trage ...« Er schwieg herausfordernd. Kluttig fühlte wieder einmal seine Unterlegenheit vor dem Jüngling. Der ehemalige Inhaber der Plissieranstalt war unter der Uniform des Hauptsturmführers für einen Augenblick ängstlich geworden.

»Also gut«, entschied er, »Gestapo.«

Obwohl die Häftlinge des Kommandos – sich ständig im Blickfeld der Lagerführung wissend – für jede Stunde des Tages auf neues Unheil vorbereitet waren, traf sie das erneute Auftauchen von Kluttig und Reineboth wie ein Schlag. Sie mußten unverzüglich antreten. Selbst Zweiling war durch das Erscheinen der beiden so verwirrt, daß er in ängstlicher Erwartung dem Kommenden entgegensah. Konnte es nicht auch ihm gelten? In der hinteren Reihe stand Wurach. Er beobachtete die Vorgänge mit heimlicher Gelassenheit, hatte er doch, wenn es darauf ankam, ein ausgezeichnetes Alibi. Rose stand in der ersten Reihe. Er war wachsbleich geworden und strengte sich an, das Zittern seiner Glieder zu unterdrücken. Pippig hatte Höfels Platz eingenommen. Jetzt trat er einen Schritt vor und meldete: »Kommando Effektenkammer angetreten!«

»Der neue Kapo, was?« fragte Reineboth ins unbestimmte und ging suchend die Reihen ab. Kluttig folgte ihm.

Hinter Pippigs Stirn jagten sich die Vermutungen über den Grund des gefahrdrohenden Besuches. Hatte Höfel etwa ... Diese Gedanken trieb Pippig in den äußersten Winkel zurück. Wurach, Zweiling? Pippigs Blick überhuschte Zweilings Gesicht, als könne er daraus die Beziehung zu dem Ereignis lesen.

Zweiling stand ebenso steif wie die Häftlinge.

Reineboth ging die Reihen ab und notierte sich im Kopf bereits jeden Häftling, den er sich herausgreifen wollte. In der starren Angst der Gesichter, in der Totenstille des Raumes, in dem nur das Knarren seiner Stiefel zu hören war: Schritt ... Schritt ... Schritt, in seinem eigenen Schweigen genoß Reineboth die Macht. Um den Mund hatte er einen geilen Zug. Die Kerle scheißen in die Hosen, wenn sie uns sehen. Wenn sie wüßten, daß uns das Wasser selber im Arsche kocht ... Zynisch über sich selbst spottend, dachte es Reineboth. Und der Häftling Pippig dachte: Ihr bildet euch wohl ein, wir hätten Angst, weil wir still und stramm vor euch stehen? Man keine Bange. Euch kocht das Wasser schon im Arsch. Du trommelst nicht mehr lange mit den Fingern auf deiner Jacke, du Jonny ...

Die siebente Reihe in gerader Richtung vom mittleren Fenster aus ...

Schritt ... Schritt ... Schritt ...

Vor Rose blieb Reineboth stehen. In dessen Augen begann die Angst zu flackern. Der Richtige? Reineboth zog Rose am Jackenknopf aus der Reihe heraus.

»Sie sind doch ein älterer, vernünftiger Mann. Wie konnten Sie sich in so dumme Geschichten einlassen?«

»Herr Rapportführer ... ich habe ... ich weiß nichts ... bestimmt nichts ...«

Reineboth hatte das belustigende Gefühl, den Schlotternden frei in der Luft zu halten. Das war der Richtige!

»Ob Sie haben und ob Sie wissen, das wird sich noch herausstellen.« Reineboth stellte Rose beiseite. Dem Aussortierten wurde es himmelangst.

»Herr Rapportführer ... ich habe wirklich nicht ...«

Noch ein Wort, und ich springe ihm an die Kehle,

bebte es in Pippig. Unvermittelt fuhr Reineboth zu Rose herum, schrie ihn an: »Schwein! Schnauze!«

Das war wie ein geplatztes Geschoß. Dem nächsten winkte Reineboth mit dem Finger und gab ihm wortlos das Zeichen, neben Rose zu treten. Es war Pippig. Der trat aus der Reihe, stellte sich neben Rose auf und knuffte ihn, im kurzen Moment des Unbeobachtetseins, ins Kreuz. Der Knuff war der verstärkte Schlag seines Pulses, in dem der Zorn pochte.

Krämer erschien überraschend auf Block 61.

Zidkowski wollte schnell eine Decke über den Kleinen werfen, der auf dem Fußboden hinter der Bettstatt saß, um ihn dem Blick des Lagerältesten zu entziehen, doch Krämer winkte ab; »Laß das, ich weiß Bescheid.«

Ein Läufer hatte ihm von Riomand eine Flasche Milch und einige Kekse gebracht. Krämer zog die Dinge aus der Tasche und wollte sie dem Kind geben.

Rauhe Scham hemmte ihn, und er reichte sie darum Zidkowski hin. »Da!« Der Pole umschloß die Kostbarkeiten mit dankbaren Händen. Durch die vielen Falten seines Gesichts zog die Freude. Er versteckte die Schätze in der Bettstatt.

Krämer war zum Kind getreten. Es schaute zu dem großen, ernsten Mann hinauf mit den sammetwarmen Augen eines jungen schönen Tieres, das von den schweigenden Geheimnissen der Jahrtausende mehr weiß als der Mensch.

Krämer aber sah hinter dem Kindergesicht schon reife Gedanken, und das erschütterte ihn.

Er blickte sich im Raum um, dessen vorderer Teil gleichzeitig als Behandlungsraum eingerichtet war. Hier standen ein einfacher Tisch, einige Stühle, auf einem Regal Flaschen, Büchsen mit Salben, ein paar Messer und Verbandscheren, das mindeste an Material und Instrumenten, um die Wunden der Kranken zu behandeln.

»Wo versteckst du das Kind bei Gefahr?«

Zidkowski wiegte beruhigend lächelnd den Kopf.

»Ist keine. – Hier kommen nichts herein. Nicht Arzt, nicht SS. Und wennschon. Machen Kind schnell husch-husch unter das Bett.«

Zidkowski lachte. Krämer schimpfte gereizt: »Keine Gefahr? Mann, hast du eine Ahnung! Eben haben sie das halbe Kommando der Effektenkammer fortgeschleppt! Sie suchen nach dem Kind! Sie brauchen nur aus einem einzigen das Versteck herauszuprügeln, dann sind sie hier und kriechen in alle Ecken! Was dann? Na?«

Zidkowski, heftig erschrocken, brach in Erregung aus. Er nahm das Kind auf den Arm, drückte es schützend an sich und blickte gehetzt umher.

»Wohin?« sagte er, von innerer Not getrieben.

»Wohin nun?« polterte Krämer los. »Sicherungen! Darum hättet ihr euch zuerst kümmern müssen! Das Kind ist doch kein Spielzeug, verdammt noch mal!«

Zidkowski nahm Krämers Gepolter nur mit halbem Ohr wahr, seine Augen suchten bereits nach einem Versteck. Die Möglichkeit, das Kind unter den Kranken zu verbergen, schaltete von vornherein aus. Es blieb nur dieser Raum; wo aber gab es hier einen sicheren Winkel?

Mit schnellen Blicken suchte Zidkowski jede Ecke ab, sogar zu den Holzverstrebungen des Barackendaches sah er hoch.

»Na also, was ist?« drängte Krämer unwillig. Zidkowski zog die Schultern an. Plötzlich durchzuckte ihn ein Einfall. Er setzte das Kind auf die Bettstatt und lief nach dem vorderen Teil des Raumes. Hier stand in der Ecke ein großer, runder Zinkblechkübel.

Zidkowski betrachtete das Gefäß mit eilenden Gedanken und sagte zu Krämer, der hinzugetreten war:

»Dahinein ...«

Er hob den Deckel ab.

»Bist du verrückt?« stieß Krämer entsetzt aus, als er in den mit blutverkrustetem Verbandszeug halbgefüllten Kübel blickte.

Doch Zidkowski hatte die Hilflosigkeit überwunden. Er lächelte wieder, bedeutete Krämer aufzupassen, was geschehen würde, und rief seine beiden Helfer aus dem Krankenraum zu sich.

Krämer hörte dem sprudelnden Polnisch Zidkowskis zu, der seinen Landsleuten mit heftigen Gesten Anweisungen gab. Sie spritzten auseinander: Der eine riß ungescheut die unappetitlichen Binden aus dem Kübel, der andere kam mit Bürste und Lappen herbei. »Schnell eine Schüssel!«

Desinfektionsflüssigkeit hinein, und dann schrubbten sie den Kübel sauber. Zidkowski indessen hatte den Blechdeckel ergriffen und klopfte mit einem Hammer den Rand des Deckels um. Der im Umfang verkleinerte Deckel ließ sich jetzt bis zur Hälfte in den konisch zulaufenden Kübel stecken, hier klemmte er sich fest.

Zidkowski warf die Binden hinein, die über den Rand quollen, und es sah aus, als sei der Kübel übervoll.

Das Versteck im Fall der Gefahr!

So wie die SS bekannt war, würde sie in allen Ecken schnüffeln, um den Kübel aber mit seinem eklen Inhalt einen furchtsamen Bogen machen. Das erkannte auch Krämer, und Zidkowski hatte nur noch notwendig, dem Lagerältesten zu versichern, daß immer einer von seinen Leuten künftig auf Posten stehen würde und bei Annäherung von SS das Kind innerhalb einer Minute ...

»Weißt du«, sprudelte Zidkowski, vom glücklichen Einfall begeistert. »Binden 'raus, husch mit dem Kind in den Kübel, Deckel zu, Binden drauf – dobrze.« Zidkowski blickte Krämer gespannt ins Gesicht, auf Einverständnis wartend.

Krämer senkte resigniert den Blick. Es gab wohl kaum eine bessere Möglichkeit. Alles andere war Glückssache. Gingen sie nicht an dem Kübel vorbei und forderten sie dessen Entleerung – Krämer sah die drei Polen an, die ihn umstanden –, dann starb das Kind und mit ihm diese drei Braven.

Aus ihnen leuchtete bereits das Schweigen, mit dem sie in den Tod gehen würden. Drei Augenpaare waren auf ihn gerichtet. Drei arme Polen standen vor ihm, herausgerissen aus dem Boden ihrer Heimat. Er kannte ihre Namen kaum, wußte nichts von ihnen. Das graublaue Häftlingszebra umschlotterte ihre Körper. Zwar wucherten die Bartstoppeln in den Falten ihrer Gesichter wie Moos in den Furchen des Erdreichs, zwar hatte die Not die Backenknochen herausgetrieben, aber die Augen leuchteten als einzig Unzerstörbares in den verwüsteten Gesichtern der Menschen. Tod und Not hatten das Licht der Augen nicht trüben können. Fackeln waren sie, noch leuchtend in der Tiefe der Erniedrigung. Erst der Schuß aus der Pistole eines Tieres in grauer Uniform konnte diesen Glanz zum Schweigen bringen. Aber auch dann würde das Verlöschen gleich sein dem stillen Untergang eines Gestirns, und das Dunkel des Todes war der sanfte Schleier, der die ewige Schönheit umhüllt.

So dachte es Krämer zwar nicht, aber tief im Herzen fühlte er es.

Zidkowski nickte ihm freundlich zu. Auch dieser schlichte Gruß des Menschenherzens spannte sich als Bogen einer Brücke, die nie zerstört werden kann.

Krämer ging zur Bettstatt. Mit verschämter Hand strich er über des Kindes Kopf, sagte nichts, dachte: Armer kleiner Maikäfer ... Er erinnerte sich der Schachtel mit dem durchlöcherten Deckel, damals, als er Knabe gewesen war.

Welche Last lag jetzt auf seinem Herzen! Für das Kind hatte er nun getan, was zu tun möglich gewesen. Doch was blieb zu tun alles noch übrig! Hielt nicht das Kind, unwissend und in schuldlosen Händen, den Faden, an dem alles hing?

Sinnend schaute Krämer auf das Wesen herab. Höfel und Kropinski waren dafür in den Bunker gegangen, zehn Mann aus der Effektenkammer waren seinetwegen verschleppt worden. Tausend entschlossene Kämpfer, unbekannt und unerkannt, schwebten in ständiger Gefahr, und jetzt standen wiederum drei armselige Polen mit nackten Händen um das Kind, es zu schützen.

Verwirrende Verstrickungen und Verschlingungen. In welchen Irrgängen schlug sich das Menschentum seinen Weg durch die Hölle der wilden Tiere! Jede Stunde gewärtig, in einen der Abgründe zu stürzen, die überall lauernde Gefahr ... nein, so war es nicht! Es war ganz anders! Die wachsende Zahl der Menschen rund um das Kind war keine Lawine, die alles unter sich zu begraben drohte, sie war ein Netz, das sich wob und sich schützend ausbreitete.

Von Höfels und Kropinskis Standhaftigkeit, über Pippigs Treue bis zu der schlichten Bereitschaft dieser einfachen Menschen hier schlang sich der Faden, und je mehr sie daran zerrten, desto fester und unzerreißbarer wurde das Netz. So war es und nicht anders. Krämer atmete wie in frischer Luft. Er gab Zidkowski die Hand.

»Na, alter Junge«, knurrte er ihn in rauhborstiger Herzlichkeit an, »die Sache wird schon schiefgehen.«

Zidkowski hatte keine Bedenken.

Im Kleinen Lager war Gedränge und Geschrei. Vom Bad kommend, stolperten die regellosen Haufen der Zugänge durch den Stacheldrahteingang ins Innere des Kleinen Lagers hinein.

Viele von ihnen hatten nicht Zeit gefunden, sich auf der Kleiderkammer anzuziehen. Nackt oder nur mit der Hose bekleidet, die übrigen Sachen überm Arm, kamen sie an. Die meisten trugen die ungefügen Holzschuhe in der Hand und holperten barfuß über den Schotter. Der Lagerschutz führte sie. Nervöse und geplagte Blockälteste nahmen sie in Empfang und wußten nicht mehr, wie sie die Massen in ihren längst schon überfüllten Pferdeställen unterbringen sollten. So wurden die durch die Strapazen wochenlanger Märsche ausgehöhlten und durch die sich überstürzenden Eindrücke der neuen Umgebung verstörten Menschen zur unschuldigen Ursache der allgemeinen Nervosität. Man stieß sie hin und her und schob sie immer wieder zu neuen Haufen zusammen.

Jeder Blockälteste wollte sich soviel wie möglich von den Zugängen vom Halse halten, drum kam nie Ordnung in das stete Gewimmel, und Krämer, von Zidkowski kommend, mußte hart durchgreifen und sich taub stellen gegen alle Proteste.

Mit harter Hand und ohne Rücksicht auf die Belegschaftsstärke der einzelnen Blocks teilte er die Menschen auf. Nur weg mit ihnen, mochten die Blockältesten zusehen, wie sie mit dem Andrang fertig wurden.

Wie Wasser aus einem Speirohr mußten die ins Lager einströmenden Menschen »ausgebreitet« werden, damit es zu keiner Stauung kam. Knurrig und mißgelaunt zogen die Blockältesten mit den ihnen aufgedrängten Rudeln in ihre Blocks, in denen es neue Aufregungen gab, neues Gequetsch und Geschrei sich drängender und schiebender Menschenleiber. Im Innern der Pferdeställe summte und wirrte es wie im Bienenstock bei der Teilung des Stammes.

Durch Erfahrung gewitzigt, flüchteten die »Alteingesessenen« in ihre Fächer der dreifach gestaffelten Schlafgestelle, klebten angeleimt an ihrem Platz, den sie zäh und verbissen gegen den unerwünschten Zuwachs verteidigten. Von babylonischem Sprachengewirr umschwirrt, jedoch stumpf und taub gegen das Geschrei und Gezeter der erregten Menschen, schichteten die Stubendienste die Neuen in die Obsthorden, mit stämmigen Armen die »Alten« noch enger zusammenschiebend. Trotzdem waren es nur wenige, die so in den Genuß eines Liegeplatzes kamen. Die Überzahl wurde in der Enge des Raumes, der einem überfüllten Viehwagen glich, zusammengedrängt und zusammengeschoben. Auf dem rohgedielten Fußboden sprangen die aufgescheuchten Flöhe umher.

Kluttig hatte die Verhafteten in Weimar persönlich der Gestapo übergeben. Reineboth wartete indessen ungeduldig auf die Rückkehr des Lagerführers und zog sich, nachdem er gekommen war, mit ihm in sein Zimmer zurück. Dort reichte er ihm eine Liste, die Zweiling gebracht hatte.

Gierig verschlang Kluttig die Namen und stöhnte vor Erleichterung:

»Endlich was Greifbares! Stimmen die Namen auch?«

Reineboth empfand den Zweifel als eine Einmischung.

»Von denen, die hier genannt sind, könnte jeder einzelne der geheimen Organisation angehören. Na also! Wie bitte? – Jetzt ist nicht Zeit, danach zu fragen!«

Er ging nervös hin und her.

»Hast du die letzten Meldungen gehört? Es geht auf Kassel zu. Von Kassel nach Eisenach kann man mit Steinen werfen. Weißt du, was das heißt?« Reineboth lachte kratzig.

»Sei zufrieden mit dem wenigen, was ich dir zu bieten habe.«

Kluttig hörte die Zurechtweisung aus Reineboths Worten heraus. – Wenn *der* schon nervös wurde . . .

Kluttig überflog die Liste noch einmal. Krämers Name stand als erster darauf. Ihm folgten die Namen vieler langjähriger, im Lager bekannter Häftlinge. Kluttig preßte die Lippen aufeinander. Er überlegte – selbst, wenn der Zugriff auch nur bei der Hälfte der angegebenen Namen erfolgreich sein würde, dann genügte es bereits, in das führende Zentrum der Organisation vorzustoßen. In wenigen Tagen würde die Frontlage über das Schicksal des Lagers entscheiden! Es war wirklich nicht Zeit, umständlich zu fragen und zu prüfen.

Hier mußte zugegriffen werden.

Sorgfältig steckte Kluttig die kostbare Liste zu sich. Die zusammengepreßten Lippen verzogen sich zu einem häßlichen Strich. »Damit blasen wir dem Diplomaten Pfeffer in den Arsch. Wenn er hier nicht anbeißt, dann schleppe ich ihn noch in letzter Minute vor ein Ehrengericht.« Kichernd warf sich Kluttig auf einen Stuhl. »Eigentlich ist es ein gutes Netz, das wir da gesponnen haben, was meinst du? Die Gestapofritzen in Weimar kneten die Kerle nach dem Kind aus, und sie finden es, verlaß dich drauf. Das ist die Flanke.« Er klopfte auf die Tasche, in der die Liste steckte. »Und das der Frontalangriff. Aber«, blinzelte er Reineboth an, »was machen wir mit denen?« Reineboth unterbrach seine unruhige Wanderung und fuhr Kluttig gereizt an. »Umlegen, Mensch! Was sonst! Oder willst du erst die Böckchen von den Schäfchen sondern? In den Steinbruch mit ihnen und abgeknallt die ganze Rotte.«

Mit einer unbehaglichen Bewegung hob Kluttig den Adamsapfel aus dem Kragen der Uniformjacke. Reineboth sah es. »Hast wohl wieder mal Angst vorm Diplomaten, was – Tja, mein Lieber, wer ›A‹ sagt, muß auch ›B‹ sagen. Ich kann dir das Netz knüpfen helfen, aber daran ziehen mußt du schon selber, das ist deine Sache. Schließlich bist *du* Lagerführer und nicht ich.«

Kluttig, obwohl er angestrengt nachdachte, sah den Jüngling leer an, schließlich nickte er. »Gut. Du hast recht. Das ist meine Sache.« Er stand auf. »Und Höfel? Was meinst du? Brauchen wir ihn noch? Mit den andern haben wir eigentlich genug.«

»Heb ihn und den Polen noch auf«, riet Reineboth, »die laufen uns nicht davon. Laß den Mandrill noch eine Weile mit ihnen spielen, vielleicht quetscht er doch noch was aus ihnen ’raus. Umlegen kann er sie am letzten Tag noch. Abgeschrieben sind sie ja bereits ...«

Förstes mutiges Eingreifen hatte das Fieber des Gemarterten gebannt. Obwohl der Mandrill die Zelle immer unter Verschluß hielt, verstand es Förste durch seine stille und entschlossene Art, sich Zutritt zu verschaffen. Mit dem Hinweis, daß nicht nur ein nasser Lappen, sondern auch Nahrung nötig wäre, den Sterbenden am Leben zu erhalten, konnte Förste den knurrenden Mandrill immer wieder beschwichtigen und Höfel warme Speisen bringen. Schattenhaft huschte der Kalfaktor in die Zelle und kühlte die brennende Stirn des Fiebernden, flößte ihm wärmendes Getränk ein, während der Mandrill in der Tür stand.

Kropinski kauerte in der Ecke, von dem Wunder ergriffen, das seinem Bruder geschah. Aus der zweckmäßigen Erwägung heraus, den Gequälten sich so weit erholen zu lassen, bis dieser wieder gebrauchsfähig sein würde, schonte ihn der Mandrill. Doch als er entdeckte, daß Höfels Augen klarer wurden, verbot er jede weitere Hilfeleistung.

Die Zelle blieb Förste wieder versperrt. Aber er hatte erreicht, den Sterbenden von der Schwelle des Todes zurückzureißen. Sonderbarerweise hatte der Mandrill den Strohsack in der Zelle gelassen.

Kropinski verhielt sich reglos in der Ecke, nachdem der Mandrill die Zelle verschlossen hatte; aus Furcht vor ihm wagte sich Kropinski nicht zu Höfel. Der lag langgestreckt und starr. Sein Atem ging still, und der Mund stand ihm offen.

Höfel schluckte trocken und flüsterte: »Marian ...«

»Tak?«

»Wie lange ...«, Höfels Finger schabten nervös auf dem Strohsack, »wie lange sind wir schon hier?«

In der Ecke blieb es still. Erst nach einer Weile kam von dort die Antwort:

»Fünf Tage, Bruder ...«

Lange hing die Antwort in Stille und Schweigen des verlassenen Raumes. Höfels Blick war zur Decke gerichtet wie die Flamme einer still brennenden Kerze.

»Fünf Tage ...«

Höfel begann zu blinzeln, und die Flamme seines Blikkes bewegte sich wie im Lufthauch. »Du, Marian ...«

»Tak?«

»Habe ich ... hörst du, Marian?«

»Tak.«

»Habe ich – etwas gesagt ... ?« Höfel schluckte trocken.

»Nje, Bruder ...«

»Gar nichts?«

»Nje ... Du haben nur immer geschrien.«

»Ist das wahr?«

»Tak.«

Höfel schloß die Augen.

»Und du? – Was hast du?«

»Ich haben auch ...«

»Geschrien?«

»Tak.«

Stille – nichts mehr wurde gesprochen.

Draußen rannte ein Häftlingsläufer über den Appellplatz ins Lager hinein. Er sucht nach Krämer, fand ihn nicht sogleich und fragte herum: »Wo steckt er?«

Er lief nach dem Kleinen Lager, stolperte auf den Schlammwegen über die ausgelegten Steinbrocken, bis er Krämer endlich erwischte.

»Walter!«

Krämer ahnte nichts Gutes. Er zog den Läufer beiseite. »Was ist?« Der junge Mensch verschnaufte sich.

»Ein Fernschreiben! Ich habe es eben spitzgekriegt.« In seinen Augen glänzte die Angst. »Evakuierung!«

Krämer erschrak. »Ist das wahr?« Für einen Augenblick hatte der plötzliche Schreck in Krämer alles blockiert. Gedankenstarr blickte er in das angstoffene Gesicht des jungen Menschen.

Die vielen Gefahren, die durch das Vorhandensein des Kindes entstanden waren, knäulten sich jetzt zu der einen großen Gefahr zusammen. Es ging dem Ende zu.

»Was nun?« fragte der Läufer.

Krämers Gesicht verzog sich nervös. »Abwarten«, antwortete er, weil er keine andere Antwort hatte, und entdeckte in sich, daß er mit dem Ende nichts anzufangen wußte.

Es war alles andere zu tun, als abzuwarten. Ein unsinniger Drang war in Krämer, die Signalpfeife an den Mund zu reißen, durch die Blockreihen zu jagen und mit schrillen Pfiffen das ganze Lager rebellisch zu machen: »Evakuierung, Evakuierung!« Um seiner Verwirrung Herr zu werden, fragte er: »Weißt du etwas Genaueres?«

Der junge Mensch schüttelte den Kopf.

»Ich wollte es dir nur schnell sagen, oben sprechen sie bereits davon.«

Krämer schnaufte und schob die Hände in die Manteltaschen.

Also war es zur Tatsache geworden, was einmal kommen mußte. Nur erschien es in seiner erschreckenden Unmittelbarkeit so unwirklich, daß Krämers kühle Nüchternheit im Strudel zerwirbelte. Vor einer knappen Woche noch hatte Schüpp gesagt:

»In 14 Tagen sind wir frei oder tot ...«

Welch hohle Phrase war das damals noch gewesen! Jetzt aber stand er vor der Wirklichkeit!

Krämer durchfröstelte ein Schauer. Und was würde aus Höfel werden? Aus Kropinski? Aus den zehn Mann von der Effektenkammer? Pippig! Das Kind! Was würde aus allen werden?

Die Verhafteten waren in das Gefängnis gesperrt worden, das sich die Weimarer Gestapo eigens für ihre Zwecke im Marstall eingerichtet hatte.

Rochus Gay, der SD-Mann, hatte sich Kluttig mit auf sein Zimmer genommen, das sich in der ersten Etage des Vordergebäudes befand.

Trostlos kahl war dieser Raum mit seiner zusammengetragenen Einrichtung, die nur aus einigen Stühlen, einem Tisch, einer Schreibmaschine am Fenster und einem häßlichen Rollschrank bestand. Eine vergessene Topfpflanze vegetierte kümmerlich auf dem Fensterbrett.

Helle Vierecke an der vom Alter gebräunten Tapete zeigten freundliche Blumenmuster von ehedem.

Kluttig hatte sich auf dem Stuhl, der sich neben der Schreibmaschine befand, niedergelassen. Gay, die Zigarre im Mund, stand mitten im Zimmer, den Kopf in die breiten Schultern geduckt. Sein abgetragener Anzug hing ihm lässig um den robusten Körper. Der SD-Mann hatte die Hände in die Taschen der verbeulten Hose vergraben. Die seitlich gerutschte, vom täglichen Binden ausgeleierte Krawatte hing über dem schlaffen Jackett. Mit seiner heiseren Stimme knurrte Gay den Lagerführer an: »Ich möchte wissen, was ihr Weihnachtsmänner da oben auf eurem Berg eigentlich macht? Jetzt sollen wir euch ein kleines Kind herbeischaffen! Wir sind doch keine Kinderbewahranstalt.«

Gay bleckte die Zähne, zwischen denen er die aufgekaute Zigarre hielt.

»Eure Sorgen möchte ich haben ...«

Kluttig versuchte, Gay die Zusammenhänge klarzumachen. Die gefährliche Frontlage gestattete keinen Aufschub in der Aufdeckung der geheimen kommunistischen Organisation ...

Ungeduldig schlenkerte Gay mit den Ellenbogen, weil die in die Taschen vergrabenen Hände keine freie Bewegung der Arme zuließen. »Fünf Minuten vor zwölf kommt ihr damit angeschissen.«

Kluttig verteidigte sich. »Wir suchen schon lange danach ...«

»Ihr Heinis ...«, stieß Gay verächtlich aus. »Die ganzen Jahre über habt ihr euch da oben den Arsch gewärmt und Lebeschön gemacht. Wie die Götter seid ihr herumgestelzt ...«

Kluttig wollte Einwendungen machen, doch Gay ging ihn scharf an: »Quatsch nicht! Du bist genau so ein Weihnachtsmann wie die anderen!« Er wälzte die Zigarre mit der Zunge. »War ein schönes Spielchen, was? Mützen ab, Mützen auf! Und strammstehen vor euch! Je mehr die Duckmäuser vor euch zusammengekrochen waren, desto mehr habt ihr euch gefühlt: Uns kann keiner! Arschlöcher! In eurer Borniertheit habt ihr gar nicht bemerkt, wie gern die vor euch gekuscht haben. Um so sicherer konnten sie sich in ihre Maulwurfslöcher verkriechen. Na bitte, was ist nun?«

Kluttig sah sich gescholten.

»Wenn ihr die ganze Zeit über bloß dämlich gewesen wäret, wollte ich gar nichts sagen«, fuhr der SD-Mann fort, »aber gefressen habt ihr, gesoffen, gehurt ... größenwahnsinnig seid ihr gewesen! – Und jetzt, wo ihr die Koffer packen müßt, merkt ihr auf einmal, daß die Kommune ...« Er brach ab und betrachtete sich ärgerlich den kaltgewordenen Zigarrenstrunk.

Kluttig, der die Vorwürfe als bitteres Unrecht empfand, versuchte sich zu rechtfertigen. »Ich gebe dir mein Ehrenwort, daß ich alles getan habe ...«

Gay brannte sich den Strunk wieder an und kniff die Augen zusammen, weil der Rauch ihn biß; gelangweilt überhörte er Kluttigs Versicherung.

»Erzähle, was mit dem Schrott los ist, den du mir da gebracht hast!«

Erleichtert, daß der SD-Mann zur Sache überging, berichtete Kluttig ausführlich. Währenddessen ging Gay mit vorgeducktem Kopf im Zimmer umher, anscheinend wenig interessiert, doch hörte er aufmerksam zu und kombinierte bereits.

Der Zusammenhang zwischen dem Kind und der Kommune schien tatsächlich gegeben, auch in der Beurteilung des Pippig und Rose schien Kluttig recht zu haben. So wie die beiden ihm dargestellt wurden, schien der eine ein couragierter, der andere ein feiger Kerl zu sein. In Gay erwachte das Jagdfieber. Er ließ Kluttig reden und dachte über die Taktik nach.

Rose und Pippig!

Bei diesen beiden mußte die Brechstange angesetzt werden.

Kluttig beschwor den SD-Mann: »Wir haben nicht mehr viel Zeit, die Front rückt immer näher ...« Aufgescheucht erhob er sich und stellte sich Gay in den Weg. Im Nachdenken gestört, blickte dieser den Lagerführer an, dessen Gesicht die Dringlichkeit der Angelegenheit widerspiegelte. Gay ließ sich von der Zeitnot nicht verwirren, er sah in ihr sogar eine großartige Chance, die verborgenen Spuren im Lager ausfindig zu machen. Allzuoft schon hatte er erfahren, daß der Mensch, vor die Wahl zwischen Leben und Tod gestellt, sich im letzten Augenblick für das Leben entschied, daß er schwach wurde und die Aussagen machte, die er bisher beharrlich verweigert hatte. Die zehn Kerle, die Kluttig ihm gebracht hatte, waren bestimmt schon viele Jahre im Lager. Auch sie wußten, daß das Ende bevorstand. Gay kniff die Augen zusammen, um die Gedanken noch schärfer zu sehen.

Wer würde, kurz vor dem Ende, sein Leben riskieren, wenn er die Möglichkeit fand, durch eine letzte große Gefahr zu schlüpfen? Der SD-Mann rollte die Zigarre und wischte mit ungeduldiger Handbewegung die weiteren Erklärungen Kluttigs hinweg.

»Gut nun, ich weiß Bescheid.«

Wenig später, nachdem Kluttig gegangen war, begab sich Gay nach dem Gefängnis hinüber. Trotz dessen Überfüllung ließ er eine Zelle frei machen und übergab dem Schließer die Namenliste der Buchenwalder mit der Weisung, deren Personalien aufzunehmen und die zehn Mann neu in die einzelnen Zellen zu verteilen.

Sie sollten »gemischt« werden. Für Rose und Pippig ordnete er an, daß sie gemeinsam in die freigemachte Zelle kommen sollten. »Aber unauffällig, verstanden?! Das muß wie zufällig geschehen! Die Kerle dürfen nicht merken, daß sie absichtlich zusammengelegt werden.«

So kamen Rose und Pippig gemeinsam in die Zelle Nummer 16, und beide ahnten nicht, daß damit die erste Voraussetzung für die Taktik kommender Vernehmungen geschaffen worden war. Rose war völlig zusammengebrochen. Mit schlaffem Oberkörper saß er auf dem einzigen Schemel der Zelle, hielt die Hände, die sich nervös aneinanderrieben, zwischen den Knien und stierte vor sich hin. Sein Gesicht war kalkweiß, und die Aufregung saß ihm als bleierne Übelkeit im Magen.

Pippig sah sich mit einem Rundblick in dem kahlen Raum um und knuffte dann Rose aufmunternd in die Schulter.

»Reiß dich zusammen, Mensch!«

Rose atmete schwer und fauchte zwischen zitternden Lippen hervor:

»Du Hund ...«

Pippig sah Rose überrascht an, der in innerer Pein mit dem Oberkörper zu wiegen begann.

»Du Hund ... wenn ich jetzt kurz vor Torschluß noch kaputtgehe, dann bist du daran schuld!«

Pippig sah die Qual des Menschen.

»Aber August ...«

Unvermittelt sprang Rose auf, packte Pippig an der Gurgel. Pippig riß sich aus dem Würgegriff, doch Rose ließ nicht ab, er stürzte sich auf den Gegner, und sie rangen miteinander.

Pippig überwältigte den Rasenden. Der Schemel fiel polternd um, die Zelle wurde aufgeschlossen, und der Schließer kam herein.

»Nanana, was macht ihr?«

Er brachte die Verknäuelten auseinander. »Wollt ihr euch noch umbringen? Genug schon, daß ihr hier seid. Vertragt euch und seid froh, daß ihr eine Zelle für euch allein habt. In den anderen stecken sie zu 15 Mann zusammen.«

Der alte Schließer erkannte sofort, wer von den beiden die Nerven verloren hatte, darum drückte er Rose auf den Schemel.

»Nu beruhigen Sie sich.«

Er wandte sich an Pippig, der sich die vom Handgemenge aufgerissene Jacke zuknöpfte. »Damit macht ihr es euch nur noch schlimmer.«

Pippig hörte aus den Worten die menschliche Anteilnahme und nickte dem Alten dankbar zu. Der ließ sie wieder allein und schloß die Zelle ab.

So, wie er vom Schließer auf den Schemel gesetzt wurde, war Rose sitzengeblieben. Hilflos und in panischer Angst wimmerte er vor sich hin: »Ich habe damit gar nichts zu tun. Das geht mich nichts an. Ich habe meine Arbeit gemacht und weiter nichts. Ich will nach Hause. Ich will nicht kaputtgehen zu guter Letzt.«

Pippig hatte Mitleid. »Stimmt, mit dem Kind hast du nichts zu tun, August.«

Rose zeterte auf, seine Hände flatterten: »Ich weiß nichts über das Kind! Nichts weiß ich, gar nichts!«

»Na, dann ist es ja gut«, entgegnete Pippig trocken und in plötzlichem Ärger über Roses schlotternde Angst. Er lehnte sich an die Wand und sah auf Roses krummen Buckel mit dem tief eingezogenen Kopf. Aus dem kurzgeschorenen Haar stach die kreisrunde Glatze wie eine Tonsur heraus.

Pippig spürte, daß er für das Schwere, das noch auf sie wartete, in Rose keinen Kameraden finden würde. Mit aufsteigender Verwunderung entdeckte Pippig, wie wenig er über ihn eigentlich wußte. Der sollte für seine Partei noch kassiert haben, das war der Grund seiner Verhaftung gewesen. Mehr wußte Pippig nicht. Mit dem zähen Eifer eines schlechtbezahlten Angestellten hatte Rose die täglichen Schreibereien des Kommandos erledigt, und er hätte an Stelle der gestreiften Häftlingskleidung ebensogut einen abgeschabten Kammgarnanzug tragen können. In seiner ewigen Angst, aufzufallen, war Rose oft das Objekt gutgemeinten Spottes gewesen. Keiner hatte ihn jemals ernst genommen. Zwar galt er im Kommando als zugehörig und hatte auch niemals Anlaß zu Mißtrauen gegeben, doch führte er unter den anderen ein eigenbrötlerisches Dasein. Pippig stierte auf den häßlichen Buckel und wußte auf einmal:

Hier hockte der Verrat mit ihm zusammen!

Gleichzeitig aber schüttelte Pippig das Mißtrauen ab, das ihm mit dieser Erkenntnis gekommen war: Rose war doch im Grunde kein schlechter Kerl. Der hatte nur Angst. Na klar, der hatte nur Angst.

Pippig stieß sich von der Wand ab und ging zu Rose.

»Du bist doch kein schlechter Kerl, August.«

Rose antwortete nicht. Er brütete vor sich hin. Pippig zögerte einen Augenblick, dann setzte er sich entschlossen neben dem Schemel auf den Fußboden.

»Hör zu, August! Wegen des Kindes, da hab mal keine Bange. Du weißt eben nichts.«

Rose bellte auf: »Ich weiß es aber!«

»Nein!«fuhr Pippig auf ihn ein. »Du weißt nichts! *Gar nichts!* Und wenn du nichts weißt, dann kannst du auch nichts erzählen!« Rose spürte die Beeinflussung und schwieg störrisch. Pippig stieß ihn ans Knie. »Hast du's gehört? – Ich weiß auch nichts, und von den andern weiß auch keiner was. Und wenn *wir alle* nichts wissen ... na, August ...« Rose antwortete nicht. Pippig drang voller Leidenschaft auf den Schweigenden ein.

»Mensch, August! Willst du etwa als einziger ...? Du bist doch unser Kumpel! – Denk jetzt nicht an das Kind! Denk an uns alle! Vielleicht hat uns Zweiling hierhergebracht. Vielleicht war es der Zinker Wurach? – Hör zu, August! Du bist doch kein Zinker!«

Rose keuchte vor Qual. Sein verschlossenes Gesicht riß sich schmerzvoll auf, der Adamsapfel zitterte.

»Ich will nicht kaputtgehen zum Schluß, ich will nicht kaputtgehen ...«

Pippig sprang auf die Beine und fluchte: »Gottverdammich!«

Er rüttelte Rose heftig an der Schulter.

»August, Menschenskind! Überleg doch! Glaubst du, daß die fünf Minuten vor Torschluß noch Kantholz machen? So dämlich sind die auch nicht. Sie werden sich hüten! Das ist doch unsere große Chance! Wir müssen nur zusammenhalten!«

Rose äffte: »Zusammenhalten! Die schlagen uns die Knochen im Leibe entzwei.«

Pippig ließ von ihm ab. Er steckte die Hände in die Taschen und ging mit sicheren Schritten durch die Zelle.

»Auf ein paar in die Fresse müssen wir uns gefaßt machen ...«

Die Zelle wurde aufgeschlossen. Der Schließer hielt die Tür in der Hand. »Pippig zur Vernehmung.«

Pippig fuhr erschrocken herum, sah auf den alten Beamten, der, in sein unschönes Amt ergeben, an der Tür wartete.

Pippig hob gleichgültig die Schultern hoch und ging. An der Tür drehte er sich noch einmal zu Rose um, lachte: »Na, August, pippst du oder pipp' ich? – Ich pippe!«

Rose sah erstarrt auf die Tür, die sich hinter Pippig geschlossen hatte.

Zur gleichen Stunde befand sich Bochow mit Bogorski zusammen. Mit den letzten Zugängen, die das Bad verlassen hatten, war auch der Scharführer gegangen. Die Häftlinge des Kommandos säuberten den Brauseraum.

»Es geht los, Leonid.«

Bochow ließ sich schwer auf einen Schemel nieder.

»Genaues weiß ich nicht, aber – Krämer hat es mir eben gebracht. Sie wollen evakuieren.«

Die Mitteilung schien Bogorski gar nicht so stark zu beeindrucken. Oder verbarg er sich nur vor Bochow? Der stand auf, sah vor sich auf den Boden und hob schließlich den Blick zu Bogorski auf.

»Tja, was nun?« In der Frage lag nicht Ratlosigkeit, sondern sie umfaßte das Schicksal der 50000 Menschen. Umfaßte alle seit Monaten immer wieder diskutierten Pläne für diesen Augenblick, der nun gekommen schien. Sollte man evakuieren lassen und 50000 Menschen unweigerlich in den Tod schicken? Oder sollte man ...

Bogorski riß die Schublade des Tisches auf, entnahm

ihr eine Landkarte von Deutschland, die er auf dem Tisch ausbreitete, und winkte Bochow zu sich.

Sein Finger fuhr an der Oder entlang und blieb bei Küstrin hängen. »Hier ist Rote Armee.« Er drückte den Finger auf einen Punkt. »Berlin!« Bis dahin sei es nur noch ein kurzer Weg, erklärte er und verglich die östliche mit der westlichen Front. Im Westen zog sich die Linie von Paderborn nach Wildungen, Treysa, Hersfeld, Fulda. Ohne Zweifel, der Stoß ging nach Thüringen hinein, über Kassel, Eisenach, Erfurt. Wieder drückte Bogorski den Finger auf einen Punkt. »Weimar ...«, und er ergänzte: »Buchenwald!« Doch vom Westen aus sei der Weg nach Berlin um vieles länger als vom Osten her. Wer Berlin habe, der habe auch den Sieg über Hitlerdeutschland.

»Werden aber die Amerikaner und Engländer der Sowjetunion den Sieg lassen? Njet.«

Bogorski schaufelte mit breiten Händen die Fronten vom Westen und Osten auf der Karte nach dem Zentrum Berlin zusammen.

»Darum werden Amerikaner schnell, weil sie noch weiten Weg bis Berlin haben und weil die Zeit wird sehr kurz sein.«

Bochow nickte verstehend. Bogorski wollte in seinem schwerfälligen Deutsch ausdrücken, daß der Amerikaner alles daransetzen würde, zur gleichen Zeit mit der Roten Armee in Berlin zu sein. Mit einem raschen Vordringen auf Thüringen zu mußte gerechnet werden. Das würde einen Wettlauf geben. Wer würde schneller sein? Der Amerikaner oder die Faschisten mit der Evakuierung?

»Und wir stecken mittendrin«, lächelte Bochow schmerzvoll und seufzte. – »Das kommt nun alles auf einmal zusammen! Wir müssen uns noch heute abend mit dem ILK besprechen, denn was wir jetzt zu tun haben, das können wir zwei nicht allein entscheiden.«

Bochow setzte sich auf den Schemel zurück und baute vor Bogorski seine Gedanken auf: »Da kommt so ein kleines Ding ins Lager – ja, ja, ich weiß, Leonid, ich weiß – so meine ich es nicht. Aber überlege doch mal: Zuerst gehen Höfel und Kropinski in den Bunker. *Deswegen!* Wir müssen den ganzen Apparat lahmlegen. *Deswegen!* Jetzt schleppen sie zehn Mann von der Effektenkammer fort. *Deswegen!* Es ist zum Verzweifeln!«

Bogorski hörte wortlos zu, mochte sich Bochow seine Not vom Herzen reden. Der setzte noch einen Gedanken obenauf.

»An dem Kind, Leonid, an dem Kind hängt alles. Solange sie es nicht finden, bleibt Höfel stark und auch Kropinski und auch die zehn Mann. Aber wenn sie das Kind finden ...?

Mensch! Du weißt doch, wie es dann geht! Das ist eine alte Weisheit. An dem Kind hat Höfel sich stark gemacht. Sie brauchen es ihm nur zu bringen: Da, wir haben es, nun aber 'raus mit der Sprache! – Ich sage dir, dann klappt er zusammen. Und dann? Was dann? –«

Bochow preßte sich die Hände an die Schläfen. »Es wissen schon viel zu viele um das Kind. Darin liegt die Gefahr! Das ist nicht mehr zu ändern«, sagte er müde, »wir sind nun mal mittendrin und müssen uns bewegen, so gut es geht.« Bochow knöpfte sich den Mantel zu, er war wieder ganz bei der Sache. »Damit du Bescheid weißt, ich rufe das ILK noch heute abend zusammen.«

Er wollte gehen, verhielt einen Augenblick und meinte resigniert: »Auch das ist gefährlich geworden. Aber wir können darauf keine Rücksicht mehr nehmen.« Sie gaben sich stumm die Hand.

Lange noch, nachdem er allein war, grübelte Bogorski nach einem Ausweg. Es wußten schon zu viele um das Kind. Darin lag wirklich eine ernste Gefahr! Bis zu Zidkowski reichte schon die Kette derer, die mit dem Kind zu tun hatten. Die Kette mußte abgerissen werden. Es galt, die Genossen vor sich selbst zu schützen. Abreißen die Kette, dachte Bogorski, aber wie?

Über eine Stunde schon war Pippig fort, und Rose hockte noch immer auf dem Schemel. Wie lange noch, dann war er an der Reihe. Eine wilde Angst überkam ihn. Rose sah sich bereits dem Gestapomann gegenüber.

»Herr Kommissar, ich bin eigentlich ganz harmlos. Ich habe meine Arbeit gemacht und weiter nichts.« Weil es ihm angenehm erschien, ließ er sich von dem vorgestellten Kommissar fragen: »Wie lange sind Sie schon im Lager?«

»Acht Jahre, Herr Kommissar.«

»Acht Jahre! Wie haben Sie das nur ausgehalten?«

Rose genoß die Frage. »Das war eine schlimme Zeit. Wissen Sie, Herr Kommissar, als ich vor acht Jahren hier eingeliefert wurde, da war das Lager noch nicht so wie heute. Damals, im Polizeigefängnis, als ich zum ersten Male den Namen Buchenwald hörte, kam mir das komisch vor, Buchenwald ... das klang so nach – ich weiß nicht – aber ich dachte mir damals, da kommst du in ein schönes, sauberes Lager, dort wirst du umgeschult von netten Leuten aus der Partei, und nach ein paar Monaten, dann gehst du nach Hause ...«

Das Flüstern erstarrte, und Rose stierte vor sich hin. Die Ankunft vor acht Jahren auf dem Weimarer Bahnhof rückte in seiner Erinnerung nach vorn. Aus dem Sammeltransportwagen aussteigend, war er mit anderen Gefangenen von einer Eskorte SS empfangen worden. Einzelheiten tauchten in der Erinnerung auf. Rose sah wieder die Leute auf dem Bahnsteig stehen, die in einiger Entfernung dem Schauspiel zusahen. Feindselig und schweigend. Ebenso feindselig und schweigend benahmen sich die SS-Leute. Sie hatten fremde, graugrüne Uniformen an. Stahlhelm, Karabiner und einen Totenkopf am schwarzen Spiegel. Es waren alles junge Kerle, nicht älter als etwa 18 Jahre, doch wirkten sie unheimlich und gefährlich.

Sie bestiegen ein überplantes Lastauto. Vorn und hinten auf den im Auto aufgestellten Bänken hatten die SS-

Leute Platz genommen, den Karabiner zwischen den Knien. Der Führer der Eskorte schwang sich über den hochgezogenen Giebel in den Wagen und sagte mit drohendem Unterton: »Jede Unterhaltung ist verboten. Wer quatscht, kriegt ein paar in die Fresse. Bei Fluchtversuch wird sofort geschossen – abfahren!«

Es ging den Berg hinauf, und als der Wagen hielt, verwandelte sich die schweigende Eskorte in eine wilde und brüllende Meute. Die Giebelwand des Wagens fiel rasselnd herunter, die SS-Leute sprangen von ihren Sitzen hoch und trieben die Gefangenen mit Geschrei und Kolbenstößen vom Wagen und im Laufschritt in die Baracke hinein, vor das Auto gehalten hatte.

Rose sah wieder den langen, halbdunklen Korridor mit seinen vielen Türen. SS-Leute liefen hin und her, ihre Stiefel krachten auf dem hohlen Fußboden. In langer Reihe standen die Gefangenen mit dem Gesicht zur Wand, die Hände hinter dem Kopf gefaltet. Hinter ihrem Rükken schrie und schimpfte die Geschäftigkeit, militärisch, roh. Hin und wieder blieb einer der eiligen SS-Leute stehen. »Was ist das für ein Haufen? – Strammstehen, Drecksau!« Unvermittelt gab es dabei einen Tritt ins Gesäß, einen harten Faustschlag auf den Hinterkopf, daß die Stirn gegen die Wand prallte.

Die Bilder verschwammen, Rose hockte auf dem Schemel mit leerem Gehirn. Allmählich füllte es sich wieder mit den Bildern der Erinnerung, die lebendig und frisch waren wie am ersten Tag.

Es war Abend geworden, als die Gefangenen von der politischen Abteilung endlich ins Lager gebracht worden waren. Rose sah sich im Haufen der Gefangenen auf einem aufgeweichten Lehmweg ins Unbekannte hineinmarschieren. Ein Scharführer stapfte hinter ihnen her. Pfahlbauartige Wachtürme wurden sichtbar, sie sahen aus wie primitive Jägerhochsitze. Ein Zaun war da mit ungeschälten Stämmen, darum Stacheldraht, wie Notenlinien gezogen.

Aus einem Wetterhäuschen trat ein Posten im Stahlhelm, sein Mantel reichte bis zu den Füßen. Eine wackelige Tür, ebenso primitiv zusammengeschlagen wie der Zaun, knarrte unlustig in rostigen Angeln. Eine weite Fläche spannte sich vor ihnen, nirgends ein Mensch in dem schwarzen Dunkel. Einzelne hochragende Bäume waren zu sehen, deren Äste wie aufgereckte Arme in die regennasse Finsternis stießen, und regellos verstreute Lichtmasten. Im rötlichen Schein der Lampen, die einen Kreis auf den Boden warfen, glitzerte der Nebelregen. Speckig glänzte der Schlamm. Schwarze Baumstümpfe hockten umher, ein paar Bretterbuden ... Starr und tot war die gespenstische Landschaft.

»Lauft zu, ihr Vögel!«

Die Hosenbeine hochgezogen und mit den Ellenbogen rudernd, waren sie durch den knöcheltiefen Schlamm gehüpft. Sie stolperten über verborgene Steinbrocken, glitschten in Löcher ab, verloren die Balance, streckten die Arme schützend nach vorn.

»Lauft! Verflucht noch mal!«

»So sah es damals aus, Herr Kommissar. – Was meinen Sie, wie wir die erste Zeit gehaust haben? Waschen gab es nicht, das bißchen Wasser reichte gerade für die Küche. Die Klamotten wurden uns nie trocken. Naß, wie wir sie abends ausgezogen, zogen wir sie frühmorgens wieder an ... So aus dem warmen Bett heraus, Herr Kommissar ... Wir hatten alle die Scheißerei. Hinter den Baracken waren die stinkenden Latrinen, Gruben, mit einem Querbalken darüber. Nicht mal Papier gab es, um sich den Hintern abzuwischen. Das war uns alles egal. – Ob wir genug zu essen gehabt haben damals? Haben Sie eine Ahnung, Herr Kommissar! Das muß ich Ihnen genau schildern, sonst begreifen Sie es nicht ...«

Statt zu »schildern«, versank Rose wieder ins Brüten und verkroch sich in die Bilder der Vergangenheit. Um 4 Uhr morgens schrillte die Pfeife des Blockältesten. Die Stubendienste schrien in den Schlafsaal:

»Aufstehen!«

Draußen schwelte noch die Nacht. Im trüben Licht der Bogenlampen gleißte der Schlamm wie ein See, und auf den Wegen zwischen den Baracken floß er als träger Teig den Berg hinab. Sprühnebel geisterte. Eiskalt und steif waren die Klamotten, knochenhart die nassen Schuhe.

Vorbei Nacht und Schlaf, draußen braute sich ein neuer Tag zusammen. Im Tagesraum schlürfte man eine Tasse lauwarmer Kaffeebrühe, ehe es hinausging in Nässe und Kälte. Oft war der Kaffee die einzige Nahrung für den ganzen Tag.

»Jaja, Herr Kommissar«, stöhnte Rose, von der Gewalt der Erinnerung bezwungen. »Den Knust Brot für den Tag kriegten wir am Abend vorher, und den hatten wir gewöhnlich mit der Suppe aufgefressen.«

Draußen pfiff der Blockälteste.

»Antreten zum Appell!« ’raus aus der Bude, ’rin in Schlamm und Schmodder.

»Rechtsum! Im Gleichschritt marsch!«

Klitsch, pitsch! Links-zwei, links-zwei ...

Wenn wir oben ankamen, waren wir schon wieder naß bis auf die Haut. Die Scheinwerfer schrien uns ins Gesicht und bissen sich in die Augen hinein ... Dann streuten sich die Rudel der Blockführer unter uns aus, um uns zu zählen. Wie der Schlamm spritzte unter ihren Tritten, aber sie hatten ja feste Stiefel an. – Der Appell nahm kein Ende! Oben stimmte was nicht. Es fehlte wieder mal einer! Verfluchte Scheiße!

»Stubendienste in den Wald, Vogel suchen!« schrie es durch den Lautsprecher. Von allen Blocks stürzten die Stubendienste los, der Lagerälteste vorneweg.

Nee, nee, das war nicht Krämer; an den war seinerzeit noch nicht zu denken. Der Lagerälteste von damals war ein Grüner, ein BVer, und der ist längst verreckt, der Hund. Und wir standen und warteten, daß sie den Fehlenden fanden. Standen und stierten blöd vor uns hin. Standen und schliefen im Stehen. Das ging so eine Stunde oder zwei. Wohin mochte sich der Kerl nur verkrochen haben? War er in die Latrine gekippt und in der Scheiße ersoffen? Na, prost Mahlzeit! Dann konnte es lange dauern, bis sie ihn herausfischten mit den langen Stangen ...

Vielleicht hatte er Brot geklaut, es mit der Angst gekriegt und sich im Wald aufgeknüpft. Sie meinen, wegen so 'nem Stückchen Brot? Haben Sie 'ne Ahnung. Nun finde ihn mal im Dunkeln bei den vielen Bäumen ...

Zwei Stunden – drei Stunden –

Der Regen weichte uns auf, wir zogen die Köpfe tiefer zwischen die Schultern und wurden den Marabus immer ähnlicher. Es wurde langsam hell. Wir standen, stierten, schliefen. Der Hunger rumorte niederträchtig im Gedärm. Mancher hielt das Stehen nicht aus. Er fing zu schaukeln an, ging in die Knie, wurde von den Nebenmännern hochgezogen und hing dann wie ein Sack zwischen ihnen. Mancher kippte völlig zusammen, also wurde er neben den Block hingelegt, seine zusammengerollte Jacke ihm unter den Kopf geschoben, damit er wenigstens nicht im Schlamm lag.

Die Scheinwerfer waren längst abgedreht.

Manchmal kam von oben ein Blockführer heruntergestiefelt, um durch die Reihen zu gehen.

»Achtzehn!« flüsterte es von Block zu Block. Die Knochen rissen sich hoch, Strammstehen, Vordermann, Seitenrichtung ...

War der Kerl wieder fort, wurden die Scharniere wieder locker. Endlich pfiff es irgendwo da hinten. In die Blocks kam Leben. Sie hatten ihn gefunden! Die steifen Knochen bewegten sich. Vorsichtig wurden die Füße aus dem Schlamm gezogen. Das schmatzte und schnalzte.

Einem war dabei der Schuh steckengeblieben. Auf einem Bein balancierend, patschte er mit der Hand im Schmodder herum, zerrte den festgesaugten Schuh heraus. Mit der Hand leerte er ihn aus. Der Schlamm klatschte wie Kuhfladen zu Boden.

In wildem Galopp kam die Meute aus dem Wald heraus. Der Lagerälteste vorneweg! Gott sei Dank, sie hatten ihn gefunden! An den Beinen schleiften sie ihn über Steine und Stümpfe hinter sich her. Der Kopf schlenkerte und sprang wie ein Ball über die Hindernisse hinweg. Ob der überhaupt noch lebte? Oben legten sie ihn wie einen apportierten Hasen vor die Füße des Rapportführers! Nun stimmte der Appell!

»Arbeitskommandos antreten!«

Na endlich! Es hatte auch sein Gutes gehabt, das Stehen. Wieder waren ein paar Stunden weg vom Tag. Und dann ging's 'raus aus dem Lager.

Ein Lied.

»Liegt ein Dörflein mitten im Walde,
überdacht vom Sonnenschein.
Vor dem letzten Haus der Halde
sitzt ein steinaltes Mütterlein ...«

oder:

»O du schönes Sauerland,
du bist ja in der Welt so weit und breit bekannt,
ein jeder möcht dich sehen gern,
drum eilen die Leut von nah und fern ...«

Rose kichert. Er möchte sich stundenlang vorerzählen, wie es damals war.

Im Schachtkommando Pumpenhaus Weimar habe ich gearbeitet. Eijeijeijei ... was war da los! Rose schnalzte mit der Zunge. Den Berg hinab zog sich ein Graben. Vier Meter tief, vier Meter breit.

Drin lag die Steigleitung für das Wasser, mannsdicke Tonrohre auf der Grabensohle.

Den Graben hatten wir zuzuwerfen, das war unsere Arbeit. Wie harmlos das klingt! Haben Sie eine Ahnung! Die aufgeworfene Erde war steinhart gefroren. Sie mußte mit der Picke locker geschlagen werden. Eijeijeijei, wie der Stiel in die Pfoten prellte. Zuerst sind's Blasen, dann gibt es rohes Fleisch. Und immer druff! Picken – schaufeln, picken – schaufeln. Rückenmuskeln? Nee, mein Lieber, Sensenmesser! Wunden verbinden? Nee, mein Lieber, in Buchenwald gibt's nur Gesunde oder Tote! Und ein Toter kannst du hier sehr schnell werden. Was meinst du wohl! Wenn der Scharführer auf dich losstürzt, dann buddelst du um dein Leben! In fünf Meter Entfernung steht die Postenkette, junge Burschen, die sich langweilen und frieren, dir aber laufen Schweiß und Regen über die Fresse, daß du kaum noch was sehen kannst. Aber da gibt's noch Schlimmeres! Die verfluchte Scheißerei! Du möchtest dir die Hosen herunterreißen und an Ort und Stelle ... Das ist verboten. Du mußt dich beim Posten abmelden und in den Wald gehen. Hahahaaa, in den Wald ... Das heißt: über die Postenkette, und wer da drübergeht, wird auf der Flucht erschossen. Nun scheiß mal ... Aber der Wanst will dir auseinanderplatzen! Im letzten Moment, wenn es schon in die Hosen abgehen will, ist dir alles egal. Scheißen ist notwendiger als Sterben. Du läßt die Picke fallen, stolperst über den Erdhaufen zum Posten, die Sensenmesser zerschneiden dir den Rücken, zitternd ziehst du vor dem Knaben dein Krätzchen. »Häftling bittet austreten zu dürfen ...«

Kauerst du dich nun zu nah bei dem nieder, dann springt er auf dich los, kracht dir den Kolben ins Kreuz: »Schwein! Willst du mir deinen Mist vor die Nase setzen?« Gehst du aber einen Meter zu weit, dann reißt er vielleicht den Karabiner an die Backe ...

Erschöpft legt Rose den Kopf in den Nacken. Das ist wohltuend für einen Augenblick, aber nur für einen Augenblick, denn das abgesackte Blut jagt wieder hoch.

Rose springt auf und beginnt zu gestikulieren: »Das muß ich Ihnen doch alles erzählen, Herr Kommissar! Sie müssen wissen, was ich hinter mir habe! Wer weiß, was sie jetzt mit Pippig anstellen! – Ich habe mit dem Kind gar nichts zu tun, gar nichts, bitte sehr ...«

Rose kam nicht weiter. Das Gerassel des Schlüssels an der Zellentür überraschte ihn. Der Schließer zwängte sich herein, ein Bündel mit sich schleppend – das Bündel war Pippig!

»Halten Sie ihn«, brummte der Schließer Rose an, der in der Zelle stand, als wollte er in deren äußerste Ecke fliehen. Doch Rose gehorchte. Er griff von hinten unter Pippigs Armen durch, während der Schließer das Bett herunterklappte. Sie legten das Bündel darauf. Mit dem leeren Wasserkrug verließ der Schließer die Zelle und brachte ihn gefüllt zurück, warf Rose einen Leinenfetzen zu. »Sie sehen selber, was zu tun ist.« Er ließ die beiden allein.

Pippig lag mit geschlossenen Augen. Eines davon war verquollen. Aus dem linken Ohr zog sich ein brauntrokkener Blutstreifen bis zum Hals. Die Nase und der aufgetriebene Mund waren blutverkrustet. Jacke und Hemd aufgerissen, das Hemd zerfetzt.

Roses Hand, die den Leinenlappen hielt, zuckte. Mit der Neugier des Grauens beugte er sich über Pippig. Dessen Augenlider zitterten. Das entstellte Gesicht verzog sich zu einer Grimasse, es sollte ein Lächeln daraus werden. Rose sah es mit Entsetzen. Unvermittelt begann Pippig zu reden, leise, aber doch mit erschreckend klarer Stimme: »Wisch mir die Visage ab ...« Roses Hände bebten, als er den Lappen befeuchtete und das Gesicht abrieb.

Pippig bewegte schwer die Arme und hob sich vorsichtig das Hemd von der Haut ab. Jetzt erst gewahrte Rose auf der Brust große, kreisrunde Stellen verbrannten Fleisches. Brandlöcher! Pippig fühlte durch die Augenlider Roses starren Blick auf seine Brust.

»Mit der Zigarre«, sagte er nur, um zu erklären, und nach einigen gelähmten Sekunden: »Leg mir den Lappen drauf, recht naß.« Pippig stöhnte, als er Kühlung empfand. Er atmete stark und stieß heftig heraus: »Was zu trinken, los.« Rose sah sich in der Zelle um und entdeckte im Wandspind eine Aluminiumtasse, die er füllte. Er stützte Pippig mit untergeschobenem Arm, der trank gierig die Tasse leer. Jetzt erst schien er »es hinter sich zu haben«. – Mit einem erlösten Stöhnen legte er den Kopf zurück, und sein Gesicht entspannte sich. Pippig konnte das unverletzte Auge nur halb öffnen. Als sei es ihm jetzt das wichtigste, begann er mit prüfendem Finger seinen Mund zu untersuchen. Einige Zähne fehlten, andere waren locker ... Pippig machte sich selbst eine geringwertige Handbewegung: Weg mit Schaden ..., zog sich den Lappen von der Brust und hielt ihn Rose hin: »Mach's noch mal kalt.« Er schien sich zu kräftigen. Nach einer Weile sagte er ganz klar: »Man keine Bange, mit dir macht er das nicht. Ich weiß nun, was los ist.« Er sprach mit stolpernder Zunge, mußte sich erst an die Zahnlükken gewöhnen. »Wir sind nicht zufällig in einer Zelle zusammen. Die denken nämlich, sie sind schlau. Wir sind es auch. – Hör zu, August!« Er richtete sich mühsam auf, schob Roses helfende Hand hinweg und verschnaufte. »Hör zu, August, das ist wichtig. Der Bulle hat mich nicht deswegen zusammengedroschen, weil ich nichts gesagt habe, der weiß schon, daß er aus mir nichts 'rauskriegt, sondern weil ... Also hör zu, das ist wichtig ...« Das Sprechen strengte Pippig an, er atmete spitz. »Reg dich nicht auf«, bat Rose. Pippig zwang sich zu einem Lächeln. »Ich rege mich doch gar nicht auf ...« Er schwieg und fühlte die wohltätige Kühlung auf seinen Wunden. »Das ist gut«, seufzte er. Er mußte sich auf den Rücken zurücklegen. Eine Weile lag er so und sagte nichts. Rose stellte zögernd eine Frage. »Warum – warum wird er – das – nicht mit mir machen? – Hat er es dir gesagt?« Pippig gab keine Antwort! Erbärmliche Frage! Schließlich aber sagte er: »Du Dunselmann ...« Rose schämte sich, saß mit gesenktem Blick. Pippig fuhr fort: »Der Bulle weiß, daß du ein – weiches Gemüt hast. Darum hat er uns in eine Zelle zusammengesteckt. Du sollst vor Angst in die Hosen scheißen, wenn du mich siehst.

So spekuliert er. Und dann – verlaß dich darauf –, dann versucht er es bei dir mit der süßen Tour. Wenn du nicht auch noch Prügel beziehen willst, dann mußt du schwer auf Draht sein ...«

»Was soll ich denn machen?« Roses Gesicht wurde häßlich schief.

»Die Schnauze sollst du halten, weiter nichts.«

Rose schluckte.

»Du weißt eben von nichts, und dabei hast du zu bleiben, selbst, wenn er dir ein paar in die Fresse knallt. – Gottverdammich, das wirst du doch noch aushalten können!«

Die Schmerzen wurden unerträglich. Pippig ächzte und warf den Kopf unruhig hin und her. Er war so grauenhaft allein in seiner Not.

»Mensch, gib mir noch was zu trinken«, stöhnte er, richtete sich auf den Ellenbogen hoch, als Rose ihm zitternd die Tasse an die Lippen hielt, und sank erschöpft wieder zurück.

Rose sah auf dem Gesicht des Gequälten die Anstrengung, mit der dieser die Schmerzen bezwang. Plötzlich übermannte ihn die Scham.

Leise sprach er und mehr in sich selbst hinein: »Nun gut, Rudi, nun gut, also ich weiß von nichts ...«

Pippig lebte auf.

»Siehst du, siehst du«, frohlockte er. »Und dabei mußt du bleiben. Verplappere dich nicht, August, hörst du? Wenn der Bulle merkt, daß du was weißt, dann macht er Schinkenklopfen mit dir, verstehst du? Aber wenn du stur bleibst, verstehst du ... Ich habe ihm nämlich schon beigebracht, daß du gar nichts von der Geschichte weißt.«

»Hast du alles auf dich genommen?«

»Du hast wohl 'nen Vogel?« sagte Pippig plötzlich, als wäre er ganz gesund. »Ich habe ihm gesagt, wenn wir alle nichts wissen, dann weißt du erst recht nichts, weil du ein ... Dunselmann bist ...« Pippigs Kraft war zu Ende.

Er streckte sich, und seine Muskeln waren wie aufgeweicht vor Schmerzen. Rose sah betreten vor sich hin. Das also war die Meinung über ihn. Pippig hatte ihn nicht beschworen, hatte ihn nicht gebeten, tapfer und mutig zu sein. »... weil du ein Dunselmann bist ...«

Rose verbarg sich vor sich selbst mit hängendem Kopf, so sehr schämte er sich.

Nach Pippig hatte sich Gay einige andere von den Buchenwaldern geholt. Nicht in der Absicht, eine Vernehmung durchzuführen. Nur abtasten wollte er sie. Er richtete sich in der Art, sie zu befragen, nach dem Eindruck, den er von dem Mann hatte, der jeweils vor ihm stand, und bald merkte er, daß es alle hartgesottene Brüder waren.

Keiner wußte etwas.

Nun gut, dachte Gay, lassen wir es vorläufig so, ihr werdet schon noch singen wie die Nachtigallen.

Jetzt konzentrierte sich seine Aufmerksamkeit auf Rose, für den er Pippig lecker zurechtgemacht hatte.

Es war schon spät am Nachmittag, als er sich Rose kommen ließ. »Na, mein Lieber, nun setzen Sie sich mal. Rose war Ihr Name, nicht wahr?«

»Jawohl.«

Gay brannte sich eine Zigarre an und legte das Streichholz bedächtig auf den Ascher.

Mit einem sorgenvollen Seufzer bemerkte er dabei: »Da sind Sie in eine dumme Geschichte hineingeraten. Wie lange sind Sie denn schon im Lager?«

»Acht Jahre«, antwortete Rose, verblüfft darüber, daß die Vernehmung so begann, wie er sie sich zusammenphantasiert hatte.

Gay wiegte bedauernd den Kopf. »Acht Jahre! Jejeje ... acht Jahre! Das hätte ich nicht ausgehalten.«

Wie unheimlich das war in seiner Folgerichtigkeit! Rose antwortete nicht und wollte nur ängstlich bemüht sein, den Bullen nicht zu reizen, sonst schlug der zu.

Gay schien dergleichen nicht im Sinn zu haben. Er zog an der Zigarre, und Rose sah auf die leuchtende Glut. Damit hatte der Bulle die Brandlöcher gemacht ... Gay lehnte sich im Stuhl zurück, kreuzte gemütlich die Arme über der Brust und sah Rose freundlich an.

»Ihr Buchenwalder seid ein komisches Volk. Wegen eines kleinen Kindes laßt ihr euch erst windelweich prügeln. Wenn ihr die Schnauze halten wollt, dann müßt ihr auch konsequent sein. Aber wenn ihr euch erst zusammendreschen laßt und dann trotzdem quatscht, dann braucht ihr euch nicht zu wundern, wenn man euch nicht mehr als vernünftige Menschen behandelt.«

Gay beugte sich vertraulich Rose zu.

»Der Pippig, das ist ein braver Kerl, bestimmt! Alle Achtung! Konnte er es mir nicht gleich gesagt haben: Na schön, Herr Kommissar, da haben wir so ein kleines Wurm gefunden. – Dann wäre alles gut gewesen. Nee, erst muß man ihn in die Pfanne hauen, und dann sagt er es doch. Ist das noch ein vernünftiger Mensch?«

Gay lehnte sich wieder zurück und bemerkte nebenhin:

»Gott sei Dank waren die anderen von Ihren Kumpeln gescheiter, haben es gleich zugegeben. – Was hat nun der Pippig davon?«

Rose saß gedrückt auf dem Stuhl, und Gay spürte deutlich den sich anbahnenden Erfolg der Taktik. Er erhob sich und ging im Selbstgespräch durch das Zimmer.

»Was ihr da oben im Lager macht, das interessiert mich nicht, ich habe andere Sorgen. Euer Kluttig ist nun mal ein Bürokrat. Kommt zu mir gelaufen und ringt die Hände: Hilf mir! Oben im Lager ist ein Kind angekommen, das ist noch nicht registriert, und nun stimmt der Häftlingsbestand nicht!«

Gay meckerte. »Als ob es darauf ankäme! – In ein paar Tagen ist der Amerikaner hier, und wir müssen abhauen. *Wir* und nicht *ihr!* Nun stellen Sie sich den dämlichen Pippig vor! Fünf Minuten vor zwölf riskiert der Idiot wegen so einer Bagatelle noch sein Leben. – Ich hätte ihn totschlagen können. – Was habt ihr euch nur dabei gedacht?«

In Rose ging Furchtbares vor sich. Was der Bulle erzählte, ging weit über die »süße Tour« hinaus. Der schien viel zu wissen. Hatte Pippig tatsächlich zugegeben und es ihm nur verschwiegen? Hatten die anderen ... Ehe Rose die Gedanken klären konnte, stand der Bulle vor ihm und stippte ihn aufmunternd an die Schulter.

»Was habt ihr euch dabei gedacht?« Rose blieb sitzen, wie er saß, mit hängendem Kopf.

»Ich habe mit der ganzen Sache nichts zu tun«, kam es leise aus ihm heraus.

»Das weiß ich! Pippig hat mir alles erzählt«, beeilte sich Gay zu versichern. »Wo – in Gottes Namen – habt ihr aber das arme Wurm hingeschleppt?« Rose schwieg. Gay stand am Fenster und trommelte gegen die Scheibe. Sekundenschnell wog er ab und entschied sich. Er ging zu Rose. Freundlich, doch mit unverkennbar hartem Griff packte er ihn vor der Brust und zog ihn hoch.

An Roses Kraftlosigkeit merkte er, daß es so richtig war. Er nahm die Zigarre aus dem Mund, tippte die Asche ab und hielt Rose die Glut wie zufällig unter die Nase. Die ätzende Hitze biß Rose in die Schleimhäute.

Väterlich sagte Gay:

»Nun, seien Sie vernünftig, Rose.«

Rose sah dem Bullen ins Auge, darin glitzerte unergründliche Gefahr. –

Rose schluckte, er fühlte, daß sich der ziehende Griff an seiner Brust lockerte. Gay klopfte Rose auf die Schulter.

»Ich habe keine Lust, mit Ihnen dasselbe zu veranstalten wie mit Pippig, ich mach's nicht gern. Aber wenn Sie mich zwingen ... Rose, Mann Gottes, ich tue doch auch nur meine Pflicht!«

Wenn der merkt, daß ich etwas weiß ...

Rose ließ den Blick nicht von dem Bullen.

»Also, wohin habt ihr das arme Wurm gebracht?« Roses Blick flackerte. Er riß allen Mut zusammen.

»Ich weiß es nicht«, stotterte er, der Faust des Bullen gewärtig. Doch Gay seufzte nur und hob bedauernd die Arme.

»Na schön, es tut mir leid um Sie. Gehen Sie jetzt in Ihre Zelle und besprechen Sie sich mit Pippig. Ich muß Sie mir in dieser Nacht noch mal ’rüberholen ...«

Es war schon dunkel, als Rose vom Schließer in die Zelle zurückgebracht wurde. Pippig lag im Fieber und war nicht bei Verstand. Der Schließer legte ihm den feuchten Lappen auf die Stirn und brummte im Hinausgehen zu Rose hin: »Nun machen Sie keine Dummheiten, es ist genug mit dem einen hier.«

Rose kauerte sich auf den Schemel. Das ganze Elend der Welt kroch in dieser Zelle zusammen. Gern hätte Rose jetzt ein Wort gesprochen.

»Rudi ...«

Pippig rührte sich nicht, sein Atem ging heiß und ziehend.

»Rudi ...«

Rose schüttelte ihn an der Schulter.

Der Fiebernde stöhnte. Rose ließ von ihm ab. Klein und krumm hockte er auf dem Schemel. Nun war er ganz mit sich allein! – Der ätzende Rauch der Zigarre klebte ihm noch in den Nasenlöchern, und der gefährliche Griff des Bullen zog noch an der Brust. Die Kälte in der Zelle kroch fröstelnd über die Haut.

Die vergitterte Glühbirne an der Zellendecke brannte rötlich und arm.

Bald würde die Nacht kommen ...

Der Kommandant hatte den gesamten Stab zu sich befohlen, und deshalb ging der Abendappell sehr rasch vorüber. Kluttig war nicht da, an seiner Stelle nahm der ewig besoffene Weisangk den Appell ab. Reineboth baute sich vor dem ersten Lagerführer auf und machte seine Meldung.

Dann: »Abrücken!« Das ging heute schnell. Es lag etwas in der Luft. Die Zehntausende wußten es. Wie ein Gas hatte sich das Gerücht von der Evakuierung mit der Atmosphäre des Lagers vermischt.

Das äußere Bild des Abmarsches bot nichts Außergewöhnliches. Block um Block schwenkte um und marschierte im Gleichschritt den abfallenden Platz hinunter. Wie sonst kam es in den schmalen Durchgängen zwischen den Baracken zu Stauungen und Gedränge. Die Marschordnung löste sich hier auf, weil jeder bestrebt war, so schnell wie möglich in die Baracke zu kommen.

Kleinigkeiten nur waren es, die anzeigten, daß es anders war als sonst. Rapportführer, Lagerführer, Blockführer warteten nicht wie üblich, bis sich der Appellplatz geleert hatte, sondern verschwanden eilig durchs Tor. Die Posten, die sonst gleichgültig auf der Galerie des Hauptturms hin und her stapften, standen neben den Maschinengewehren, den Kopf in den hochgeschlagenen Mantelkragen gezogen, um sich gegen den scharfen Märzwind zu schützen, der um die Ecken des Turmes pfiff, und blickten den abziehenden Blocks nach.

Unmittelbar nach dem Appell rückten auch die Kommandierten, die für gewöhnlich bis zum späten Abend zu arbeiten hatten, aus den verschiedenen SS-Gebäuden ins Lager ein.

Es lag etwas in der Luft!

In den Blocks rumorte es wie immer. Um die Suppenkübel drängten sich die Häftlinge, gleichmütig wie immer teilten die Stubendienste die karge Brühe aus, die Schüsseln klapperten. Wie immer zwängten sich die Männer auf die Bänke an den langen Tischen, Mann an Mann, so daß kaum noch Bewegungsfreiheit vorhanden war, um mit dem Löffel zu hantieren. Wie immer knabberten sie nach der Suppe an der noch kleiner gewordenen Brotration für den anderen Tag. Aber es war dennoch anders als sonst.

Die Gespräche, bisher umherschwirrend wie Fliegen,

nahmen Richtung an, Zehntausende Gehirne formierten sich, Zehntausende Gedanken schwenkten ein und vereinigten sich zu einem Riesenzug, der mit den Fahnen der Erwartung auf das Ende zu marschierte, das mit erschreckender Plötzlichkeit durch die zerrissene Wolkenwand brach.

In allen Blocks gab es nur *ein* Gespräch: die Evakuierung! – So mancher, dem die Jahre der Haft die Sicht in die Zukunft genommen hatten, sah jetzt das Ende der Zeit – *seiner* Zeit. Was aber würde kommen? Der Tod oder die Freiheit? – Es gab keine klare Sicht. Die Ereignisse liefen nicht gleichmäßig ab, sie schlingerten, verwirrten und verfilzten sich. Tod oder Leben? Wer wußte es?

In allen Blocks diskutierten sie darüber. Das Lager konnte in letzter, in allerletzter Minute noch zusammengeschossen werden. Sie hatten ja alles! Bomben, Giftgas, Flugzeuge! Ein Telefongespräch des Kommandanten mit dem nahe gelegenen Flugplatz ... und in einer halben Stunde gab es kein Lager Buchenwald mehr, gab es nur noch eine rauchschwelende Öde. Aus der Traum dann, Kumpel! Und dabei hattest du zehn Jahre lang auf etwas ganz anderes gewartet! Keiner mochte sterben kurz vor dem Ende! – Verflucht! Vor *welchem* Ende? Wüßte man es nur! Auf einmal entdeckte so mancher, daß die Hornhaut, mit der sich die Brust in all den Jahren gepanzert hatte, dem, was da drinnen pochte, nicht mehr genug Widerstand entgegenzusetzen vermochte, und mancher entdeckte, daß er sich die Gewöhnung an den Tod, der all die Jahre hinter ihm gestanden hatte wie ein Posten mit dem Gewehr, daß er sich die Gewöhnung nur eingebildet hatte, daß es ein Trugschluß gewesen war, erhaben über den Tod zu sein.

Das unheimliche Gespenst kicherte bereits schadenfroh: Wer zuletzt lacht, lacht am besten!

Was da drinnen gegen den Panzer pochte: Sei nur nicht so erhaben, Kumpel ... Jaja, du hast den Tod bisher mit dem Finger weggeschnippt. Vergiß nur nicht in deiner Erhabenheit, daß es ein ganz anderer Tod war, den du mit der Fingerspitze … es war *dein* Tod, und der gehörte ins Lager wie du selbst!

Den Tod aber, der jetzt da draußen kichert, mein Lieber, *den* schnippst du mir nicht mit dem Finger weg! Das ist der hinterhältigste, der verruchteste aller Tode! Das ist der Zyniker, der dir noch einen Blumenstrauß unter die Nase hält, wenn du deinen letzten Japser machst. Und was für Blumen: Häuser, Straßen, Menschen, ein Dorf, ein Stück Wald, eine Stadt, Autos, Radfahrer, eine Frau, ein Bett, eine Stube mit richtigen Möbeln und Gardinen vor den Fenstern, kleine Kinder … Eine ganze, schöne Welt hält er dir unter die Nase: Schnuppre mal … Rede nicht, Kumpel!

Da will keiner gern sterben, selbst wenn er früher mit einem Schnippser gestorben wäre.

Und so ist es: Der Tod im Lager war dein Geselle. Der Tod vor dem Zaun ist dein Feind!

Mit dem Gerücht zusammen hatte er sich ins Lager eingeschlichen und hockte überall dort, wo die Menschen in den Baracken zusammensaßen. Er hockte auch unter der kleinen Versammlung in der Fundamentgrube der Revierbaracke, war mit hinuntergestiegen durch den Schlupf und über die Steinbrocken gestolpert bis nach hinten, wo die Kerze brannte, und jeder, sei es Bogorski oder Bochow, Riomand oder Pribula, Kodiczek oder van Dalen, jeder wußte, daß er als schweigender Gast zugegen war.

Bochow hatte seinen Situationsbericht gegeben. Verschleppung der zehn Mann aus der Effektenkammer, drohende Evakuierung, Vorrücken der Front auf Thüringen, Möglichkeit sich schnell entwickelnder Ereignisse. Riomand ergänzte den Bericht. Er hatte von der Besprechung beim Kommandanten erfahren, und es gab keine Zweifel darüber, worum es da oben gehen würde. Der ungestüme Pribula wollte die Evakuierung mit Gewalt verhindert wissen. Er forderte Alarmbereitschaft für die Widerstandsgruppen und die Freigabe der Waffen.

»Bist du verrückt?« rief ihm Bogorski auf polnisch zu.

3000 SS-Leute lagen in den Kasernen, das hatte Köhn von den Streifen des Sanitrupps, der fast täglich »draußen« war, mitgebracht. Kassel, wo die Front sich bewegte, war nah und noch viel zu weit. Jeder Tag konnte Neues bringen, jeder Tag war ein Gewinn. Weil es so war, weil Unsicherheit und Rettung wie unruhige Wellen noch schaukelten, konnte keine voreilige Entscheidung erzwungen werden. Es blieb bei der alten Taktik des Abwartens und – falls die Evakuierungen einsetzten – des Verzögerns und Hinhaltens, um an Menschen zu retten, was zu retten möglich war. Doch sie wußten, daß die große Stunde reifte und der Kreis sich schloß. Was dann zu geschehen hatte ... Bochow sagte es mit tiefem Ernst: »... was dann zu geschehen hat, Genossen, das entscheidet über Leben und Tod. Und wir müssen leben! – Ich kann nicht große Worte machen, aber heute möchte ich es einmal sagen: Was an Menschen den Stacheldraht der Konzentrationslager lebend hinter sich läßt, das wird der Vortrupp einer gerechteren Welt sein! Wir wissen nicht, was kommt. Gleich, wie die Welt danach aussehen mag, sie wird eine gerechtere sein, oder wir müssen verzweifeln an der Vernunft der Menschheit. Wir sind kein Dünger, wir sind keine Märtyrer, wir sind keine Opfer. Wir sind die Träger der höchsten Pflicht!«

Als ob er sich des Pathos schäme, verstummte er schnell und zog sich in sich selbst zurück. Bogorskis Blick war warm auf ihn gerichtet.

Karg und kühl, wie es seine Art war, fuhr Bochow fort: »Wir haben noch etwas anderes zu besprechen, Genossen. Die Sache mit dem Kind. So geht es nicht weiter! – Das Kind wächst sich allmählich zu einer Gefahr aus. Kluttig ist hinter ihm her wie der Teufel. Er will zu uns gelangen. Selbstverständlich tappt er im dunkeln, denn wir haben mit dem Kind nichts zu tun. Wohl aber Höfel ...« Bochow blickte zu Bogorski, als erwarte er von ihm Widerspruch. Der aber schwieg. Da fuhr Bochow fort: »Bei Höfel und nur bei ihm kann die Bresche geschlagen werden. Ich weiß, Genossen, daß er tapfer durchhält, ich weiß es ganz sicher, das soll uns Ruhe geben. Aber Vertrauen ist gut, Vorsicht besser. Sie brauchen das Kind nur zu finden ... Wissen wir, was dann aus Höfels Kraft wird? Und nicht nur bei Höfel ist die Gefahr. Es sind bereits zu viele, die um das Kind wissen.

Das Kind muß darum von Zidkowski weg, und er darf nicht wissen, wohin es gebracht wird. Dann reißt die Kette ab. Wohin nun mit dem Kind? – Ich habe es mir überlegt. Wir bringen es hierher in die Grube.«

Der Vorschlag schien ungeheuerlich, und sie rumorten alle dagegen. Nur Bogorski schwieg.

Bochow ließ sich nicht beirren.

»Ruhe, Genossen!« Mit knappen Worten setzte er auseinander, was er sich ausgedacht hatte. Dem Kind müsse in der Ecke der Grube ein weiches Nest eingerichtet werden.

Täglich einige Male müßte ein zuverlässiger Kumpel zu dem Kind gelangen – unter Anwendung aller Vorsichtsmaßregeln natürlich –, er müßte ihm Nahrung bringen. Das Kind sei es gewohnt, versteckt gehalten zu werden.

Van Dalen schüttelte skeptisch mit dem Kopf. »Du reißt die Kette nur ab, um sie an anderer Stelle neu zu knüpfen.« Bochow schwollen die Adern an den Schläfen.

»Was sonst?« brauste er auf. »Sollen wir es totschlagen? Bringe einen besseren Vorschlag, wenn du ihn weißt.« Van Dalen hob die Schultern, auch die andern wußten keinen Rat.

Sie schwiegen. Vielleicht war es so am besten. Auch Bochow mochte fühlen, daß der Ausweg nur unvollkommen war.

»Außer Pippig und Kropinski, die nicht mehr da sind, kennt Zidkowski nur noch Krämer, der um das Kind weiß. Also muß es Krämer sein, der das Kind von ihm holt.« Das aber wollte keiner zulassen. »Ausgerechnet Krämer«, protestierten sie alle.

»Ruhe, Genossen!« fuhr Bochow unwirsch dazwischen. »Ich weiß, was ich will! Daß bei Krämer die Kette nicht geflickt werden kann, ist wohl selbstverständlich, falls ... falls Zidkowski verraten sollte. – Ich glaube es nicht ...«

»So ist es gut«, sagte Bogorski plötzlich, »wir machen ein weiches Bettchen für das Kind, und Krämer bringt es hierher. Carascho. Nicht viel diskutieren darüber, Genossen, wir haben dazu nicht Zeit. Wann holt Krämer das Kind?«

Mit seinem bestimmten Eintreten für Bochows Plan hatte Bogorski den allgemeinen Widerspruch abgeschnitten, und Bochow war dessen froh. Er antwortete: »Für heute ist es zu spät. Morgen bereite ich alles vor.«

Schwahl hatte Kluttig zu sich befohlen. Er befürchtete mit dem Lagerführer Zusammenstöße auf der Besprechung mit dem Stab, die unmittelbar bevorstand. Auf dem Tisch lag das Fernschreiben Himmlers, das die Räumung des Lagers anordnete.

Die Evakuierung war dem Ermessen der Lagerführung überlassen. Ein Befehl, der Panik in sich trug. Rette sich, wer kann. Schwahl hatte also freie Hand. Der einzige, der ihn hindern konnte, so geschickt wie nur möglich zu manövrieren, war der Fanatiker Kluttig, darum mußte Schwahl mit ihm ins reine kommen.

Obwohl Schwahl mit Kluttig nicht gern allein war, hatte er sich zu dieser Unterredung entschlossen. Er vertraute auf sein diplomatisches Geschick. Kluttig betrat Schwahls Dienstzimmer in steifer Haltung.

Schwahl empfing ihn mit jovialem Vorwurf: »Aber mein Lieber, was machen Sie da hinter meinem Rücken für Geschichten?«

Kluttig horchte auf. Der Ton war ihm willkommen. Kampflustig hob er den Adamsapfel aus dem Kragen. »Für das, was ich tue, trage ich die volle Verantwortung!«

»Verantwortung! – Sie bringen mir damit im Lager nur alles durcheinander. Unruhe können wir jetzt nicht gebrauchen.« Kluttig stützte die Fäuste in die Hüften. Eine gefährliche Geste! Schwahl zog sich vorsichtshalber hinter den Schreibtisch zurück. »Warum machen Sie eines jüdischen Wechselbalges wegen so ein Getös?« In Kluttigs Augen lag Gift, und seine Backenknochen arbeiteten. Er ging einen Schritt auf den Schreibtisch zu. »Hören Sie zu, Standartenführer. – Wir sind nie Freunde gewesen und werden es zuletzt auch nicht sein. Der Klimbim hier ist bald zu Ende. Wir sind allein und ohne Zeugen, und ich rate Ihnen: Pfuschen Sie mir nicht in meinen Kram.« Schwahl verzog das Gesicht. Einen Augenblick lang war er versucht, die Herausforderung anzunehmen, doch er besann sich.

»Gut«, entgegnete er, verließ den schützenden Schreibtisch und ging referierend hin und her.

»Wir sind allein und ohne Zeugen. Sprechen wir darum offen miteinander. Sie halten mich für einen Feigling, der sich beim Amerikaner anbiedern will. Irrtum, mein Lieber. Ich bin nur kein Fanatiker wie Sie, sondern Realpolitiker ... Jawohl, Realpolitiker«, fuhr er zu Kluttig herum, der widersprechen wollte.

Schwahl nahm das Fernschreiben zur Hand und demonstrierte es wie ein Referent beim Vortrag.

»Evakuierung! Befehl von Reichsführer SS! – Wollen Sie sich dem Befehl widersetzen?« fragte er lauernd.

Die Antwort, die Kluttig darauf zu geben versucht war, wäre offene Meuterei gewesen. Darum schwieg er verbissen.

Schwahl nutzte seinen Vorteil.

»Die Evakuierung wird dem Ermessen der Lagerführung überlassen. Na bitte! Die Kommandogewalt liegt in meiner Hand, oder etwa nicht? ...« Auch hierzu schwieg Kluttig, und Schwahl stieß weiter vor. »Unter vier Augen, Hauptsturmführer, wer kann uns noch helfen? Der Führer? Oder Reichsführer SS?« Schwahl meckerte. »Wir sitzen in der Falle. Die Zeit für große Taten ist vorbei. – Vorbei!« wiederholte er mit Nachdruck. »Jetzt geht es um die Krawatte.«

Kluttig wollte aufbrausen, doch Schwahl hatte schon zu sehr das Wort.

»Treten wir hier ab und lassen einen Leichenhaufen zurück, dann haben wir zwar die Ehre, treu geblieben zu sein bis zum Tode, aber – was kaufen wir uns dafür?«

»Feigling!« zischte Kluttig.

Schwahl lächelte nachsichtig.

»Ich will mir die Krawatte locker halten. Hätten wir den Krieg gewonnen, dann würde ich im Lager schon aus reinem Vergnügen ein fröhliches Scheibenschießen veranstalten. Leider haben wir – unter vier Augen gesprochen –, leider haben wir den Krieg verloren, und das verändert die Situation.«

Kluttigs verbissene Wut brach durch:

»Ich mache das nicht mit! Hören Sie, Standartenführer? Ich mache das nicht mit! Dieses erbärmliche Davonschleichen, dieses ... dieses ...«

Seine Stimme hatte den schneidenden Trompetenton, doch diesmal verfehlte er seine Wirkung auf Schwahl, der ruckte sich in den Schultern zurecht, schob den Bauch vor und verschränkte die Arme über der Brust.

»Aha! Sie wollen mit dem bekannten Knall die Tür hinter sich zuschlagen. Mein Lieber, das läßt sich vom Mikrophon aus mit viel Bravour verkünden. Wir sitzen hier aber nicht im Propagandaministerium, sondern auf dem Ettersberg und haben die Front vor der Nase.

Wenn wir knallen, dann knallt es zurück.«

Kluttig kreischte auf: »Dann knallen wir eben!«

»Auf wen, wenn ich bitten darf? – Auf den Amerikaner? Machen Sie sich doch nicht lächerlich.«

Kluttig ging mit steifen Schritten an Schwahl vorbei und warf sich in einen der schweren Ledersessel am Konferenztisch, er bot ein Bild ratloser Wut. Schwahl betrachtete sich den Gegner.

»Was wollen Sie eigentlich?« sagte er nach einer Weile. »Ich glaube, Sie wissen es selbst nicht. Sie wollen das Lager zusammenschießen. Dann wollen Sie die geheime Organisation der Kommunisten aufspüren, jetzt jagen Sie einem jüdischen Wechselbalg nach und sperren Leute ein. – Sie haben die Nerven verloren, das ist alles.«

Kluttig riß es hoch, er schrie Schwahl an: »Ich weiß genau, was ich will!«. Mit zitternden Fingern zerrte er die Liste aus der Tasche und streckte sie Schwahl hin.

Schwahl betrachtete sich das Blatt.

»Was ist das?«

»Der führende Kopf der Organisation!« antwortete Kluttig schneidend.

Schwahl hob die Augenbrauen.

»Das ist sehr interessant ...« Es konnte Überraschung, aber auch Spott sein. Aufmerksam las er die Namen.

»Es sind sogar sehr viele Köpfe. – Wie haben Sie diese denn aufgefunden?«

»Auf meiner ›Jagd nach dem Wechselbalg‹!« erwiderte Kluttig voll Zynismus.

Schwahl geriet nicht aus dem Gleichgewicht. »Und was wollen Sie mit den vielen Köpfen machen?«

»Abschlagen, Standartenführer!«

»Soso ...«, bemerkte Schwahl nur, legte die Hände auf den Rücken und ging nachdenklich hin und her. Kluttig wartete, jetzt kam die Entscheidung! – Die Pause war lang. Schwahl überlegte viel. Endlich schien er alles beisammen zu haben. Er blieb vor Kluttig stehen. Sie sahen sich an.

»Hören Sie zu, Hauptsturmführer. Ich bin mit dem, was Sie hier unternehmen, nicht einverstanden. – Nein, unterbrechen Sie mich nicht, Sie sollen mir zuhören. Es ist nun einmal geschehen, und Ihre Aktion ist viel zu massiv, als daß ich sie rückgängig machen könnte, ohne dem Lager unsere Schwäche zu zeigen ...«

»Schwäche?« begehrte Kluttig lärmend auf.

»Ja«, entgegnete Schwahl knapp und wußte im gleichen

Augenblick, daß er der Klügere war. Er überließ Kluttig wieder sich selbst und machte seinen Rundgang um den Schreibtisch, den er so liebte, wenn er Wichtiges zu sagen hatte.

»Sprechen wir über etwas anderes. Der Befehl des Reichsführers SS liegt vor, er wird durchgeführt. Das Lager wird evakuiert! Wir sind unter vier Augen, Kluttig, ich will ganz offen mit Ihnen sprechen. Was werden wird, wissen wir nicht. Vielleicht muß ich eines Tages dem Reichsführer SS Rechenschaft geben, darum führe ich seinen Befehl durch. Vielleicht muß ich mich eines Tages vor dem Amerikaner verantworten! Vielleicht müssen wir es alle!«

Er blieb hinter dem Schreibtisch stehen.

»Ich fürchte mich nicht!« schnitt Kluttig in Schwahls Rede hinein und schob das Kinn vor.

»Weiß ich«, entgegnete Schwahl, und in seinem Gesicht lag wieder der Zug, der offenließ, ob es Anerkennung oder Spott war. Schwahl kam hinter dem Schreibtisch vor, pflanzte sich vor Kluttig auf und stützte die Hände in die Seiten.

»Ich stehe Ihnen im Wege. Wenn es nach Ihnen ginge, dann wäre ich die längste Zeit Kommandant gewesen. Aber so einfach ist es nicht, mich ...«

Er machte die Bewegung des Halsumdrehens, legte einige dramatische Schritte ein, um darauf unvermittelt zu Kluttig herumzufahren: »Es ist auch nicht so einfach, Sie ...«, wieder die Geste.

Schwahl sprach mit einer Offenheit, gegen die Kluttig keine Waffen hatte.

Schwahl nutzte dies. »Darum meine ich, Klugheit und Mut sollten nicht gegeneinander, sondern miteinander ... Verstehen Sie ...?«

»Soll es heißen, daß Sie mir gnädig erlauben ...«

Schwahl hieb jäh in die Bresche, die er sich geschlagen. Mit scharfem Schritt trat er an Kluttig heran, tippte ihm mit leichtem Finger gegen die Brust. »Mehr noch – ich erteile Ihnen *den Befehl*, die Organisation unschädlich zu machen!«

Kluttig verschlug es die Sprache. Er starrte den Kommandanten an, und aus seinen dicken Brillengläsern stach ein mißtrauisches Licht. Schwahl, der es bemerkte, schien Kluttigs Gedanken zu erraten.

»Nein, nein, mein Lieber«, sagte er, »es steckt nichts dahinter. Sie dürfen sich auch nicht einbilden, daß ich vor Ihnen kapituliere. Mein Befehl entspringt nur der Einsicht in die augenblickliche Lage. Ich will Ihnen keine Schwierigkeiten machen und erwarte keine durch Sie. So kommt jeder zu dem Seinen. Klar?«

Schwahl las die Liste nochmals durch. Lange und aufmerksam, schließlich fragte er: »Sind Sie fest davon überzeugt, daß Sie mit diesen hier den führenden Kopf der ...«

»Ich bin fest davon überzeugt«, entgegnete Kluttig, seine eigene Unsicherheit übertönend. Schwahl trat zum Schreibtisch, ergriff den Federhalter und strich einen der aufgeführten Namen durch, reichte darauf Kluttig die Liste.

»Erschießen! Ohne Aufsehen und in aller Stille!«

Kluttig, glaubend, Schwahl habe signiert, nahm die Liste entgegen und entdeckte, daß der Kommandant Krämers Namen durchgestrichen hatte.

»Herr Standartenführer!« fuhr er auf.

»Den brauche ich noch!« stoppte Schwahl ab, keinen Widerspruch duldend, hob aber gleichzeitig die Schultern. »Tja, mein Lieber, so ist das nun mal. Die ganzen Jahre über haben wir es uns mit der Verwaltung des Lagers bequem gemacht und sie den Häftlingen überlassen. Nun sind wir auf sie angewiesen. Ohne einen gut eingespielten Lagerältesten kann ich die Evakuierung nicht durchführen!«

»Aber Standartenführer! Krämer ist doch der wichtigste Mann ...«

Schwahl lächelte wissend: »So was wie ein General,

nicht wahr? – Na, bitte schön. Um so besser für uns. Wie setzt man einen General matt? Man nimmt ihm die Offiziere. Legen Sie die anderen um, und Ihr Krämer frißt mir aus der Hand. Leuchtet Ihnen das ein?« Schwahl, von seiner eigenen Klugheit geschmeichelt, klopfte Kluttig gönnerhaft auf die Schulter.

»Wenn es Ihr Vergnügen sein sollte, dann können Sie Krämer meinetwegen noch als letztem den Genickschuß verpassen. Jetzt aber brauche ich ihn noch.«

Kluttig mußte sich damit zufriedengeben.

Kluttig saß, nachdem sich der Führerstab versammelt hatte, in einer Ecke des Dienstzimmers und hatte das fatale Gefühl, von dem schlauen Schwahl übertölpelt worden zu sein, der ihm einen Brocken hingehalten, nach dem er geschnappt hatte. Argwöhnisch beobachtete Kluttig den Kommandanten. Wie eitel sich der feiste Kerl spreizte. Schwahl ging referierend hin und her, Himmlers Fernschreiben in der Hand. »Der Befehl ist klar und wird selbstverständlich durchgeführt!« Mit stechenden Blicken beobachtete Kluttig die Wirkung von Schwahls Worten auf den Gesichtern der anderen. Neben Schwahls Schreibtisch saß der versoffene Weisangk, trüb vor sich hin stierend. Offensichtlich fehlte ihm der Schnaps, mit dem der Kommandeur geizte, wenn der Stab versammelt war.

Sturmbannführer Kamloth, der Befehlshaber der SS-Truppe, stand in der Mitte des Zimmers, ein Bein vorgestreckt und die Hände vorn verschränkt. Am Konferenztisch saßen der Arbeitsdienstführer, der Verwaltungsführer und der Ordonnanzoffizier des Kommandanten. Die vielen Blockführer standen entsprechend ihrer niedrigen Charge hinter den Offizieren.

Auch Reineboth hatte es für richtig befunden, gemäß seinem geringeren Dienstgrade in diesem Kreis zu stehen.

Kluttigs Blick ging von einem zum andern. Auf allen Gesichtern lagen Ergebenheit und Einverständnis mit dem Kommandanten.

Was waren sie alle für feige Gesellen! Sie schienen Himmlers Befehl als willkommene Gelegenheit zu betrachten, sich gefahrlos davonzuschleichen, alle zusammen! Selbst Reineboth schien lammfromm zu sein.

Keiner beachtete Kluttig, sie hörten andächtig dem Kommandanten zu.

»Der Zeitpunkt der Evakuierung liegt bei uns, wir müssen uns nach der Frontlage richten.« Schwahl trat, ganz Feldherr, an die Karte und strich mit breiter Hand über Süddeutschland hinweg. »Nur nach hier werden wir uns noch durchschlagen können.«

Weisangk grunzte.

Theatralisch breitete Schwahl die Arme aus.

»Ein anderer Weg bleibt uns nicht mehr offen ...«

In Kluttig zerrte es. Er war versucht, aufzuspringen und loszutrompeten, aber die Gemeinsamkeit des Einverständnisses aller hielt ihn nieder. Schwahl stellte sich in der Mitte des Zimmers auf, und als wollte er Kluttig verhöhnen, sagte er: »Selbstverständlich besteht im Lager eine geheime Organisation. Wir sind nicht so dumm, diesen Umstand zu übersehen. Aber es ist eben nur ein Umstand.« Er wandte sich Kamloth zu: »Glauben Sie, Herr Sturmbannführer, daß Ihre Truppe von dieser Organisation ernstlich bedroht werden könnte?« Der Sturmbannführer beantwortete die Frage mit einem geringschätzigen Lachen, und Schwahl beeilte sich zu sekundieren: »Ganz Ihrer Meinung. Mit ein paar Salven ins Lager hinein wird jeder Widerstand augenblicklich gebrochen, und ich würde nicht zögern, von dieser Maßnahme Gebrauch zu machen, wenn sie sich als notwendig erweisen müßte.« Er schaltete eine imposante Pause ein, legte die Hände auf den Rücken und schwenkte wieder um den Schreibtisch herum, den Kopf erhoben. Dann fuhr er fort: »Aber darauf kommt es jetzt nicht an. Meine Herren, ich bin für Ihrer aller Sicherheit verantwortlich. Nicht nur für jetzt, sondern auch für die Zukunft.« Er sagte es mit besonderer Betonung, der Zustimmung aller sicher, denn er kannte seine Leute.

»Ja, auch für die Zukunft«, wiederholte er. »Sie verstehen mich.« Keiner bemühte sich, alle versteckten sich voreinander mit ihrem Schweigen. Jetzt war es für Schwahl soweit. Mit offenem Triumph sagte er: »Der Tatkraft von Hauptsturmführer Kluttig verdanken wir, daß es ihm – ich möchte sagen – in letzter Minute gelungen ist, die Rädelsführer der geheimen Organisation im Lager aufzuspüren. Damit hat er uns einen unschätzbaren Dienst erwiesen. Ich habe ihm Befehl erteilt, das Konsortium der Verschwörer erschießen zu lassen, und ich bin überzeugt, daß er meinen Befehl mit aller Klugheit und Umsicht ausführen wird.«

»Und was kommt hinterher?« fragte der bis jetzt schweigsame Kamloth. Höchst verwundert zog Schwahl die Augenbrauen hoch. »Durchführen des Befehls von Reichsführer SS«, entgegnete er. Kamloth bewegte sich träg. »Himmler? Quatsch! Der sitzt weit vom Schuß und hat gut befehlen. Ich aber soll mich mit der Bagage herumplagen? Den Haufen zusammenknallen bis aufs letzte Arschloch. Das ist meine Parole.«

Schwahl fuhr unruhig herum. »Und die Amerikaner?« Kamloth schob gelangweilt die Hände in die Hosentaschen.

»Reden Sie nicht so 'nen Stuß, Schwahl, ehe der 'rankommt, habe ich hier Kleinholz gemacht und bin längst über alle Berge.« Er lachte roh. Schwahl lief weiß an, seine schwammigen Backen zitterten.

Plötzlich schrie er hysterisch:

»Im Namen Reichsführer SS, Sie haben mir zu gehorchen! Wer ist hier Kommandant?«

»Wer befehligt die Truppe? Sie oder ich?« schlug Kamloth zurück.

Kluttig war aufgesprungen. Mit ein paar Sätzen stand er neben dem Sturmbannführer, bei ihm Deckung suchend. Die Erregung versagte ihm die Sprache, er sah nur wirr auf Schwahl. Auch die anderen hatten sich erhoben. Sie witterten Sensation. Doch Schwahl nahm dem gefährlichen Moment die Spitze: »Ein Komplott? Eine Verschwörung?«

Kamloth hatte nichts dergleichen im Sinn und entgegnete harmlos: »Quatschen Sie doch nicht. Verschwörung? Blödsinn! Ich habe nur keine Lust, mich mit dem Gesindel abzuschleppen. Bei mir knallt's.« Er setzte sich in einen der Ledersessel am Konferenztisch und zündete sich eine Zigarette an.

Im Schutz dieses mächtigen Bundesgenossen fühlte sich Kluttig plötzlich stark.

»Schießen! Das ist auch meine Parole«, trompetete er und stellte sich herausfordernd neben Kamloth auf.

Der Zwischenfall scheuchte alle aus ihrem Schweigen heraus und brachte sie durcheinander. Wild und wirr redeten und gestikulierten sie aufeinander los. Ohne Rücksicht auf Schwahl, ihren obersten Befehlshaber, nahmen die rüdesten unter den Blockführern für Kamloth Partei.

Wittig, der Ordonnanzoffizier des Kommandanten, brüllte sie an, sie brüllten zurück. Mützen wurden ins Genick geschoben, Arme fuchtelten. Jeder Rangunterschied, sonst peinlich beachtet, verschwand. Wittig stellte sich schützend vor Schwahl und schrie in den Aufruhr hinein: »Herr Kommandant, befehlen Sie augenblicklich Schweigen!«

Sofort riß der Lärm ab.

Einige Blockführer, vor dem Kommandanten stehend, nahmen, über sich selbst erschrocken, sogar Haltung an. Der einzige, der sich nicht beteiligt hatte, war Reineboth. Obwohl der sprunghafte Wechsel der Situation ihn sehr erregt hatte, weil er spürte, daß eine Entscheidung zwischen zwei gegensätzlichen Kräften bevorstand, war es ihm großartig gelungen, sich zu beherrschen. Jetzt schien der Kommandant wieder Oberhand zu gewinnen.

Weisangk, die eingetretene Stille benutzend, schlug mit der Faust auf den Schreibtisch und grölte erbost: »Verdammte Zucht, umanand! Was der Schwahl sagt, dös wird gemacht! Dös is unser Kommandant und koa andrer nich!« Keiner achtete auf ihn. Reineboth kniff die Augen zusammen, was würde nun geschehen? Kamloth drückte den Zigarettenrest aus und stand auf. Der Ausbruch, den er verursacht hatte, war ihm keineswegs recht. Er untergrub die Autorität des hierarchischen Kreises, dem er als hoher Offizier angehörte. Seine Meinungsverschiedenheit entsprang auch nicht politischen Erwägungen, sondern dem Bestreben, seine Haut in Sicherheit zu bringen. Hierbei war ihm die Häftlingsmasse im Wege. Was kümmerte ihn der Amerikaner? Schließlich war man sich selbst der Nächste. Er begriff den Kommandanten nicht. Es lag ihm gar nichts daran, dessen Kommandogewalt zu untergraben. Aber warum sollte man sich auf der Flucht noch mit diesem Lagerpack belasten, wenn man es viel einfacher haben konnte? Was lag näher, als alles, was sich hinter dem Stacheldraht befand, zusammenzuschießen, sich ins Auto zu setzen und ...

»Sie haben nun gesehen, wie die Leute denken«, sagte er zu Schwahl, »warum sträuben Sie sich zu schießen?«

Schwahl, in die Enge getrieben, zog sich hinter den Schreibtisch zurück.

»Wer sagt, daß ich nicht schießen will? Wenn es sein muß, fliegt innerhalb einer halben Stunde das ganze Lager in die Luft!«

»Dann lassen Sie es doch in die Luft fliegen!« schrie Kluttig. »Nach uns die Sintflut! Wenn wir gehen, soll auch kein bolschewistischer Schweinehund am Leben bleiben!«

Die Blockführer begannen aufs neue zu randalieren.

»Abknallen das Gesindel!« riefen sie. Das auflebende Gewirr der Meinungen drohte, Schwahls wohldurchdachte Konzeption erneut durcheinanderzubringen.

Mit harten Schritten trat er unter die Streitenden.

»Ich gebiete augenblicklich Schweigen!« Die Schärfe des Befehls verfehlte ihre Wirkung nicht. Mit Genugtuung stellte Schwahl fest, daß sie ihm noch gehorchten. Die sofort eingetretene Stille gab ihm die Sicherheit zurück, und blitzartig erkannte er, daß es galt, durch unerschrockenes Auftreten die wankende Autorität zu festigen. Angriffsmutig stemmte er die Fäuste in die Hüften und sah grimmig reihum. Wunderbar war es, in diese Erstarrung hineinzusprechen. Schwahl wiederholte, was er eben gesagt hatte. »Wer sagt, daß ich *nicht* schießen will?« Es war wie ein Schuß auf den Spiegel der Zielscheibe. Doch ins Schwarze schien Schwahl trotzdem nicht getroffen zu haben.

Sofort nämlich reagierte Kamloth.

»Standartenführer!« In seinem Anruf lag ein unverhältnismäßig harter Zwang. Schwahl fuhr zu dem Sturmbannführer herum, für einen kurzen Moment prüften sie sich mit Blicken.

»Geben Sie mir Ihr Offizierswort darauf?«

»Ich gebe Ihnen mein Ehrenwort!« antwortete Schwahl, ebenso peitschend, wie Kamloth gefragt hatte. Es war wirklich wie ein Schußwechsel zwischen den beiden, und an dem Verhalten aller erkannte Schwahl, daß er das Schwarze getroffen hatte.

Achtung, aufpassen, dachte Reineboth, der Diplomat ist in der Klemme, aber für jetzt hat er gesiegt.

»Bitte nehmen Sie Ihre Plätze wieder ein.«

Schwahl wartete, bis die ursprüngliche Ordnung wiederhergestellt war.

Selbst Kamloth hatte sich hingesetzt.

Schwahl genoß die erwartungsvolle Stille. Die Krise war überwunden. Jetzt war er wieder ganz Rang und Kommandant, er stand neben Weisangk. Der hatte sich im Stuhl zurückgelehnt und die Arme breit ausgelegt und setzte seinen Stolz darein, für seinen Standartenführer ein grimmiges Gesicht zu machen.

Schwahl trat hinter den Schreibtisch.

»Ich gebe Ihnen das Fernschreiben Reichsführer SS bekannt.«

Er las vor: »In Anbetracht der Bedrohung Thüringens durch 3. Amerikanische Armee General Patton befehle ich: Mir unterstelltes Konzentrationslager Buchenwald ist zu evakuieren. Zeitpunkt und Durchführung der Aktion im Ermessen der Lagerführung. Alleinige Kommandogewalt Lagerkommandant. Treue dem Führer. Heil Hitler. Reichsführer SS Himmler.«

Wie großartig sich das gelesen hatte. Schwahl schob das Kinn aus dem Kragen, hatte den Eindruck, als hätte er mit der Stimme Himmlers gesprochen. Kamloth sah auf seine wippende Schuhspitze. Weisangk hatte die Fäuste auf die Schenkel gestemmt und sich vorgebeugt. Er blinzelte mit verträntten Hundeaugen. So also. Na, dös wäre gelacht.

Die Wirkung auf seine Zuhörer war unverkennbar, und Schwahl nützte sie aus.

»Das Lager geht in Etappen. Täglich 15 000 Mann. Zuerst die Juden. Richtung Hof, Nürnberg, München, Sturmbannführer Kamloth teilt die Begleitmannschaften ein!«

»Und was macht meine SS, wenn sie mit dem Gesindel in München angekommen ist?« fragte Kamloth. Schwahl lächelte im Mundwinkel. »Wieviel von dem Gesindel in München ankommt, ist Ihre Sache, Sturmbannführer. Meine Sache ist, die Toten im Lager zurückzulassen.«

»Aha, ich verstehe«, höhnte Kamloth. »Sie wollen vor dem Amerikaner den loyalen Mann spielen und überlassen den Abwasch mir.«

»Sie verstehen mich eben nicht, Sturmbannführer«, belehrte Schwahl. »Was von den Häftlingen bis München stirbt, liegt außerhalb Ihrer Verantwortlichkeit. Von mir aus erhalten Sie jedenfalls keinen Befehl, Häftlinge zu töten, wobei der Fangschuß wohlgemerkt keine Tötung ist, sondern als humane Behandlung anzusehen ist.«

Kamloth kreuzte die Arme vor der Brust: »Schlau, sehr schlau.«

Schwahl entgegnete liebenswürdig: »Sie schießen ja gern, Sturmbannführer ...«

»Worauf Sie sich verlassen können«, spottete Kamloth. Mit diesem Rededuell hatten sie sich genügend verständigt.

»Über den Beginn der Aktion behalte ich mir noch weitere Befehle vor. Von heute an haben sich Kommandantur und Truppe stündlich einsatzbereit zu halten. Ausgangs- und Urlaubssperre ab sofort!« Schwahl stemmte die Arme in die Hüften, ruckte sich in den Schultern und schob den Bauch vor. In privatem Ton wandte er sich an die Versammelten: »Meine Herren, ich empfehle Ihnen, Ihre persönlichen Angelegenheiten zu ordnen und sich und Ihre Angehörigen abmarschbereit zu halten.«

Der Schließer hatte Rose einen Strohsack und eine Decke für die Nacht gebracht. Auf der einzigen Pritsche in der Zelle lag Pippig, dessen Zustand sich von Stunde zu Stunde verschlimmerte. Solange Rose mit dem Gequälten noch hatte sprechen können, waren Halt und Hoffnung in ihm. Jetzt antwortete Pippig nicht mehr, sein Körper war fieberheiß, und Rose kauerte, erbärmlich anzusehen, auf dem Strohsack in der Ecke. Er bangte der nächtlichen Vernehmung entgegen. Die Angst hockte daneben wie sein zweites, verknülltes Ich.

Es hatte sich auf dem Kommando nicht ganz verheimlichen lassen, daß das Kind nach dem Block 61 gebracht worden war. Durch die Gespräche unter den Häftlingen war Rose zum Mitwisser geworden. Das widerwärtige Wissen quälte ihn so stark, daß er sich am liebsten noch nachträglich die Ohren zugestopft hätte. Aber nun war es zu spät, und er saß hier, mit einer Sache belastet, die ihn besser nichts anging.

Die Nacht war klar. An der kalkigen Zellendecke

spreizten sich die Schatten der Gitterstäbe des Fensters wie Finger einer geöffneten Hand. Rose mochte sich nicht hinlegen, um zu schlafen. Jeden Augenblick konnte er geholt werden.

Rose lauschte. Draußen war es totenstill, und grabeskalt war es in der dunklen Zelle.

»Rudi ...«

Von gegenüber kam keine Antwort.

»Rudi ...« Rose lauschte seinem eigenen Ruf nach. Plötzlich stand er auf und schlich auf Zehenspitzen zu Pippig. Der lag mit angekrümmten Beinen. Sein Kopf war über das Keilkissen gekippt.

Wenn er nun stirbt? – Rose schluckte.

»Rudi ...«

Rose hielt es nicht mehr aus. Er wollte schreien, dazu war er zu furchtsam. Er wollte mit den Fäusten gegen die Tür trommeln, dazu war er zu feig. Er verschloß sich nur mit den geballten Händen den Mund und krümmte sich ganz zusammen.

Im Augenblick, als er sich umwandte, um auf seinen Strohsack zu kriechen, erstarrte er. Rücksichtslos gegen die Stille knallte ein Schlüssel ins Schloß, die Zellentür wurde geöffnet, der harte Strahl einer Stablampe schrie in die Zelle und traf Rose unbarmherzig ins Gesicht. Ein junger SA-Mann vom Nachtdienst trat herein.

»'raus hier!« Mit herrischer Faust stieß er den verkrümmten Rose aus der Zelle.

Um die gleiche Stunde hockte eine dunkle Gestalt an einer Bretterbude des Schweinegeheges der SS, das sich am Nordhang des Lagers befand. Hier war noch freies Gelände mit geringem Baumbestand des einstigen Bergwaldes. Vor dem Schweinegehege lagen die Gebäude des Häftlingsreviers, ihnen gegenüber, vom sogenannten Revierweg getrennt, das Kleine Lager.

Die Gestalt im Schutz der Bretterbude verhielt sich reglos, lange Zeit. Sie schien zu lauschen. Nicht weit vom

Schweinegehege entfernt, zog sich der elektrisch geladene Stacheldrahtzaun ums Lager. An den nach oben eingebogenen Betonsäulen des Zaunes brannten die roten Birnen. Auf den Türmen standen die Posten. Offenbar galt ihnen die Aufmerksamkeit der reglosen Gestalt, die die Türme unausgesetzt beobachtete. Sie schien Augen eines Nachtvogels zu haben. Schwarz ragten die Maschinengewehre über die Brüstung der Türme. Die Gestalt rührte sich nicht. Auch die Posten standen still, in ihre Mäntel gehüllt, und ließen die Blicke über das Lager streifen. Manchmal knarrten die Dielen unter ihren Stiefeln, wenn sie sich die Füße vertraten. – Plötzlich duckte sich die Gestalt und huschte schattenhaft schnell und lautlos zu einem Baumstumpf. Hier verhielt sie kauernd, schaute sich nach allen Seiten um und berechnete den nächsten Husch zu einem Baum in der Nähe. Als der Augenblick günstig erschien, genügten ein paar Sprünge, um dorthin zu gelangen, ohne Geräusch. Die Gestalt trug keine Schuhe, sondern nur Strümpfe an den Füßen. Ein Häftling war es. Er bewegte sich mit der Gewandtheit eines Artisten. Jetzt drückte er sich eng an den Baumund wartete erneut seine Zeit ab. Das Gefährlichste, die Überquerung des breiten Revierwegs, stand ihm bevor. Lange zögernd, beobachtete er die Türme und die Umgebung.

Dann duckte er sich, und wieselflink lief er über den Weg, warf sich drüben in dem freien Gelände zwischen Bäumen und Stümpfen auf die Erde. Abwartend, regungslos, mit dem Boden verschmelzend, lag er eine Weile, dann robbte er von Baum zu Baum an das Kleine Lager heran. Vorsichtig hob er die unterste Zeile des Stacheldrahtes hoch und kroch durch den Zaun. Jetzt war er genügend weit von den Türmen entfernt, um sich mit großer Sicherheit zwischen den Latrinen hinter den Baracken, zwischen Gerümpel und Abfalltonnen, die überall umherstanden, an Block 61 heranzupirschen.

Eng an die Wand der Baracke gepreßt, drückte er Millimeter um Millimeter die Türklinke nieder. Nur so weit, um eben noch hindurchschlüpfen zu können, öffnete er die Tür.

Draußen war es windstill, er ersparte es sich, die Tür zu schließen, stand eine Weile, bis sich die Augen an die Dunkelheit gewöhnt hatten. Dann orientierte er sich. Dort war der Verschlag. Zu ihm schlich sich der Häftling. Die Tür war nur angelehnt. Behend schlüpfte er hinein. Auf der Bettstatt schlief Zidkowski. Seine drei Helfer lagen auf Strohsäcken zu ebener Erde. Zidkowski schnarchte, an seinen Rücken geschmiegt schlief das Kind. Vorsichtig stieg der Häftling an den schlafenden Pflegern vorbei, jeden Schritt abtastend, bis zu Zidkowski. Behutsam schob er die Hände unter das Kind und nahm es auf. So vorsichtig tat er dies, daß das Kind nicht erwachte. Katzenleis verließ er mit seiner Beute den Verschlag und die Baracke. Die Tür ließ er angelehnt.

Draußen verweilte er überlegend. Er mußte das Kind wecken, damit es nicht erschrecken und gar schreien würde. Zart rüttelte er das Schlafende. Das Kind erwachte mit einem Schrecklaut. Der Häftling drückte ihm rasch die Hand vor den Mund und sprach beruhigende polnische Worte, wiegte und drückte das Kleine zärtlich an sich. Aus der ungewöhnlichen Situation heraus, in der es sich befand, spürte das Kind gelehrig die Gefahr und verhielt sich still.

Die polnischen, stark russisch gefärbten Laute wirkten beruhigend. Es legte, wie es der Häftling ihm zeigte, die Ärmchen um dessen Hals und hielt sich fest. Der Häftling drückte das Kind an sich, duckte sich zusammen und huschte davon.

Noch verkrümmter, als er gegangen war, kehrte Rose nach einer knappen Stunde in die Zelle zurück. Der SA-Mann lächelte spöttisch über die armselige Figur.

Ohne sich um Pippig zu kümmern, schlich sich Rose auf den Strohsack und verkroch sich unter der Decke, ein erbärmliches Minderwertigkeitsgefühl im Leibe. –

Kluttig schreckte aus dem Schlaf, als das Telefon neben seinem Bett schrillte. Gay war am Apparat. Noch verschlafen, hörte Kluttig dessen knarrende Stimme: »Hallo, ihr Heinis da oben. Holt euch euer Judenbalg aus Block 61 im Kleinen Lager.«

Schlagartig war Kluttig wach.

»Mensch, Gay, wie hast du das 'rausgekriegt?« –

»Mit ein bißchen Intelligenz«, knarrte es am anderen Ende. Es knackte im Apparat, Gay hatte aufgelegt.

Kluttig saß auf dem Bettrand, starrte vor sich hin, fuhr sich mit der Hand unter die Jacke des Schlafanzugs und kratzte sich nervös unter der Achsel. Sofort mußte gehandelt werden. In aller Eile zerrte sich Kluttig die Uniform über und jagte zum Lager. Durch die Torwache ließ er die Posten auf den Türmen davon verständigen, daß er das Lager betreten würde, nahm sich einen Blockführer mit, den er eiligst instruierte, und stürzte nach Block 61. Er stürmte in den Verschlag, ließ die Stablampe aufgrellen und kreischte: »Aufstehen!«

Verstört fuhren die Polen aus dem Schlaf und sprangen vom Lager hoch. Instinktiv warf Zidkowski die Decke über die Bettstatt, neben die er sich hinstellte.

Kluttig hatte die Bewegung blitzschnell gewahrt und riß mit der Stablampe die Decke herunter. In kaltem Schreck starrten Zidkowski und seine Helfer auf das leere Bett. Kluttig ahnte nichts von den Reaktionen, die in den Polen vor sich gingen. In getriebener Hast suchte er den Raum ab, schleuderte mit wütenden Stiefeltritten die Strohsäcke der Pfleger beiseite. Aus Furcht vor Anstekkung wagte er nichts mit den Händen zu berühren, stöberte deshalb mit Füßen und Augen überall umher, fand nichts, trieb die Polen vor sich her in den Krankenraum, ließ den Strahl der Lampe hin und her gleiten, kreischte:

»Alles aufstehen!«

In den Obsthorden rumorten aufgescheucht die »Leichteren«, und auf den Strohsäcken lagen teilnahmslos die »Schweren«.

Kluttig stieß Zidkowski den Strahl der Lampe ins Gesicht.

»Verstehst du Deutsch, du Hund?«

Zidkowski nickte: »Ich ein wenig.«

»Alles soll aufstehen! Los, los, sag's!« fuchtelte Kluttig mit den Armen. Zidkowski gab den Befehl in polnisch weiter. Aus den Obsthorden quollen die Kranken heraus und stellten sich auf. Angehörige anderer Nationalitäten begriffen die Anweisung und krochen aus den Verschlägen. Kluttig leuchtete in die Fächer hinein.

»Was ist mit denen da?« schnauzte der Blockführer barsch und wies auf die Strohsäcke.

Zidkowski hob die Arme. »Sterben oder schon tot ...«

Kluttig schrie Zidkowski an: »Scheiße! 'runter mit dem Gelumpe!« Er trat mit dem Stiefel einen der Zunächstliegenden vom Strohsack. Die Polen machten sich daran, die Schwerkranken von den Säcken zu heben, sie mußten die Wimmernden in der Enge des Raumes übereinanderstapeln.

Kluttig trampelte sinnlos auf den Strohsäcken herum und stieß mit dem Stiefel darunter, doch suchte er vergeblich.

Kreischend trieb er Zidkowski und die Pfleger wieder in den Verschlag zurück und schrie sie an: »Wo habt ihr das Kind? 'raus mit ihm, ihr Sauhunde!« Vor seinen wütenden Tritten flüchteten die Pfleger in die Ecken. Zidkowski, noch voll des Staunens über das unerklärliche Verschwinden des Kindes, stammelte: »Kein Kind. Wo ist Kind?« Ohne Furcht vor Kluttig und dem Blockführer riß er Decke und Strohsack von seiner Bettstate. »Wo ist Kind?« rief er und sah sich verzweifelt im Raume um.

Kluttig gab es auf. In höchster Wut kreischend, versetzte er Zidkowski einen Tritt und verließ, vom Blockführer gefolgt, in überstürzter Hast die Seuchenbaracke.

Soweit sie sich im Dunkeln zurechtfinden und erkennen konnten, verständigten sich die vier Polen untereinander. Hastig stellten sie im Krankensaal die Ordnung her, schickten die verstörten »Leichteren« wieder in ihre Verschläge und legten die Schwerkranken auf die Strohsäcke zurück. In ihrem Raum aber standen sie dann fassungslos.

Wo war das Kind? Welch ein Wunder hatte sich ereignet!

Noch am Abend hatte Zidkowski das Kleine zu sich genommen, und jetzt war es verschwunden!

Unmöglich, daß es die Baracke verlassen hatte. Hier war ein Gotteswunder geschehen.

Ratlos standen sich die vier Menschen gegenüber und hatten keine Erklärung. Zidkowski ließ sich langsam auf die Knie, faltete die Hände, neigte den Kopf und schloß die Augen.

»Heilige Jungfrau Maria ...«

Die drei Pfleger folgten seinem Beispiel.

So überhastet, wie Kluttig ins Lager gestürzt, eilte er in seine Wohnung zurück und stellte sofort eine telefonische Verbindung mit Gay her. Doch der befand sich schon in seiner Privatwohnung, die im Gebäude des Marstalls lag. Er hatte sich noch nicht zu Bett gelegt, denn auch er traf bereits Vorbereitungen zur Flucht. In seinem Arbeitszimmer sortierte er Papiere, verbrannte Stöße von Akten und Unterlagen. Da erreichte ihn der Anruf von Kluttig, der sich mit der Privatwohnung hatte verbinden lassen. »Was sagst du?« schrie Gay in den Hörer, »nicht zu finden?« In Gay schoß helle Wut hoch.

»Verdammtes Gesindel!«

Er knallte den Hörer auf.

Pippig bewegte sich. Er streckte die gekrümmten Beine aus. Der kurze Augenblick des Erwachens war wohltuend, doch nur so lange, als sich das wiederkehrende Bewußtsein orientierte und Pippig erkannte, wo er sich befand und was mit ihm geschehen war. Zugleich auch kamen die Schmerzen wieder, die wie Feuer überall im

Körper brannten. Sie drohten, das Wachsein erneut im Delirium zu ertränken, und Pippig raffte im stillen Kampf dagegen seine ganze Kraft zusammen, um sich die Klarheit des Verstandes zu erhalten, denn er wußte, daß es mit ihm zu Ende ging.

Pippig kontrollierte die Denkfunktion. Er hatte noch Gedanken, ganz deutlich erkannte er sie. Doch sie waren ohne Zusammenhang untereinander. Der Gaumen war ihm trocken und wie mit Papier ausgeklebt. Doch das gehörte jetzt mit zu seinem Zustand, und Pippig verspürte nicht das Bedürfnis nach einer Erfrischung. Lange lag er reglos und lauschte mit Neugier in seine Schmerzen hinein. Der Bulle hatte ihm, als er am Boden lag, mit der Stiefelspitze in Hüften und Kreuz getreten. Mit den Nieren mußte etwas nicht stimmen. Hier schien der Brandherd des Feuers zu sitzen. Kann man an kaputten Nieren sterben? Darüber wunderte sich Pippig. Doch der Gedanke schwamm fort, neue tauchten auf. Wie gut, daß ich die Pistolen ... noch rechtzeitig ... einen Tag später und ...

Pippig stöhnte. Plötzlich fiel ihm Rose ein. War er nicht zur Vernehmung geholt worden? Ein Lichtstrahl hatte in der Zelle herumgegeistert, das wußte Pippig noch. Eine Stimme hatte er gehört. Dann war Stille gewesen, eine große Stille. Pippig erschrak. Wieviel Zeit war inzwischen vergangen? – Das Dunkel in der Zelle stand reglos und starr um ihn wie etwas Abgestorbenes. Wo war Rose? Was war inzwischen geschehen? Pippig fühlte, wie sein Bewußtsein sich wieder trübte, als sähe er durch eine regennasse Scheibe, die ihn nichts mehr erkennen ließ. Er fühlte heiße und drängende Angst!

»August!« Der Ruf war ein entsetzlicher Schrei, aber nur in Pippigs Innerem, wie in einem Gewölbe. Tatsächlich kam er nur noch als gequälter Hauch aus trockenem Mund.

Rose, im schwebenden Zustand zwischen Wachen und Schlaf, schreckte auf, saß mit einem Ruck steif auf dem

Strohsack und lauschte angststarr, nicht wissend, ob er den Ruf gehört oder geträumt hatte. Da vernahm er wieder seinen Namen, so schwach und vertrocknet, als wäre er in die einzelnen Buchstaben zerbröckelt. Mit einem Satz war Rose neben Pippig. Der fühlte Lebendiges und bemühte sich, durch das Verschwimmende vor seinen Augen zu dringen. Es gelang ihm nicht. Pippig brachte keinen Laut mehr aus sich heraus. War es das Blut, das in ihm raste, oder das Wildpochende in der Brust? Sein Atem flackerte.

Auf einmal war draußen im Gang ein hastiges Laufen zu hören, es kam schnell heran. Der Schlüssel krachte ins Schloß, die trübe Lampe an der Decke flackerte auf, und an dem SA-Mann vorbei, der die Tür aufgestoßen hatte, stürzte Gay in die Zelle, mit beiden Fäusten auf Rose losboxend, daß dieser, rückwärtstaumelnd, den Halt verlor.

»Du Schweinehund, du verfluchter! Angeschwindelt hast du mich!« Gay schüttelte Rose wie einen Ast.

Hinter den Zellentüren war aufgescheuchtes Wachsein. Die übrigen acht Häftlinge der Effektenkammer, durch den Lärm jäh aus dem Schlaf gerüttelt, standen angstgepreßt an den Türen.

Gays Wut ging rasend mit ihm durch. Er riß und beutelte Rose hin und her, schrie, schlug, trat. Rose fuchtelte wie unter einer herabstürzenden Lawine mit den Armen über dem eingezogenen Kopf, erbärmlich jammernd:

»Ich habe Ihnen alles gesagt, Herr Kommissar. Bitte, bitte! Mehr weiß ich nicht!«

»Wer weiß es?« schrie Gay und trommelte Rose in eine Ecke hinein.

»Nicht schlagen, Herr Kommissar! Pippig weiß es, der weiß alles. Ich habe damit nichts zu tun.«

Blindwütig riß Gay Pippig von der Pritsche herunter, der Körper blieb reglos liegen. In feiger Angst schrie Rose kreischend um Hilfe.

Der SA-Mann, den Gummiknüppel in der Faust,

sprang Rose prügelnd an: »Willst du die Schnauze halten!«

Brüllend trat Gay auf den Reglosen ein. Wahllos, wohin der Stiefel traf.

»Rede, Mensch, ich zertrample dich!« Wie ein Irrsinniger bearbeitete er den Körper mit den Stiefeln.

Doch der Tod war wohltätig. Längst schon hatte er die schützende Hand auf das einst so fröhliche Herz gelegt...

Die Häftlinge in den verschiedenen Zellen klebten an den Türen. Sie hörten, wie jene Zelle verschlossen wurde, und sprangen zurück, als heftige Schritte vorbeikamen. Dann standen sie schwer atmend, suchten sich im Dunkeln mit den Blicken, als sich der entsetzliche Riß der Nachtstille geschlossen hatte, und sprachen kein Wort miteinander. Aber ihre Gedanken rumorten.

Schon am frühen Morgen gluckten die Blockältesten bei Krämer herum, dem sie ihre Bestandsmeldung für den Appell brachten.

»Was war heute nacht im Kleinen Lager los?«

»Kluttig soll auf Block 61 ...«

»Stimmt's, daß er nach dem Kind gesucht hat?«

Bochow, der, um mit Krämer sprechen zu können, für Runki die Meldung gebracht hatte, beteiligte sich an der allgemeinen Neugier und benutzte sie, um durch Krämer Informationen einholen zu lassen.

»Geh mal ins Kleine Lager und erkundige dich, was dort losgewesen ist.«

Krämer hörte den versteckten Auftrag heraus, knurrte, um ihn zu überdecken, und tat, als sei er desinteressiert. Doch bohrten Unruhe und Ungewißheit in ihm ebenso wie in Bochow, denn an dem Netz, das sich über Höfel, Kropinski, über Pippig und die anderen Verhafteten, über die vier armen Polen im Block 61 und nicht zuletzt über das ILK und den gesamten Apparat spannte, war in dieser Nacht wieder einmal gezerrt worden, und sie alle, die unter dem schützenden Geflecht verborgen waren, mußten Gewißheit erlangen, ob es etwa einen Riß erhalten hatte.

Wie immer vollzog sich auch an diesem Morgen der Aufmarsch zum Appell. Wie immer stand das Riesenquadrat exakt auf Vordermann und Seitenrichtung ausgerichtet, und wie immer zerfiel es nach Reineboths Befehl: »Arbeitskommandos antreten!« wimmelnd und wirrend in die vielen großen und kleinen Gruppen der Kommandos, die dann mit »Mützen ab« durchs Tor marschierten, von karabinerbewaffneten Posten begleitet, oder sich den Appellplatz hinunter in die Lagerwerkstätten und Verwaltungsstellen verteilten.

Doch seit gestern ging es wie ein neuer Luftstrom über den Gipfel des Berges hinweg, und er wurde von tausend und aber tausend Lungen eingesogen. Irgendwo in der Ferne geschah etwas. Von irgendwoher rumpelten Panzer heran und erschütterten den Boden, dessen Vibrieren die Tausende auf dem Berggipfel zu spüren vermeinten wie die Ausläufer eines Erdbebens. Was sie bisher nur von den zerkratzten Landkarten abgelesen, als Frontberichte aus den Blocklautsprechern abgehört hatten, verwandelte sich mit einem Schlage, seit das Gerücht von der Evakuierung ins Lager gesprungen war, in eine Wirklichkeit, an der sie unmittelbar beteiligt waren.

Kluttig und Reineboth, der Arbeitsdienstführer und ein Rudel der Blockführer standen außerhalb des schmiedeeisernen Lagertores und ließen stumm, die Beine gegrätscht, die Fäuste in die Hüften gestemmt oder auf den Rücken gelegt, den Strom der ausrückenden Arbeitskommandos an sich vorbeidefilieren. In ihren prüfenden Blikken, die über die kahlen Köpfe hinwegstrichen, glommen verborgene Gedanken.

Kommando um Kommando zog vorbei, die Mütze in der Hand, die Arme straff am Körper, den Blick geradeaus in Marschrichtung.

Im Schutz der Masse und ihrer gestreiften Anonymität marschierten viele Angehörige der Widerstandsgruppen.

Ihre Finger, die den Spatenstiel faßten, hatten an so manchem heimlichen Abend in der Fundamentgrube den Kolben eines Karabiners umspannt, wie es sie ihr Ausbilder gelehrt hatte, an dessen Bunkerzelle sie jetzt vorbeimarschierten, und sie trugen ihre strenge Stirn wie Schilde vor sich her, hinter denen sich ihre Gedanken verbargen. In tiefster Heimlichkeit noch und doch waren sie schon Tat einer Zukunft, die so nah war, daß man mit ausgestrecktem Arm in sie hätte hinübergreifen können. – Aber noch lagen die Arme straff am Körper. Die Männer kannten die Gedanken hinter jenen Augen, von denen sie im Vorbeimarsch gemustert wurden. – Dieses Denken und das ihre waren getrennt wie Körper im Weltenraum, doch wenn sie aufeinanderstoßen würden ...

»O Buchenwald, wir jammern nicht und klagen,
und was auch unsre Zukunft sei,
wir wollen trotzdem ja zum Leben sagen,
Denn einmal kommt der Tag, dann sind wir frei ...«

Wie immer, so auch heute, schwang das Lied des Lagers über den kahlen Köpfen und wurde wie eine heimliche Fahne vorangetragen, wenn die Kommandos zur Arbeit ausrückten.

Noch ehe das letzte Arbeitskommando vorbeimarschiert war, zog sich Kluttig mit Reineboth in dessen Rapportführerstube zurück. Sie ließen niemanden herein. Kluttig fiel ächzend auf einen Stuhl nieder und brütete über seinen nächtlichen Mißerfolg. »Das Gesindel muß es spitzgekriegt haben, als ich ins Lager ging«, sagte er mürrisch. »Kann ich mich unsichtbar machen?«

Reineboth legte das Rapportbuch auf den Tisch. »Vielleicht haben sie auch deinen Gay angeschissen, und mit Block 61 stimmt es gar nicht.«

Kluttig riß den Oberkörper nach vorn und keifte. »Wer hat mich denn auf die Gestapo gehetzt?«

Reineboth verteidigte sich: »Habe ich dir nicht auch

gesagt, daß sie sich den Wechselbalg wie einen Ball zuwerfen und du rennst im Kreise herum wie ein blinder Schäferhund?« Er zündete sich eine Zigarette an.

»Leg die Kerls auf der Liste um, wie es dir Schwahl befohlen hat, dann hast du wenigstens etwas Greifbares.«

»Damit hat der Lahmarsch mich eingewickelt«, knurrte Kluttig böse. »Ich helfe ihm noch dabei, den Schrott ohne Aufsehen fortzuschaffen.«

»Was gar nicht so dumm von ihm ist«, meinte Reineboth und trat zur Landkarte. Er betrachtete sie angelegentlich, zog eine der buntköpfigen Nadeln heraus, die auf dem Ort Treysa steckte, und drückte sie in den Punkt der Karte, der als Hersfeld bezeichnet war. Seiner Gewohnheit folgend, schob er den Daumen hinter die Knopfleiste und trommelte nachdenklich mit den Fingern. Dann drehte er sich zu Kluttig um und sah ihn an. Der hatte das Umstecken der Nadel beobachtet. Reineboth setzte sich lässig hinter den Tisch, grätschte die Beine und stemmte die Arme gegen die Tischplatte.

»Im übrigen bin ich der Meinung, daß unser Diplomat nicht so unrecht hat ...«

Kluttig ruckte mit dem Kopf so heftig hoch, daß es ihn im Genick schmerzte. Er erhob sich und ging auf Reineboth zu, baute sich vor dem Tisch auf.

»Willst du damit sagen ...«

Sie fixierten sich.

»Aha«, höhnte Kluttig, »Diplomat Nummer zwei ...«

Reineboth lächelte mokant.

Kluttig kläffte ihn an:

»Und wer hat sich vor kurzem noch an die Jacke geklopft: Solange ich diese Uniform trage ...«

Reineboth entgegnete: »Tja, wie lange noch ...«

Kluttig schob giftig das Kinn vor, die Reflexe auf seinen dicken Brillengläsern wurden spitz. »Also, der mutige Kämpfer läßt mich nun auch im Stich ...«

Er schlug mit der Faust auf die Tischplatte. »Ich bleibe, wer ich bin, solange ich lebe!«

Reineboth zerdrückte die Zigarette im Ascher und erhob sich, elegant und geschmeidig.

»Ich auch, Herr Hauptsturmführer, nur ...«, er schob schlau die Augenbrauen hoch, »nur – unter veränderten Bedingungen.«

Dabei tippte er auf die Landkarte. »Hersfeld–Erfurt–Weimar ...« Er lächelte Kluttig zynisch an. »Heute haben wir den 2. April. Wieviel Tage werden uns noch bleiben? So viel?«

Vor Kluttigs Augen spreizte er wie ein Taschenspieler die zehn Finger aus.

»Oder so viel?« Er drückte die rechte Hand zu.

»Oder so viel?« und knickte Finger um Finger der linken Hand um. »Englisch lernen und auf dem Kien sein«, sagte er, wie schon einmal.

»Du aalglatter Hund«, zischte Kluttig.

Reineboth lachte, er fühlte sich nicht beleidigt. Sich allein gelassen wähnend, fauchte Kluttig: »Dann bleiben nur noch Kamloth und ich.«

»Kamloth?« Reineboth legte skeptisch den Kopf schief, »verlaß dich nicht auf den. Der will so bequem wie möglich abhauen.«

Kluttig kreischte seine Ohnmacht aus sich heraus. »Dann bleibe ich!«

»Wieso«, fragte Reineboth, Kluttig absichtlich falsch verstehend, »willst du hierbleiben?«

Kluttig knirschte: »Seit Wochen spüre ich der Bande nach, und jetzt, da ich eine Spur habe, soll ich mich feige davonmachen?« Er riß die Liste aus der Tasche und ging zum Lautsprecheraggregat.

Reineboth stutzte. »Was willst du?«

Kluttig fuchtelte mit der Liste. »Die hole ich mir jetzt ’ran, schaffe sie nach dem Steinbruch und lasse sie abknallen!«

»Vor allen Leuten? Im Steinbruch arbeiten 300 Häftlinge, Mensch!«

»Das ist mir egal!« schrie Kluttig.

Reineboth nahm Kluttig die Liste weg.

»Befehl mit aller Vorsicht und Klugheit durchführen, Herr Lagerführer.«

Kluttig belferte: »Soll ich sie etwa heimlich, still und leise ...« »Durchaus nicht«, erwiderte Reineboth mit überlegener Klugheit, »Sache geht ganz offiziell. Die Liste wandert nach der Schreibstube, ganz offiziell, verstanden, Herr Lagerführer? Alle genannten Häftlinge haben morgen früh am Schild 2 anzutreten.«

Reineboth kniff ein Auge zu. »Entlassung, you understand, Mister? Parole Heimat! Auto, Eskorte, Wald, Salve – aus.«

Reineboth legte die Liste in das Rapportbuch.

»Mit aller Vorsicht und Klugheit, so hat es unser Diplomat gemeint.«

Wie so oft, mußte sich Kluttig der größeren Schlauheit des Jünglings unterlegen bekennen, er tat es mit einer giftigen Bemerkung: »Du hast dich dem Diplomaten gut angepaßt.«

»Im Gegenteil«, widersprach Reineboth mit der ihm eigenen Glätte, »ich bin nur um einiges klüger geworden, seit gestern abend.«

Das Telefon läutete. Kluttig wurde verlangt. Reineboth übergab ihm den Hörer.

Gay war am Apparat. Reineboth stand neben Kluttig und konnte hören, was gesprochen wurde, da die Stimme durchdrang.

Gay wollte mit der Kindergeschichte nichts mehr zu tun haben. Einer von dem Gesindel sei ihm in der Nacht unter den Händen gestorben. Den übrigen Schrott wolle er nicht mehr bei sich sehen.

Kluttig stotterte.

Reineboth nahm ihm den Hörer weg, meldete sich.

»Selbstverständlich, Kamerad Gay, wir holen das Gelumpe wieder ab, ich schicke Transportwagen. Gewiß, den sanft Entschlafenen nehmen wir auch mit, der wird bei uns geräuchert.« Er legte auf.

»Nun haben wir alle wieder beisammen. Bleiben noch Höfel und der Dingsda. Oder hast du die zwei vergessen?«

»Was nützen sie uns noch?« knurrte Kluttig. Reineboth öffnete die Tür und rief in den Korridor hinaus:

»Hauptscharführer Mandrak zum Rapportführer!« Sein Befehl wurde durch die Torwache weitergegeben.

Reineboth hielt dem Mandrill die Zigarettenschachtel hin, als dieser eingetreten war.

»Glauben Sie, daß Sie aus Höfel und dem Polen noch was 'rausquetschen können?«.

Der Mandrill nahm eine Zigarette und schob sie sich hinters Ohr, in seinem Gesicht lag keine Anteilnahme an der Frage.

Er antwortete gelangweilt: »Ich kann sie nur noch kaltmachen.«

»Einverstanden, wir brauchen sie nicht mehr. Machen Sie damit, was Sie wollen. Viel Vergnügen dabei.« Um den blutleeren Mund des Mandrill flackerte es höhnisch.

Zidkowski war noch immer verstört. Er schwor Krämer, der zu ihm gekommen war, daß das Kind neben ihm gelegen habe, ganz deutlich habe er es an seinem Rücken gefühlt. Um Krämer das Wunder zu demonstrieren, schlug er die Decke auf seiner Lagerstatt zurück. »Hat Kluttig die Decke weggezogen, und auf einmal war das Kind fort.« Die Erregung machte ihm die Lippen zittern, seine Augen flehten: »Wohin ist Kind?«

Krämer stieß einen kurzen Laut der Verlegenheit aus. »Ha, wenn ich es wüßte ... Vielleicht hat es sich irgendwohin verkrochen? Habt ihr überall nachgesehen?«

»Überall.«

Nachdenklich schob Krämer die Unterlippe vor.

»Ist jemand bei euch gewesen? Oder hat sich einer vor eurem Block herumgetrieben, der hier nichts zu suchen hat?«

Zidkowski verneinte.

Krämer wußte nichts mehr zu fragen. Er hatte selbst keine Erklärung für das seltsame Verschwinden des Kindes. Dunkel ahnte er, daß hier das ILK ... Aber diese Vermutung faßte nicht Fuß, dann würde Bochow davon gewußt haben und hätte ihn nicht so dringlich aufgefordert, nach dem Verbleib des Kindes zu forschen.

Bochow war nicht minder ratlos, als ihn Krämer im Block aufsuchte und von seinen ergebnislosen Nachforschungen berichtete. Das Kind war verschwunden, mit dieser Tatsache galt es sich abzufinden. Wer aber hatte hier seine Hand im Spiel?

Weniger das rätselhafte Verschwinden des Kindes, sondern mehr die Tatsache, daß es ohne Wissen des ILK geschehen war, beunruhigte Bochow. Es konnte nur ein Genosse aus diesem Kreis gewesen sein. Wer aber? Etwa der ewig unruhige Pribula? Oder der behäbige van Dalen? Oder der verstandesklare Bogorski? Mochte einer der Genossen ein besseres Versteck als die Fundamentgrube ausfindig gemacht haben, so wäre es trotzdem seine Pflicht gewesen, dem ILK davon Mitteilung zu machen. Die eigenmächtige Handlung war Disziplinlosigkeit, und Bochow konnte Krämers Genugtuung über Kluttigs Reinfall nicht teilen.

»Woher weiß er, daß das Kind auf Block 61 ist?« fragte Bochow herrisch.

»Dort *war* es mal«, antwortete Krämer, und seine Augen lächelten. »Knurrst du über Disziplinbruch? – Sei lieber darüber froh, daß euer unbekannter Mann das Gras hat wachsen hören. Was wäre geworden, wenn Kluttig das Wurm erwischt hätte ...?«

Ich mag gar nicht darüber nachdenken, sagte seine Handbewegung aus, und in freundlicher Schadenfreude zog er die Schultern hoch. »Nun weiß keiner mehr, wohin das Wurm geraten ist. Ist das gut?« fragte er den finster schweigenden Bochow und nickte die Antwort dazu: »Es ist gut so.«

Bochow sah Krämer nach, dem die Freude über Kluttigs Reinfall im Gesicht geschrieben stand.

Aber es ging doch nicht nur um das Kind. Verdammt! Es ging um das Zerreißen der Kette! Bochow preßte die Lippen zusammen. Wer, wenn nicht Bogorski, hatte sie zerrissen? Immer wieder hakte sich dieser Verdacht fest, für den Bochow keinerlei Beweise hatte. Ebensogut hätte es ein anderer tun können. – Und wenn er es nun selbst getan hätte? – Den Gedanken festhaltend, betrachtete er sich wie in einem Spiegel. Wem durfte er davon sagen? Niemandem! Nur in seiner eigenen Brust konnte dann die Kette versenkt werden und ihr Anker Halt finden und auf dem tiefen Grund der Schweigsamkeit.

Disziplinbruch?

Ja, es war und blieb einer!

Doch der Ärger darüber verwandelte sich jetzt in Bochow, und er sah, daß die Tat jenes schweigenden Unbekannten gut war und tief menschlich, und er sah, daß der schweigende Unbekannte schützend die Hand vorgehalten hatte vor sie alle. Sah, daß jener die Disziplin hatte durchbrechen müssen. Weil in der Wahl zwischen zwei Pflichten stets die höhere und dringendere entschied.

Bochow atmete tief auf. Er schob die Hände in die Taschen und stand noch lange sinnend vor der Tür. Dann ging er langsam in den Block zurück.

Mit Besorgnis hatte Förste den Mandrill zu Reineboth gehen sehen. Ging es um etwas, was seine beiden Schützlinge betraf? Er schlich sich zu deren Zelle und lugte durch den Spion.

Höfel und Kropinski standen unbeweglich in der Zelle mit dem Gesicht zur Tür. Wenn sich Höfel auch so weit erholt hatte, daß er wieder stehen konnte, so war es ihm anzusehen, wie er unter dieser Tortur litt. In jeder Minute schien er Unmengen von körperlichen und seelischen Energien zu verbrauchen, um sich aufrecht zu halten. Förste sah es an dem leisen Schwanken des Körpers. Der Mandrill hatte die Tortur noch dadurch verschärft, daß er um die Füße der beiden Farbpulver gestreut hatte. Wehe, wenn auf ihm zu sehen war, daß sich die Füße bewegt hatten! Dann prügelte er die beiden erbarmungslos zusammen und – was noch schrecklicher war – entzog ihnen für Tage die Nahrung.

Förste schloß den Spion wieder, wissend, daß sich die beiden, wenn sie sicher waren, nicht beobachtet zu werden, vorsichtig aneinanderlehnen würden, um sich zu stützen. Er konnte ihnen nicht einmal Ermunterung zurufen, denn gegenüber im Gang lagen einige SS-Leute von der Truppe in den Zellen, die ihre Arreststrafe verbüßten. Vor denen mußte sich Förste in acht nehmen.

Was war in Reineboths Zimmer besprochen worden?

Mißtrauisch verfolgte Förste das Tun des Mandrill, nachdem dieser zurückgekommen war. Der ging in seine Stube und blieb dort eine ganze Weile. Mit Bedacht hatte sich Förste das Ausfegen des Bunkerganges bis zur Rückkehr des Mandrill aufgehoben, um ihn besser beobachten zu können. Jetzt fegte der Kalfaktor in der Nähe von Höfels Zelle. Der Mandrill kam heraus, in seiner Hand baumelten zwei Schlingen aus starkem Seil.

Förste blieb das Herz stehen. Mit äußerem Gleichmut, aber voll innerer Aufmerksamkeit verrichtete er seinen Dienst.

Der Mandrill hatte die Zelle betreten. Förste fegte und lauschte.

Der Mandrill umging die beiden Arrestanten und kontrollierte das Farbpulver nach Spuren. Er konnte nichts entdecken.

Mit den Hanfstricken gegen die Stiefel schlagend, umwanderte er die beiden und blieb schließlich vor ihnen stehen. In Kropinskis Zügen zeichnete sich das Entsetzen ab, seine Augen waren geweitet, und er schluckte die Erregung immer wieder hinunter. Der Mandrill studierte das Gesicht des Polen mit dem kalten Interesse eines Unbeteiligten. Höfel war erbleicht. Die Adern an den Schläfen pulsten heiß und stechend, dort, wo die Zwinge gesessen hatte. Die Knie drohten ihm zu knicken, auch er hatte die Schlingen gesehen.

Grausam – und wie mit kalter Schrift geschrieben – stand hinter seiner Stirn der Gedanke: Jetzt sterbe ich! Und Höfel erschauerte in der frostigen Kälte, die mit dem unheimlichen Menschen in die Zelle gekommen war. Der Mandrill betrachtete sich Höfel – wortlos – eine geraume Weile. Ob der sich wohl wehrt, wenn ich ihm die Schlinge um den Hals lege? dachte der Mandrill. Unvermittelt begann er zu sprechen. Was er sagte, war mehr als seltsam.

»Hitler«, sagte er, »ist ein Arschloch. Er hat uns den Krieg vermasselt. In ein paar Tagen sind die Amerikaner hier.« Dabei lachte er tonlos in sich hinein, ohne eine Spur des Lachens auf dem Gesicht.

»Was ihr euch mit dem Amerikaner denkt – ist nicht. Ich lege noch alles um hier im Bunker. – Ihr zwei kommt zuletzt dran.« Es schien ihm schon zuviel, was er gesagt hatte. Wortlos legte er den beiden die Schlinge über den Kopf und zog sie fest, wie man eine Krawatte bindet.

»Die behaltet ihr um, bis zuletzt. Fünf Minuten vorher, ehe ich abhaue, komme ich und – kcks ...«, quetschte er mit einer bezeichnenden Handbewegung durch die Zähne. Er schwieg wieder und begutachtete die mit dem Strick Dekorierten, hatte aber das Bedürfnis, noch etwas zu sagen.

»Wenn ihr euch vorher aufhängt, dann trete ich euch noch in den Arsch, weil ihr mich um mein letztes Vergnügen gebracht habt.« Mehr brachte er nicht aus sich heraus.

So unheimlich langsam, wie er die Zelle betreten hatte, verließ er sie wieder. Draußen nahm er die Zigarette vom Ohr und zündete sie an. Gedankenlos sah er dem Kalfaktor zu und zog sich schließlich in seine Stube zurück.

Förste fegte den Schmutz auf die Kehrichtschaufel und warf ihn in die Kiste, die in der Ecke des Ganges stand.

Das in seinem schweigenden Ablauf so grauenvolle Erleben hielt die Sinne der beiden noch im Bann, nachdem sie bereits geraume Zeit allein mit sich waren. Langsam nur schien in Höfel das Blut wieder zu kreisen, und es war wohltuend zu fühlen, wie der furchtbare Gedanke, der alle Lebensfunktionen gehemmt hatte, sich auflöste und verschwand. Jetzt wurde es Höfel auch wieder bewußt, daß er atmete, und er zog befreit den Zellengestank ein wie frische Luft.

»Bruder ...«, flüsterte Kropinski, der hinter Höfel stand.

Das schlichte Wort fand den Weg zu Höfels Herzen, er konnte nicht antworten, aber dankbar streckte er die Hand nach hinten aus, still umschloß sie der Pole. Das warme Lebensgefühl strömte über von einem zum anderen, und ihr Schweigen war größer als alle Worte.

Bereits um die Mittagszeit befahl Reineboth durch den Lagerlautsprecher den Kapo der Häftlingsstube zu sich.

Er übergab ihm die Liste.

»Die Vögel treten morgen früh am Schild 2 an. Mit sauber gescheuerten Füßen, verstanden? Man soll uns nicht nachreden, daß wir die Leute dreckig nach Hause schikken.«

Entlassungen?

Seit Jahr und Tag war kein Politischer entlassen worden. In die Schreibstube zurückgekehrt, studierte der Kapo die Liste. Sie enthielt 46 Namen von Blockältesten, Kapos und anderen Lagerfunktionären, die alle langjährige, zuverlässige und im Lager bekannte Häftlinge waren. Auch seinen eigenen Namen und den des zweiten Lagerältesten Pröll fand der Kapo vor.

Hier stimmte etwas nicht.

Der Kapo ging zu Krämer hinüber, Pröll war mit anwesend. Krämer lachte grimmig auf, nachdem er die Liste gelesen hatte.

»Entlassungen? Gleich ein ganzes Rudel, und das kurz vor der Evakuierung? – Ein Banditenstreich ist das!« polterte er. »Eine gottverfluchte Zinkerei!«

»Ich muß die Bestellscheine für Schild 2 ausschreiben, was soll ich machen?« fragte der Kapo. In Pröll stieg eine Ahnung auf. »Ob die uns umlegen wollen?«

Er sah Krämer bedeutungsvoll an. Der wollte es nicht bestätigen, obwohl er den gleichen Gedanken hatte.

»Abwarten«, sagte er neutral, »du unternimmst nichts, bevor du von mir Anweisung bekommst«, wandte er sich an den Kapo. »Lies mir die Namen vor, ich schreibe sie mir auf.«

Seine Hand zitterte trotz unerhörter Erregung nicht, als er schrieb. Er wußte es plötzlich ganz klar, und es bedurfte keines Beweises, daß diese 46 erschossen werden sollten. Warum aber stand er nicht mit auf der Liste, obwohl er bei jenen da oben als der führende Kopf galt? Gehörten die 46 dem ILK an? Bochow mußte es wissen, mit ihm hatte er jetzt zu sprechen. Er ging zu ihm auf den Block.

Es fügte sich günstig, daß die Stubendienste mit den leeren Essenkübeln zur Küche unterwegs waren, vor Runki brauchten sie sich nicht zu verbergen.

»Euern Bettenbau will ich mir mal ansehen«, sagte Krämer, »komm mit in den Schlafsaal, Herbert.« Ein Vorwand. Falls der Blockführer unverhofft auftauchen sollte, galt er als Stichwort für Krämers Anwesenheit. Im Schlafsaal verständigte sich Krämer mit Bochow in knappen Worten und reichte ihm die abgeschriebene Liste. Bochow las sie wortlos.

»Ist einer von euch dabei?« fragte Krämer. Bochow schüttelte den Kopf. »Nicht einer.«

»Gut«, entgegnete Krämer beruhigt. Sie gingen langsam bis zum hinteren Ende des Schlafsaals, Krämer musterte die Betten. »Was nun? – Die sollen umgelegt werden, das ist klar.«

Krämer strich eine Decke glatt. Bochow sog schwer

den Atem ein. Nun fügte sich ein neues Glied an die Kette der Gefahren. – Wer hatte die 46 verzinkt? Aus welcher Richtung kam das? Kluttig – Reineboth – Zweiling?

Oder hatte der Zinker aus der Effektenkammer ...

»Was nun, sag doch«, drängte Krämer. Sie blieben stehen.

»Ja, was nun?« seufzte Bochow. Das Stück Papier in seiner Hand forderte Entscheidungen, wie sie vielleicht in all den Jahren seiner Haft noch nicht gefällt worden waren, und sie drängten sich auf den engen Raum weniger Stunden zusammen. Morgen früh war alles schon zu spät. Jetzt mußte er mit den Genossen des ILK sprechen.

Wie aber sie verständigen? In dieser Stunde noch mußte das ILK zusammenkommen. Und nicht in der Fundamentgrube, die nur im Schutze der Dunkelheit betreten werden konnte.

Bochow rieb sich die Stirn, das Nachdenken quälte ihn. »Ich muß mit den Genossen sprechen, jetzt, sofort«, sagte er. »Wir müssen den Fliegeralarm ausnutzen, anders geht es nicht.«

Immer um die Mittagszeit, nicht früher, nicht später, flogen amerikanische Bomberverbände nach Thüringen, Sachsen und Brandenburg ein, seit Wochen schon. Man konnte die Uhr danach stellen, so pünktlich zogen sie über das Lager. Bei Sonnenschein blinkten die Schwärme hoch oben am Himmel, wie Vögel, nur ihr sonores Singen verkündete, wie gefährlich sie waren. Jeden Tag gab es darum Alarm. Für die Arbeitskommandos war es zur Gewohnheit geworden, sich zum schnellen Abmarsch ins Lager bereitzuhalten, noch im Jaulen der Sirene rannten sie über den Appellplatz. Bereits wenige Minuten später war das Lager wie ausgefegt. Auf den Türmen nur standen die Posten und spähten in den Himmel hinein. Oft erst nach Stunden heulte die Sirene ihre Entwarnung.

Dann belebte sich das Lager aufs neue.

Bochow schien mit etwas fertig werden zu müssen. Er sah Krämer an.

»Du mußt mir dabei helfen. – Ich darf eigentlich keinen Namen der Genossen preisgeben, aber ... was bleibt mir übrig?«

Krämer empfand, wie schwer es Bochow fiel, und sagte: »Habe keine Bange, ich merke mir die Namen nicht. Ich begreife dich, und die Genossen werden es auch verstehen. Es geht um Leben und Tod.«

Bochow nickte Krämer dankbar zu.

»Also höre. Ich gehe sofort nach dem Revier und spreche mit dem Kapo, der weiß Bescheid. Er muß uns einen Raum frei halten, in dem wir ungestört sein können, das teile ich dir dann mit, und du mußt für mich ... siehst du, so ist das nun ... also, du mußt für mich nach dem Bad gehen – ich kann mich dort nicht sehen lassen.«

»Nun sag schon, wen soll ich bestellen?«

»Bogorski.« Leise nannte Bochow den Namen. »Er soll bei Alarm nicht in seinen Block gehen, sondern nach dem Revier kommen.«

»Gut«, nickte Krämer.

»Wie verständigen wir uns, damit ich dir den Raum angeben kann?« überlegte Bochow und meinte:

»In zehn Minuten treffen wir uns auf dem Revierweg in der Nähe meiner Blockreihe.«

Krämer war einverstanden.

Auf Riomand, der bei Alarm »draußen« blieb, mußte für diese Besprechung verzichtet werden. Van Dalen war leicht zu benachrichtigen, Kodiczek und Pribula konnten unterwegs abgefangen werden.

Krämer kam Bochow schon entgegen, als dieser, vom Revier kommend, zu seinem Block zurückging. Auf einen kurzen Gruß blieben sie beieinander stehen.

»OP 2«, sagte Bochow flüchtig, Krämer nickte, und jeder ging seinen Weg. OP 2 war der zweite Operationsraum, und da er im oberen Geschoß des vor Jahren erbauten Erweiterungsbaus vom Revier lag, blieb er bei Alarm unbesucht.

Pünktlich, fast auf die Minute, heulte die Sirene. Es gab das übliche Durcheinander auf dem Appellplatz und auf den Wegen zwischen den Blocks.

Bochow stand auf seinem Posten und spähte nach Kodiczek und Pribula aus. Er erwischte sie, als sie gemeinsam ihren Blocks zustrebten.

»Mitkommen«, raunte Bochow ihnen zu.

»Was ist?«

»Mitkommen«, suggerierte Bochow und rannte los.

Die beiden hatten gestutzt, eilten aber dann Bochow nach, der im Gewimmel der Häftlinge den Revierweg hinunterlief.

Noch niemals hatten die Genossen des ILK so unter dem Druck einer Spannung gestanden wie heute.

Glogau war gefallen! Beiderseits Teklenburg im Teutoburger Wald tobten heftige Kämpfe. Auf Herford zu war den Alliierten ein tiefer Einbruch gelungen. Im Raum von Warburg und an der Werra sollten sie schon bis nördlich von Eisenach vorgedrungen sein ... Wenn sich diese Meldungen, die Kodiczek und Pribula mitgebracht hatten, bestätigten, dann gab es keinen Zweifel mehr, daß die Erschießung der 46 die Vorbereitung zur Evakuierung war. Jede Stunde konnte sie einsetzen!

Plötzlich jaulte die Sirene und gab nochmals Alarm. Die Genossen, in einer Ecke des Operationsraumes zusammengedrängt, horchten nach außen. Der sonore Gesang der Motoren zog über das schweigende Lager hinweg. Es mußte diesmal ein mächtiger Angriff auf das Land sein. Keiner der Männer sprach.

Bogorski musterte ihre verschlossenen und unbeweglichen Gesichter. Bochow hatte den Kopf in die Fäuste gestützt und sah vor sich hin. Van Dalen lehnte mit dem Kopf gegen die Wand, auf seinem breiten Gesicht spielten die Gedanken wie Lichtkringel.

Pribulas Augen waren hart und starr, sein Mund verbissen. Kodiczek fing Bogorskis wandernden Blick auf und schlug die Augen nieder. Was verbarg sich hinter dem gemeinsamen Schweigen? Bogorski blickte zu Bochow, auch er schwieg.

Das Gedröhn der Bomberverbände war in der Ferne verschwunden. Irgendwo zwischen den Häusern der Städte rasselte und knatterte jetzt die von den herabsausenden Bomben zerrisene Luft, quoll die braungelbe Lohe der Einschläge träg zum Himmel, Zerrissenes und Geborstenes mit einem Hagel von Steinen auf die Erde zurückschüttend.

Irgendwo tobte und raste jetzt die Furie unter schreienden und irrenden Menschen, irgendwo, fern vom Lager.

Aber hier, über den sich duckenden Baracken, hier, in der Ecke eines Operationsraumes, hockte eine kleine Gruppe von Männern, und zwischen sie und die 50000 des Lagers hatte das Schicksal eine Handvoll Menschen geschoben, 46 an der Zahl, um die fünf, die hier in der Ecke hockten, zu versuchen, wie weiland der Teufel jenen Christus auf dem Berg. Denn wenn morgen früh die 46 starben, dann ...

Bogorski wartete nicht, daß einer redete, er zog die Decke des Schweigens weg und sprach aus, was sie alle dachten: Wenn morgen früh die 46 erschossen werden, so sagte er, dann wird das vermeintliche ILK erschossen!

Dann, fuhr er fort, glauben die Faschisten, den führenden Kopf zertreten und für ihre Evakuierung freie Hand zu haben. Wir aber, Genossen, sind noch da, und der Apparat ist nicht führerlos geworden. Wir können Menschen retten, viele Menschen, weil 46 für uns gestorben sind, für uns und 50000!

Ist das nicht gut so?

Van Dalen schob die Augenbrauen hoch. Kodiczek senkte wieder den Blick, Pribula fluchte, es litt ihn nicht, still zu hocken. Da er nicht aufspringen durfte, um am Fenster nicht gesehen zu werden, rutschte er unruhig hin und her.

»Nein«, sagte Bochow unvermittelt und blickte Bogorski starr ins Gesicht. Das »Nein« war wie ein Schlüssel in die Herzen aller gefahren. Pribula mußte so vieles sagen, aber er vermochte nur, das deutsche »Nein« auf polnisch zu wiederholen: »Nje! Nje, nje!« zischte er heiß. Jetzt lehnte sich auch Bogorski gegen die Wand und schloß die Augen, erschöpft und erlöst.

Bochow begann von etwas anderem zu sprechen.

»Mit dem Kind, Genossen«, sagte er, »ist das Unheil zwischen uns gefahren. Jetzt ist das Kind spurlos verschwunden. Wer hat es weggebracht? Einer von uns nur kann es gewesen sein. Es ist ein polnisches Kind. Warst du es, Josef?« fragte er Pribula. Der junge Pole warf entsetzt die Arme hoch. »Ich? – Ich fragen selbst, wo ist das Kind?«

»Warst du es, Leonid?«

Bogorski öffnete die Augen und antwortete mit überzeugendem Ton: »Ich haben das Kind nicht fortgeschafft.«

Auch van Dalen und Kodiczek versicherten von sich das gleiche. Aus jedem Mund sprach die Wahrheit, Bochow hatte dafür ein feines Ohr. Es blieb somit der Verdacht an dem abwesenden Riomand hängen. Alle, selbst Bochow, waren aber der Meinung, daß es der Franzose nicht gewesen sein konnte. Bochow hob resigniert die Hände. »Nun gut, vielleicht hat es Krämer beiseite geschafft. Mag das Kind stecken, wo es will, mag es einer getan haben, wer es auch sei, es ist fort, verschwunden, aus. – Ich muß euch etwas sagen.« Bochow legte die Hände an die Brust. »In mir ist vieles anders geworden. Mein Herz, Genossen ...«

Er überwand sich zu einem Geständnis.

»Als ich hier eingeliefert wurde, da habe ich mein Herz mit den Effekten auf der Kammer abgegeben, ein unnütz und gefährliches Ding schien es mir, das ich hier nicht gebrauchen konnte. Das Herz macht nur schwach und weich, glaubte ich, und ich wollte es Höfel nie verzeihen, daß er ...« Bochow hielt inne und dachte nach. »Ich bin Vertreter der deutschen Kameraden im ILK, ich bin außerdem der militärisch Verantwortliche der internationalen Widerstandsgruppen. Ihr habt mich mit dieser Funktion ausgezeichnet. Ich bin ein guter Genosse, nicht wahr? Ich bin ein schlechter Genosse!«

Abwehrend hob er die Hände gegen die anderen, die sein Bekenntnis nicht annehmen wollten.

»Das habe ich euch zu sagen, ihr müßt es wissen! Wissen müßt ihr, daß ich hochmütig war. Eingebildet auf die Überlegenheit meines Verstandes. Dünkel war es und Härte, seelenlose Härte! Seit das Kind im Lager ist und immer mehr Menschen ihr Herz wie einen Wall schützend um das kleine Leben gelegt haben ... Höfel, Kropinski, Walter Krämer, Pippig und seine Kameraden, die polnischen Pfleger auf 61, ihr selbst, jener Unbekannte ... seit dies alles durch sie geschieht, Genossen, und kein Kluttig oder Reineboth es vermögen, den Wall zu durchbrechen, weiß ich, daß ich ein schlechter Genosse bin, weiß ich, wie groß wir sind in unserer Erniedrigung, weiß ich, daß Höfel und Kropinski stärker sind als der Tod.«

Bochows Bekenntnis war zu Ende. Alle schwiegen erschüttert – Bogorskis Kopf war auf die Brust gesunken, er saß da wie schlafend. Pribula, mit heiß aufwallendem Herzen, rutschte auf den Knien zu Bochow. Er umarmte ihn und weinte an seiner Schulter. Bochow drückte den jungen Polen an seine Brust. Draußen war es totenstill. Der Alarm lastete auf dem Lager.

Bochow löste sich von Pribula und wurde wieder sachlich und kühl. »Wir haben eine Entscheidung zu treffen«, sagte er. »Ehe wir einen Beschluß fassen, wollen wir gründlich überlegen. – Gibt es eine Möglichkeit, die 46 Kameraden zu retten? – Nicht wahr, Leonid, so meinst du es doch auch?«

Bogorski hob wie erwachend den Kopf. »So haben ich gemeint«, antwortete er einfach. »Aber ich haben gemußt steigen tief in unser Herz hinein, wo zugeschüttet ist von uns Mut und Menschentum. Nicht sterben sollen 46 Kameraden. Leben! Oder sterben mit uns zusammen. So meine ich.«

Van Dalen bekannte: »Auch ich habe daran gedacht, wenn sie sterben, dann ...«, er beendete den Satz nicht, nickte stumm Bogorski zu und fuhr entschlossen fort: »Wir stellen die 46 Kameraden unter den Schutz des ILK! Wir verstecken sie! Im Revier können wir viele von ihnen unterbringen. Die übrigen verbergen wir im Lager. Es gibt Schlupfwinkel genug.«

»Und dann? Was wird sein dann?« fragte Kodiczek. Nicht aus Angst, sondern mit Besorgnis, doch Pribula verstand ihn falsch. »Willst du sein feig?« rief er.

Bochow legte den Arm um die Schulter des Polen.

»Junger polnischer Genosse, müssen wir feig sein, weil wir vorsichtig sind? – Ja, Genossen, die 46 stehen unter dem Schutz des ILK! Wir liefern sie nicht aus!«

»Zehn von ihnen bringe ich im Revier unter«, versprach van Dalen. »Wir geben ihnen eine Fieberspritze, und sie fallen unter den Kranken nicht auf.«

»Warum nicht alle 46 zusammen verstecken in Fundamentgrube?« fragte Kodiczek, »dort ist Platz genug.«

»Njet«, widersprach Bogorski. Sand auf dem Haufen, so meinte er, könne man mit einem einzigen Schaufelstich aufnehmen. Man müsse hingegen den Sand breit machen, damit er verschwinde. Höchstens zwei der Todeskandidaten wolle er auf die von van Dalen vorgeschlagene Weise im Revier untergebracht wissen, die anderen müßten im Lager verteilt werden.

»Und wenn sie dennoch einen von ihnen finden?« Es war Kodiczek, der wieder fragte, sollte man ihn dann seinem Schicksal überlassen? Die Frage lag wie ein Felsblock vor ihnen.

»Wir liefern keinen aus«, sagte Bochow schlicht. »Bisher sind wir immer um die Gefahren herumgegangen. Gut war es, sehr gut. Wir haben es verstanden, uns mit Klugheit und Geschick, mit Glück und Zufall vor den Gefahren zu ducken. So war unser Weg in allen Jahren.

Wir haben unser Menschsein mit der Schlauheit des Tieres geschützt und verteidigt, wir haben den Menschen oft tief in uns verbergen müssen. So war es doch, Genossen, nicht wahr? Jetzt gehen wir die letzte Strecke unseres Weges. Freiheit oder Tod! Es gibt kein Ausweichen mehr. Diesen Raum verlassen wir nicht mehr als *Häftlinge!* Von dieser Stunde an wollen wir *Menschen* sein! Nun und immerdar bis zum Ende der letzten Strecke.

Dem *Häftling* war es erlaubt, die Gefahr zu umgehen. Der *Mensch* hat nur *einen* Weg, und der führt geradeaus, mitten auf die Gefahr zu! Das sei unser Wille und unser Stolz. Ich weiß, was ich sage, Genossen! Finden sie auch nur einen einzigen, dann muß er verteidigt werden, wenn es gilt, mit der Waffe! Das sei Beschluß! Dann aber beginnt der Aufstand. Freiheit oder Tod! Seit Spartakus hat die Geschichte mehr als einmal den Beweis gegeben vom Stolz und der Größe des Menschen. – Beschließen wir den Aufstand?«

Bochow streckte die Hand vor.

In tiefem Schweigen fanden sich alle Hände ineinander, fanden sich die Blicke der Männer, und auf ihren Gesichtern zuckte das erste Licht eines Lebens, das von nun an ein anderes war.

Es wurde beschlossen, an die Führer der Widerstandsgruppen Alarmstufe 2 auszugeben, daß in den Blocks Wachen eingerichtet werden, die Waffenverstecke von den dafür vorgesehenen Angehörigen des Lagerschutzes zu besetzen seien, und daß unverzüglich bis zum Abend die Verstecke für die 46 ausfindig gemacht und vorbereitet werden sollten. – Von dieser Stunde an mußte der gesamte illegale Apparat auf der Lauer liegen, dem Wissen des Lagers zwar verborgen, doch in jeder Minute bereit, aufzuspringen. Es wurde aber auch der Beschluß gefaßt, den Kampf nur dann aufzunehmen, wenn er dem Lager aufgezwungen werden sollte. Die Evakuierung sollte verzögert werden, um an Menschen zu retten, was möglich war.

Jeder Tag und jede Stunde konnten Gewinn bedeuten, die Front rückte immer näher.

»Ich habe euch noch einen Vorschlag zu machen«, sagte Bochow. »Zentralisieren wir unsere Anweisungen in der Person von Walter Krämer. In seiner Hand laufen alle Fäden zusammen. Es ist zu erwarten, daß die kommende Evakuierung die bisherige Ordnung des Lagers verändern, wenn nicht gar aufheben wird.

Damit kann mir, der ich als einziger vom ILK die direkte Verbindung zu Krämer habe, mehr Bewegungsfreiheit gegeben sein.«

Seinem Vorschlag stimmten die Genossen zu.

Mit Unruhe hatte Krämer das Ende des Alarms erwartet. Erst nach zwei Stunden heulte die Sirene, und er eilte sofort den Revierweg hinunter, um Bochow zu begegnen.

»Was ist?« fragte er, als er ihn abgefangen hatte. Sie gingen zusammen den Weg hinauf, gedämpft und unauffällig miteinander sprechend.

»Bis heute abend müssen alle 46 verschwinden. Keiner von ihnen darf am Schild 2 antreten.«

Mit einer anderen Entscheidung hatte Krämer nicht gerechnet.

»Wohin mit ihnen?« fragte er nur.

»Überall, wo es sichere Verstecke gibt«, entgegnete Bochow, »in den Kohlenkeller des Bades, in den Kartoffelkeller der Küche, in eine Kiste oder einen Bretterverschlag? Kohlen drauf, Kartoffeln drauf! Verbergen wir sie in den Fundamentgruben der Blocks. Sie müssen in die Abflußkanäle der Entwässerung kriechen. Wir müssen sie in den Pferdeställen des Kleinen Lagers untertauchen lassen und geben ihnen falsche Nummern. Sie müssen die gleichen zerlumpten Klamotten tragen wie die übrigen Insassen.«

Bochow machte eine umfassende Bewegung. »Überallhin, verstehst du? Nach dem Abendappell, wenn es finster ist, muß alles erledigt sein. Wer sich von den 46 selbst helfen kann, soll es tun.«

Krämer hatte wortlos zugehört, er schnaufte. Das war keine leichte Sache.

»Und wenn sie einen von ihnen finden?« fragte er besorgt.

Bochow blieb stehen. »Hör zu, Walter ...« Noch verhaltener sprach Bochow jetzt. Krämer nahm mit tiefem Ernst den schicksalsschweren Beschluß entgegen. Auch dieser überraschte ihn nicht, sondern bestätigte nur die Zwangsläufigkeit der Entwicklung.

Als ihm Bochow eröffnete, daß er von nun an das unmittelbare Verbindungsglied zwischen dem ILK und dem Lager sein werde, nickte er nur. Sie gingen weiter.

»Hast du das Kind beiseite geschafft?« fragte Bochow unvermittelt. »Sag es mir, wenn du es gewesen bist.«

Die Frage überraschte Krämer, er hatte angenommen, daß sich hinter dem Verschwinden des Kindes das ILK verbarg.

»Nein«, antwortete er darum nur und fügte hinzu: »Ich hätte vorher mit dir gesprochen, offen und ehrlich.«

Bochow mußte ihm glauben.

»Wieso?« stutzte Krämer, in dem Bochows Frage jetzt erst lebendig wurde. »Weißt du ... wißt ihr wirklich nicht, wo das Kind geblieben ist?«

Bochow schüttelte den Kopf, er lächelte müde.

Am frühen Abend, eine kurze Stunde vor dem Appell, ereignete sich Unerwartetes. Die saloppe Stimme Reineboths schallte durch die Lautsprecher über das Lager:

»Lagerältester herhören! Mit sämtlichen Blockältesten am Tor antreten! Im Laufschritt!«

Eine Anzahl von Blockältesten war in Krämers Raum versammelt, als die Durchsage kam. Krämer hatte sich die Kumpel kommen lassen, um mit ihnen das Verbergen der Bedrohten zu besprechen. In Bochows Block waren Runki, der ebenfalls auf der Liste stand, und Bochow dabei, unter dem Pult Dielenbretter zu lösen, um einen Schlupf in die Fundamentgrube zu schaffen, in die sich Runki verstecken sollte.

Jetzt horchten sie auf, als sie Reineboths Stimme hörten. Überall horchten die Häftlinge auf, in den Blocks, in den Lagerwerkstätten …

Die Durchsage wiederholte sich.

Aus den Blocks herbeieilend, versammelten sich die Gerufenen an der Schreibstube vor Krämers Raum, von neugierigen Häftlingen, die sich um diese Zeit im Lager befanden, umringt.

Was war los?

Warum mußten die Blockältesten zum Tor? Evakuierung? Heute schon oder morgen …?

Krämer kam mit den übrigen Blockältesten heraus. Sie reihten sich ein.

»Kameraden«, rief Krämer, »wie immer Ruhe, Ordnung, Disziplin, versteht ihr?«

Kluttig, am Fenster in Reineboths Zimmer stehend, sah den Trupp den Appellplatz heraufkommen.

»Affentheater«, knurrte er.

»Diplomatie, Geschick«, höhnte Reineboth den Lagerführer an.

Kluttig wandte sich schroff vom Fenster weg, mit »Schißarsch« bezeichnete er den Kommandanten, auf dessen Befehl die Blockältesten angetreten waren.

»Klugarsch«, korrigierte Reineboth und machte ein hohnvolles Gesicht.

»Ich höre mir seinen Klamauk nicht an«, zischte Kluttig und wollte das Zimmer verlassen.

»Er will dich auch gar nicht dabei haben, du störst ihn nur.« Reineboth lachte häßlich auf. »Jedem das Seine. Morgen früh hast du dein Vergnügen.« Er krümmte vielsagend den Zeigefinger.

Wütend schlug Kluttig die Tür hinter sich zu.

Die Blockältesten warteten am Tor. Niemand ließ sich sehen, nicht einmal Reineboth kam. Krämer beobachtete den Weg vor dem schmiedeeisernen Tor. Er sah Kluttig mit weiten Schritten den Weg entlanggehen und hinter dem Dienstgebäude des Kommandanten verschwinden.

Am Fenster lungerte der diensttuende Blockführer herum.

Ein überplantes Lastauto kam den Weg entlanggefahren und hielt am Tor. Zuerst entstiegen dem Wagen einige SS-Leute, ihnen folgten Häftlinge. Krämers Augen wurden weit. Gespannt starrten die Blockältesten durch das Tor, das waren doch ...

Krämers Herz begann heftig zu schlagen. Es waren die verhafteten Häftlinge der Effektenkammer, die vom Blockführer in Empfang genommen wurden. Reineboth erschien und wollte sich der Angekommenen bemächtigen. In diesem Augenblick trat Schwahl, von Weisangk und Wittig, der Ordonnanz, begleitet, aus seinem Gebäude und ging auf das Tor zu. Reineboth hatte nicht mehr Zeit, sich um die Häftlinge zu kümmern, ließ sie an der Mauer des Tores antreten und ging dem Kommandanten entgegen.

Schwahl blieb vor den Häftlingen stehen. »Was ist das hier?«

Reineboth meldete: »Auf Befehl Hauptsturmführer Kluttigs neun Häftlinge und ein Toter von Gestapo Weimar ins Lager zurück.«

»Ah«, machte Schwahl interessiert. Er betrachtete sich die Häftlinge, die neben sich eine Last niedergelegt hatten, in eine Decke eingehüllt.

Krämer wollte das Herz stillstehen, unter den Angekommenen hatte er Pippig nicht entdeckt ... Da aber lag ein Toter ...

Schwahl sprach die Häftlinge an, so deutlich, daß seine Worte auch von den Blockältesten verstanden werden konnten.

»Danken Sie Ihrem Schöpfer, daß Sie mir in die Finger gelaufen sind.« Er wandte sich Reineboth zu. »Die Leute sind ins Lager zu entlassen!« Reineboth schlug die Hacken zusammen. Der Blockführer schloß das Tor auf.

An Krämer und den Blockältesten vorbei rannten die Häftlinge über den Appellplatz. An der Mauer blieb der Tote zurück.

Krämer verwirrte das Ereignis, aber schon trat der Kommandant durchs Tor, und Krämer mußte seine lästige Pflicht erfüllen. »Blockälteste, stillgestanden! Mützen ab!« kommandierte er. Schwahl winkte: »Rühren!«

Reineboth verhielt sich im Hintergrund, den Daumen hinter die Knopfleiste geschoben, und trommelte mit den Fingern.

Schwahl ging einige Schritte hin und her, dann blieb er stehen. Er stützte die Fäuste in die Seiten, schob den Bauch vor und ruckte sich in den Schultern zurecht.

»Ich habe die Leute ins Lager entlassen. Haben Sie das gesehen?« Er blickte Krämer dabei an.

»Jawohl«, antwortete dieser.

»Es wird ihnen somit nichts mehr geschehen. Ist Ihnen das klar?« Wieder mußte Krämer antworten.

Schwahl postierte sich malerisch vor Weisangk und Wittig auf. »Es wird ihnen überhaupt nichts mehr geschehen. Ich gebe Ihnen mein Ehrenwort als Offizier, daß das Lager nicht evakuiert wird. Ich werde bis zum Schluß bleiben. Wenn ich bis zum Eintreffen der Alliierten noch am Leben bin, werde ich das Lager ordnungsgemäß übergeben.« Er machte eine Pause und ließ den Blick über die Gruppe gehen.

»Haben Sie mich alle verstanden?« Das gemurmelte »Jawohl« der Blockältesten plumpste dumpf wie ein Sack zu Boden.

Schwahl ging referierend auf und ab.

»Ausländische Sender verbreiten, daß sich die Verhältnisse in Buchenwald, seit ich Kommandant bin, gebessert haben. Es gereicht mir zur Genugtuung, daß die Öffentlichkeit davon Kenntnis hat. Was die nächsten Tage bringen werden, wissen wir nicht. Sie erhalten Vollmacht,

Ihren Leuten auf den Blocks mitzuteilen, was ich Ihnen gesagt habe, und im Vertrauen auf mein Ehrenwort sie zur Ruhe und Disziplin anzuhalten, was auch geschehen mag. Von Reichsführer SS habe ich Befehl, in die umliegenden Ortschaften Häftlinge als Aufräumungskommandos zu entsenden. Die Häftlinge erhalten volle Zivilverpflegung, befinden sich bei Angriffen in bombensicheren Unterständen und kehren nach Beendigung ihrer Aufgabe ins Lager zurück. Ich erwarte, daß die Häftlinge ihre Pflicht tun.« Er blieb vor der Gruppe stehen, musterte einzelne von den Blockältesten und schien damit alles gesagt zu haben. »Lagerältester, lassen Sie wegtreten!«

Kein Muskel in Krämers Gesicht verzog sich, als er sich zu der Gruppe umdrehte und Kommando gab.

»Mützen auf! Abteilung kehrt! Im Gleichschritt, marsch!« Er ging als letzter hinter der Gruppe. Ein Eisenring schnürte ihm die Brust ab. Oben lag Pippig.

Schwahl sah den Abziehenden nach. Im Abgehen wandte er sich an Reineboth.

»Was ist Ihre Meinung?«

Reineboth salutierte. »Bewundere diplomatische Klugheit, Herr Kommandant.«

Schwahl schob das Kinn aus dem Kragen. Weisangk, dem Kommandanten folgend, stippte Reineboth im Vorbeigehen in den Bauch.

»Dös is oaner, was moanst?«

Reineboth grinste.

Höfel und Kropinski hatten deutlich hören können, was draußen gesprochen worden war. Seit Tagen ließ der Mandrill sie in der Zelle stehen. Vom frühen Morgen an. Erst nach dem Abendappell durften sie sich niederlegen. Dann krochen die beiden auf dem eiskalten Zementboden eng aneinander. Aber die Nachtkälte trieb ihnen den Schlaf aus den Körpern. Vom ewigen Hunger geschwächt, gepeinigt von den Schmerzensqualen der zerschundenen Glieder, verdämmerten sie die endlose

Nacht, die um 5 Uhr morgens abriß, wenn der Mandrill die Zelle aufschloß.

Dann begann auf dem Korridor und im Waschraum des Bunkers ein wildes Inferno. Innerhalb von drei Minuten mußten sämtliche Häftlinge des Bunkers sich entkleidet, gewaschen, wieder angekleidet, die Zellen ausgefegt und die Klosetteimer entleert haben. Wie im Veitstanz quirlten die Körper durcheinander, wie von einem satanischen Geist geritten, schossen die Arrestanten hin und her. Lautlos, schemenhaft. Nur die Schuhe klapperten. In diesem gespenstischen Gewirr der Leiber stand der Mandrill und hieb mit dem ledernen Vierkant auf die Menschen ein, die in ihre Zellen zurückschossen. Hier zogen sie sich in wildgetriebener Hast die Hemden über den Kopf, stopften die Hosen hinein und fuhren in die Jacken, um Zeit zu gewinnen, die Zellen zu reinigen. Welch ein Glück für Höfel und Kropinski, daß sie von diesem Hexentanz ausgeschlossen waren. Sie durften sich nicht waschen und auch ihren Klosettkübel nicht entleeren. Dieser, ein verbeulter Marmeladeneimer, stand in der Zellenecke, und da er seit Tagen nicht geleert worden war, quoll sein Inhalt über und verpestete die Luft. Nun standen die beiden schon wieder den ganzen Tag. Zweimal bereits hatte der Mandrill sämtliche Bunkerinsassen während des Tages aus ihren Zellen getrieben, um sie auf dem Korridor bis zur Erschöpfung hüpfen und Kniebeuge machen zu lassen. Höfel und Kropinski waren viel zu sehr die Gequälten ihrer eigenen Not, um unter dem, was sich draußen abspielte, noch zu erschauern. Dumpf und stumpf nahmen sie das Rumoren auf dem Korridor wahr, die klatschenden Schläge des Mandrill und das Wimmern der Erschöpften. Ihre Sinne hatten die Grenze des Aufnehmens erreicht. Solange der Mandrill draußen tobte, konnten sie sicher sein, daß er sie durch den Spion nicht beobachtete. Darum taten sie vorsichtig ihre Schultern aneinander, um sich zu stützen. Als draußen aber Ruhe eingetreten war, mußten sie sich voneinander lösen, und nun standen sie schon lange. Stunden um Stunden. Die Kraft verzehrte sich. Der Schmerz der Erschöpfung saß ihnen wie Messer im Rücken. Immer wieder mußte sich Höfel hochreißen, dennoch fiel er aufs neue in sich zusammen.

Er wimmerte hilflos in sich hinein, hatte keine Kraft mehr zu denken. Kropinski, der selbst die Reste seiner Energie verbrauchte, versuchte zu trösten.

»Bald wird Appell sein, und wir können schlafen. Viel schlafen und tüchtig schlafen.« Höfel nahm den Trost nicht mehr an. Er zerfiel immer mehr.

»Ich mache Schluß«, wimmerte er, »ich hänge mich auf ... es hat keinen Zweck mehr ...« Kropinski erschrak, er bettelte flehend: »Nicht, Bruder, nicht. Noch ein bißchen, und ist bald Appell.« Höfel stöhnte. Der Kopf sank ihm vornüber, in den Adern grimmte das ausgelaugte Blut, und der Körper schaukelte und schwankte. Auf einmal flüsterte Kropinski:

»Du hören! Draußen! Wer spricht?« Höfel, aus seinem Hindämmern erwachend, hob den Kopf, hörte Kommandos.

Das war Krämers Stimme ... Zum ersten Male, seit er im Bunker saß, vernahm er sie wieder. – Losgerissen von der Gemeinschaft der Freunde im Lager, allein gelassen in grausamer Hilflosigkeit, saugte Höfel den heimatlichvertrauten Klang der Stimme in sich ein. Von jedem Wort, das Krämer draußen sprach, nahm Höfel einsamen Abschied, inbrünstig liebend.

Doch dann wurde seine Aufmerksamkeit wacher und heller. Er hörte den Kommandanten sprechen. Höfels Augen weiteten sich.

»Marian?«

»Tak?«

»Es wird nicht evakuiert. Das Lager wird übergeben ...«

»Ist wahr?«

»So hör doch ...!«

Höfel war voller Spannung. »Wenn das wahr ist«? flüsterte er erregt, »wenn das wahr ist ...«

Kropinskis Gesicht überzog sich mit einem Schein.

»Mutter Gottes«, hauchte er, und seine Worte waren wie ein dünner Faden, »wir dann – vielleicht – nicht sterben ...?«

Vor der Schreibstube diskutierten die erregten Blockältesten noch lange. Der Kommandant hatte sie mit seiner seltsamen Ansprache durcheinandergebracht. Ihre Meinungen über die Echtheit seiner Versicherungen durchkreuzten sich und gerieten in Unordnung. Obwohl kaum einer von ihnen glauben mochte, was der Kommandant versprochen, klammerten sie sich dennoch – aus dem menschlichen Bedürfnis nach Sicherheit heraus – an die vage Hoffnung, daß das nahende Ende ohne Gefahr vorübergehen möge. Vielleicht wurde das Lager wirklich dem Amerikaner unversehrt übergeben? Andere Blockälteste lachten über die Hirngespinste. Mit seiner Ansprache hatte ihnen der Kommandant nur Sand in die Augen gestreut.

Krämer, inmitten des Haufens der Erregten, hätte das Gewirr der Meinungen mit ein paar Worten klären können. Gleich jener Gruppe der Zweifler hatte auch er die Demagogie des Kommandanten durchschaut, aber in ihrer Gesamtheit waren die Blockältesten nicht einheitlich gesinnt, und es gab unter ihnen so manche, deren politische und charakterliche Beschaffenheit zur Vorsicht mahnte. Darum konnte Krämer das offene Wort, dessen die Situation gerade jetzt bedurfte, nicht sprechen.

Wie immer in solchen Fällen blieb er neutral: »Abwarten, Kameraden.« Zwei Blockführer kamen. »Was ist hier los?«

Einige Häftlinge, die sich neugierig unter die Blockältesten gemischt hatten, verkrümelten sich schleunigst. Krämer und die Blockältesten zogen die Mützen. »Wir waren am Tor. Der Kommandant hat mit uns gesprochen«, erklärte Krämer. »Das Lager soll übergeben werden«, riefen einige Blockälteste. Die Blockführer ließen sich nicht auf Diskussionen mit den Häftlingen ein. »Schert euch auseinander, dalli! In die Blocks!« herrschten sie. Dem Befehl gehorchend, zerstreute sich der Haufen.

Lustlos saß Zweiling am Schreibtisch. Die Sache mit dem Judenbalg war ihm schiefgegangen. Der schlaue Reineboth hatte ihm alle Figuren vom Brett genommen. Höfel und Kropinski saßen im Bunker. Pippig, den er sich als Ersatz für Höfel warmhalten wollte, war fort. Der Rest des Kommandos schlich seit dem Tage, da die zehn Mann nach Weimar gebracht worden waren, um ihn herum mit Gesichtern, von denen er deutlich ablesen konnte, was sie über ihn dachten. Am meisten zuwider war Zweiling die plumpe Vertraulichkeit des Wurach. Vom ersten Tag an hatte dieser versucht, sich beim Kommando anzuschmieren. Doch die Kerle da draußen hatten einen zu feinen Instinkt, sie schienen das fremde Element unter sich sehr bald herausgeschnuppert zu haben und machten einen Bogen um Wurach und ließen ihn nicht an sich heran.

Seit Wurach ihm die Liste mit den 46 gegeben hatte, wurde er immer zudringlicher. Vor einer Stunde noch war er bei ihm im Zimmer gewesen.

»Wie ist es, Hauptscharführer, haben Sie mit dem Kommandanten gesprochen?«

Zweiling hatte ihn angezischt: »Kommen Sie nicht so oft zu mir, das fällt auf. Wenn es Zeit ist, wird sich schon was tun für Sie.«

»Ist aber nicht mehr viel Zeit, Hauptscharführer. Ich kann nicht im Lager bleiben. Wenn es mit der Liste 'rauskommt, dann schlagen sie mich tot.«

Dieser Mensch hing an Zweiling wie ein Klotz.

»Sie müssen mir helfen, Hauptscharführer. Ich habe Ihnen auch geholfen. Mit der Entlassung ist es Essig, daran glaube ich nicht mehr. Jeden Tag kann der Teufel hier losgelassen werden. Wollen Sie mich kaputtgehen lassen?«

Um den Zudringlichen loszuwerden, hatte ihm Zweiling die unsinnigsten Versprechungen gemacht. Er wollte ihn rechtzeitig aus dem Lager schaffen und ihn bei der Truppe unterbringen. Mit halbem Glauben hatte Wurach die Versicherungen entgegengenommen und sich in der Bedrängnis trotzdem an sie geklammert. Nun hockte Zweiling schon eine geraume Zeit hinter dem Schreibtisch und grübelte. Der Mund klaffte ihm auf, und die Zunge hing an der Unterlippe. Der Schlupf, den er sich hatte offenhalten wollen, war verstopft. Aus der Uniform, die er trug, kam er nicht mehr heraus. Mitgegangen, mitgefangen, mitge ...

Zweiling war es nicht wohl zumute ...

Draußen gab es Lärm. Ein Hinundherlaufen und Rumoren war zu hören. Zweiling schreckte hoch. Er trat rasch aus dem Zimmer und blieb verblüfft an der Tür stehen. Von den Häftlingen freudig begrüßt, standen die nach Weimar Verschleppten im Raum vor der langen Tafel. Sie wurden umarmt und gedrückt. Am überraschtesten gebärdete sich Wurach. Er griff nach jeder Hand und rief überlaut: »Großartig, Kumpel, daß ihr wieder da seid.«

Zweiling, mit einem faden Zug im Gesicht, stakte näher. »Wo kommt ihr denn her?«

Die Häftlinge schwiegen betreten. Wurach machte sich zum Sprecher. »Die Gestapo hat sie laufenlassen, Hauptscharführer.« Dem peinlichen Schweigen war Zweiling nicht gewachsen, er fand sich in der überraschenden Situation nur mit einer vagen Bemerkung zurecht: »Da seid ihr also wieder ... Laßt euch rasieren. Dreckig seht ihr aus.« Die Häftlinge antworteten nicht. Sie mochten ihre Freude mit dem da nicht teilen. Das wäre auch sonderbar gewesen.

Zweiling zog sich in sein Zimmer zurück. Eine ganze Weile hörte er auf das erregte Gelärm, fand sich in den Zusammenhängen nicht zurecht, die zu der überraschenden Entlassung geführt hatten. Plötzlich fiel ihm etwas ein. Er ging nach dem Schreibbüro hinüber, in dem sich die Häftlinge befanden. Sie nahmen bei seinem Eintritt Haltung an und verstummten. Zweiling stand vor Rose, der den Hauptscharführer noch mit der wilden Angst im Gesicht, in der er bisher gelebt hatte, anstarrte. Zweilings Augen wanderten über die stummen Häftlinge hinweg.

»Wo ... ist denn der Pippig?«

Alle blickten zu Boden und schwiegen. Nur Wurachs Augen gingen verstohlen hin und her. Zweiling wandte sich Rose zu.

»Na, wo ist er denn?« Roses Gesicht verzerrte sich zu einer häßlichen, weinerlichen Grimasse. Er schluckte ein paarmal und öffnete den Mund zur Antwort. Da knackte es im Lautsprecher. Reineboths Stimme: »Zwei Leichenträger mit einer Bahre ans Tor!« Roses Gesicht veränderte sich, er stotterte: »Herr Hauptscharführer ... ich ... der Pippig ... der ...«

»Zwei Leichenträger mit einer Bahre ans Tor!« wiederholte sich der Befehl. Die Häftlinge hoben die Augen zu Zweiling. Keiner sagte etwas. Rose schluckte. Zweiling schien zu begreifen. Er schob die Zunge vor.

»Wieso denn?« fragte er blöd. Und nach einer Weile, da keiner ihm antwortete: »Na, so was ...«

Er zuckte mit den Schultern und zog sich in sein Zimmer zurück.

Langsam und schwer bewegten sich die Häftlinge, und Rose, mit zerrissenem Gesicht, rechtfertigte sich kläglich: »Ich ... ich ... kann doch nichts dafür ...«

Die anderen beachteten seine hilflose Rechtfertigung nicht und überließen ihn schweigend seiner Erbärmlichkeit.

Krämer und Pröll standen am Fenster ihres Raumes und blickten zum Tor. Die untergehende Sonne tauchte das langgestreckte Gebäude in rotes Licht und warf lange Schatten.

Zwei Leichenträger, in farblosem Drillich, rannten vom Krematorium zum Tor. Die Bahre schaukelte zwischen ihnen. Der diensttuende Blockführer öffnete die schmiedeeiserne Tür, und sie huschten hindurch.

Krämer und Pröll warteten stumm. Nicht lange dauerte es, und die Leichenträger kamen wieder ins Lager herein. Die graue Wolldecke hing zu beiden Seiten der Bahre herab.

In Krämers Gesicht bewegte sich nichts. Als die Leichenträger zum Krematorium einschwenkten, zog er die Mütze vom Kopf und verkrampfte sie zwischen den Händen. Seine Augen nahmen Abschied.

Langsam gingen die Leichenträger mit ihrer Last über den leeren Appellplatz, und ihre langgezogenen Schatten geisterten vor ihnen her, als wiesen sie hüpfend die letzte kurze Strecke des Weges, die dem Toten auf dieser Erde noch übriggeblieben war ...

Als sich die frühe Dunkelheit des Abends über das Lager senkte, vollzog sich, was am Mittag im Operationsraum des Reviers beschlossen worden war. Schnell und huschend spielte der Apparat. Die Verbindungsleute benachrichtigten in den Blocks die Führer der Widerstandsgruppen. Unauffällig geschah es – ein paar Worte, die jeder hören konnte, doch zwischendurch wurden die Weisungen des ILK gegeben.

Alarmstufe 2! Kein Angehöriger der Widerstandsgruppen durfte mehr den Block verlassen, alle mußten sich in Bereitschaft halten. Sie wußten, worum es ging. – Blockälteste in den Pferdeställen des Kleinen Lagers waren vorbereitet worden. Unter ihren sich in der Enge und Überfüllung drängenden Insassen tauchten neue auf. Sie kamen vom Revier. Köhn und seine Sanitäter hatten sie mit Kopfverbänden unkenntlich gemacht. In ihren zerschlissenen Klamotten unterschieden sie sich in nichts von den übrigen. Andere der 46 Todeskandidaten hatten sich auf eigne Faust Verstecke ausfindig gemacht. Pröll war bereits am Nachmittag im Kleinen Lager gewesen, hatte sich umgesehen. Jetzt verabschiedete er sich von Krämer.

»Geh, Junge«, sagte dieser, »es dauert bestimmt nicht lange, dann holen wir euch heraus ...«

Ein deutscher Blockschreiber und zwei polnische Stubendienste aus einem der Pferdeställe des Kleinen Lagers warteten auf Pröll. Auf einer freien Stelle im Gelände, abseits der Baracken, hatte Pröll unter dem aufgeworfenen Schotter einen Kanalschacht entdeckt. Ein aufgerissener Strohsack, von Exkrementenunrat verschmutzt, lag in der Nähe, irgendwann einmal aus einem der Ställe herausgeworfen und vergessen. Sofort hatte Pröll hier das geeignete Versteck erkannt. Der Blockschreiber wollte nichts davon wissen, doch Pröll hatte darauf bestanden, hier unterzutauchen, und nun warteten seine Helfer in der Dunkelheit auf ihn. Sie hatten den Deckel vom Schacht schon abgehoben, und als Pröll erschien, war sein Verschwinden das Werk weniger Minuten. Der Schacht, in den Pröll stieg, war eine senkrechte, eineinhalb Meter tiefe Öffnung über der Abortabflußleitung, die vom Lager zur Kläranlage führte. Pröll konnte sich nur mit gegrätschten Beinen auf die Kanten der Abflußrinne stellen, er mußte den Kopf einziehen, damit der Deckel aufgelegt werden konnte. Hastig warfen die Polen Schottersteine darüber und legten den Strohsack auf, dann huschten die Helfer in ihren Pferdestall zurück. Nun war Pröll allein und sich selbst überlassen. Er hatte das Gefühl absoluter Sicherheit und probierte die bequemste Stellung aus. In jeder Tasche seines Mantels steckte ein Knust Brot.

Zwischen seinen Beinen gluckste das jauchige Abwasser, und wenn der Gestank nicht gewesen wäre, dann hätte es Pröll lieblich klingen können wie das Gezwitscher eines munteren Bächleins. In einem Anflug von Galgenhumor machte sich Pröll mit seinem wenig angenehmen Verlies vertraut. »Fürs Scheißen hast du es jedenfalls bequem«, sagte er zu sich und richtete sich auf längere Zeit ein.

Krämer hatte dafür gesorgt und auch mitgeholfen, einige der Bedrohten zu verbergen. Auf seine Veranlassung hin hatte Bogorski von Häftlingen des Badekommandos am Nachmittag im Kohlenkeller das Versteck vorbereiten lassen. Im Kohlenberg war ein Hohlraum ausgeschachtet worden, der einen schnell zusammengezimmerten Lattenkäfig aufnehmen konnte. Klug und geschickt hatten die Häftlinge mit einem alten Tonrohr eine gut getarnte Luftzufuhr konstruiert. In diesen Lattenkäfig kroch einer der Bedrohten. Das Versteck wurde durch aufgeschichtete Kohlen unkenntlich gemacht. Im Kartoffelkeller der Küche war es einfacher. Hier genügte es, eine große Kiste unter den Kartoffelberg zu schieben. Die Entlüftungsanlage des Kellers sorgte für Atemluft. Als Krämer später durchs Lager ging und zur Nacht abpfiff, war die Aktion allerorts beendet. Sämtliche Todeskandidaten waren verschwunden. Matt an Nerven und Gliedern, betrat Krämer dann den Block 3 der Kommandierten, auf dem er seine Schlafstatt hatte. Die hier untergebrachten Häftlinge waren noch nicht schlafen gegangen. Voller Spannung umringten sie Krämer, der sich schwerfällig auf die Bank am Tisch niederließ.

»Hat es geklappt?« fragte Wunderlich. Krämer antwortete nicht. Er knotete die Verschnürung seiner Schuhe auf. Sein Schweigen hatte etwas Mürrisches an sich. Doch die Häftlinge kannten ihn viel zu gut, um sein Verhalten nicht zu mißdeuten, das nur die Reaktion auf die vorangegangene Anspannung war. Erst nach einer Weile sagte Krämer: »Wenn wir den Tag morgen gut überstehen ...« Der Rest ging unter in einem schweren Seufzer. Krämer schob die Schuhe unter die Bank. Wunderlich stand vor ihm. »Ob es stimmt, weiß ich nicht, Walter, aber oben erzählen sie sich, daß morgen die Evakuierung losgehen soll ...« Krämer sah Wunderlich fragend an, der zog unbestimmt die Schultern hoch. Keiner der Häftlinge, die Krämer umstanden, sprach. Was sie empfinden mochten, drückte sich in ihrem Schweigen aus. Woher auch hätten sie Worte nehmen sollen, um das Unbegreifliche zu sagen? Nicht die Evakuierung selbst machte die Menschen stumm, sondern die kaum vorstellbare Tatsache, daß die bevorstehenden Ereignisse das Ende in sich bargen. Wie viele tausend Tage und Nächte hatten erst in die Zeitlosigkeit ihres Lagerdaseins versinken müssen, damit eine einzige Nacht urplötzlich den Strom ins Nichts blockieren konnte? Weil dafür die Vorstellungskraft nicht ausreichte, war auch die Sprache zu arm. Selbst Krämer fand kein Wort, welches groß genug war, das Unvorstellbare auszudrücken. »Einmal muß es ja kommen ...«, sagte er nur, als er sich erhob und die Jacke ablegte. Da sich nichts weiter sagen ließ, meinte Krämer: »Gehen wir schlafen, es ist das beste ...«

Noch lange wälzte sich Bochow in dieser Nacht ruhelos auf seinem Lager. Nun war es geschehen. Unter ihm in der Fundamentgrube befand sich Runki, und an vielen heimlichen Orten des Lagers die übrigen. Nun war es geschehen, unwiderruflich und nicht rückführbar. Aus *seinem* Mund war der Entschluß zum Aufstand gekommen, folgenschwer und ebenso unwiderruflich! – Bochow schloß die Augen und befahl den Schlaf herbei, der ihn narrte. Er horchte in sich hinein. Habe ich Angst? Zittere ich? Was ist? Haben sich nicht die Hände der Genossen in eins zusammengefunden? War nicht sein Wille zum Willen aller geworden? Aller! Das waren 50000 und nicht nur die paar Genossen des ILK! Würden deren wenige Hände ausreichen, die Last der Verantwortung auf alle zu verteilen? Oder würden aber tausend Finger auf ihn weisen: Du trägst die Last! Du ganz allein! Aus *deinem* Munde kam das Wort! Du bist schuld! ... Bochows Gedanken verwirrten sich, aber er straffte sich. Ausgesprochen hatte er nur, was für alle unausweichliche Notwendigkeit war! – Und trotzdem, der Schlaf floh von ihm. Die Nacht wollte nicht weichen. Sie hockte ihm auf der Brust wie eine schwarze stumme Gestalt ...

Es war der 4. April 1945, ein Mittwoch, der im Dämmer des Morgens erwachte. Die Tür des Blocks 3 öffnete sich. Krämer trat heraus. Die Luft war feucht und hart. Es nieselte. Die frühe Morgenstunde löste sich nur schwer von der Schwärze der Nacht. Starr standen die Wachtürme. Die roten Lampen am Draht glühten verschwiegen wie heimlich beobachtende Augen. Breit und leer dehnte sich der Appellplatz. Ganz oben bleichte das Torgebäude auf. Die Bäume des verbliebenen Waldes rund um das Lager ragten schwarz und steif im Dämmer zwischen Nacht und Morgen. Krämer schlug fröstelnd den Mantelkragen hoch und zog die Signalpfeife aus der Tasche.

Der schrille Pfiff des Weckens erschreckte die Stille. Krämer stapfte durchs Lager. Die Häftlinge der Küche, die noch früher den Tag beginnen mußten, nahmen das Wecksignal als Zeichen entgegen, die Kaffeekübel bereitzustellen. In den Blocks war es schon lebendig. Die Betten wurden gebaut. In den Waschkauen drängten sich die Häftlinge mit nacktem Oberkörper um die Waschpilze. Stubendienste riefen in das Gewirr: »Kaffeeholer 'raus!« Auf den Wegen zwischen den Blocks begann es sich zu regen. Holzschuhe trappten. Aus allen Richtungen des Lagers zogen die Trupps der Kaffeeholer zur Küche, stauten sich hier und formierten sich zur gewohnten Ordnung des Kaffee-Empfangs. Der Küchenkapo und seine Helfer riefen die einzelnen Blocks auf. Die Kübel klapperten. Lärm, Leben, Bewegung, eingespielt und diszipliniert seit Jahren und wie an jedem Tag. Heute aber überdeckte der Lärm des Morgens eine besondere Spannung. Nur gedämpft sprachen sie alle miteinander. So mancher Blockälteste war über Nacht verschwunden. Wie selbstverständlich übernahm der Blockschreiber oder einer der Stubendienste die Funktionen des Fehlenden. Alle wußten sie, was in der Nacht geschehen war, und wie in geheimer Verabredung ignorierten sie das Außergewöhnliche. Nur hin und wieder und nur so zwischendurch gab es eine hingeworfene Bemerkung: »Bin neugierig, wie es heute ausgehen wird ...« Zwischen den Angehörigen der Widerstandsgruppen auf den einzelnen Blocks – jede Gruppe zusammen mit dem Vormann zählte nur fünf Mitglieder – war die Gemeinsamkeit in noch tieferes Schweigen eingebettet als sonst. Alarmstufe 2!

Neben der militärischen Ausbildung war es die wichtigste Aufgabe der Männer des illegalen Apparats, in ständiger Einwirkung auf die Mitgefangenen Bewußtsein und Kameradschaftsgeist zu entwickeln. Das war nicht immer leicht gewesen. Unter der bunten Vielzahl der Menschen steckte mancher schlechte, manch einer, der feig war oder gar hinterlistig und nur auf seinen eigenen Vorteil bedacht. So einer wollte »mit nichts« zu tun haben, begab sich selbst in Isolierung oder wurde von den anderen isoliert. Doch an diesem Morgen zeigte sich die Wirkung der Erziehungsarbeit und zeigte sich auch die Kraft der menschlichen Natur in Situationen, wo es galt, zusammenzustehen. Alle fühlten sich untereinander verbunden. Besonders auf den Blocks, wo es einen oder gar mehrere der verschwundenen Todeskandidaten gab, herrschte unter den Blockinsassen ein stilles Einverständnis: Einer für alle, alle für einen! Sie verbargen die leise Nervosität, von der sie befallen waren, spürten sie doch fast körperlich, daß der heutige Tag Entscheidungen bringen würde, und diese nicht nur der 46 wegen. Das nahende Ende schmolz das Bewußtsein aller in eins zusammen. Sosehr sie sich noch an persönlichem Mut, an Hoffnungen, Zuversicht oder Angst unterschieden, der heutige Morgen schweißte sie alle zusammen in der schicksalhaften Verbundenheit. Und als draußen das Licht des Morgens dämmerte und die Zeit des Appells herangekommen war, formierten sich die Züge, und der Marschtritt der Kolonnen, die Zug um Zug, Block um Block den Berg hinauf anrückten, war ein anderer als sonst. Dunkel, fester und entschlossener war der Tritt der Tausenden, fest und entschlossen ihre Gesichter.

Der Appellplatz füllte sich, das Riesenquadrat baute

sich auf, Mann an Mann, schweigend und erwartungsvoll. Tausende von Augen waren nach oben gerichtet zum Tor, wo Reineboth das Stativmikrophon aufstellte, Weisangk, der Erste Lagerführer, erschien und wo die gehaßten Blockführer, diese rüden und zynischen Gesellen, standen.

Krämer gab die Bestandsmeldung des Lagers an Reineboth. Das Rudel der Blockführer zerstreute sich auf die einzelnen Blockkarrees, um zu zählen. Was geschah nun? 46 fehlten zum Appell! Das hatte es im Lager noch nie gegeben! Würde ein Sturm losbrechen? – Die Häftlinge hielten den Atem an. Sie horchten in das eigene Schweigen hinein, nach allen Seiten hin. Die Spannung war straff wie ein Stahlseil kurz vor dem Zerreißen. Warum brüllte kein Blockführer los?

Krämer, mit dem Rücken zu den angetretenen Blocks, stand auf seiner gewohnten, abgesonderten Stelle und hatte das Empfinden einer ungeheuren Leere hinter sich, als stünde er ganz allein auf dem weiten Platz. Er prüfte sich selbst auf die Verfassung seiner Nerven und Muskeln. Wie ging das Herz? Ruhig. Waren die Arme ihm schwer wie Blei? Gab es einen Druck in der Magengegend? Nichts von dem. Gleichmäßig atmeten die Lungen. Gut also. – Er wartete ab. Zwanzig Meter vor ihm wartete Reineboth auf den Rapport der Blockführer, wartete der versoffene Weisangk. Warum nahm Kluttig heute den Appell nicht ab? – Krämer hörte hinter sich da und dort die Stimme eines Blockältesten: »Block 16, stillgestanden! Mützen ab! Block 16 mit 353 Häftlingen zum Appell angetreten ...«

»Block 38, stillgestanden! Mützen ab! Block 38 mit 802 Häftlingen zum Appell angetreten. Einer fehlt.«

Das war Bochows Stimme! Krämer hielt für Sekunden den Atem an. Was geschah jetzt hinter seinem Rücken? Ein unbändiger Drang war in ihm, sich umzudrehen, das Lauschen genügte nicht mehr.

Bochow war gänzlich ohne Furcht, als er das Fehlen

Runkis meldete. »Sein« Blockführer, für den er die Sprüchlein malte, blickte nur kurz von dem Blockbuch auf, in das er die Zahlen notierte, und fragte ohne Überraschung: »Wo ist er?« – »Ich weiß es nicht.« Mehr wurde darüber nicht gesprochen, und in Bochow schoß es plötzlich auf: Die haben Instruktionen erhalten!

Der Blockführer ging die Front entlang, äugte über die entblößten Köpfe und zählte die Zehnerreihen ab. Verstohlen folgen ihm die Augen der Häftlinge. Warum geschah nichts? – Lag etwa in dem Schweigen, mit dem die einzelnen Blockführer die Meldungen entgegennahmen, eine große, noch unbekannte Gefahr? – Alles blickte gespannt nach oben. Blockführer um Blockführer gab bei Reineboth seine Meldung ab. Der notierte, als ob nichts geschehen sei.

Krämer konnte den Rapportführer gut beobachten. Jetzt zählte dieser die Meldungen zusammen, verglich sie mit dem Gesamtbestand, rechnete, zählte wieder, rechnete erneut, und ein feiner zynischer Zug veränderte sein Gesicht. Nun war er mit der Rechnung zu Ende. Statt, wie üblich, zum Mikrophon zu gehen, trat er zu Weisangk. Was er mit diesem besprach, konnte Krämer nicht hören, aber er las es von Mienen und Gesten der beiden ab, daß sich das Gespräch um die 46 drehen mußte. Weisangk redete gestikulierend, fahrig, nervös. Er gab Reineboth Anweisungen. Der zog die Schultern hoch und machte mit den Händen eine Bewegung, die ausdrücken mochte: Bitte, wie Sie wünschen. Darauf trat er zum Mikrophon.

»Fertig! Stillgestanden! Mützen ab!«

Der Schlag klatschte dumpf wie immer.

Die sowjetischen Kriegsgefangenen wurden gesondert gezählt und verblieben während des Appells in ihrem mit einem Stacheldraht umzogenen Block. Sie konnten, was durch das Mikrophon gesprochen wurde, im Lautsprecher des Blocks hören. Eine große Zahl von diesen 800 Kriegsgefangenen gehörte den Widerstandsgruppen an.

Bogorski war ihr Führer. Auch unter diesen Menschen galt das Gesetz der Konspiration, und nur die besten und zuverlässigsten waren in die Gruppe aufgenommen worden. Die Gefangenen saßen an den Tischen und warteten auf das Ende des Appells. Van Dalen, Köhn und die Pfleger, unter ihnen die des Sanitrupps, hörten im Aufenthaltsraum des Reviers gleichfalls die Durchsagen. Sie sahen sich bedeutungsvoll an, als sie Reineboths Kommando vernahmen wie an jedem Tag. Was ist?

Im Kleinen Lager, das ebenfalls gesondert gezählt wurde, hatten Manipulationen stattfinden müssen, um den heimlichen Zuwachs in der Gesamtzahl des Bestands zu verbergen. Es wurden einige Tote, die es ja täglich gab, unterschlagen, und an ihrer Stelle ließen sich die Untergetauchten mitzählen. Ihr großartig zurechtgemachtes Mimikry verwischte sie in der grauen Masse.

Es waren bange und gefahrvolle Minuten, die sie alle zusammen mit dem ganzen Lager durchkämpfen mußten. Krämer, Bochow, Bogorski, Pribula, Kodiczek, Riomand und van Dalen. Sie warteten auf den Sturm ... Gab es nicht jedesmal Aufruhr, wenn auch nur einer fehlte beim Appell, der sich aus Angst vor dem kommenden Tag irgendwo verkrochen hatte? Und heute fehlten 46! Und »die da oben« sollten nicht einmal Notiz davon nehmen?

Reineboth gab seinen Rapport wie immer an den Lagerführer weiter, wie immer ging er dann zum Mikrophon zurück: »Mützen auf! – Korrigieren! – Aus!«

Reineboth trat vom Mikrophon zurück, und Weisangk nahm dessen Stelle ein. Er hielt sich an der Stange des Stativs fest, und sein Bayrisch röhrte durch den Lautsprecher. »Mal herhören z-amt! Heit bleibt mir alles im Lager! Heit rückt koan Arbeitskommando aus! Es bleibt mir alles in den Blocks, daß mir koana drauß'n umanandloaft, heit.« Er trat von einem Bein auf das andere, das Sprechen machte ihm Mühe, er schien noch etwas sagen zu wollen, überließ aber dann dem gewandteren Reineboth die weitere Durchsage.

Mit einem zweischneidigen Lächeln stellte sich dieser wieder hinter das Mikrophon. »Die bestellten Häftlinge am Schild 2 antreten. Alles andere abrücken!«

Er schaltete das Mikrophon aus. Die bestellten Häftlinge waren die 46!

Während sich die Massen der Häftlinge nach dem Lager zu in Bewegung setzten, die Blockführer durchs Tor verschwanden, raunte Reineboth Weisangk zu: »Von den Kerlen kommt keiner, die haben sich alle verkrochen.«

»Dös is a Schweinerei, is dös.«

Am Schlagbaum, der sich am Ende der langen Zufahrtstraße zum Lager befand, hielten zwei überplante Lastautos. Eine karabinerbewaffnete Abteilung SS, von einem Hauptsturmführer befehligt, stand neben den Wagen. Der Posten am Schlagbaum ging auf und ab. Im kleinen Steingebäude, das als Unterkunft diente, saß Kluttig und wartete.

In seinem Zimmer griff Reineboth zum Hörer, doch er legte ihn wieder auf die Gabel zurück. Finger davon, dachte er sich, mag es Kluttig mit dem Kommandanten selbst ausmachen. Die Situation war zu heikel, und es erschien Reineboth klüger, sich aus ihr herauszuhalten. Das Verschwinden der 46 kam einer Kampfansage gleich, die Reineboth unfaßbar war, er schüttelte den Kopf. Die Lage begann sich zu komplizieren. Seit jener für Reineboth so aufschlußreichen Besprechung beim Kommandanten war der Jüngling vorsichtiger geworden. Das heutige Ereignis zeigte geheime Kräfte an, die er in seiner eitlen Überheblichkeit niemals hatte ernst nehmen wollen. Gewohnt, in den Häftlingen nur willenlose Objekte zu sehen, ging dem Jüngling jetzt eine Ahnung auf, daß es keineswegs so leicht war, einfach mit dem Maschinengewehr hineinzuhalten. Und außerdem ... Reineboth machte ein paar langsame Schritte und blieb nachdenklich vor der Landkarte stehen. Die bunten Nadelköpfchen hüpften von Tag zu Tag näher ans Lager heran. Der Jüngling schürzte sorgenvoll die Lippen. Der Bart ist ab, Adele ... Auf dem Schreibtisch stand ein Bild im Silberrahmen. Mit süffisant herabgezogenen Mundwinkeln betrachtete sich der Jüngling den dargestellten Mann, das Idol, mit in die Stirn gekämmter Haarsträhne ... Plötzlich schnippte Reinboth gegen die bartgestützte Nase des Photos. »Adele«, sagte er zynisch.

Weisangk hatte dem Kommandanten das Verschwinden der 46 gemeldet. Schwahl war aufgebracht. Er stützte die Fäuste in die Hüften und stöhnte. »Da haben wir es! Dieser Mensch bringt mir nur Unruhe ins Lager.«

Schwahl konnte es sich nicht leisten, eine langwierige Suchaktion durchführen zu lassen. Auf dem Weimarer Bahnhof wartete bereits ein Güterzug auf die ersten Transporte.

Nach dem Ausbruch seines Unmuts war Schwahl merkwürdig schweigsam geworden. Gedankenvoll ging er im Zimmer umher. Plötzlich blieb er vor Weisangk stehen, der in einem Sessel am Konferenztisch saß und seinen Herrn mit sorgenvollen Blicken verfolgte.

»Kommt nach uns der Bolschewismus?« fragte Schwahl überraschend. Weisangk blinzelte und schluckte wie bei einer Examensfrage.

»I moan, was soll sunst kemma?«

Schwahl machte wieder einige gepeinigte Schritte und fuhr mit ausgestrecktem Finger zu dem ratlosen Weisangk herum. »Eines ist sicher! Auf der Konferenz der alliierten Außenminister 1943 in Moskau wurde die Aburteilung der Kriegsverbrecher beschlossen.« Schwahl tippte sich vielsagend gegen die Brust.

»Dös is a Ding ...«, platzte Weisangk überrascht heraus.

»So einfach, wie es sich Kluttig machen will, ist es eben nicht, mein Lieber.«

Schwahl stöhnte gequält auf. »Geschossen ist schnell. – Vielleicht habe ich Glück und komme durch. Vielleicht lasse ich mir einen Bart wachsen. Vielleicht wird aus mir ein Waldarbeiter, irgendwo in Bayern ...«

»Dös is guat«, pflichtete Weisangk eifrig bei.

»Aber wenn sie mich erwischen ... Wenn sie mich erwischen ... Ich werde für sie immer der Kommandant des Konzentrationslagers Buchenwald bleiben. Und wenn sie hier ein Leichenfeld vorfinden ... ?« Schwahl wedelte mit den Fingern. »Nee, nee, mein Lieber ...«

Weisangk versuchte, Schwahls düstere Gedanken in ihrer Folgerichtigkeit weiterzudenken, aber das gelang ihm nicht. »Du bist a G'scheiter. Was is da zu machen?«

Nervös strich Schwahl mit der Hand durch die Luft.

»Weg mit den 46! Damit schlagen wir dem Widerstand im Lager die Köpfe ab. Alles andere aber marschiert. Was unterwegs kaputtgeht, soll mir egal sein. Was ein Alibi ist, weiß ich als Beamter am besten. Hier im Lager darf es jedenfalls keine Leichen geben.«

»Dös moan i aa.«

Überlegend drückte Schwahl die Unterlippe zwischen Daumen und Zeigefinger. »Wir müssen Kluttig zuvorkommen, er darf uns kein Unheil anrichten. Du gehst sofort zum Tor, holst dir den Lagerältesten und den Lagerschutz und läßt nach den 46 suchen.«

»Moanst, dös uns der Lagerschutz den Gefallen tut und oanen von den Kerls ...«

Unbeherrscht schrie Schwahl los: »Das ist mir egal! Du hast meinen Befehl! Ich lasse von Kluttig nicht das Lager umstülpen!«

Erschrocken sprang Weisangk hoch: »Nananaa, reg di net auf ...«

Nach dem Einrücken waren die Blockältesten mit zu Krämer gekommen und drängten sich im engen Raum um ihn zusammen. Auf ihren Gesichtern flackerte es, und von den seelischen Strapazen glänzten die Augen fiebrig. Was wird nun werden, was sollen wir tun? Nervosität und Erregung brodelten. »Kumpel«, rief Bochow, »wir dürfen uns nicht verwirren lassen. Jetzt müssen wir klaren Kopf behalten. Sie wollen uns evakuieren. Die 46 will Kluttig umlegen. Er irrt, wenn er glaubt, damit unseren Widerstand zu treffen.« Stark hatte es Bochow in den Lärm hineingerufen, überrascht, nach so vielen Jahren wieder seine Stimme zu hören, nicht flüsternd und heimlich, sondern laut und kraftvoll, so, als sei sie plötzlich zu ihm zurückgekehrt. Das Lebensgefühl, in all den Jahren auf klein gedreht, flammte auf und gab seiner Seele einen so unerhörten Schwung, daß er vermeinte, die Arme ausbreiten zu müssen. Kameraden! Genossen! Brüder!

Als pflanze sich in Krämer dieses drängende Bedürfnis fort, nahm ihm dieser das Wort ab. »Kameraden! Wir haben in allen Jahren zusammengehalten. Nun soll es sich erweisen, ob unsere Disziplin etwas taugt. Keine Unbesonnenheit, Kameraden! Wir dürfen aus unseren Reihen keine Provokationen dulden, wir dürfen aber auch nicht auf Provokateure von dort oben hereinfallen. Denkt daran! Es kostet uns sonst das Leben von Tausenden. Zeigt denen da oben, daß wir kein wilder Haufen sind, sondern eine Gemeinschaft disziplinierter Menschen! Kameraden, hört zu, was ich euch jetzt sage! Alle Befehle, die wir erhalten, werden von nun ab so ausgeführt, wie wir sie an euch weitergeben.« Krämer blickte prüfend in die gespannten Gesichter. Die Blockältesten hatten ihn verstanden. *»Wir!«* wiederholte Krämer und drückte sich die Faust gegen die Brust. »Geht zu euren Kumpeln auf die Blocks. Laßt euch durch nichts bange machen. Es kommen schwere Tage. Wir müssen jetzt das Leben aller verteidigen! Wir verteidigen unser Leben mit den Waffen, die wir besitzen, mit Mut und eisenharter Disziplin!«

Krämers Worte hatten den Blockältesten eine starke Zuversicht gegeben. Ein warmes Gefühl für Krämer durchflutete Bochow. Er blieb zurück, als die Blockältesten den Raum verließen.

Die beiden Männer sahen sich in die Augen, und ein wenig verlegen meinte Krämer, die Gefühlsaufwallung, die auch ihm die Brust heiß machte, überbrückend:

»Das mußte ich jetzt wohl sagen ...«

Bochow antwortete nicht.

Plötzlich umarmten sie sich, dem Drang unterliegend, dem ihre rauhe Scham nicht mehr gewachsen war, und standen stumm, das warme Pochen ihrer Herzen als Zwiesprache nutzend. Selten und darum um so kostbarer waren die Augenblicke im harten Leben der beiden Männer, wo das Gefühl, sonst karg und verborgen, alles überblühte. Rauhborstig, wie immer, wenn es ihm da drinnen zu weich werden wollte, sagte Krämer: »Jetzt geht es los, Herbert.« Auch Bochow war froh, wieder der alte sein zu können.

»Es ist sicher, daß es hier bald drunter und drüber gehen wird. Das gibt uns mehr Freiheit. Wo kann sich das ILK in Zukunft treffen? Was schlägst du vor?«

Krämer überlegte. »Ich meine in der 17, dem Quarantäneblock. Dorthin geht die SS ebenso ungern wie in Block 61. Die 17 ist in der Nähe der Schreibstube, wir können immer Verbindung miteinander halten. Der Blockälteste von 17 ist ein guter Kumpel und kann euch sicher unterbringen.«

»Gut«, entschied Bochow. »Sprich du mit ihm, ich verständige die Genossen.« Sie drückten sich die Hand. Es lag eine feste Entschlossenheit in diesem Händedruck.

Noch immer wartete Kluttig. Der Appell mußte längst zu Ende sein. Ungeduldig trat er aus dem Wachhaus. »Was ist los? Wann kommen nun die Kerle?«

Der angesprochene Hauptsturmführer zog die Schultern hoch.

In den Blocks horchten die Häftlinge auf. Es knackte in den Lautsprechern, und das probierende Pusten war vernehmbar. Alle lauschten. Reineboths lässiger Jargon war zu hören. »Der Lagerälteste und der Kapo vom Lagerschutz sofort zum Tor.«

Die Durchsage, sonst nichts als eine der lagerüblichen, jetzt war sie Sensation, wie alles, selbst das geringste Ereignis, zur Sensation wurde. Die Häftlinge waren durch den Befehl, in den Blocks zu bleiben, wie eingeschnürt. In allem, was geschah, witterten sie Unheil und Bedrohung. An den Fenstern der ersten Blockreihe am Appellplatz lugten neugierige Gesichter. Die beiden Gerufenen eilten im Laufschritt den Appellplatz hinauf. Oben trat Weisangk durch das schmiedeeiserne Tor ins Lager herein. In den anderen Blocks, von denen aus der Appellplatz nicht zu sehen war, ebbten die erregten Gespräche ab; die Häftlinge, an den langen Tischen zusammengedrängt, erwarteten neue Durchsagen. Aber die Lautsprecher blieben stumm. Was braute sich zusammen?

»Wo sind die Leit'?« empfing Weisangk die Gerufenen. »Warum treten die 46 nicht an?«

Mit dienstlicher Sachlichkeit antwortete Krämer: »Es ist mir nicht bekannt, warum sie nicht angetreten sind.«

»Sie sollen antreten«, polterte Weisangk, »es passiert ihnen nichts. In Buchenwald wird koaner mehr umgelegt. Sind die Leit' noch im Lager?«

»Meiner Ansicht nach müssen sie im Lager sein.«

Weisangk trat von einem Bein aufs andere. »Also suchen«, wandte er sich an den Kapo. Jede weitere Erörterung der Angelegenheit überschritt Weisangks Fähigkeiten, er wußte, daß Kluttig, von Schwahl telefonisch herbeigerufen, jetzt im Dienstzimmer war, und der mußte vor vollendete Tatsachen gestellt werden. Weisangk machte eine fahrige Handbewegung.

»Bis zum Mittag san die Leit' hier, verstanden?«

»Jawohl.«

Es bedurfte zwischen Krämer und dem Kapo keiner besonderen Verständigung, als sie den Appellplatz hinuntergingen.

»Ihr sucht selbstverständlich fleißig bis zum Mittag«, raunte Krämer.

»Klar, Walter«, gab der Kapo zurück. »Nur – ob wir einen finden werden . . . Was meinst du?« Er sah Krämer mit zugekniffenem Auge an.

Es schien, als sollte es wieder einen Zusammenstoß geben. Voller Gift, daß es die Häftlinge gewagt hatten, Trotz zu bieten, fauchte Kluttig auf Schwahl ein.

»So weit haben Sie es mit Ihrer Diplomatie gebracht. Nun tanzen uns die Kerls auf der Nase herum!«

»Der Lagerschutz sucht bereits«, plusterte sich Schwahl auf.

»Der Lagerschutz? Sind Sie von Gott verlassen, Mann? Hier gehört eine Kompanie SS her! Jeder Strohsack muß umgekrempelt werden!«

In Bedrängnis hob Schwahl die Arme hoch. »So geht's nicht weiter mit uns beiden! Sie bringen mir alles durcheinander und trampeln wie ein Ochse im Porzellanladen herum!«

»Standartenführer!« trompetete Kluttig beleidigt.

Auch Schwahl wollte losschreien, aber er brachte nur ein Ächzen heraus und schleuderte mit den Händen die aufgeschossene Wut von sich.

»Sag Schwahl zu mir oder meinetwegen Zuchthausbulle, wie früher, als wir noch intim miteinander waren.« Er entnahm dem Schreibtisch eine Flasche Kognak und zwei Gläser und stellte sie auf den Konferenztisch. Hintereinander leerte er zwei Gläser und ließ sich vernichtet in einen der schweren Sessel fallen.

»Wenn du nur vernünftig werden wolltest«, ächzte er, »wir müssen fort, es geht uns an den Kragen.«

In seinen kleinen Augen flimmerte es, die Hände zitterten ihm. »Setz dich«, sagte er nervös, und als Kluttig der Aufforderung nicht sofort nachkam, schrie er ihn an: »Hast du gehört, du Plissierfritze, du sollst dich setzen!«

Mit galligem Grimm nahm Kluttig Schwahls innere Auflösung wahr. Obwohl auch ihm die Bedrängnis unter der Uniform saß, zischte er durch die Zähne: »Der Herr Standartenführer bekommt es mit der Angst ...«

»Laß endlich den verdammten Standartenführer beiseite, ich kann es nicht mehr hören!« Plötzlich brach er ab, stierte unbeweglich vor sich hin und blickte dann zu Kluttig auf mit einem so veränderten Ausdruck, als wäre ihm das Gesicht heruntergefallen.

Die Katastrophe blieb nicht ohne Wirkung auf Kluttig. Im Bedürfnis nach Luft schob er den Adamsapfel aus dem Kragen, setzte sich wortlos an den Tisch und trank das bereitstehende Glas leer. Schwahl beobachtete ihn dabei und gewahrte, daß auch ihm die Hand zitterte. Ein tonloses Meckern schüttelte Schwahl. »So sehen wir jetzt also aus, so sehen wir aus ...«

Gepeinigt knallte Kluttig mit der flachen Hand auf den Tisch: »Hör auf!«

»Ja, wir hören auf«, sagte Schwahl mit ächzendem Zynismus. »Von heute an gibt es uns nicht mehr! Oder wie bitte, Herr Lagerführer? Wie lange wünschen Sie es noch zu sein?«

Schwahl erhob sich, ruckte sich in den Schultern zurecht, schob den Bauch vor und stemmte die Fäuste in die Seiten. »Im Grunde ziehen wir beide am gleichen Strang, nur jeder am anderen Ende. Das muß aufhören. Du bist ein alter tapferer Kämpfer, treu und ergeben. Hochachtung, Robert!«

Kluttig verbiß sich schweigend die Lippen. Das umgestülpte Innere Schwahls, das ihm so erschreckend sichtbar geworden war, hatte auch die eigene innere Verwüstung bloßgelegt. Ohne es sich oder gar Schwahl einzugestehen, wußte Kluttig, daß seine Sucht nach Vernichtung nur das Wüten gegen die drohende Auflösung war. Im Grunde gab es nichts, als das Auto vollzupacken und rechtzeitig vor dem Amerikaner zu verschwinden. Plötzlich fiel Kluttig die drallbrüstige Hortense ein, sie wollte er sich mitnehmen.

Schwahl stieß Kluttig gegen die Schulter. »Hörst du zu, was ich dir sage?« Kluttig straffte sich. »Ja, natürlich, ja, ich höre zu.«

»In einer Woche muß das Lager leer sein, mehr Zeit haben wir nicht. Mit jedem Transport geht ein Teil der

Truppe mit. Heute nachmittag beginne ich mit der Räumung.«

»Und was wird mit den 46?«

Kluttigs Hartnäckigkeit ließ in Schwahl die Nervosität erneut aufbrechen. »Wegen 46 Mann kann ich kein Durcheinander veranstalten.«

»Sie sind der führende Kopf ...«

»Ach was, Kopf oder Schwanz! Alles geht mit.«

»Und wenn Widerstand geleistet wird?«

Verzweifelt umschloß Schwahl seinen Kopf mit den Händen: »Dann jagen wir sie mit Hunden hinaus.«

Kluttig lachte zerrissen: »Das gibt Tote, und die willst du nicht haben.«

Mit Schwahls Beherrschung war es vorbei. »Und wenn jeder Transport ein Leichenzug wird«, schrie er, »hier bleibt kein Toter zurück.«

Störrisch beharrte Kluttig: »Wenn sie uns die 46 nicht ausliefern, lasse ich sie durch Nachtstreifen suchen.«

»Jaja«, wimmerte Schwahl klein und schwach, »laß suchen, ich schicke dir meinetwegen noch eine Hundestaffel ins Lager. Aber bring mir nicht die Evakuierung durcheinander.«

Völlig ausgepumpt sank er in den Sessel zurück.

Die Häftlinge vom Lagerschutz gingen von Block zu Block.

»Habt ihr einen von den 46 versteckt?«

»Nein, wir haben niemand versteckt.«

»In Ordnung. Gehen wir zum nächsten Block.«

Inzwischen leitete Schwahl die ersten Maßnahmen der Evakuierung ein. In seinem Dienstzimmer war der Stab versammelt: Wittig, die Ordonnanz, Kamloth, Kluttig, Weisangk und Offiziere der Truppe. Schwahl erteilte die Befehle. Die Offiziere eilten fort, um sie auszuführen.

Bald brodelte und wirrte es im Gelände um das Lager von marschierenden SS-Gruppen und ratternden Lastautos. Die äußere Postenkette um das Lager wurde auf Schwahls Befehl hin verstärkt, die Wachposten auf den Türmen verdoppelt, neben den vorhandenen leichten schwere Maschinengewehre auf die Türme montiert, Handgranaten, Panzerfäuste verteilt.

Schwahls Dienstzimmer verwandelte sich in ein Hauptquartier. Ununterbrochen läutete das Telefon. Meldungen über ausgeführte Befehle wurden gebracht, neue Befehle mitgenommen. Es war ein Kommen und Gehen, und Schwahl, der über alles entscheiden mußte, von dem ein jeder etwas wollte, war mitten hineingestellt in diesen Trubel. In das Durcheinander platzte ein Personenwagen mit Offizieren der Wehrmacht. Sie brachten Schwahl einen Befehl des Stadtkommandanten von Weimar, die in den Munitionsbunkern der SS lagernden Wagen Bestände von deponierter Wehrmachtsmunition sofort abzutransportieren.

Die Munition wurde im Raum zwischen Halle und Hof dringend gebraucht, wo die vor dem Amerikaner zurückweichenden Armeegruppen versuchten, eine neue Verteidigungslinie aufzubauen.

»Meine Herren, meine Herren!« rief Schwahl verzweifelt. »Sie sehen, wir sind mitten in den Vorbereitungen zur Räumung des Lagers.«

Doch er mußte den Befehl durchführen und gab ihn an Kamloth weiter. Der flitzte mit den Offizieren zu den Truppengaragen, hier jagte er Bauer und Meisgeier auf: »Sofort 20 LKWs fertigmachen!« Bald knatterten die Wagenkolonnen durch das Gelände zu den Munitionsbunkern hinter den SS-Kasernen. Schwitzend und keuchend schleppten SS-Leute schwere Munitionskisten aus den Bunkern.

Befehle ertönten, Geschrei und Durcheinander wie bei einer überstürzten Flucht ...

Schwahl kam nicht zur Ruhe. Eine telefonische Meldung lief ein. Am Schlagbaum war soeben ein großer Transport von Häftlingen eingetroffen, der von einem im Harz befindlichen Außenlager nach Buchenwald zurückgekommen war. Schwahl, schon völlig durcheinandergebracht, schrie seine Nervosität in den Hörer, knallte ihn auf, telefonierte mit Reineboth, gab ihm Befehl, sich um die Zugänge zu kümmern, beauftragte Kluttig, sich für die weitere Abwicklung Krämers zu bedienen, der die Unterbringung der Häftlinge zu besorgen hatte, und sank danach stöhnend in den Klubsessel, die Arme theatralisch ausgebreitet: »Meine Herren, meine Herren ...«

Weisangk goß dem Geplagten einen Schnaps ein, der noch vom Morgen her auf dem Tisch stand.

»Sauf, dös beruhigt.«

An marschierenden Abteilungen und ratternden Lastwagen vorbei raste Reineboth auf seinem Motorrad die Zugangsstraße zum Lager entlang nach dem Schlagbaum. Ihn wollte die gewohnte Schnoddrigkeit verlassen, als er die Tausende abgelumpter, verhungerter und völlig erschöpfter Häftlinge sah, die etwa hundert Meter vom Schlagbaum entfernt am Rand der Bergstraße lagen und standen. Er stellte das Motorrad ab und schob sich verzweifelt die Mütze aus der Stirn. Einige SS-Chargen, Untersturmführer und Scharführer, verdreckt, verstaubt und unrasiert, in sichtlich gereizter Gemütsverfassung, kamen Reineboth am Schlagbaum entgegen.

»Was ist los hier? Warum laßt ihr uns nicht 'rein?«

»Wo kommt ihr her?« fragte Reineboth fassungslos.

Der Untersturmführer, der das Wort hatte, lachte böse. »Fragt der auch noch, woher wir kommen! Uns sitzt der Amerikaner auf den Hacken, und ihr scheint hier noch im tiefsten Frieden zu leben. Also los, los, aufgemacht das Tor zum Paradies!«

Reineboth blieb nichts weiter übrig, als den Transport passieren zu lassen. Die eskortierende SS, die den Elendshaufen bewachte, trieb die Menschen hoch. Reineboth jagte zum Lager zurück, wußte nicht, wo ihm der Kopf stand; heute noch sollte die Räumung einsetzen, statt dessen quollen noch Tausende ins Lager herein. Fluchend sprang er von der Maschine. In einem Anfall von Bissigkeit rief er Kluttig entgegen, der sich bereits im Rapportzimmer befand: »Herzlichen Glückwunsch zur erfolgreichen Absetzbewegung.«

Kluttig hatte keinen Sinn für den Zynismus des Jünglings.

Reineboth warf sich mit einem nervösen Lachen in den Stuhl: »Immer 'rin in die gute Stube! Seine Majestät, der Herr Lagerälteste, sorgt bestens für Unterbringung. Er kann 46 Menschen spurlos verschwinden lassen, warum soll er nicht 3000 ...«

»Halt die Schnauze!« brüllte Kluttig, durch den Spott gereizt. »Hätte ich nicht auf dich gehört, dann wären sie im Steinbruch längst schon umgelegt.«

»Bababahhh«, Reineboth äffte den Kommandanten nach: »Befehl mit aller Vorsicht und Klugheit ausführen. Gott verzeih mir, ich habe es gemacht.«

Er sprang zum Fenster. »Die Hunnen kommen!«

Auf der Zugangsstraße wurde der Transport herangetrieben. Die Autos mußten zur Seite fahren und stoppen. Aus ihrer Stube stürzten die Blockführer. Auch Kluttig und Reineboth eilten hinaus. Sie ließen durch die Torwache die Flügel der schmiedeeisernen Tür öffnen. Kluttig dirigierte die Blockführer auf den Appellplatz und ließ einen großen Raum absperren. Mit Fußtritten und Gewehrstößen jagte die Begleit-SS die Häftlinge durch das Tor. Es gab ein entsetzliches Gedränge und Gewirr, der enge Durchgang quetschte die hereinquellende Masse zusammen, die sich wie ein riesiger Schwarm über den Appellplatz ausbreitete. Das heiße Summen der Erregung wurde von dem Brüllen und Schreien der Blockführer übertönt, die sich an den Händen gefaßt hatten und den ersten Schub abfingen und mit Fußtritten und Kniestößen zum Halten brachten. Viele der Gejagten hatten nicht mehr die Kraft, sich aufrecht zu halten, sie sanken nieder, spitzatmig und keuchend. Das Tor wurde geschlossen. Die Begleit-SS rückte in die Quartiere der Kasernen ab.

In den vorderen Blockreihen hingen die Häftlinge an den Fenstern.

»Der Lagerälteste, sämtliche Blockältesten und der Lagerschutz zum Tor!« klang Reineboths Stimme durch die Lautsprecher. Was mochte das wieder bedeuten? Das in Lähmung und Ungewißheit verharrende Lager horchte. Für die Häftlinge des Lagerschutzes war der Befehl ein willkommener Abbruch ihrer vorgetäuschten Suchaktion. Sie rannten aus den Blocks, in denen sie sich gerade befanden, sammelten sich vor ihrem Quartier und eilten, vom Kapo angeführt, den Appellplatz hinauf, sich unterwegs mit den Blockältesten vereinend.

Reineboth gab Krämer nicht Zeit, Aufstellung nehmen zu lassen und seine übliche Meldung abzugeben. »Sofort alles im Lager unterbringen und aufteilen!«

Kluttig ließ die Blockführer durch den Lagerschutz ablösen, der nun seinerseits eine Kette um den Menschenhaufen bildete. Krämer hatte sogleich die Situation erkannt und wußte, daß das herrische Wesen der beiden nur Hilflosigkeit war, den Andrang zu bewältigen. Es galt nun, die richtige Taktik anzuwenden, um die Lage zu beherrschen. Schon waren die abgelösten Blockführer dabei, wie heißwütige Hunde unter die Erschöpften zu fahren. Schnell gab Krämer seine Befehle. »Blockälteste in Reihenfolge antreten!«

Sofort spritzten die Blockältesten in zwei Reihen auseinander.

»Stillgestanden!«

Ohne Reineboth und Kluttig zu beachten, ging Krämer auf den Menschenhaufen zu.

»Kameraden«, rief er, »ihr werdet jetzt zu je 100 Mann auf die einzelnen Blocks aufgeteilt. Die Kameraden vom Lagerschutz übernehmen die Formierung der Gruppen und bringen sie zu den Blocks. Disziplin und Ordnung! Dann geht es schnell!«

Der Kapo des Lagerschutzes übernahm das Kommando über seine Leute. Schnell teilte er sie in Gruppen von je zehn Mann auf, die sich wiederum je zehn Mann aus der Masse herausgriffen und Zuge von je hundert Mann formierten. Das ging nicht glatt, denn die müden Menschen ließen sich nicht wie ein Regiment Soldaten kommandieren. Doch der Instinkt des Gefangenen war die dirigierende Kraft, die es auch verhinderte, daß die Blockführer die Aufteilung stören könnten. Sie mußten es den Häftlingen überlassen und beschränkten sich darauf, hier und da besonders Schwache mit gezielten Fußtritten hochzutreiben. Indessen rief Krämer die einzelnen Blockältesten auf, und es dauerte nicht lange, daß sich die ersten Gruppen den Appellplatz hinunter bewegten. In einer knappen Stunde war alles vorüber.

Die Blockführer verzogen sich. Zurück blieben Reineboth und Kluttig. Sie hatten dabeigestanden und zugesehen. Der eine hämisch und auf der Knopfleiste trommelnd, der andere verbissen. Jetzt zog Krämer die Mütze und meldete: »Befehl ausgeführt. Zugänge auf die Blocks verteilt.« Kluttig schob den Unterkiefer vor.

»Sie fühlen sich wohl schon als Kommandeur, was?«

Wie so oft, wenn er vor Kluttig stand, mußte Krämer den Stoß des Hasses abfangen, um den Gefährlichen nicht noch mehr zu reizen. Schweigend durfte er die provokatorische Frage nicht hinnehmen, das wäre ihrer Bestätigung gleichgekommen.

»Nein, Hauptsturmführer, ich habe nur Ihren Befehl ausgeführt.«

»Befehl ausgeführt!« schrie Kluttig los. »Wenn bis Mittag die 46 nicht hier sind, dann lege ich Sie eigenhändig um!«

Der unmotivierte Gedankensprung zu den 46 warnte Krämer. Insgeheim hatte er gehofft, daß die Suche nach den 46 ebenso untergehen möge wie die Suche nach dem Kind. Auf diese Drohung mußte er reagieren.

Welche richtige Antwort aber ließ sich zwischen zwei Atemzügen finden?

Da enthob ihn Reineboth ungewollt der Entscheidung.

»Der Lagerschutz sucht weiter, verstanden?«

»Jawohl«, antwortete Krämer und atmete erleichtert auf. »Wegtreten!«

Die Blocks gerieten in Bewegung, als die Hundertmanngruppen in die Tagesräume quollen. So, wie sie waren, fielen viele der Ermatteten auf die bereitwillig frei gemachten Bänke, oder sie streckten sich erlöst auf den Fußboden nieder, ohne Sinn und Interesse für die Umgebung. Auf ihren gehetzten Gesichtern zeichnete sich die Erlösung ab, nach den Strapazen endlich ein Dach über dem Kopf zu haben. Bochow, an Runkis Statt, hatte ebenfalls hundert Mann auf den Block gebracht. Er verteilte sie auf die vier Flügel und wehrte die neugierigen Insassen ab. »Laßt sie zur Ruhe kommen. Gebt ihnen zu trinken. Wer ein Stück Brot entbehren kann, helfe.« Er selbst holte seine Ration aus dem Spind und teilte sie auf. Andere folgten seinem Beispiel. Die Stubendienste brachten Kaffee. Decken wurden herbeigeschleppt, Notlager hergerichtet. Viele Insassen machten im Schlafraum ihren Bettplatz für die Kranken frei. Nicht mehr wurde danach gefragt, daß die Benutzung der Betten am Tage streng verboten war. »Was wollen die uns jetzt noch verbieten? Los, 'rin mit die Kumpels!« Sie zerrten ihnen die verdreckten Lumpen vom Leibe. Manch einer der Erschöpften wimmerte vor Glück, auf einem Strohsack sich ausstrekken zu können. Schlafen, schlafen, nichts als schlafen! Sogar der Hunger trat vor diesem stärksten Bedürfnis zurück. Nachdem es sich im Block beruhigt und die Kräftigeren unter den Zugängen sich zurechtgefunden hatten, konnte sich Bochow mit diesen unterhalten. Von neugierigen Blockinsassen umringt, berichteten sie:

Vor vielen Wochen schon waren sie aus dem unterirdischen Lager bei Nordhausen, wo man eine V-Waffenfabrik in den Berg hineingetrieben hatte, evakuiert worden. Unterwegs hatten sie sich mit ähnlichen Transporten von Häftlingen aus Halberstadt, Mühlhausen und Langensalza vereinigt. Kreuz und quer waren sie gehetzt worden, immer zwischen den Fronten, von der SS getrieben und gezwungen, mit ihr vor dem anrückenden Amerikaner zu fliehen. Besonders schlimm wurde es für sie in der Nähe der Fronten. Ihre langen Züge waren den Angriffen der Tiefflieger ausgesetzt, die anscheinend nicht erkennen konnten, daß es sich um Häftlingstransporte handelte, und rücksichtslos in die Kolonnen schossen. Unbeschreiblich hohe Verluste hatte es dann immer gegeben, ungerechnet die Kranken und völlig Erschöpften, die unterwegs von der SS und – auf dem Marsch durch die Ortschaften – von Hitlerjugend abgeknallt worden waren. Oft mußten sich die Züge auf Seitenwegen durchschlagen, weil die Straßen verstopft waren von Panzern, Geschützketten und marschierenden Kolonnen der Soldaten. An dem ratternden und knatternden Lärm vorbei rasten Motorräder und Autos mit Offizieren. Zwischen dem militärischen Gewimmel die Trecks flüchtender Zivilisten. So fluteten auf den Straßen Thüringens die Geschlagenen zurück. An den Feldrainen längs der Landstraßen lagen Berge gestapelter Artillerie- und Flakmuniton, die nicht mehr mitgenommen werden konnte, so eilig war die Flucht.

Mit gespannten Gesichtern lauschten die Insassen den Berichten. So also sah es draußen aus! Wie nahe schon mußte die Front sein, wenn bereits die Thüringer Außenkommandos geräumt werden mußten! Wie auf diesem so erfuhren die Häftlinge auch auf den übrigen Blocks von den Geschehnissen. Erwartungen und Hoffnungen ballten sich in der zusammengepferchten Masse des Lagers zusammen. Konnte nicht täglich mit dem Eintreffen der amerikanischen Vorhuten gerechnet werden?

Es hatte kaum die elfte Vormittagsstunde begonnen, als die Sirene aufheulte: Fliegeralarm! So früh hatte er noch niemals eingesetzt. Diesmal war kein Gewimmel im Lager, kein Arbeitskommando rückte ein. Nur die 16 vom Sanitrupp rannten den Appellplatz hinauf. Starr lag das Lager in der frühen Sonne des 4. April. Es zogen auch keine silbrig glänzenden Vögel am Himmel dahin. Der Alarm galt amerikanischen Tieffliegern, die aus hohem Himmel auf die eiligen Kolonnen der Lastwagen herabstießen, die sich den Berg hinunter auf Weimar zu bewegten. Im Gelände der SS hatte der Alarm die Hast der Vorbereitungen abgeschnitten. Vor den Munitionsbunkern stand eine Anzahl alleingelassener Lastwagen, halb beladen. Die SS war verschwunden, sie hockte in den Unterständen. Die Schützen der dreifach gestaffelten Postenkette duckten sich in den Splittergräben. Von weitab aus dem Tal drang das gedämpfte Bellen und Husten der Geschütze bis zum Berg hinauf.

Doch nur eine knappe Stunde hatte der Alarm gedauert, und eine halbe Stunde nach der Entwarnung war Krämer durch Köhn bereits über alles unterrichtet, was die 16 draußen gesehen. Die Munitionstransporte hatten sie beobachtet. An der äußeren Bewachungszone waren sie auf die dreifache Postenkette gestoßen, zwischen den Posten standen Maschinengewehre ... Auf den Türmen hatten sie die Doppelposten und die schwere Bewaffnung entdeckt. Alle Beobachtungen deuteten darauf hin, daß da draußen fieberhafte Tätigkeit entwickelt wurde, die nur durch den Alarm unterbrochen worden war. Schnell mußte Bochow informiert werden. Krämer eilte nach dessen Block. Bochow folgte dem Lagerältesten die äußere Steintreppe hinauf, die zu den oberen Flügeln führte. Hier waren sie ungestört. Krämer gab knappen Bericht. Bochow hörte zu. Sein Blick glitt dabei über den Teil des Lagers hinweg, der von hier oben zu übersehen war. Schweigend und still lagen die Blocks. Nirgends war ein Häftling zu sehen. Schweigend und starr standen die Türme drüben am Zaun. Dort hinten aus dem verrußten Schornstein des Krematoriums quoll die träge Lohe. Sie verheizten wieder. – Der Gestank verbrannten Fleisches mischte sich mit dem scharfen Geruch der kochenden Suppe aus der Küche. Bochow machte die Augen schmal. Über die Dächer des Blocks hinweg konnte er ein Stück des Appellplatzes mit dem Torgebäude sehen. Ihm schien es, als könne er auf dem Laufgang des Hauptturmes, statt der üblichen zwei, vier Maschinengewehre erkennen. Unheimlich still und reglos war es da oben am Tor, unheimlich still und reglos auch das Lager, wie die schwüle Natur kurz vor dem Gewitter.

»Dicke Luft«, sagte Bochow dumpf. Doch es war nicht Zeit, Gedanken nachzuhängen. Jede Stunde konnte die Starre zerbersten und die Furie unter die Menschen fahren. Die Lage drängte nach einer Aussprache mit den Genossen des ILK. Auf welche Weise aber konnten sie unauffällig nach Block 17 gelangen? Krämer half. Der Küchengestank – sonderbarerweise – brachte ihm die richtige Idee zur Tarnung.

»Paß auf«, sagte er, »die Genossen des ILK treten an Stelle der Stubendienste vom Block 17 an der Küche an und bringen das Essen zum Block. Im Gedränge fallen sie nicht auf. Das berede ich. Wie aber kriegst du bis dahin deine Schäfchen zusammen?« Bochow verstand Krämers Frage. War der Lagerälteste doch der einzige, der sich trotz Weisangks Verbot im Lager bewegen konnte, und nur durch Krämer konnten die Genossen des ILK instruiert werden. Die von Bochow bisher so streng eingehaltene Vorsicht hob sich jetzt von selbst auf. Er gab Krämer daher die Namen und Blocks der einzelnen Genossen bekannt, die sofort verständigt werden mußten. Bochow legte Krämer die Hand auf die Schulter.

»Du wirst es von nun an sehr schwer haben, Walter. Bei dir konzentriert sich alles.«

Krämer sagte nichts darauf. Seine Hände umschlossen hart das rostige Rohr des Geländers. Erst nach einer Weile fuhr Bochow fort:

»Dein Leben wird stündlich bedroht sein. Machen wir

uns nichts vor. Wenn sie von den 46 keinen erwischen, dann kannst du ... Dann besteht die Gefahr, daß sie dich ... Sie sehen nun mal den führenden Kopf in dir.«

»Weiß ich.«

»Wäre es nicht besser für dich, wenn du noch rechtzeitig untertauchtest ... Ob 46 oder 47 verschwinden, das spielt nun keine Rolle mehr.«

Krämer blickte Bochow an. Auf ihren Gesichtern spielten die Gedanken. Krämer dachte an Kluttigs Drohung, die er Bochow verschwieg.

»Vielleicht haben wir keine Zeit und Gelegenheit mehr, miteinander zu sprechen, Herbert«, sagte er zwischen karg geöffneten Lippen, »darum will ich dir jetzt noch etwas sagen. Behalte es für dich. Ich will leben und nicht sterben kurz vor dem Ende. Versteh mich recht. Mag das Ende sein, wie es will. Vielleicht will ich nur leben, weil ... Ich meine, man ist ja schließlich neugierig, was danach kommt.« Der Scherz gelang Krämer schlecht. Er blickte zum Himmel auf. »Vorige Woche habe ich mein elftes Haftjahr rund gemacht. Elf Jahre! Gottverdammich! Da möchte man doch auch wissen, ob es sich gelohnt hat.« Krämer verstummte und biß die Lippen aufeinander. Bochow ehrte sein Schweigen. Über die eigene Rührseligkeit ärgerlich, schimpfte Krämer mit sich selbst. »Quatsch! Umlegen? Na, wennschon. Dann bilden sie sich ein, den Kopf abgeschlagen zu haben, und das ist schließlich auch gut, für das ILK meine ich, nicht wahr?« Wie unbedacht, von Bochow die Bestätigung der Frage zu erwarten. – Krämer lachte darum verlegen: »Da stehen wir 'rum, und ich quatsche dummes Zeug ...«

Krämers Idee war gut gewesen. Eine kurze Verständigung mit dem Blockältesten von 17, eine kurze Instruktion durch diesen an die Stubendienste. »Hört zu. Beim Essenholen bringt ihr ein paar Kumpel mit. Sie wollen für 'ne Weile ungestört sein, quatscht nicht darüber.« Ohne zu neugieren, waren zwei der Stubendienste nach der Küche gekommen und hatten die Genossen unauffällig in den Block gelotst. Sie zogen sich sofort in den leeren Schlafsaal zurück. Das internationale Menschengemisch des Quarantäneblocks, ähnlich stumpfe und armselige Geschöpfe wie die Bewohner des Kleinen Lagers, nahm keine Notiz davon. Schnell mußte die Besprechung durchgeführt werden. Nach der Essenausgabe hatten die Genossen die leeren Kübel in die Küche zurückzubringen, um Gelegenheit zu haben, ebenso unauffällig, wie sie gekommen waren, den Block verlassen und in ihre Behausungen verschwinden zu können. Der Bericht, den Bochow über die Beobachtungen des Sanitrupps gab, von den dreifach gestaffelten Kordons um den Zaun, den lauernden Maschinengewehren auf den Türmen, den bereitgelegten Handgranaten und Panzerfäusten ... wie ein Raubvogel zog die Gefahr ihre Kreise immer enger über dem Lager. Was tun, wenn die Evakuierungen einsetzten? Immer wieder fand sich nur die eine Antwort auf die oft gestellte Frage. Dem Raubvogel mußten, wenn er niederstieß, so viele Menschen aus den Klauen gerissen werden, wie es durch passiven Widerstand und Verzögerung möglich war.

Waffen, Widerstandsgruppen – waren sie und die sorgfältigen Vorbereitungen für die letzten Stunden sinnlos geworden, da sich alle Mitglieder des ILK gegen den ungestümen Pribula wehrten, der von Verzögerung nichts wissen wollte und den bewaffneten Aufstand forderte? Er schien sogar recht zu haben.

»Ich kann nicht verstehen«, sagte er, »wir sollen nicht machen den Aufstand, wenn viele, viele werden getrieben in den Tod? Und wir sollen losschlagen, wenn gefunden wird nur einer von den 46? Ich kann das nicht verstehen.«

»Und doch ist es so«, antwortete Bochow dem Hitzigen. »Wir wollen hoffen, daß uns dieser Schritt der Verzweiflung erspart bleiben möge. Das Leben ist das Letzte, was wir zu vergeben haben. Solange aber Leben in uns ist, werden wir es verteidigen. Ich bin für den Aufstand, wenn seine Stunde gekommen ist. Sie ist noch nicht da.«

Borgorski stimmte Bochow zu. Die Ungleichheit der militärischen Kräfte ließ den bewaffneten Aufstand erst zu, wenn die Front so nahe war, daß mit ihr Verbindung hergestellt werden konnte. Soweit aber war es noch nicht. Jetzt galt es, den in den Blocks zusammengepferchten Menschen eine Marschrichtung zu geben, galt es, die Ungewißheit und Unsicherheit zu durchstoßen. Bochow schlug vor, im ganzen Lager durch die Genossen der Gruppen, durch die Blockältesten und durch jeden weiteren zuverlässigen Kumpel die zentrale Parole verbreiten zu lassen: Evakuierung verzögern! Jeder Tag und jede Stunde sind ein Gewinn.

»Vielleicht morgen schon«, setzte er hinzu, »kann die Lage völlig verändert sein, und wir werden ganz neue Beschlüsse fassen müssen. Vielleicht morgen schon kann die Front so nahe sein, daß wir durch aktiven Widerstand jede weitere Evakuierung verhindern können.« Seine Worte waren an Pribula gerichtet.

Die Gefahr der Stunde war so stark nach vorn gerückt, daß die bisherigen Sorgen und Bedrängnisse, die durch das verschwundene Kind entstanden waren, fernab lagen. Keiner dachte in diesem Augenblick an das Kind, keiner an Höfel und Kropinski. Selbst die eben noch so mutvoll durchgeführte Rettungsaktion für die 46 Todeskandidaten schien vergessen. Das alles trat zurück hinter der Frage nach dem Schicksal aller.

Zur selben Zeit, da die Genossen des ILK berieten, hatte sich auch die durch den Alarm zersprengte und durch den überraschenden Vorstoß der amerikanischen Flieger nervös gewordene Versammlung in Schwahls Dienstzimmer wieder eingefunden. Die kurze Stunde des Alarms hatte ausgereicht, die nach außen hin noch gewahrte Beherrschung zerplatzen zu lassen. Selbst Schwahl, der sich sonst Mühe gab, als der Überlegene zu erscheinen, konnte nicht mehr durchhalten. Er verfiel der allgemeinen Aufregung und Nervosität. Alle redeten und gestikulierten durcheinander. Jede Ordnung war aufgelöst. »Na, bitte schön, meine Herren«, eiferte Schwahl in die Unruhe hinein, »nun sitzt uns der Amerikaner auf der Pelle! Ich habe Mitteilung erhalten, daß amerikanische Panzerspitzen schon in den Raum von Gotha vorgedrungen sein sollen.«

Kluttig brüllte erregt: »Und wir stehen noch hier herum und halten Reden! Wozu eigentlich haben Sie schwere Bewaffnung an die Türme verteilen lassen?« schrie er Schwahl an und fuhr wild unter die Versammelten. »Schießt die Brut zusammen, und dann fort!«

Es war nicht erkennbar, ob der Aufruhr, den sein Geschrei ausgelöst hatte, Zustimmung oder Ablehnung bedeutete. Im Strudel der Kopflosigkeit quirlte alles durcheinander. Mit einem behenden Satz sprang Schwahl hinter den Schreibtisch und entriß dem Schubfach eine Pistole. »Meine Herren!«

Alles fuhr zu Schwahl herum, sie sahen die Waffe in seiner Hand.

Mit verzerrtem Gesicht starrte Kluttig auf den Kommandanten.

»Ich bin bereit, mir vor Ihren Augen eine Kugel in den Kopf zu jagen. Dann können Sie meinetwegen auf Kluttigs Befehle hören! Solange ich lebe, gilt *mein* Befehl!«

Schwahl sah die Wirkung seiner Demonstration auf allen Gesichtern. Er schleuderte die Pistole ins Schubfach zurück und stieß es zu.

»Keine Panik, meine Herren! Noch halten unsere Truppen die Stellungen. In wenigen Tagen wird das Lager leer sein, und wir haben Gelegenheit, uns abzusetzen. Mein Befehl gilt. Es ist der Befehl von Reichsführer SS!«

Zweiling hatte sich auf der Effektenkammer noch nicht sehen lassen. Keiner der Häftlinge vom Kommando dachte daran, zu arbeiten. Sie drückten sich im Schreibbüro und im Kleiderraum umher. Das Schicksal des Kommandos lastete auf jedem einzelnen von ihnen. Pippigs Tod machte sie voreinander still.

Rose saß an seinem Arbeitsplatz. Keiner der Häftlinge sprach mit ihm, keinen von ihnen wagte er anzusehen, obwohl es ihn drängte, gegen die Absonderung aufzubegehren. Doch die stumme Verachtung drückte ihn viel zu sehr zusammen, so daß er am Tisch hockte und als einziger, gallig und verbissen, eine unsinnige Betriebsamkeit entwickelte. Die schweigsame Aufmerksamkeit der Häftlinge aber galt dem Zinker Wurach. Der spürte die geheime Übereinstimmung gegen sich und bemühte sich krampfhaft, recht aufgeräumt zu sein. Er war der einzige, der unaufhörlich schwatzte; soweit überhaupt Gespräche zustande kamen, drehten sie sich um die bevorstehende Evakuierung.

»Von mir aus kann es besser heute als morgen losgehen. Lieber ein Ende mit Schrecken als ein Schrecken ohne Ende.«

Wurachs Bemerkung wurde vorerst schweigend hingenommen, bis sich einer von den Häftlingen, mit denen sich Wurach im Schreibbüro befand, nicht zurückhalten konnte und bemerkte: »Es gibt auch in diesem Falle welche, die es verstehen, mit dem Arsch an die Wand zu kommen ...«

Sofort hakte ein anderer ein: »Vorausgesetzt, daß so einem nicht vorher der Arsch kalt geworden ist.«

Die Anspielung war deutlich. Wurach fühlte sich umlauert und übermeckerte verlegen die verborgene Drohung. Die Häftlinge schwiegen wieder. Aber in ihnen allen bohrte es. Wenn sie den Zinker nur greifen, wenn sie ihm auf die Stirn zusagen könnten: Du Hund hast uns verzinkt! Du hast auch Pippig auf dem Gewissen! Doch sie wagten es nicht. Noch war es zu gefährlich, ihn an der Kehle zu packen.

Am Nachmittag kam Zweiling. Sein Erscheinen war die Folge einer Auseinandersetzung, die er mit Hortense gehabt hatte. Zweiling wollte sich von nun an überhaupt nicht mehr im Lager sehen lassen. »Man kann nie wissen ...«, war die philosophische Begründung seiner Absicht. Doch Hortense hatte ihn fortgetrieben. »Alle deine Leute stehen jetzt auf ihrem Posten, und du willst dich drücken?«

»Jeder ist sich selbst der Nächste ...«

»Der Nächste?« hatte Hortense gekeift. »Der nächste, der von seinen eigenen Leuten umgelegt wird, bist *du*!«

»Wieso ich?« war die dumme Frage Zweilings.

»Na, hört euch den Herrn Hauptscharführer an! – Erst mogelt er mit einem Judenbalg, dann mogelt er mit der Kommune ...«

Hortense hatte aggressiv die Fäuste in die Hüften gestützt.

»Wenn ich Kluttig wäre, dann würde ich sagen: Da haben wir ja den Beweis! Nun drückt er sich beiseite, der feige Hund!«

Hortense war auf Zweiling losgefahren: »Gerade *jetzt* mußt du stramm durchhalten! Denn zu guter Letzt wirst du mit deinen Leuten abziehen müssen. Oder bildest du dir noch immer ein, bei der Kommune unterkriechen zu können?« Häßlich hatte Hortense aufgelacht: »Wo ist dein Judenbalg? Die Kerle haben dich damit ganz schön 'reingelegt.«

Zweiling hatte die Zunge vorgeschoben und nachdenklich geblinzelt. Die sonst so verworrene Sicht hatte sich inzwischen so weit geklärt, daß die Räumung des Lagers gesichert schien, bevor die ersten Amerikaner kamen. Also ging es ins Ungewisse hinein. Hortense hatte wieder einmal recht gehabt. Zweiling mußte mitmarschieren.

Das Kommando merkte Zweilings verändertes Wesen. Er kümmerte sich um niemand, interessierte sich nicht für die Arbeit, zog sich sofort in sein Zimmer zurück, und hier blieb er. Für Wurach war Zweilings Verhalten ein Signal. Von diesem hatte er nichts mehr zu erhoffen, von den Häftlingen aber alles zu befürchten. Zwischen die Puffer war er geraten ... Doch ließ sich Wurach nichts anmerken, wie angestrengt er bereits über einen Ausweg grübelte.

Obwohl längst erwartet, löste der Befehl, der am späten Nachmittag über den verödeten Appellplatz schallte und in die Blocks hineinstieß, dennoch einen lähmenden Schock aus.

»Alle Juden sofort auf dem Appellplatz antreten!«

Reineboths Stimme brachte in den Blocks das Rumoren und Gesumm zum Schweigen, aber nur für wenige stokkende Atemzüge, dann brach der Lärm noch stärker wieder auf.

»Es geht los, es geht los! Die Juden kommen zuerst dran!«

Die Würfel waren gefallen.

Die Evakuierung begann.

Zwar waren die Juden die ersten, doch jeder einzelne glaubte mit seinem Block als nächster dranzukommen. Viele hatten sich schon reisefertig gemacht, eine Schlafdecke zusammengerollt und die wenigen Habseligkeiten verpackt.

Manche hatten sich abenteuerliche Pläne ausgeheckt, um der Evakuierung zu entgehen. Im freien Gelände des Lagers wollten sie sich ein Loch in die Erde buddeln, wollten unter die Baracken kriechen ...

Aber das waren Spintisierereien. Der unerbittliche Befehl faszinierte alle und hielt sie zusammen in Hoffnung und Fatalismus.

Unter den 6000 jüdischen Häftlingen des Lagers verursachte der Befehl einen Aufruhr der Angst und Verzweiflung. Zuerst war ein Schrei des Entsetzens in ihnen aufgebrochen. Sie wollten die schützenden Blocks nicht verlassen. Sie schrien und weinten, wußten nicht, was sie tun sollten. Wie ein wütender Wolf hatte der furchtbare Befehl sie angesprungen, hatte sich in sie verbissen, und sie konnten ihn nicht mehr abschütteln. Ungeachtet von Weisangks Befehl, die Blocks nicht zu verlassen, stürzten viele der jüdischen Häftlinge fort, kopflos und in höchster Not.

Sie rannten in andere Blocks hinein, in die Seuchenbaracke des Kleinen Lagers, ins Häftlingsrevier. »Helft uns! Versteckt uns!«

»Wie euch verstecken? Wir kommen doch selber dran.« Trotzdem, die Blocks nahmen sie auf. Man riß ihnen die jüdischen Markierungen von den Kleidern, gab ihnen andere dafür. Köhn steckte die Hilfesuchenden als »Kranke« in die Betten, gab ihnen ebenfalls andere Markierungen und Nummern. Manche der Gehetzten versteckten sich auf eigene Faust und krochen in den Leichenkeller des Reviers. Andere wieder stürzten in die Pferdeställe des Kleinen Lagers, in der Masse untertauchend. Und doch war diese Flucht die sinnloseste, denn gerade hier steckten viele jüdische Angehörige fremder Nationen. Aber wer überlegte, wer dachte klar, wenn er vom Wolf gehetzt wurde ...

Was in den Blocks der jüdischen Häftlinge zurückblieb, unterlag schließlich der Lähmung des mörderischen Befehls.

Verstört sahen sie dem Kommenden entgegen. Die Blockältesten, selbst jüdische Häftlinge, hatten nicht den Mut, zum Marsch nach dem Tor antreten zu lassen. Dort wartete der Tod! Konnte man ihn nicht auch hier erwarten?

Bochow kämpfte mit sich. Sollte er es wagen, in das menschenleere Lager hinauszulaufen? – Wer jedoch, außer ihm von den Genossen des ILK, konnte jetzt Krämer beistehen? Also lief Bochow zur Schreibstube. »Na? Und nun?« empfing ihn Krämer, als hätte er ihn erwartet, und nicht etwa Ratlosigkeit lag in der Frage. »Den Abmarsch hinauszögern, solange wir es können!«

»Für wie lange wird es uns gelingen?«

»Ganz gleich! Und wenn es nur Stunden sind, Walter, wenn es nur Stunden sind!«

Im Lautsprecher knackte es. Reineboths Stimme ertönte, nicht mehr lässig und zynisch: »Der Lagerälteste zum Rapportführer!«

Es war stets wie ein neues Erschrecken, wenn eine Durchsage kam. Krämer stampfte gequält auf und schleuderte den Arm gegen den feindlichen Lautsprecher.

»Da!«

Krämer stülpte die Mütze auf und zerrte sich den Mantel über. Bochow sah den hastigen Bewegungen zu.

»Walter!« rief er Krämer an.

»Na was?«

Alles, was sie sich hätten sagen mögen, war in die Kargheit der kurzen Ausrufe hineingepreßt. Sie empfanden es. Krämer winkte ab: Nicht darüber reden.

»Geh in deinen Block zurück, ich mach' das schon ...«

Reineboth empfing Krämer ungeduldig:

»Wo bleiben die Juden? Kümmern Sie sich gefälligst, daß die Kerle aufmarschieren! Oder glauben Sie, daß Sie es nicht mehr nötig haben?«

»Ich war in den Blocks und habe mich um die Durchführung Ihres Befehls bemüht«, log Krämer.

»Bemüht, bemüht!« schrie Reineboth. »Das Gesindel kommt zum Arbeitseinsatz! In einer Stunde steht es hier angetreten, sonst gnade Ihnen Gott!«

Es war ein bitterer Gang zu den Blocks der jüdischen Häftlinge. Krämer ging wie mit Blei an den Sohlen. In seiner Brust schrie es: Bleibt in den Blocks, Kameraden! Keiner geht nach oben! Wir haben Waffen! Wir schützen euch!

Aber der Ruf des Feuers verzehrte sich, Krämer betrat den ersten Block.

Mit ängstlichen Gesichtern und dem Beben des Weinens in der Kehle umdrängten ihn die Unglücklichen, als käme durch ihn die Rettung.

»Wir bleiben hier, wir gehen nicht!«

Unerhört mußte sich Krämer zur bitteren Pflicht zwingen: »Ihr müßt gehen, Kameraden. Wir müssen auch gehen ...« Krämer wandte sich an den jungen Blockältesten, er kannte ihn gut. »Laß antreten, Akim, es geht nicht anders. Langsam, verstehst du, langsam. Der da oben mag noch ein paarmal brüllen. Vielleicht können wir es bis zum Dunkelwerden hinziehen. In der Nacht können sie nicht evakuieren. Morgen kann schon wieder etwas anderes sein.«

Krämer tat nichts dazu, als die Häftlinge der Aufforderung ihres Blockältesten nur zögernd nachkamen. Er ging zu den anderen Blocks. Hier war es das gleiche. Immer wieder rannten die verzweifelten Menschen in die Blocks zurück, kaum, daß sie angetreten waren. Die Marschzüge kamen nicht zustande. Hinter den Fenstern der Baracken, die sich in der Nähe der jüdischen Blocks befanden, drängten sich die Insassen und sahen dem einsamen und verzweifelten Kampf zu. Auch vom Block der polnischen Häftlinge konnte es beobachtet werden. Mit einigen Kameraden der Widerstandsgruppe klebte Pribula am Fenster, hatte die Fäuste gegen die Scheibe gedrückt.

»Verflucht! Wir müssen zusehen hier! Verflucht!« Seine Kameraden verstanden ihn. Schweigend, verbissen und mit dunklem Glanz in den Augen sahen sie auf das Drama da draußen. Aber sie sahen auch, daß Krämer sich keine Mühe gab, Ordnung in das Gewirr zu bringen. Kaum war unter seiner Gegenwart ein Teil der jüdischen Häftlinge vor dem Block zusammengekommen, ging Krämer zum nächsten. Sofort verschwanden die Angetretenen wieder. So ging es hin und her, über eine Stunde.

»Wo bleiben die Juden? Lagerältester! Sofort aufmarschieren lassen!«

Der grausame Lautsprecher trieb die schreienden Menschen noch mehr durcheinander. Vor einem der Blocks kam etwas wie ein Marschzug zustande, doch gelangte er nur bis zum nächsten Block, hier zerstob er wieder, und die Häftlinge rannten in den Block hinein oder flüchteten in den Schutz des eigenen zurück, weinend, schreiend, schluchzend, fluchend, betend. Sie fielen sich in die Arme, küßten sich, sagten sich Lebewohl.

Der Blockälteste ermahnte sie erneut, anzutreten. Sie flohen in die Schlafsäle, krochen unter die Betten oder versteckten sich auf der Latrine, und alles war so sinnlos, weil es kein Verbergen gab. Der Wolf hatte seine Fänge in ihrem Fleisch und hetzte sie und ließ sich nicht mehr abschütteln.

Wieder schrie der furchtbare Lautsprecher: »Lagerältester! Sofort antreten lassen!«

Krämer zwängte sich durch die Masse der Häftlinge, die, einem Bienenschwarm gleich, den Eingang des Blocks verstopften, und sank am Tisch des jungen Blockältesten nieder. Akim sah die Qual.

»Laß uns nach oben gehen«, sagte er, »es hilft ja doch nichts ...«

Krämer riß die Arme nach oben und wuchtete die Fäuste auf den Tisch.

Die Spannung nur war es, die zerbarst. Er sprang auf und brüllte Akim im Hinausstürzen zu: »Immer nur antreten lassen, wenn der oben brüllt, immer nur antreten lassen!«

Mehrere Male schon hatte Schwahl den Rapportführer nach dem Aufmarsch des Judentransports bedrängt. Das Blockführerrudel, einer eingesperrten Hundemeute gleich, lauerte an den Fenstern der Stube am Torgebäude. Wieder verging eine halbe Stunde, der Appellplatz blieb noch immer leer.

Was hätte Bochow darum gegeben, nicht durch den das Lager lähmenden Befehl an den Block gefesselt zu sein. – Eingefangen in drangvolle Ungeduld und quälende Ungewißheit, wartete er. Was mochte Krämer tun? Was ging vor sich in den Blocks der jüdischen Kameraden? Was ereignete sich oben am Tor? Plötzlich zerriß eine neue Durchsage die Spannung.

»Der Lagerschutz sofort am Tor antreten!«

Aus dem Ton von Reineboths Stimme hörte Bochow Endgültigkeit heraus. »Sie gehen aufs Ganze«, sagte er, und die mit ihm im Tagesraum harrenden Häftlinge starrten sorgenvoll zu dem unheimlichen Lautsprecher hinauf, der mit jeder Durchsage feindlicher und gefährlicher wurde. »Jetzt holen sie den Lagerschutz ...«, sagte einer in die Stille hinein.

Unvermittelt begann ein anderer zu deklamieren:

»Leergebrannt ist die Stätte,
wilder Stürme rauhes Bette.
In den öden Fensterhöhlen
wohnt das Grauen,
und des Himmels Wolken schauen
hoch hinein ...«

Einige lachten. Das Lachen war trockenes Gebell ... Sonst eilte der Lagerschutz im Laufschritt zum Tor. Diesmal marschierte er in geschlossenem Zug den Appellplatz hinauf. Das dauerte um Minuten länger, und um jede Minute Verzögerung wurde gerungen. Mit fieberhafter Aufmerksamkeit verfolgten die Häftlinge an den Fenstern der vorderen Blockreihen die Vorgänge oben am Tor, als die hundert Mann des Lagerschutzes angetreten waren. Sie sahen Reineboth durchs Tor kommen, sahen den Kapo des Lagerschutzes Meldung erstatten, sahen Reineboth Befehle erteilen, den Lagerschutz Aufstellung nehmen und Reineboth wieder durchs Tor verschwinden. Da riß die Torwache die Flügel der schmiedeeisernen Tür auf, und ein Rudel Blockführer stürzte ins Lager, stürmte den Appellplatz hinunter, Knüppel in der Hand. Die Häftlinge an den Fenstern gerieten in Bewegung: »Sie holen die Juden!«

Das Rudel fuhr wie ein jäher Windstoß unter die jüdischen Häftlinge, die schreiend in die Blocks flüchteten. Aber sie wurden in wildem Knüppeltanz wieder hinausgetrieben. Mitten im Höllentumult befand sich Krämer! Er entriß die Bedrohtesten den Prügeln der rasenden Schläger, ohne Rücksicht darauf, daß auch auf seinen Schädel die Knüppel niedersausten. Einige von den

Blockführern riegelten die Eingänge der Blocks ab, die anderen jagten den schreienden Menschenknäuel zum Appellplatz hinauf. Was unterwegs niederstürzte, wurde im Gedränge zertrampelt oder mit Stiefeltritten wieder hochgetrieben. Krämer war zurückgeblieben, nachdem die wilde Jagd davongerast war. Vor den leeren Blocks sah es wüst aus. Kleidungsstücke, Mützen, Decken, Trinkbecher, Eßschüsseln lagen umher, in den Blocks waren Tische und Bänke umgestürzt, die Spinde aufgerissen, in den Schlafsälen die Strohsäcke von den Gestellen gezerrt und zerfetzt. Am Pult des Blockältesten hing die Karte des Kriegsschauplatzes in Fetzen herunter. Schwer atmend stand Krämer in dem verödeten Block, eine ganze Weile, um die keuchende Brust zur Ruhe zu bringen. Wie er so stand, glich er einem Tier, das die Todeswunde empfangen hat und darauf wartet, niederzusinken. Er schob die Mütze in den Nacken und wischte sich mit dem Unterarm über die nasse Stirn, der Arm fiel ihm schlaff herab. Er sah um sich, dann verließ er den Block. Hier gab es nichts mehr zu tun ...

Um den nach Tausenden zählenden Schwarm der Zusammengetriebenen hatte der Lagerschutz am Tor eine Absperrkette bilden müssen. Die Blockführer waren verschwunden. Um das Torgebäude war alles verödet. Eine Stunde und zwei stand die Masse. Es wurde finster. Der Transport konnte nicht abgehen. Ununterbrochen telefonierte Schwahl mit dem Weimarer Bahnhof. Die bereitgestellten Güterzüge hatten keine Ausfahrt, die Gleise waren verstopft. Eine weitere Stunde verging, und die Menschen standen noch immer am Tor. Über ihren Häuptern patrouillierten die Wachposten des Hauptturmes auf dem Laufgang, blickten ab und zu neugierig über das Geländer auf den Menschenhaufen. Schweigend umstanden die Lagerschutzler die zusammengedrängte Masse; sie hatten sich an den Händen gefaßt. Voller Angst harrten die jüdischen Häftlinge. Hier unter den Augen der SS wagte keiner von ihnen, mit dem Lagerschutz zu sprechen. Aber ihre Augen flehten: Ihr seid doch wie wir, warum haltet ihr uns fest? Einer unter den Lagerschutzlern dachte, als er die starren Augen eines jüdischen Häftlings auf sich gerichtet sah: Wenn der jetzt davonläuft – ich halte ihn nicht ... Gab es eine geheimnisvolle Sprache der Gedanken? Die beiden Häftlinge sahen sich an mit unbeweglichem Blick. Der jüdische Häftling stand steif, als hielte er den Atem an. Seine Starre war die Konzentration auf einen Entschluß. Plötzlich duckte er sich. Der Lagerschutzler spürte, wie sein Nebenmann mit dem Arm eine Bewegung machte, aber schon schlüpfte der jüdische Häftling unter der Armkette durch und rannte fort. Die kühne Flucht löste eine Kettenreaktion aus. Vier, fünf, zehn schlüpften durch und flohen den Appellplatz hinunter. Der Haufen begann zu wogen und zu drängen. Die Kette der Lagerschutzler stemmte sich gegen ihn, die Flucht unterbindend. Aber der geheimnisvolle Stromkreis war bereits geschlossen. Wohl hielten die Lagerschutzler die Fliehenden zurück, doch nur, damit nicht alle auf einmal davonliefen. Dann aber hoben sie selbst die Arme und erleichterten einem neuen Schub den Durchschlupf. Sonderbare Reflektionen spiegelten sich dabei in den Gehirnen der Lagerschutzler ab. Was sollen wir tun? Sie laufen uns ja alle wieder davon! Wir geben uns die größte Mühe, sie zu halten, aber es nützt nichts ... Noch viel sonderbarer aber war es, daß nichts am Tor sich rührte. Weder schlugen die Posten auf dem Turm Lärm, obwohl sie trotz der Dunkelheit die Flucht bemerken mußten, noch kam Reineboth oder irgendein anderer herbeigestürzt. Nichts geschah! Die Spannung, unter der sich die Flucht vollzog, ließ keinen Raum für erklärende Gedanken, warum das Unerhörte möglich war. Vielleicht konnte es geschehen, weil sich Reineboth zur gleichen Zeit beim Kommandanten befand. Oder weil die Posten auf den Türmen dachten: Lauft doch da unten, was geht es uns an. Es ist sowieso bald Schluß. Schub um Schub ließ der Lagerschutz verschwinden, und dann stand er ganz allein am Tor. Der Kapo hob die Schultern. »Also gehen wir auch. Los, antreten.« Leise, als wollten sie nicht gehört werden, formierten sich die Lagerschutzler zum Zug. Erst ein wenig zaghaft, doch dann immer sicherer auftretend, marschierten sie den Appellplatz hinunter. Hinter der ersten Blockreihe kam ihnen Krämer entgegen, der hatte alles beobachtet. Wieder zog der Kapo resigniert die Schultern hoch.

»Haut ab in euren Block«, sagte Krämer, weil in dieser sonderbaren Situation nichts anderes zu sagen war.

»Haut ab«, sagte Krämer auch zu den Häftlingen der Schreibstube, als er nach ihr zurückkehrte, und ging dann selbst nach seinem Block Nummer 3. »Die können mich mal ...«, sagte er grob auf Wunderlichs Frage, ob er nicht zur Nacht abpfeifen wolle. »Ich pfeife überhaupt nicht mehr ab.« Unfaßlich, daß nach der Flucht der jüdischen Häftlinge nichts geschah. Hatte sich Reineboth, nachdem er vom Kommandanten zurückkam, etwa das gleiche gesagt wie die Posten auf dem Turm? Hatte er dem Kommandanten das Verschwinden der Juden überhaupt gemeldet? War Kluttig nicht da, der bestimmt getobt und einen Aufruhr am Tor veranstaltet hätte?

Der Abend ging in die Nacht über. In den Blocks wußten sie alle bereits, daß der Lagerschutz die Juden hatte laufenlassen, und alle warteten auf neue Ereignisse. Sie belauerten mißtrauisch die Stille, jeden Augenblick gegenwärtig, daß der Lautsprecher brüllen würde. Doch das unheilvolle Ding hing stumm über der Tür des Tagesraumes. Das Warten zerbröckelte. Manch einer schlurfte in den Schlafsaal und kroch auf das Lager.

Der deutsche Blockschreiber und die beiden polnischen Helden im Kleinen Lager waren noch lange wach. Die zweite Nacht war angebrochen, in der Pröll in seinem Versteck hockte.

Die ewig gebückte Körperhaltung war Pröll schon längst zur furchtbaren Marter geworden. Die gekrümmten Nackenmuskeln glühten. Immer wieder knickten ihm die Beine ein. Er konnte sich nicht drehen, nicht setzen, nicht kauern. Nur mit dem Kopf lehnte er sich gegen die Wand des Schachtes. War es Tag oder Nacht? War ein Tag vergangen oder zwei oder vier? Pröll stöhnte, er war müde und geschwächt. Er hatte die Augen geschlossen und konnte doch nicht schlafen. Solange er sich unbeweglich hielt, stumpfte der Schmerz in den Nackenmuskeln ab, aber bei der geringsten Bewegung durchschlug es ihn wie eine Feuerlohe.

Auf einmal fuhr Pröll zusammen. Über seinem Kopf bewegte sich der Deckel. Durch das aufgejagte Gehirn schoß es Pröll: Sie haben mich! – Da hörte er eine vertraute Flüsterstimme: »Fritz! Mensch! Lebst du noch?« Arme griffen nach ihm und zogen ihn heraus.

Pröll zitterte und bebte. Trotz des Mantels durchfrostete ihn die Nachtkälte. »Schnell, in die Baracke!«

Die Polen faßten ihn unter, und Pröll schleifte zwischen ihnen mit steifen Beinen. In der kleinen Kabine des Blockschreibers erholte er sich.

Der Blockschreiber hatte ihm einen Becher warmer Suppe gebracht. Mit zitternden Händen führte Pröll den Becher zum Mund, und das warme Getränk belebte wohltuend das erstarrte Blut. Jetzt erinnerte er sich des Brotes. Er zog einen Kanten hervor, der schon hart geworden war, und riß mit den Zähnen ein Stück ab. Einer von den Polen stürzte herein. »Sie kommen!« Pröll schnellte hoch und sprang in die Nacht hinaus. Seine Helfer ihm nach. Sie rannten zum Kanalschacht. Im Augenblick, da Pröll in ihm unterschlüpfen wollte, tauchten hinter einer der vielen Baracken zwei SS-Leute auf, schattenhaft nur erkennbar. Ein großer Hund lief spursuchend vor ihnen her. Von Zeit zu Zeit beleuchteten sie ihren Weg mit der abgeblendeten Stablampe.

Die vier Häftlinge standen zu Stein erstarrt und wagten nicht zu atmen. Die SS-Leute gingen in kaum 15 Meter Entfernung an den Baracken entlang. Ihre Tritte knirschten. Angstgeweiteten Auges sah Pröll die SS-Leute näher kommen. Jetzt überquerten sie den freien Raum zwischen den Baracken, auf dem sich auch der Kanalschacht befand. So deutlich, wie die vier Häftlinge die SS-Leute sehen konnten, so deutlich mußten doch auch sie selbst von diesen gesehen werden ...

Wenige Meter freier Raum nur lag zwischen ihnen. Stockten sie, blieben sie stehen ...? Der Hund; hob er den Kopf? Witterte er? In dieser furchtbaren Starre stockte das Herz. – Die SS-Leute hatten den freien Raum überschritten und gingen an der Barackenwand weiter ... entfernten sich ... Die Köpfe der vier drehten sich in die Richtung, die Augen bohrten sich in das Dunkel hinein ... der Tod in seiner ganzen Unheimlichkeit war an ihnen vorübergegangen, das schwarze Himmelsgewölbe hatte standgehalten, es war nicht eingestürzt. Lautlos verschwand Pröll im Schacht. Über ihm klappte leise der Deckel zu. Pröll lehnte den Kopf gegen die Mauer, in tiefer Seele matt. Jetzt spürte er, was ihn die Minuten gekostet hatten.

Am anderen Morgen war Bochow als einer der ersten zu Krämer gekommen, dessen Raum immer mehr zum Sammelplatz wurde. – Die Rettungsaktion für die 46 Todeskandidaten, das Davonlaufen der jüdischen Häftlinge am vergangenen Abend waren offene Kampfansagen, und jeder, Krämer, Bochow, die Blockältesten, die ebenfalls gekommen waren, oder die Häftlinge in den Blocks, wartete auf Repressalien.

Bisher hatte die Lagerführung selbst den geringsten Verstoß gegen die Disziplin mit dem Einsatz ihrer Macht beantwortet.

Im Lager zwischen den Blocks war es lebendig geworden. Die Häftlinge standen umher und rätselten, was sich heute wohl ereignen würde. Vergeblich wartete Krämer auf Reineboths Befehl, das Lager zum üblichen Appell aufmarschieren zu lassen. Als die Stunde dafür herangerückt war, befahl Reineboth durch den Lautsprecher lediglich die Kommandierten der Mannschafts- und Offiziersküchen an die Arbeitsstellen. Außer diesen rückte kein anderes Kommando aus. Das Ausbleiben des Appells war ebenso ungewöhnlich wie das Ausbleiben der Repressalien. Unruhig blickte Krämer auf die Uhr am Lagertor. Es war schon zwei Stunden über die Zeit. »Das gibt heute keinen Appell«, sagte er, »das gibt überhaupt keinen Appell mehr ...«

»Ich habe gehört«, orakelte einer von den Blockältesten, »daß der Kommandant mit dem Flugplatz hier in der Nähe telefoniert und Bombenflieger angefordert haben soll.«

Krämer fuhr herum.

»Gehört, gehört!« bellte er den Blockältesten an, »einen Dreck hast du gehört! Es fehlte gerade noch, daß wir Scheißhausparolen verbreiten!«

»Macht euch die Köpfe nicht wirr mit unkontrollierbaren Gerüchten«, mahnte Bochow, »jetzt gilt es erst abzuwarten, wie sie auf das Davonlaufen der Juden reagieren.«

»Die Ruhe gefällt mir nicht«, knurrte Krämer.

Im Lautsprecher knackte es. Alles blickte gespannt auf den Kasten. Der Strom summte, das probierende Pusten im Mikrophon war vernehmbar und endlich auch Reineboths Stimme: »Lagerältester, herhören. Das ganze Lager auf dem Appellplatz aufmarschieren lassen!« Reineboth wiederholte die Durchsage, dann knackte es wieder, und der Lautsprecher verstummte. Im Raum herrschte eine sonderbare Ruhe. Alle schwiegen und lasen sich die Gedanken von den Gesichtern. Im Lager selbst hatte die Durchsage eine quirlende Bewegung unter den Häftlingen verursacht. Was sich draußen befand, rannte zu seinem Block zurück, in den Blocks schwirrte und summte es durcheinander. »Wir gehen nicht! Wir lassen uns nicht evakuieren!« In wenigen Minuten war das Lager wie ausgestorben, kein Häftling befand sich mehr draußen. »Wir gehen nicht, wir gehen nicht!« Die Blockältesten kamen von Krämer zurück. »Wir gehen nicht!« riefen ihnen die Häftlinge zu. »Wir müssen gehen«, antworteten die Blockältesten. Wieder verging eine Stunde. Währenddessen waren Kluttig und Reineboth bei Schwahl. Reineboth meldete mit vornehm zurückgehaltener Ironie: »Herr Kommandant, das Lager tritt nicht an.« Und Schwahl, verständnislos blinzelnd: »Wieso? Tritt nicht an?« Dafür hatte Reineboth nur ein leichtes Heben der Schultern als Antwort. Kluttig dagegen schrie los: »Die Kerle haben längst spitzgekriegt, daß ihnen durch Sie kein Haar gekrümmt wird!« Um die offenkundige Obstruktion nicht zugeben zu müssen, rettete sich Schwahl in sein großsprecherisches »Bahbahbah« hinein, und da er im gleichen Augenblick einen telefonischen Anruf erhielt, der ihm mitteilte, daß die bereitgestellten Güterzüge zur Ausfahrt freigegeben worden waren, plusterte er sich vor Kluttig auf: »Na also, was wollen Sie! Die Züge können ausfahren.« Unvermittelt brüllte Schwahl auf Reineboth ein: »Lassen Sie sofort wieder antreten. Wenn sich binnen einer halben Stunde nichts rührt, dann schicke ich eine Kompanie SS ins Lager und lasse es mit Hundepeitschen zum Tor treiben! – Halt!« hielt er Reineboth auf, »geben Sie meinen Befehl mit aller Härte, aber ohne Drohungen durch, vermeiden Sie aber auch den Eindruck, als ob wir denen da nicht gewachsen wären.«

Ein unmerkliches Lächeln huschte über Reineboths Mundwinkel. – Seine zweite Durchsage erhöhte den Tumult unter den Häftlingen. Im Kleinen Lager wimmelte es wild durcheinander. Im Innersten aufgewühlt, schrien die Blockältesten und Stubendienste: »Antreten, antreten!« Wie Schlachtvieh drängelten sich die Häftlinge vor den Blocks zusammen, einer schob den anderen vor. Geschrei und Gezeter in allen Sprachen war zu hören, doch machte keiner von ihnen den Anfang. Und keiner von den Blockältesten, so sehr sie auch in dem quirlenden

Menschenhaufen herumfuhren, zerrten, stießen, schrien, keiner half nach, den Marsch zustande zu bringen. Es war ein Treten am Ort, ein verzweifeltes Treten am Ort. Im allgemeinen Lager ging es nicht anders zu. Wohl sammelten sich Häftlinge vor den Blocks, aber Ordnung wollte lange nicht eintreten. Wieder wurde damit eine Stunde vertan. Krämer war zum Kleinen Lager gelaufen. Hier erreichte ihn Reineboths nochmalige Durchsage: »Lagerältester, aufmarschieren lassen! Aufmarschieren lassen!« So drohend stieß der Ruf in das Gewimmel hinein, daß sich Krämer nur an die Spitze zu stellen brauchte, um endlich die Masse in Bewegung zu bringen. Block um Block dirigierten die Blockältesten jetzt zum Zug, der langsam den Berg hinauf zum Appellplatz kroch. Die Blocks des allgemeinen Lagers schlossen sich an. Zurück blieben nur die Pfleger des Reviers und der Seuchenbaracke 61 mit ihren Kranken sowie die vom Lager ohnedies isolierten sowjetischen Kriegsgefangenen.

Der Morgen war schon lange in den Vormittag übergegangen, als endlich das Lager angetreten war. Von den Blocks der jüdischen Häftlinge war im Riesenquadrat nichts zu sehen, sie hatten sich in der Masse verloren und waren in ihr verschwunden. Und in diese Masse hinein stürzten, kaum daß der Aufmarsch beendet war, die Block- und Kommandoführer und prügelten und zerrten aus den Reihen alles heraus, was dem Aussehen nach ein Jude sein konnte. Die Blocks wichen nicht, aber sie wogten wie Ährenfelder. Zwischen den Reihen huschten die jüdischen Häftlinge, verbargen sich im Rücken des Vordermannes und wurden maßlos zusammengedroschen, wenn ein SS-Mann sie erwischte. Reiche Ernte hielten die Blockführer in den Karrees des Kleinen Lagers. In kurzer Zeit waren Tausende jüdischer Häftlinge aus den Blocks herausgeknüppelt worden und zum Tor gejagt. Hier drängten sie sich, vom fiebernden Summen der Erregung zusammengehalten. Draußen vor dem Zaun kläfften Hunde. Von irgendwem schienen die Blockführer einen

Befehl erhalten zu haben, sie ließen plötzlich von den Blocks ab und rannten zum Tor. Das Wogen in den Reihen ließ nach, und die Blocks standen erschöpft, als hätten sie Blut von sich gegeben. Während am Tor die Blockführer weiter auf die jüdischen Häftlinge einschlugen, um die Masse zu einem Marschzug zu formieren, und eine karabinerbewaffnete Hundertschaft der SS mit ihren Hunden anrückte, schrie Reineboths Stimme durch den Hauptlautsprecher vom Turm über den Appellplatz: »Alles andere in die Blocks!« Das vollzog sich in fiebriger Hast.

Einem strudelnden Wasser gleich, quoll die Häftlingsmasse ins Lager zurück, ohne Ordnung und Regel. In den Durchgängen zu den Blocks staute sich der Strom, quetschte sich durch die Enge und breitete sich über das Lager aus. Hinein in die schützenden Blocks. Abgehetzt sanken die Häftlinge auf die Bänke nieder, mit fliegenden Lungen und flatterndem Atem. So also sah das Ende aus! Jetzt wußte ein jeder, was er zu erwarten hatte. – Das Durcheinander des Abmarsches ausnutzend, hatte Bogorski seinen Block verlassen und fing Bochow ab, schnell verständigten sie sich. Bogorski eilte, um Krämer zu benachrichtigen, und Bochow lief zu Pribulas Block. Der junge Pole wiederum mußte Kodiczek herbeiholen. Die so eilig Gerufenen trafen sich im Block 17 zu einer Besprechung von wenigen Minuten. Auf den Gesichtern der Männer brannte es noch. Krämers Hände zitterten, als er sich jetzt die Mütze aus der Stirn schob.

Pribula setzte sich auf eine Bettstatt, der Atem fauchte hörbar durch die Zähne, er schlug die Fäuste aneinander. Bogorski wußte um die Not des jungen Menschen. »Njet«, sagte er nur und schüttelte den Kopf. Pribula blickte zu ihm auf, und Bogorski sah das heimliche Glühen in dessen Augen, auf polnisch sprach er weiter: »Wir müssen wartend kämpfen und kämpfend warten ...« Pribulas Ungeduld rüttelte an Bogorskis scheinbarer Gelassenheit. »Warten, immer warten!« stöhnte er in innerer

Qual. Doch in Bogorski und den anderen bebte das Erleben nach und fieberte gleichfalls als Ungeduld in Bochows Worten: »Genossen, wir haben den ersten Transport um mehr als einen Tag verzögern können.« Er mußte innehalten, weil ihm der Atem zu heftig ging. Pribula schlug gepeinigt mit den Fäusten auf die Knie. »Immer verzögern, verzögern!« stöhnte er aufs neue. Als hätte er es nicht gehört, wandte sich Bochow an Krämer, dennoch war, was er sagte, eine Entgegnung für Pribula. »An dir liegt jetzt alles, Walter. Verzögern, verzögern!« Zu Pribula herumfahrend, schrie er heiser und ohne Ton: »Es gibt nichts anderes!« Pribula erhob sich müde: »Dobrze ...« – »Uwaga!« sagte Bogorski zu dem Polen, »wir sind schwach, weil wir die Evakuierung nicht verhindern können. Nun gut. Aber die Faschisten sind auch schwach.« Bogorski wandte sich allen zu. »Doch wir werden stärker, je näher die Front kommt, und die Faschisten werden noch schwächer.« Bogorski zog Krämer an der Schulter herbei. »Wenn Kluttig dir sagt: Mache einen Transport fertig, du antwortest ihm, jawohl, ich mache Transport fertig.« Voller Lebendigkeit sprach Bogorski auf Krämer ein, sich gleichzeitig an die anderen wendend. Die Transporte, so meinte er, müßten so zusammengestellt werden, daß den Faschisten nur immer die politisch und moralisch unzuverlässigsten Elemente des Lagers überlassen werden sollten. Das Lager habe sich zu reinigen. »Du mußt wie ein General sein im Krieg«, sagte er zu Krämer. »Deine Anordnungen sind Befehle; unwiderrufliche! Du verstehen?«

Krämer nickte stumm. Plötzlich heulte die Sirene auf. Wie angstgetrieben stieg ihr Gejaul immer wieder bis zum Diskant hinauf und überflutete mit seinem Geschrei das Lager. »Carascho!« triumphierte Bogorski! »Alarm! Jeden Tag muß er kommen. Einmal und zweimal, dann können sie nicht evakuieren!«

»Fort!« drängte Bochow. Bogorski hielt Krämer zurück, der hinausstürzen wollte. »Kamerad«, sagte Bogorski warm. Krämer streckte dem Russen die Hand entgegen, der aber zog ihn an sich und küßte ihn.

In der Zelle Nummer 5 spielte sich eine stille Tragödie ab. Noch immer mußten die beiden stehen. Sonderbarerweise aber hatte sie der Mandrill in Ruhe gelassen, seit er ihnen den Strick um den Hals gelegt hatte. Sie waren bis zum Skelett abgemagert, und ihre Köpfe glichen Totenschädeln, in denen fiebrige Augen brannten. Der Bart wucherte und machte ihre Gesichter noch grausiger. Seit Tagen hatte ihnen der Mandrill weder Essen noch Trinken gegeben, und nicht immer gelang es Förste, ihnen einen Brotkanten zuzuschmuggeln, wenn er einmal die Zelle betrat. Die Ecke, wo der Marmeladeneimer stand, schwamm im Unrat und verpestete die Luft, die kaum noch zum Atmen war. Als am vergangenen Tag Reineboth nach den Juden schrie, hatte Höfel, mit vorgerecktem Hals nach draußen lauschend, sonderbar zu flüstern begonnen. »Marian ...« – »Tak?« – »Hörst du? ... Die Juden ... Sie werden entlassen ... Sie gehen nach Hause ... Wir gehen alle nach Hause ... « Heute, schon seit dem Morgen, war Höfel von einer seltsamen Unruhe befallen. Auf dem Bunkergang herrschte eine steinerne Stille. Keine Zelle wurde aufgeschlossen, kein Lärm, wie ihn der Mandrill sonst immer veranstaltete, war zu hören. Die frühe Morgenstunde des Weckens verging. Schon längst standen die beiden mit dem Gesicht zur Tür. Die Stunde des Lagerappells kam. Nichts rührte sich. Die Stunde des Appells ging vorüber. Immer unruhiger wurde Höfel. »Da stimmt etwas nicht«, flüsterte er erregt. Plötzlich vergaß er, daß er stehenzubleiben hatte, und torkelte zum Fenster, blickte aufmerksam zu dem kleinen Geviert hinauf. Kropinski wurde ängstlich, flüsternd bat er: »Stelle dich wieder hin, André. Wenn dich sehen der Mandrill am Fenster, er machen uns tot.« Höfel schüttelte heftig den Kopf . »Kann er nicht! Wir haben doch den Strick um den Hals.« Trotzdem kehrte er zurück und nahm mechanisch den gewohnten Platz ein. Eine ganze Weile stand er lauschend, schluckte ein paarmal, der kantig hervorstehende Adamsapfel hob und senkte sich, die Ader am dürren Hals pulste. Höfel schien angestrengt über etwas nachzudenken.

Auf einmal schleifte er zur Zellentür, preßte das Ohr an und horchte. »Bruder«, flehte Kropinski, »du mußt kommen hierher ...«

In jäher Angst starrte Höfel Kropinski an. »Fort!« stieß er hervor. »Alles ist fort!« Aufbäumend reckte er sich an der Tür hoch, riß die Arme nach oben, noch ehe er aber mit wilden Fäusten gegen die Tür trommeln konnte, war Kropinski bei ihm und zerrte ihn zurück. Höfel taumelte in Kropinskis Arme hinein und wimmerte: »Sie haben uns vergessen! ... Wir sind allein auf der Welt! ... Jetzt müssen wir ersticken!«

Kropinski drückte Höfel brüderlich an sich und versuchte ihn zu beruhigen, doch Höfels Sinne waren nach innen gekehrt, er machte sich frei, zerrte am Strick, daß sich die Schlinge zuzog, und schrie: »Ersticken ... ersticken ...!« In greller Angst preßte ihm Kropinski die Hand auf den Mund, daß der Schrei gurgelnd ertrank. Höfel wehrte sich mit plötzlicher Kraft, die beiden kämpften miteinander. Höfel gelang es, die Hand wegzureißen, in grellem Trompetenton brach der befreite Schrei durch. In wildem Entsetzen mühte sich Kropinski, den um sich Schlagenden zu bändigen, ihm den Mund zuzuhalten. Gurgelnd und röchelnd und immer wieder losschreiend, wand sich Höfel in den ihn umklammernden Armen, aber es war schon zu spät. Die Tür wurde aufgeschlossen, und der Mandrill kam in die Zelle, hinter ihm, bleich und schattenstill, Förste. Entsetzt ließ Kropinski den Schreienden fahren und starrte auf den Mandrill. Der sprach kein Wort. Er kniff die Augen zusammen und blickte abschätzend auf den schreienden Höfel, Sekunden nur. Da holte der Mandrill aus. Es war ein furchtbarer Schlag. Mit nach Halt rudernden Armen taumelte Höfel in die Ecke, prellte gegen die Wand, im Niederstürzen riß er den Marmeladeneimer um, dessen ekler Inhalt den bewußtlos Zusammengebrochenen überschwabbte. Mit unbeteiligtem Blick prüfte der Mandrill die Wirkung seines Hiebes und verließ die Zelle. Einen Augenblick blieb er vor der verschlossenen Tür stehen. Drohend sagte er: »Wenn der mir vorher krepiert ...«

»Man müßte ihn saubermachen ...«, wagte Förste zu raten. Der Mandrill blickte ihn kalt an. »Samariter spielen, was?« Er ging in sein Zimmer und ließ den Kalfaktor unbeachtet zurück ...

Durch den Alarm wurde der Abtransport der jüdischen Häftlinge verhindert. Im Brüllen der Sirene ließ Kluttig die zusammengetriebenen Menschen durch die Hundestaffel in eine leerstehende Werkhalle außerhalb des Lagers treiben, die vom Bombenangriff im August 1944 übriggeblieben war. In großer Höhe zogen mächtige Geschwader über das Lager hinweg. Auf der Straße, die von Weimar nach dem Lager führt, hatte der Alarm einen nach Tausenden zählenden Zug von Häftlingen überrascht, die aus den Zweiglagern des Harzes und Thüringens auf der Flucht vor den Amerikanern nach Buchenwald unterwegs waren. Umheult von den Sirenen aus Weimar und den umliegenden Dörfern kroch der graue Elendszug die Landstraße entlang. Auf dem offenen Gelände gab es keine Deckung. Obwohl die hochfliegenden Geschwader keine direkte Gefahr bedeuteten, war die Begleit-SS durch den Alarm wild geworden. Wie brüllende Viehtreiber jagten die staubbedeckten Scharführer an den Kolonnen hin und her, die von Posten mit dem Karabiner im Anschlag eskortiert waren, und prügelten mit schnell von den Bäumen abgerissenen Ästen die erschöpften, dreckverkrusteten und zerlumpten Menschen zum Laufschritt an. Einer verängstigten, in sich zusammengedrängten Herde gleich, Brust an Rücken, war die Masse den zuschlagenden Rohlingen umbarmherzig preisgegeben. Aber der Zug kam nicht schneller vom Fleck.

»Lauft! Lauft! Wollt ihr wohl laufen!«

Die Füße hatten keinen Platz und auch keine Kraft mehr, nur die hüpfenden Köpfe zeigten, daß die schleppenden Beine einen Laufschritt versuchten. Über dem wogenden Strom der Köpfe brummten die Geschwader und tanzten die Knüppel. Stoffetzen schlenkerten um die nackten, blutig aufgelaufenen Füße. Die marternden Holzschuhe waren auf dem langen Marsch verloren oder weggeworfen worden. Das Gedröhn der Bomber und das Gebrüll der Scharführer vereinten sich zu einem schaurigen Duett.

»Lauft, lauft!«

Voller Wut hetzten die Scharführer umher.

Schüsse knallten, auf der Straße wälzten sich Zusammengebrochene und Zusammengeschossene, wurden von den Posten an den Straßenrand geschleift und liegengelassen.

»Lauft, lauft!«

Prügel, Schüsse, Schreie, Wimmern, Blut, Staub, trampelnde Füße, hüpfende Köpfe ... Was zusammenbrechen wollte, wurde hochgerissen, mitgeschleift; was unter den Tausendfüßler geriet, zertreten.

Neun Kilometer Marsch war es von Weimar bis zum Lager. Bauern drückten sich vorsichtig zur Seite, wenn sie dem Zug begegneten. Zwei Polizisten auf Rädern kamen herangefahren und stellten die Scharführer zur Rede. »Ihr legt die Leute um und laßt sie liegen. Wenn die Amerikaner kommen, dann machen sie uns dafür verantwortlich.«

»Schnauze! Das ist unsere Sache. Haut ab!«

Acht Kilometer noch bis zum Lager. Die Straße stieg an, der Berg war erreicht.

»Lauft, lauft!«

»Ich kann nicht mehr, ich kann nicht mehr ...«

»Halte durch, Kumpel, halte durch, wir sind bald da ...«

Nach einer Stunde Marsch begann der Wald. Höher ging es den Berg hinauf. Das Ächzen der Erschöpfung wurde lauter. Die wildgewordene SS ließ im Prügeln nicht nach.

Schüsse!

Wieder einer, oder zwei, oder drei ...

Längst war aus dem Laufschritt wieder der taumelnde Trott geworden. Der Zug hatte sich gedehnt, die Füße hatten mehr Raum. Mit dem Kopf nach vorn, dumpf und stumpf, schwankten und torkelten die Menschen dahin ... Einer im Zug strauchelte, streckte im Stürzen schützend die Hände aus ...

»Lauf zu, du Aas!«

Wer zurückblieb, starb ...

Lieber Gott, laß mich nicht liegenbleiben!

Mit letzter Kraft versuchte sich der Erschöpfte aufzurichten, aber schon wurde er von den Posten aus der Menschenschlange herausgerissen, kriechend wollte er sich fortbewegen, ein Scharführer zog die Pistole, trat auf den Wurm ein: »Hund, verfluchter!« Ein Schuß peitschte, noch einer!

Weiter, weiter ging es, immer höher den Berg hinauf.

Weimar war schon weit zurückgelassen. Alle witterten sie schon die Nähe des Lagers. Vorbei ging es an den kalkweißen Schildern mit der schwarzen Schrift »Achtung, Kommandanturbereich ...« und dem Totenkopf mit den sich kreuzenden Knochen als Signum.

Dem Zug voran stampften einige höhere SS-Chargen. Sie stutzten und blieben stehen.

Der Zug geriet ins Stocken.

Vier stahlhelmbedeckte Häftlinge, mit Gasmasken und Verbandkästen, standen vor ihnen.

»Was seid ihr denn für Kerle?«

Stramme Haltung, Meldung: »Sanitätstrupp. Auf Befehl des Kommandanten bei Fliegeralarm außerhalb der äußeren Postenkette.«

Die Chargen sahen sich belustigt an. »Was es hier nicht

alles gibt ... He, ihr komischen Vögel, wie weit ist es bis zum Lager?«

»Noch zehn Minuten, Untersturmführer.«

Ein Wink, und die Schlange begann wieder zu kriechen, vorbei an Splittergräben und Schützenlöchern, in denen die Posten der dreifach gestaffelten Kette hockten.

Da heulte die Sirene auf, bis ihr der lange Atem ausging und sie brummend verlöschte: Entwarnung. Am Schlagbaum regte es sich. Die Posten krochen aus den Splittergräben. Die SS-Chargen langten an.

»Wieviel wir von dem Gerümpel mitbringen? Das wissen wir nicht. Vielleicht sind es dreiundeinhalbtausend? Vielleicht sind es auch nur dreitausend, was wissen wir, wieviel unterwegs krepiert sind? Über eine Woche sind wir auf den Beinen. Wir kommen aus Ohrdruf, aus Mühlhausen, aus Berlstedt und Abderode.«

Einer von den Posten telefonierte nach Reineboth. Die vier vom Sanitrupp meldeten sich im Lager zurück und liefen im Eilschritt die gerade Zugangsstraße entlang, trafen sich mit den übrigen, und der Sanitrupp marschierte auf das Tor zu. An ihm vorbei raste bereits Reineboth auf dem Motorrad zum Schlagbaum.

Im Lager war es nach der Entwarnung lebendig geworden. Überall trafen vor den Blocks die Häftlinge aufeinander. Mit dem Stock hatte das Schicksal in den Ameisenhaufen hineingestochert und ihn durcheinandergebracht. Gespräche flogen von Gruppe zu Gruppe. Die Vermutungen und Befürchtungen gingen hin und her.

»Wohin werden sie uns schaffen?« – »Wir gehen nicht 'raus aus dem Lager.« – »Wenn wir uns weigern, schießen sie das ganze Lager zusammen.« – »Schwahl soll schon Bombenflieger vom Flugplatz Nohra angefordert haben.« – »Mensch, quatsche nicht so dämlich. Die brauchen ihre paar Flugzeuge für die Front.« – »Und wenn sie Gasbomben werfen?« – »Blödsinn! Damit gefährden sie sich doch selber.«

Inzwischen liefen die Verbindungsleute, von den einzelnen Mitgliedern des ILK losgeschickt, von Block zu Block und instruierten die Vormänner der Widerstandsgruppen. Diese brachten in das Gewirr der Gespräche eine gewisse Richtung.

»Wir müssen die Evakuierung hinauszögern. Jeden Tag können die Amerikaner hiersein. Sie sollen schon vor Eisenach und Meiningen stehen.«

Wieder jagte Reineboth ins Lager zurück. Wieder wurde ein Schwall ausgemergelter Menschen zum Tor getrieben. Wieder schrie Reineboth durchs Mikrophon: »Sämtliche Blockältesten und der Lagerschutz zum Tor!«

Wieder scheuchte der Ruf die Gemüter auf. Was ist los? Die Blockältesten stürzten zur Schreibstube und sammelten sich hier. Schon spie das Loch am Torgebäude die brodelnde Masse ins Lager hinein.

Unflätig hatte Kluttig gekreischt, als sich das Getümmel heranwälzte: »Leckt mich am Arsch, ich habe es satt!« Und Reineboth hatte ihn angeschrien: »Mir überläßt du es, damit fertig zu werden. Ich bin nur Rapportführer, es ist immerhin deine Dienstpflicht ...«

»Meine Dienstpflicht? Schließlich bin ich nur Zweiter! Soll sich Weisangk darum kümmern! Der Hund säuft sich bei Schwahl das Loch voll!« Tatsächlich hatte es Kluttig dem Jüngling überlassen, sich mit der Flut herumzuschlagen, und war zum Offizierskasino gelaufen.

Einige schnell herangerufene Lastautos hielten vor dem Tor. SS-Posten sprangen von den Wagen. Reineboth machte sich nicht die Mühe, den Appellplatz durch Blockführer abzusperren, er ließ die Masse durchs Tor quellen und schrie Krämer an, der mit den Blockältesten angelangt war: »In die Blocks mit dem Zeug, aber schnell!«

»Die Blocks sind überfüllt, Rapportführer.« Reineboth überschrie sich: »Das ist mir egal! Machen Sie den Appellplatz sauber!« Er jagte den angetretenen Lagerschutz auf: »25 Mann auf die Autos. Marsch, marsch! Auf den Straßen die Toten einsammeln!« Es ging im Hetztempo.

Die Autos rasselten fort. Krämer mußte schnell handeln. Durch die Blockältesten und den verbliebenen Lagerschutz ließ er die Zugänge in großen Trupps vom Appellplatz führen und dirigierte alles nach dem Bad. Die Häftlinge aus dem Lager strömten herbei, mischten sich unter die Neuangekommenen. »Wo kommt ihr her? Wie sieht es draußen aus?«

Blockälteste und Lagerschutz wehrten die Neugierigen ab, drängten sie von den Zugängen zurück. Es gab ein Gewimmel und Durcheinander, als schiene alle Ordnung aufgelöst. Vor dem Bad staute es sich. Krämer durfte nicht die Nerven verlieren. In den zum Brechen überfüllten Blocks mußte Platz geschaffen werden. Die Not ließ keine Auseinandersetzungen zu, Krämer mußte befehlen. Irgendein Blockältester schrie verzweifelt los: »Wo soll ich die Leute noch unterbringen? In meinem Block biegen sich schon die Wände!« Krämer schrie zurück: »Das ganze Lager ist zum Brechen voll, und nicht nur dein Block! Hier, nimm dir fünfzig Mann und hau ab damit!« Das Kleine Lager mußte aufnehmen, was es nur konnte. Die durch die Aussonderung entstandenen Lücken in den Blocks der übriggebliebenen jüdischen Häftlinge ließ Krämer mit den Zugängen auffüllen. Die sonst so reinlich nach Nationalitäten geschiedenen Blocks wurden so zu einem Völkergemisch. Ganz gleich, nur weg mit den Menschen. Wer weiß, wie lange wir noch hier sind? Das Lager summte und kam nicht mehr zur Ruhe. Der Nachmittag ging hin, ehe es gelungen war, den Zustrom zu bewältigen. Indessen fuhren die Lastautos mit den zusammengelesenen Toten ein. Die 25 Mann vom Lagerschutz marschierten zu ihrem Block. Die Autos verschwanden hinter der Planke des Krematoriums. Die polnischen Leichenträger kletterten auf die Wagen, balancierten über die Toten und warfen sie hinunter. Die Leichen flogen im Schwung, mit dem Kopf zuerst, mit den Beinen zuerst. Dumpf prallten die Körper auf. Die nachfolgenden Leichen überkollerten den anwachsenden

Haufen, blieben sitzen, sahen Betrunkenen ähnlich, die man aus der Kneipe geworfen hat. Manche der Toten schlugen Purzelbäume, blieben mit ausgegrätschten Gliedern auf dem Kopfe stehen. Mancher Tote kugelte sich mit seinem Nachbarn vom Wagen herunter, in letzter Umarmung. Manche führten die komischsten Verrenkungen aus, die zum Lachen reizten, manche Toten lachten mit. Mit aufgerissenen Augen und lachverzerrtem Mund flogen sie hinunter ... und der Haufen türmte sich.

Krämer wurde zu Reineboth befohlen. Der Jüngling hatte all seine Schnoddrigkeit verloren. Zwar lag sie noch in seinem Ton, doch von dem zynischen Gehabe war nichts übriggeblieben.

»Haben Sie das Zeug untergebracht?« fuhr er Krämer an, als dieser eintrat.

»Jawohl.«

»Na also! – Herhören! Bis morgen früh machen Sie einen Transport von 10000 fertig, marschfähige Leute, verstanden?«

»Jawohl.«

Reineboth trat dicht an Krämer und funkelte böse: »Wenn es wieder solche Fisimatenten gibt wie bei den Juden, dann hänge ich Sie eigenhändig am Tor auf, verstanden?«

»Jawohl.«

»Morgen früh, das heißt um acht Uhr, steht der Transport. Wegtreten!«

Kluttig, der auf Reineboths Tisch saß, stellte sich Krämer in den Weg:

»Wo sind die 46?«

Krämer lag es auf der Zunge, mit einem »Ich weiß es nicht« zu antworten, doch er sagte: »Es geht im Lager alles drunter und drüber. Der Lagerschutz hat gesucht und nichts gefunden.«

Kluttig packte Krämer hart an der Brust. »Bursche«, knirschte er, »dich hebe ich mir bis zuletzt auf. Glaube nicht, daß du davonkommst! Du, Höfel und der Pole ...

für euch drei habe ich noch was im Magazin.« Er hielt Krämer die Pistole vor die Nase. Krämer nahm die Drohung schweigend an, es durchfuhr ihn: Höfel und Kropinski leben noch …

»Auch dein verstecktes Judenbalg entgeht uns nicht! Bis zum letzten Mann räumen wir auf!« Reineboth trat dazwischen. »Sie wissen Bescheid«, schnitt er ab, schickte Krämer fort und fuhr zu Kluttig herum, als er mit diesem allein war. »Du Idiot! Ich erzähle ihm, daß der Pole und Höfel schon längst verreckt sind, und du …«

»Wie sprichst du mit mir, deinem Hauptsturmführer?«

Reineboth lachte schief:

»Den Hauptsturmführer gewöhne dir ab, mein Sohn. Wir müssen möglichst schnell zu höflichen und – bescheidenen Menschen werden.«

Um rasch über alle Vorgänge informiert zu sein, wartete Bochow in der Schreibstube auf Krämers Rückkehr und ging in dessen Raum hinüber, als er Krämer über den Appellplatz kommen sah. Er merkte ihm das Besondere an, als Krämer mit kräftigem Schwung die Mütze auf den Tisch warf: »Was ist los?« Krämer lachte mit breiter und grimmiger Fröhlichkeit. »Wie er mir mit dem Schießeisen vor der Nase herumfuchtelte …«

»Wer?«

»Kluttig.«

Krämer setzte sich an seinen Tisch und lachte gallig. »Und wie der Reineboth mich nicht schnell genug loswerden konnte, weil der Schafskopf von einem Hauptsturmführer zuviel quatschte.«

»Was ist?« drängte Bochow.

Krämer hob in sattem Triumpf die Arme über den Kopf, wollte losschreien; vom Lachen durchtränkt, lag der Schrei schon auf seinem Gesicht, aber in plötzlicher Mattheit verwelkte das viel zu starke Triumphgefühl. Das Blut floß aus den kraftgespannten Muskeln zurück, Krämer ließ die Arme sinken und stand auf. »Laß, Herbert, laß. Ich muß erst fertig werden mit dem da drinnen«, sagte er warm und strich sich mit breiten Händen über die Brust. Er ging um den Tisch herum und legte Bochow still die Hände auf die Schultern. »Unsere beiden im Bunker ... sie leben noch. – Ich weiß es. Ich weiß noch mehr. Wir können die 46 Kumpel aus ihren Löchern herausholen, nach ihnen sucht keiner mehr.«

»Bestimmt?«

»Bestimmt.«

Krämer atmete tief, und die Falte über der Nase grub sich hart ein: »Jetzt geht es rund! – Bis morgen früh muß ich einen Transport von 10000 Mann fertig machen. Vielleicht gelingt es mir, den Abmarsch bis zum Mittag-Alarm hinzuziehen. Dann haben wir Stunden gewonnen.«

»Tu, was du kannst, Walter.«

Plötzlich aber fragte Krämer übergangslos: »Wo ist das Kind? Wo ist es, Herbert?«

»Ich weiß es nicht.«

Krämer prüfte in Bochows Gesicht die Echtheit der Versicherung.

»Such nach ihm!« herrschte er finster.

»Warum?«

»Warum?« warf Krämer die Frage gereizt zurück. Er setzte sich an den Tisch, schaute auf seine übereinandergelegten Hände und wurde leise: »Zuviel schon hat uns das Wurm gekostet. Nun soll es bei uns sein, wie die anderen auch, wie Höfel, Kropinski, die 46, du, ich ... Es soll mit uns marschieren oder mit uns verrecken. Aber es soll her!« Hart schlug er mit der Faust auf. »Her soll es! Such es!«

Bochow schwieg. Er verstand den Freund, und der fordernde Ton widerhallte ihm im Herzen.

Rauh und voller Grimm zerstörte Krämer Bochows Schweigen: »Einer von euch hat es doch weggeschleppt. Einer vom ILK! Wer?«

Noch ungeduldiger wurde Krämer. »Suche!« drängte

er. »Holen wir unsere Kumpel aus den Löchern, dann soll auch das Wurm nicht länger ... Wer weiß, wo es haust?«

Bochow seufzte und nickte: »Du hast recht, Walter. Warum soll es nun nicht mit uns marschieren oder ... Du hast recht, Walter. Ich will versuchen herauszubekommen, wo es steckt.« Krämer erhob sich langsam, um vieles milder und versöhnt.

Als wuchtiger Schlag ging der Befehl zum Abtransport auf die davon betroffenen Blocks nieder. Die Blockältesten brachten ihn von der Schreibstube mit, in die sie Krämer hatte rufen lassen. »Wir müssen uns für morgen fertig machen, Kameraden ... 10000 Mann! Das bedeutet die Räumung ganzer Blocks!«

Immer fester wurde der Griff, immer starrer und unausweichbarer die letzte Strecke des Weges.

Schnell verwandelte sich die Lähmung, die der Befehl hervorgerufen hatte, in wilde und verwirrende Erregung. »Wir gehen nicht! Wenn wir schon sterben sollen, dann sterben wir hier im Lager!« Mancher Blockälteste hatte Worte zu sprechen, die in ihrer Bitterkeit das Herz zum Schrumpfen brachten. »Überlegt es euch, Kameraden. Wenn die SS in die Blocks kommt, dann wird sie nicht zu euch sprechen wie ich. Ich kann euch nicht zum Bleiben auffordern, denn ich will nicht schuld an eurem Tode sein.«

Allerorts im Lager gab es unterdessen heimliche Unterredungen. Die Verbindungsleute des Apparates brachten Instruktionen zu den Vormännern der Widerstandsgruppen. »Von jeder Gruppe geht ein Teil der Genossen mit dem Transport: Freiwillige! Sprecht mit euren Leuten. Sie nehmen Waffen mit, Stichwaffen. Sie müssen versuchen, unterwegs die Bewachung zu erledigen und den Transport zu befreien.«

Bochow und Bogorski hatten die Anweisung herausgegeben, es war nicht Zeit gewesen, das ILK zusammenzurufen. Die Vormänner holten sich die Mitglieder ihrer Gruppen einzeln heraus, zu einem kurzen Gang zwischen den Blocks oder in einer Ecke des Schlafsaals. »Willst du mitgehen?« Ein Schweigen, ein Zusammenpressen der Lippen, ein schattenhaftes Gleiten der Gedanken in eine Ferne hinein, wo es eine Frau gab, Kinder oder eine Mutter oder ein Mädchen ... ein Nicken schließlich oder ein Schütteln des Kopfes. Manche gaben eine schnell entschlossene Antwort, weil es keine Ferne gab, die von den huschenden Gedanken vor der Entscheidung erst abgetastet werden mußte: »Selbstverständlich gehe ich mit.« Die Freiwilligen nahmen den Tod auf sich. –

Als sie sich nach ihrer kurzen Besprechung trennen wollten, hatte Bochow den Freund festgehalten. »Sag mir die Wahrheit, Leonid, hast du das Kind fortgeschafft? Sag die Wahrheit.«

»Warum fragst du? Ich habe dir die Wahrheit gesagt, und ich sage dir noch einmal, ich habe das Kind nicht fortgeschafft.«

»Einer von uns muß es aber gewesen sein.«

Bogorski bestätigte mit eifrigem Kopfnicken.

»Weißt du, wo sich das Kind befindet?«

Bogorski verneinte schweigend.

Bochow seufzte. Er glaubte Bogorski nicht. »Nur du und kein anderer hat das Kind versteckt. Warum sagst du mir nicht die Wahrheit?«

Bogorski hatte nur ein bedauerndes Achselzucken für den Mißtrauischen übrig. »Wenn du mir nicht glauben: nun gutt. Ich kann nicht hineinprügeln in dich die Wahrheit.« Dabei blieb es.

Überraschend wurde an diesem Abend seit langer Zeit wieder einmal ein deutscher Wehrmachtsbericht durchgegeben.

Schwahl hatte dazu bereits am Nachmittag den Befehl erteilt, als er mit Kamloth den Abtransport besprach.

»Wollen Sie noch immer evakuieren, Standartenführer?«

Schwahl, mit auf dem Rücken verkrampften Händen, ging um den Schreibtisch herum und antwortete Kamloth nicht.

»Sehen Sie sich die Front an, verdammt noch mal! Mit Ihrer Gehorsamsduselei schicken Sie uns alle noch in die Hölle. Wir verlieren nur Zeit.«

»Wir *haben* noch Zeit!« fuhr Schwahl hysterisch auf. »Unsere Truppen halten ihre Stellungen!«

Kamloth lachte trocken »Wie lange?«

Schwahls schwammiges Gesicht zerfloß wie Teig. »Machen Sie mir nicht auch noch das Leben schwer. Morgen schaffen Sie 10000 Mann nach Dachau, basta!«

Wieder lachte Kamloth trocken. »Die Dachauer werden uns willkommen heißen! Vielleicht sind die gerade dabei, ihr eigenes Lager leer zu machen, vielleicht in Richtung Buchenwald? Ein nettes Ringelspiel, das wir da veranstalten. – Schießen Sie die Brut hier zusammen, und Sie sind den Dreck mit einem Mal los.«

Schwahl wollte auffahren, er fuchtelte schon mit den Händen auf Kamloth ein, lief dann aber wieder um den Schreibtisch herum.

»Sie sind doch ein vernünftiger Mann, Kamloth. Glauben Sie, daß Sie sich auf Ihre Truppe noch verlassen können? Sie ist nicht mehr der alte Kern, da ist viel Krampfadergeschwader darunter.«

»Ein Befehl genügt!« protzte Kamloth.

Schwahls Gesicht lief breit aus. »Meinen Sie? Ich weiß was anderes. Kluttig hat Ihrer Hundestaffel mit meiner Erlaubnis den Befehl gegeben, nach den 46 zu suchen. Nicht einen davon haben sie gefunden.«

»Weil sie keinen finden konnten.«

»Oder wollten ... Vielleicht kenne ich Ihre Truppe besser als Sie? – Der Krieg ist verloren. Oder wie bitte?« Schwahl blieb vor Kamloth stehen. »Das Loch, auf dem wir pfeifen, ist das letzte. Oder wie bitte? – Wer verliert, wird vorsichtig, ob General oder Soldat. Muß ich mich noch deutlicher ausdrücken?«

Kamloth widerlegte störrisch die ihm unangenehme Wahrheit.

»Lassen Sie uns erst unterwegs sein, dann werden meine Jungens ballern, als hätten sie Hasen vor sich.«

Schwahl spießte diese Versicherung schnell mit dem Finger auf:

»Das ist etwas ganz anderes! – Aber hier in der Mausefalle, mein Lieber ...«

»An was Sie alles denken.«

Feldherrneitel entgegnete Schwahl: »Ich denke an viel. Zum Beispiel ...« Er ging zum Telefon und gab Reineboth den Auftrag, den heutigen Wehrmachtsbericht im Lager bekanntzugeben. »Wer verliert«, sagte er darauf, seine Sentenz wiederholend, »wird vorsichtig, das gilt auch für die da drinnen. Wenn sie hören, daß wir die Amerikaner aufhalten, sinkt das Barometer, und sie marschieren morgen früh wie die Hammel durchs Tor.«

Voller Spannung wurde der Bericht in den Blocks abgehört. Seine Wirkung war, wie es Schwahl erwartet hatte.

Im Raum von Eisenach, Meiningen und Gotha war der Vormarsch der Amerikaner zum Halten gebracht worden. Angstvoll sahen sich die Häftlinge an. Was wird nun werden? – Noch immer bestand die Alarmstufe 2 für die Widerstandsgruppen. Sie durften die Blocks nicht verlassen und mußten sich bereithalten. Außer der Anweisung, mit dem Transport zu gehen, war von der Leitung keine neue gegeben worden. War der Operationsplan, für den die Gruppen schon seit Monaten eingeteilt waren, über den Haufen geworfen? Wie unklar und verworren war die Lage, und sie verwirrte sich an diesem Abend noch mehr, als Parolen durchs Lager liefen, daß beiderseits von Erfurt amerikanische Fallschirmtruppen gelandet seien. Die Kommandierten, die heute früher als sonst eingerückt waren, hatten diese Neuigkeit mitgebracht. Süchtig wurde die Parole weitergegeben und aufgenommen, stand sie doch im krassen Gegensatz zu dem niederschmetternden Wehrmachtsbericht. Hatte sie ihre Richtigkeit, dann konnte der Transport unmöglich abgehen. Wie aber konnten Fallschirmjäger bei Erfurt landen, wenn die Front zum Stehen gebracht worden war? – War das möglich? Gewiß, im Krieg war es möglich. Doch wenn der Wehrmachtsbericht der tatsächlichen Lage entsprach, dann war für die Evakuierung noch ein Zeitraum gegeben, und deutete der Transport solcher Massen nicht gerade darauf hin? Wo lag die Wahrheit? Wer wußte Genaues? Wer konnte Licht in die Wirrnis bringen?

Über das Lager senkte sich der Abend. Im Kohlenkeller des Bades, im Kartoffelbunker der Küche wühlten Häftlinge fieberhaft nach den Versteckten. Auch der Blockschreiber im Kleinen Lager, von Krämer dazu aufgefordert, holte Pröll aus dem Kanalschacht heraus. Die Befreiten huschten in die Blocks, deren Blockälteste durch Krämer vorbereitet waren, und tauchten in der Masse unter. Andere der Verborgenen aber blieben, wo sie waren, so Runki, der in der Fundamentgrube besser aufgehoben war. Krämer hatte viel zu tun und viel zu laufen, bis alles geschafft war. Als er nach seinem Block ging, traf er mit Bochow zusammen, der von Riomand kam, um sich von diesem die Bestätigung der hoffnungsvollen Parole von der Landung bei Erfurt geben zu lassen. Der Franzose hatte jedoch nur berichten können, daß sich die SS im Kasino darüber unterhalten hatte, ausländische Sender sollten angeblich die Meldung gebracht haben. Das war nichts Zuverlässiges und gab keine Möglichkeit, sich ein exaktes Bild von der augenblicklichen militärischen Lage zu machen.

»Es läßt sich nichts unternehmen«, sagte Bochow daher zu Krämer, »wir müssen den Transport gehen lassen.«

»Und was ist mit dem Kind?«

Bochow hatte nicht den Mut, Krämer zu enttäuschen, darum log er: »Ich erfahre bald, wo es sich befindet. Dann hole ich es.«

Krämer nickte. »Gut, Herbert, gut. Das Kind muß zu uns zurück, wir sind es den beiden im Bunker schuldig und... Pippig.«

Bochow schwieg.

Nach unruhigem Schlaf war Krämer schon im Morgengrauen auf den Beinen. In den Blocks machten sich die für den Transport bestimmten Häftlinge fertig. Die Freiwilligen der Gruppen nahmen still Abschied von ihren Genossen, am Körper die selbstgefertigten Waffen verborgen. Würde es gelingen, den Transport zu befreien und sich zum Amerikaner durchzuschlagen? Wieviel SS würde den Transport begleiten? Wohin ging es?

Krämer ging von Block zu Block. »Wenn Reineboth ruft, dann tretet an. Macht Gewimmel, versteht ihr, vielleicht kommt heute bald Alarm, und wir können den Abmarsch hinausziehen.«

Doch es kam anders, überraschend und unvorhergesehen! Alle Verzögerungspläne wurden über den Haufen geworfen. Eine halbe Stunde vor der festgesetzten Zeit marschierten einige Hundertschaften SS vor dem Tor auf. Sie formierten sich zum Spalier, Karabiner im Anschlag, Handgranaten am Koppel. Das schmiedeeiserne Tor wurde aufgetan und blieb offen. Über den menschenleeren Appellplatz rannten Blockführer ins Lager, Knüppel und Revolver in der Faust. Wahllos stürzten sie in die Blocks und prügelten die Insassen hinaus, als wollten sie das ganze Lager zum Tor treiben. In wildem Aufruhr jagte alles durcheinander, brüllende Blockführer und schreiende und flüchtende Häftlinge. Die Einteilung für den Transport verwandelte sich in Panik, Schreien und Flucht! Aus den Seitenwegen wurden die Menschen zusammengetrieben, die Hauptwege zum Appellplatz hinauf und durchs offene Tor! Zurück ins Lager hetzten die Treiber, fegten neue Haufen zum Tor hinaus.

Die aufgejagte Masse verlor Denken und Verstand, sie war nur noch ein brodelndes Gewirr von Angst, Flucht und dem unerhörten Trieb, vor den prügelnden Treibern davonzulaufen, zum offenen Tor hinaus, als ob da draußen die Erlösung wäre. Wie eine Windhose jagte es über das Lager hinweg. Das SS-Spalier hatte sich zu beiden Seiten des riesenhaften Zuges, zu dem die Masse der Herausgejagten angewachsen war, ausgedehnt, und als es genug war mit dem Treiben, schlug das Tor zu, und im Laufschritt – Gebrüll und Kolbenstöße – wimmelte die fiebernde Masse auf der Zugangsstraße dahin. Bis zum Schlagbaum brauchte die SS, um eine ungefähre Marschordnung in die Menschen hineinzuprügeln.

Keine Stunde hatte das Tosen des Sturmes gedauert. Was in den Blocks zurückgeblieben war, mochte nicht denken, nicht sprechen, weil das aufgejagte Blut Herz und Hirn überschwemmte. Auf Tische und Bänke, auf die Betten im Schlafsaal sanken die Menschen nieder, bedeckten die Augen mit den Händen und zwangen den abgehetzten Atem zur Ruhe.

Eine Stunde nach dem Furchtbaren heulte die Sirene. Heulte wie ein Frauenzimmer, das man bei den Haaren hatte. Neuer Fliegeralarm!

Die Häftlinge der Effektenkammer arbeiteten schon seit Tagen nicht mehr. Die Kammer war ihnen willkommene Zufluchtsstätte. Hier waren sie vor Transporten sicher. Als der Sturm über das Lager dahinbrauste, hatte auch sie die Erregung gepackt. Erst während des Alarms kamen sie wieder zur Ruhe, und auf einmal entdeckten sie, daß Wurach verschwunden war. – Hatte er sich verkrochen, der Lump? War er überhaupt noch auf der Kammer?

Sie suchten nach ihm, fragten die Häftlinge der Bekleidungskammer im ersten Stock, die Häftlinge der Gerätekammer im Parterre.

»Habt ihr ihn gesehen?«

Keiner vermochte Auskunft zu geben. Vielleicht war der Zinker während der Austreibung im Lager gewesen und mit hinausgeprügelt worden. Vielleicht hatte er sich freiwillig dem Transport angeschlossen, um der Abrechnung zu entgehen, die auf ihn wartete. Die Häftlinge gingen wieder nach oben. Sollten sie Zweiling das Verschwinden melden? Manche rieten davon ab. Laßt die Finger weg, das ist ein heißes Eisen. Vielleicht hat Zweiling selber dafür gesorgt, daß der Zinker abhanden gekommen ist. Sie beschlossen zu schweigen.

In den Widerstandsgruppen gärte es. Sie forderten Waffen. Unruhe und Ungeduld bedrohten die Disziplin. Die Verständigung mit den Gruppen durch die Verbindungsleute reichte nicht mehr aus. In der Not der Stunde mußten die Genossen des ILK immer mehr aus ihrer Verborgenheit hervortreten. Kurz entschlossen setzten sie daher eine Besprechung mit den Führern der Widerstandsgruppen an. Nach Einbruch der Dunkelheit kamen über hundert Mann von ihnen in einem durch die Austreibung leer gewordene Block zusammen.

Auch Krämer nahm an der Besprechung teil.

Kaum daß Bochow sie eingeleitet hatte, kam aus den Reihen der Versammelten die Forderung nach bewaffnetem Widerstand gegen die weiteren Evakuierungen. Am ungeduldigsten war wiederum Pribula. Seine Freunde von den polnischen Gruppen schlossen sich ihm an. Aber auch andere Führer verlangten die Aufgabe der passiven Haltung.

Lieber wollen wir kämpfend untergehen, als länger zusehen, wie unsere Kameraden in den Tod gejagt werden. Heute sind es zehntausend, morgen werden es vielleicht dreißigtausend sein. Die Unruhe stieg an. »Laßt uns zu den Waffen greifen! Morgen schon!«

Krämer, der abseits stand, konnte sich nicht mehr zurückhalten. Er rief in das Rumoren hinein: »Zuerst einmal: Schreit hier nicht so 'rum! – Wir sind auf keiner Streikversammlung, sondern im Lager! Wollt ihr mit eurem Lärm noch die SS anlocken?« Es wurde augenblicklich still. »Zu den Waffen wollt ihr greifen, und das morgen schon? – Na, so was.« Krämers Spott reizte. Viele lärmten erneut auf.

»Laßt mich sprechen, gottverdammich! – Schließlich habe ich als Lagerältester den größten Brocken zu schleppen und darum auch was zu sagen. – Wieviel Waffen wir eigentlich besitzen, das weiß ich nicht so genau. Ihr werdet es besser wissen. Aber eines weiß ich! Es werden nicht so viele und so gute Waffen sein, daß wir es mit 6000 SS-Leuten aufnehmen können. Ich weiß auch, daß sich der Kommandant hüten wird, hier ein Leichenfeld zurückzulassen, wenn wir ihn nicht durch unsere eigene Dummheit dazu zwingen!«

»Durch unsere eigene Dummheit?«

»Was bist du für ein Lagerältester?«

»Hört nur, er nimmt den Kommandanten noch in Schutz!«

Bochow griff ein: »Laßt den Lagerältesten zu Ende sprechen.«

Krämer schnaufte.

»Ich weiß nicht, ob ihr alle Kommunisten seid. Ich bin einer. – Hört mir gut zu, damit ihr begreift, wie ich es meine.«

Er machte eine knappe Pause.

»Wir haben hier im Lager ein kleines Kind versteckt. Sicher wißt ihr davon. Wegen dieses Kindes haben wir viel durchmachen müssen. Seinetwegen sitzen zwei von uns im Bunker, ihr kennt sie. Wegen des Kindes hat sich unser Pippig totschlagen lassen. Wegen des Kindes haben viele andere Kumpel ihren Arsch riskiert. Ihr selbst, wie ihr hier sitzt, seid des Kindes wegen in großer Gefahr gewesen. Manchmal hing es für das ganze Lager am seidenen Faden. Was war das für eine Dummheit von uns, ein kleines Kind zu verstecken! – Hätten wir es, als wir das Wurm fanden, lieber am Tor abgegeben, dann lebte unser Pippig noch, und dann säßen nicht Höfel und Kropinski im Bunker und warteten jetzt auf ihren Tod! Dann wäre auch über euch und das Lager keine Gefahr gekommen. Allerdings hätten sie dann das Kind totgeschlagen, doch das wäre nicht so schlimm gewesen, was?«

Eine sonderbare Aufmerksamkeit füllte den Raum.

»Hättest *du* das Kind bei der SS abgegeben?« fragte Krämer Pribula, in dessen Nähe er stand.

Der junge Pole antwortete nicht. Krämer sah das heimliche Glitzern in dessen Augen.

»Siehst du, so schwer ist die Entscheidung über Leben und Tod! – Meinst du, daß es mir leichtfällt, Todestransporte zum Tor zu schicken?«

Krämer wandte sich allen zu. »Was soll ich tun? – Soll ich zu Kluttig gehen: Ich verweigere den Befehl, schieß mich über den Haufen? ... Großartig von mir, was? ... Ihr würdet mir bestimmt ein Denkmal setzen ... Aber ich verzichte auf die Ehre und schicke dafür Menschen in den Tod, um ... Menschen zu retten, nämlich nur, damit Schwahl nicht schießt.«

Krämer sah in die Gesichter hinein, die ihn anstarrten. »Begreift ihr das? ... Es ist nicht so leicht, das zu begreifen. Es ist überhaupt nicht leicht. Denn alles, was wir jetzt tun müssen, ist nicht nur eine *einfache* Entscheidung! Wir haben nicht *einfach* zu wählen zwischen Leben und Tod! Wäre es so, dann würde ich sagen: Jawohl, her mit den Waffen, ab morgen schießen wir! Sagt mir: Haben wir Pippig in den Tod getrieben, weil wir das Kind gerettet haben? Sagt mir: Hätten wir das Wurm umbringen lassen sollen, um Pippig zu retten? – Na, sagt es doch! Wer gibt mir die richtige Antwort?«

Krämer war in tiefe Erregung geraten. Er mußte noch viel sagen. Doch die Gedanken wurden für ihn immer komplizierter, er formte sie mit den Händen, fand aber keinen Ausdruck mehr und kapitulierte vor dem Schweigen.

Die Männer schwiegen. Es war, als hätte Krämer jedes einzelne seiner schweren Worte von der Waagschale genommen und sie in die Hände der Männer gelegt: Da, wägt selbst!

Die Männer waren zur Besinnung gekommen. Disziplinierter, als sie begonnen, wurde die Besprechung zu Ende geführt.

Gemeinsam mit den Führern der Gruppen konnten die Genossen des ILK die Taktik für die nächsten Tage festlegen. Der Antrag zum bewaffneten Widerstand wurde als verfrüht abgelehnt. Durch die Aussprache gelangten die Männer zu der Überzeugung, daß der Stillstand der Front nur vorübergehend sein konnte und die Tage der Lagerfaschisten gezählt waren. Es blieb bei der Taktik des Verzögerns und des passiven Widerstands, so bitter es auch war, noch Tausende in den Tod gehen lassen zu müssen.

Brendel vom Lagerschutz kam. Er sprach leise mit Bochow. Auf dessen Gesicht zeichnete sich Bewegung ab. »Kameraden«, rief er, »die Front bewegt sich weiter! Soeben erhielten wir Nachrichten! Östlich von Mühlhausen sind heftige Kämpfe im Gange! Langensalza und Eisenach sind gefallen!«

»Ruhe! Schreit nicht! Seid ihr verrückt geworden?« sprang Krämer dazwischen und dämpfte den Lärm der Männer, die es von den Bänken hochgerissen hatte.

Schon am frühen Morgen des folgenden Tages erhielt Krämer neue Befehle. Binnen weniger Stunden sollten wiederum 10000 Mann abgehen, denen weitere 10000 zu folgen hatten. Für den gleichen Tag war der geschlossene Abmarsch der 800 sowjetischen Kriegsgefangenen angeordnet worden.

In den Kasernen schrie und kommandierte es schon. Die Begleitmannschaften für die großen Transporte wurden eingeteilt. Der Fall von Eisenach machte die Eile des Aufbruchs zur Flucht. Tausende der Häftlinge waren seit Tagen schon marschbereit. Im Lager wimmelte es. Während Krämer mit den Blockältesten und einem Teil des Lagerschutzes den ersten Transport zusammenstellte, während bereits lange Züge der SS von den Kasernen her zum Lager marschierten, fand sich das ILK im Block 17 zu einer eiligen Besprechung zusammen.

Der Abmarsch der Kriegsgefangenen bedeutete den Verlust starker Widerstandsgruppen. Es wurde beschlossen, daß die Kriegsgefangenen dem Befehl Folge leisten sollten. Da mit Sicherheit anzunehmen war, daß der Vormarsch der Amerikaner von Stunde zu Stunde weitere Fortschritte machen werde, sollten die Kriegsgefangenen unterwegs, dort, wo sie amerikanische Vorhuten vermuteten, die Begleitmannschaften überwältigen und sich zu den Amerikanern durchschlagen. Mit Stichwaffen und einigen wenigen Pistolen konnten die Gruppen ausgerüstet werden. Bochow erhielt den Auftrag, die Waffen herbeizuschaffen. Es war ein Entschluß auf Leben und Tod. Die Genossen des ILK trennten sich so eilig, wie sie zusammengekommen waren.

Franzosen, Polen, Russen, Deutsche, Holländer, Tschechen, Österreicher, Jugoslawen, Rumänen, Bulgaren, Ungarn und viele andere der nationalen Einheiten mußten Menschen hergeben. Das schwirrte, wirrte, lärmte und schrie von den einzelnen Blocks, wo sich die Massen drängten, in allen Sprachen durcheinander.

Mitten in diese von hektischer Hast betriebenen Vorbereitungen hinein schrie plötzlich die Sirene: Fliegeralarm! Alles stürzte jubelnd in die Blocks zurück. Die angetretene SS jagte in die Kasernen. Über den Appellplatz rannten die 16 vom Sanitrupp. Reineboth schrie ihnen durch das verschlossene Eisentor zu: »Zurück mit euch!« Einen Augenblick stutzten die 16, dann machten sie kehrt und liefen den Appellplatz wieder hinunter. Die Häftlinge an den Fenstern der ersten Blockreihen riefen sich zu: »Sie lassen den Sanitrupp nicht mehr 'raus!«

Köhn ließ ihn zum Revier laufen, bog ab, lief zur Schreibstube, riß die Tür zu Krämers Raum auf und schrie in wilder Freude: »Halali, die Jagd ist aus!« Die Tür schlug er wieder zu und rannte seinen Leuten nach.

In kurzer Zeit war innerhalb und außerhalb des Lagers alles wie reingefegt. In der Ferne waren dumpfwetternde Einschläge zu hören. Die Wände der Blocks vibrierten, und die Häftlinge saßen und standen eingepfercht wie Menschen, die, vom Gewitter überrascht, unter einem Dach Schutz gesucht hatten. Noch mit der zusammengerollten Decke schräg über dem Oberkörper, mit einem Trinkbecher, einer Eßschüssel am Bindfaden um den Leib, einem verschnürten Paket, einem Karton unterm Arm standen sie und lauschten in das Wunderbare hinaus. Befanden sich die Amerikaner näher, als zu hoffen und zu glauben war? Wo kam es her, das Bumsen und Rollen? Aus Erfurt oder gar schon aus Weimar?

In den Betonbunkern vor dem Lager hockten Schwahl, Kluttig, Weisangk, Reineboth, Kamloth und Offiziere der Truppe. Die Schützenlöcher und Splittergräben waren vollgestopft mit SS. Das Rumoren der Einschläge duckte ihnen das Genick, eine stärkere Gewalt hielt sie unter eisernem Druck.

Eine Stunde schon dauerte Schweigen und Furcht, und noch eine Stunde dazu. Als endlich dann die Sirene ihre Entwarnung schrie, kroch es aus der Erde hervor wie verscheuchtes Getier, wild durcheinanderrennend. Signalpfeifen schrillten, Befehle wurden geschrien. Die SS-Züge formierten sich aufs neue. Schwahl und sein Anhang liefen ins Dienstgebäude zurück. Reineboth eilte ins Rapportzimmer, und schon kam seine Stimme durch den Lautsprecher:

»Lagerältester, sofort aufmarschieren lassen! Sofort aufmarschieren lassen!«

Noch während des Alarms hatten sich Tausende geschworen, das Lager nicht mehr zu verlassen. Jetzt ließen sie sich zu Tausenden vom Zwang des Befehls durchs Tor treiben. Gezählt wurde nicht, so groß war die Hast. Krämer, der sich mit dem Lagerschutz zwischen den Blocks befand, ließ laufen, was fortlaufen wollte. »Haut ab, vielleicht habt ihr Glück.« Aber es kamen keine Blockführer, sie hatten auf dem Platz mit den Massen zu tun und fegten sie zum Tor hinaus, mit dem letzten Schub schlug es zu.

Etliche von den Blockältesten hatten sich, ihren Blocks folgend, freiwillig dem Transport angeschlossen. Die übrigen rief Krämer, nachdem der neue Sturm vorüber war, in einem der leergewordenen Blocks zusammen. »Es sollen heute nochmals 10000 auf Transport gehen«, gab er bekannt, und auf seinem Gesicht waren die Spuren von Ermattung zu sehen. Auch auf den Gesichtern der Blockältesten hatten die seelischen Strapazen ihre Furchen gezogen.

»Müssen wir es noch zulassen? Können wir uns nicht zur Wehr setzen? Wer weiß, wie nahe die Amerikaner schon sind?«

»Wer weiß es?« nickte Krämer müde. »Hört zu. Ich stelle den Transport *nicht* zusammen, das sollt ihr wissen. Der Alarm hat uns wertvolle Stunden geschenkt. Vielleicht gibt es heute noch einen zweiten Alarm, und sie evakuieren nicht mehr. Vielleicht aber veranstalten sie wieder eine Treibjagd. – Solange wir uns noch in der Gewalt der SS befinden, zwingt mich meine verfluchte Funktion, die Befehle auszuführen. Ich gebe euch darum den Befehl für den zweiten Transport bekannt, aber ich stelle ihn nicht mehr zusammen, selbst auf die Gefahr hin, daß sie uns jagen werden. Habt ihr mich verstanden?«

Krämer wartete nicht auf Antwort, er las sie sich von den Gesichtern ab. »Durchhalten, standhalten! Sagt es euren Kumpeln.«

Auf dem Weg nach ihren Behausungen wurden die

Blockältesten von erregten Häftlingen aufgehalten. Wilde Gerüchte hatten die Gemüter erhitzt. Bei Buttstädt sollten amerikanische Fallschirmspringer abgesprungen sein, Vorhuten sollten auf Erfurt marschieren.

»Wißt ihr Genaues? Habt ihr was erfahren? Stimmt es, daß heute noch ein Transport gehen soll?«

Fragen, Hoffnungen, Bangen ...

Die harte Lagerdisziplin, die die Häftlinge in all den Jahren unter Druck gehalten hatte, war im allgemeinen Durcheinander der letzten Tage untergegangen. Keiner kümmerte sich mehr um Vorschriften und Verbote. Die Faschisten hatten die Gewalt verloren, und es gab für die Häftlingsmassen nur noch die Gefahr der Evakuierung und die der Vernichtung in letzter Stunde. In Begleitung von Krämer betrat Bochow den Block der sowjetischen Kriegsgefangenen. Bogorski und einige Führer der Widerstandsgruppen zogen sich mit den deutschen Kameraden auf die Latrine des Blocks zurück. Fünf der vorhandenen Pistolen hatte Bochow mitgebracht, sie verschwanden schnell unter der Kleidung der Soldaten.

Bogorski hatte sich einen einfachen Plan zurechtgelegt. Die sowjetischen Widerstandsgruppen sollten an den Flügeln des Zuges marschieren und die Flanken abschirmen. Das Ziel mußte sein, schlagartig so viel SS-Leute wie nur möglich wehrlos zu machen und zu entwaffnen. Das war die Aufgabe der Flankendeckung. Die übrigen Rotarmisten würden sofort in den Kampf eingreifen. Gelang der Überfall, sollte sich der Zug in die Höhen des Thüringer Waldes durchschlagen und von hier aus die Verbindung mit dem nahen Amerikaner aufnehmen. Schlug der Plan fehl ... »Nun gutt«, sagte Bogorski einfach, »wir haben dann unsere Pflicht getan.« Er schickte die Führer fort, sie sollten die Waffen verteilen. Jetzt war er mit seinen deutschen Kameraden allein. Es galt, Abschied zu nehmen.

Sie sprachen kein Wort miteinander. Bogorski streckte Krämer die Hand entgegen, und wie schon einmal sagte er nur: »Kamerad ...« Dann lagen sie sich stumm in den Armen. – In Bochow stieg es heiß empor, als ihm Bogorski schweigend die Hände auf die Schultern legte. Durch das Kristall der Tränen hindurch verschwisterten sich ihre Blicke und die brüderliche Liebe, die sie immer füreinander empfunden hatten.

Sie lächelten sich zu.

Als sie wieder zu sich selbst zurückgefunden hatten, sprachen sie in der Heiterkeit des Schmerzes miteinander.

»Ich muß euch noch was geben. – Kleines Kind.«

»Ist es bei euch?« fragte Krämer überrascht.

Bogorski verneinte.

»Also hast du es doch fortgeschleppt«, rief Bochow, »und hast mir nicht die Wahrheit gesagt ...«

»Zum letzten Mal: *Ich* habe das Kind nicht fortgeschafft.« Er eilte hinaus, kam aber sogleich wieder zurück, mit ihm ein junger Rotarmist.

»Der«, zeigte Bogorski auf den jungen Soldaten.

Dieser nickte strahlend. Ehemals dem Kommando des Schweinegeheges der SS zugehörig, das sich im Lager hinter dem Häftlingsrevier befand, hatte der junge Soldat auf Bogorskis Geheiß dem Zidkowski das Kind aus dem Bett »gestohlen« und es in der Auslaufhütte einer trächtigen Muttersau versteckt. Dort befand sich das Kind noch immer. Kein Häftling des Kommandos wußte davon ...

Wenig später begab sich Krämer dorthin. Mit Bochow hatte er sich abgesprochen. Das Kind sollte auf dessen Block 38 untergebracht werden.

Auch das Kommando des Schweinegeheges war durch die Evakuierung stark dezimiert, und es befanden sich nur noch wenige Häftlinge in der primitiv zusammengezimmerten Bude, die Krämer betrat. Ohne Umschweife machte er sie mit dem Zweck seines Kommens bekannt. Überrascht erfuhren sie, daß das Kind bei ihnen verborgen gehalten wurde. Krämer überließ sie nicht lange ihrem Erstaunen. »Komm mit«, forderte er einen polnischen Schweinepfleger auf und ging mit diesem ins Gehege. Vor der von dem jungen Soldaten bezeichneten Hütte blieb er stehen: »Hier drinnen ist es.«

An der aufgestört grunzenden Sau vorbei kroch der Pole in die Hütte. Im Hintergrund unter einem Haufen hochaufgeworfenen Strohs entdeckte er tatsächlich das Kind. Krämer wickelte es in eine mitgebrachte Decke.

Mit Ungeduld hatten die durch Bochow vorbereiteten Insassen des Blocks auf die Ankunft des Kindes gewartet. Jetzt folgten sie Krämer in den Tagesraum. Bochow nahm Krämer das Bündel ab und legte es auf einen Tisch. Behutsam schlug er die Decke auseinander.

Völlig verwahrlost und verdreckt lag das zitternde, in sich verkrümmte Kind vor ihnen. Erschüttert starrten sie es an. Es machte nicht den Eindruck des Verhungertseins, der junge Soldat hatte für Nahrung gesorgt, aber es stank im Schmutz der eigenen Exkremente. Krämer richtete sich schnaufend hoch. »Seht zu, daß ihr aus dem da wieder einen Menschen macht ...« Einige Beherzte griffen zu. Sie zerrten dem Kind die schmutzigen Lumpen vom Leib. In der Waschkaue säuberten sie es. Ein Pole war mit dabei. Liebevoll tröstete er in seiner Muttersprache und frottierte mit einem Tuch den kleinen, fröstelnden Körper. Dann trugen sie das Kind in den Schlafsaal und steckten es ins wärmende Bett. In betretenem Schweigen umstanden die Häftlinge das Lager. Bochow nickte gedankenvoll vor sich hin. »Es hat uns viele bittere Stunden gekostet. Immer waren Kluttig und Reineboth hinter ihm her. Wie ein Paket ist es von Hand zu Hand gegangen. Nun ist es bei uns, und hier wird es bleiben bis zum Schluß.«

Vielleicht verstanden manche nicht, was Bochow sprach. Es waren viele Neue unter den Alteingesessenen, Franzosen, Polen, Tschechen, Holländer, Belgier, Juden, Ukrainer, buntgemischt. – Bochow blickte auf und schickte ein Lächeln rundum, und es kam von den Gesichtern zu ihm zurück.

Ein zweiter Alarm legte das Lager wieder still. Er dauerte über viele Stunden, in denen nichts zu hören war, weder ferne Einschläge noch Motorengebrumm am Himmel. Die Lautsprecher in den Blocks schwiegen. Leer und starr lag der Appellplatz, auf dem vor wenigen Stunden noch wüstes Getümmel gewesen war. Selbst die Posten auf den Türmen standen reglos. In toter Beweglosigkeit lag alles da wie ein abgestorbenes Stück der Natur. Wo war der Krieg in dieser Stille?

Bis in die späten Stunden des Tages blieb es so. Als endlich die Sirene zu röhren begann und in den Diskant des Entwarnungsschreis hinaufstieg, erholte sich alles nur schwer von der Lähmung.

Krämer, der die Zeit des Alarms in der Schreibstube verbracht hatte, blickte unruhig durchs Fenster. Oben am Tor blieb es noch immer still, unheimlich still! – Und 10000 sollten noch marschieren. – Für jede Minute erwartete Krämer die Durchsage. Dann würde wieder eine Treibjagd beginnen, denn er hatte nichts getan, um den Transport zusammenzustellen. Aber es kam nichts.

Um seine Unruhe vor sich selbst zu beschwichtigen, meinte Krämer: »Der Alarm war gut, einen Tag haben wir gewonnen, sie können nicht mehr evakuieren.«

Dann aber regte es sich doch da oben. Die Häftlinge der Schreibstube sprangen an die Fenster. Eine SS-Kolonne, von den Kasernen kommend, marschierte am Zaun entlang zum Tor.

»Was ist?«

Schon kam Reineboths Stimme: »Lagerältester, mit den Kriegsgefangenen zum Tor!«

Krämer sah zum Lautsprecher hinauf, nickte sich zu, er hatte es geahnt. Mit schweren Schritten ging er in seinen Raum hinüber und zog den Mantel an.

Der Ruf hatte das Lager lebendig werden lassen. Aus allen Blocks rannten Häftlinge, und als Krämer hinzukam, stand die Menge vor dem Block der Kriegsgefangenen. Bochow, Kodiczek, Pribula, van Dalen zwängten sich durch den Haufen nach vorn. Still und schweigend standen sie nebeneinander, auch als die Menge in Bewegung geriet, da Krämer mit den ersten der Gefangenen aus dem Block herauskam. Der Zug formierte sich. Als letzter kam Bogorski. Er trug nicht mehr das Häftlingsdrillich, sondern wie die übrigen seiner Kameraden eine abgeschabte Felduniform der Roten Armee.

In Gliedern zu zehn Mann stellten sich die Gefangenen auf.

Krämer mußte das Zeichen zum Abmarsch geben, an der Spitze des Zuges ging er dann. Bogorski ließ den Zug an sich vorbei. Er prüfte die geheime Einteilung. Dann drehte er sich zu der Menge um. »Auf Wiedersehen, Kameraden«, rief er auf deutsch. Die Häftlinge winkten. Unbedeckten Hauptes standen die Genossen des ILK. Bogorski grüßte sie mit einem stillen, letzten Blick.

In militärischer Ordnung, mit dem typischen, ein wenig schaukelnden Schritt marschierten die 800 den Appellplatz hinauf. Aus den Zwischengassen des Blocks blickten die Häftlinge ihnen nach. Die Flügel des schmiedeeisernen Tores öffneten sich. Der Zug mußte anhalten und marschierte auf der Stelle, dann bewegte er sich wieder vorwärts, bis der letzte Mann durchs Tor marschiert war. Es schloß sich.

Krämer setzte die Mütze auf und ging langsam über den wieder einsam gewordenen Platz ins Lager zurück.

Der zweite Transport wurde nicht mehr angefordert, und der Tag ging in sonderbarer Ereignislosigkeit zu Ende.

In den folgenden Tagen geriet der Evakuierungsplan immer mehr in Unordnung. Eine vollständige Räumung des Lagers, wie sie vom Kommandanten vorgesehen, war nicht mehr möglich. Oft retteten die häufiger werdenden Alarme die zum Abmarsch befohlenen Transporte über

Stunden hinweg. Oftmals kam es gar nicht mehr zur Zusammenstellung von Transporten. In den Pausen zwischen den Alarmen wurden die Häftlinge wahllos und regellos aus den Blocks hinaus- und auf dem Appellplatz zusammengetrieben, und wenn genug beisammen waren, zum Tor hinausgejagt. Trotz der Taktik des Verzögerns, trotz der oft rettenden Fliegeralarme, die die Evakuierungen verhinderten, waren es noch Zehntausende, die in diesen Tagen zusammengetrieben und aus dem Lager gejagt werden konnten. Von 50000 blieben zuletzt noch 21000 Menschen übrig. Ordnung und Kontrolle gab es nicht mehr. Größer mit jedem Tag wurde das Gewirr der Auflösung. Verbissener kämpften die übriggebliebenen Häftlinge gegen ihre Austreibung. Nachrichten, unprüfbar, versetzten sie in einen Zustand dauernder Erregung. Bald hieß es, daß die Amerikaner Kahla südöstlich von Weimar erreicht hätten, bald sollten nordöstlich von Erfurt amerikanische Panzerspitzen gesehen worden sein. Andere Nachrichten wollten wissen, daß die Amerikaner schon in Buttstädt eingedrungen wären. In den Wirrwarr der unkontrollierbaren Nachrichten und Parolen verfilzte sich das Gerücht, daß die Evakuierungen eingestellt würden und der Kommandant das Lager dem Amerikaner übergeben wolle.

Eines frühen Morgens erschienen, ohne daß es Alarm gegeben hatte, zwei amerikanische Jäger über dem Lager. Die Häftlinge stürzten aus den Blocks, schrien: »Sie sind da, sie sind da!«

Aber die Flugzeuge, nachdem sie einige Male über dem Gelände gekreuzt hatten, flogen wieder ab.

Manchmal war es während der Alarme totenstill, manchmal wieder, kaum daß sich die Sirene ausgeschrien hatte, zitterten die dünnen Wände der Baracken im Lärm des Kampfes da draußen, als fänden die Bombeneinschläge und Artillerieduelle in unmittelbarer Nähe statt. Die Häftlinge fieberten der Befreiung entgegen. Der Krieg schickte seine Wehen über das Lager und schüttelte es.

Und noch immer vergingen die Tage. Die hin und her getriebene Masse glich einem Riesenleib, der sich, selbst aus tausend Wunden blutend, gegen die mörderischen Pranken eines angeschlagenen Raubtieres zur Wehr setzt. Inmitten dieses verzweifelten Kampfes standen Krämer, die Blockältesten und der Lagerschutz.

Das Getümmel einer der Austreibungen benutzend, verbargen sich Bochow, Pribula und einige Mitglieder der polnischen Widerstandsgruppen im Operationsraum des Häftlingsreviers. Damals, als der Kommandant auf Drängen Kluttigs nach dem geheimen Radiosender hatte suchen lassen, mußte das tatsächlich existierende Gerät vernichtet werden. Jetzt hatten einige polnische Häftlinge aus den sorgfältig aufbewahrten Einzelteilen den Apparat neu zusammengesetzt. Im Operationsraum befand sich noch die gut getarnte Antenne für den Sender.

Während durch das Lager die Furie der Austreibung raste, gaben die Mutigen Hilferufe durch das primitive Gerät.

»SOS! SOS! Hier Lager Buchenwald! Hier Lager Buchenwald! Hilfe dringend notwendig! SOS! Hier Lager Buchenwald!« Würden die Rufe aufgefangen werden?

In derselben Nacht noch riefen die Genossen des ILK erneut die Führer der Widerstandsgruppen zusammen. Wieder trafen sie sich in einem der leergewordenen Blocks. Durch den Verlust der sowjetischen Gruppen mußte eine Umstellung vorgenommen werden. Die Gruppen der Deutschen, Franzosen, Tschechen und Holländer, die für den Kommandanturbereich eingeteilt waren, mußten die Aufgaben der sowjetischen Gruppen mit übernehmen, denen der Sturm auf die SS-Kasernen zugedacht gewesen war.

Sichere und zuverlässige Nachrichten über den Stand der Front fehlten, trotzdem lag es wie eine Witterung in der Luft, daß die Tage, ja, die Stunden des Lagers gezählt waren, daß täglich, stündlich mit dem Abzug der Faschisten zu rechnen war. Die Front war nah, sehr nah! Darüber gab es keinen Zweifel. Die überhasteten Evakuierungen, die bis zur Siedehitze getriebene Nervosität und Gereiztheit der SS, die unzähligen Gerüchte und Parolen, die immer häufiger werdenden Alarme, die zunehmende Fliegertätigkeit und nicht zuletzt der deutlich vernehmbare Lärm der Kämpfe, das alles fügte sich zu einem Bild zusammen, das die Situation klar erkennen ließ. Die Stunde der letzten Entscheidung war gekommen.

Bochow sprach es aus. Sein Blick traf auf Pribula, und übergangslos sagte er zu dem jungen Polen: »Du hast es uns durch deine ewige Ungeduld oft schwer gemacht, aber du hast sie trotzdem immer der Disziplin untergeordnet. Dafür danke ich dir, Genosse und Kamerad.«

Bochow ging in die Mitte der Versammelten hinein und setzte sich auf einen Tisch, um von allen gleichmäßig gehört zu werden.

»Bewaffneter Aufstand«, sagte er knapp. »Es gibt zwei Möglichkeiten. Entweder wird die Flucht der Faschisten so überstürzt sein, daß sie nicht mehr dazu kommen, das Lager zu liquidieren, dann brauchen wir nicht zu kämpfen. Oder sie versuchen in letzter Stunde, uns zu vernichten, dann *müssen* wir kämpfen! In jedem Fall ist die Front nah genug, um unter ihrem Schutz den Aufstand zu wagen. Klar?«

Keiner antwortete, einige nickten, aber alle rückten näher an Bochow heran. Noch leiser fuhr dieser fort: »Die Faschisten sind auf sich allein gestellt. Weder vom Militär noch von den Fliegern werden sie Hilfe erhalten. Wir kennen die Gründe und wissen, warum Schwahl bisher das Lager nicht liquidiert hat. Das schließt nicht aus, daß es in letzter Stunde nicht doch geschehen kann. Vielleicht morgen schon. – Darauf müssen wir uns vorbereiten.«

Die Männer reckten die Köpfe vor.

»Morgen, Kameraden, kann zu jeder Stunde unsere

Alarmstufe 2 in Stufe 3 verwandelt werden. Das heißt, alle Gruppen beziehen ihre Ausgangsstellungen, und die Waffen werden freigegeben. Außer Hieb- und Stichwaffen haben wir 90 Karabiner, 200 Brandflaschen, 16 Handgranaten, 15 Pistolen und Revolver und ein leichtes Maschinengewehr. Das ist nicht viel.«

Bochow betrachtete sich die schweigenden Gesichter.

»Zwei Faktoren helfen uns im Kampf: die Nähe der Front und die Kopflosigkeit der Faschisten. Ihre Flucht wird in jedem Falle überstürzt sein, auch dann, wenn sie vorher noch schießen. Klar?«

Bochow drückte sich beide Hände vor die Stirn.

»Wir wissen nicht, wie es vor sich gehen wird. Vielleicht schießen sie nur rundum von den Türmen? Vielleicht kommen sie ins Lager und brennen die Blocks mit Flammenwerfern nieder...«

»Vielleicht kommen sie überhaupt nicht mehr dazu, die Arschlöcher«, brummte der Führer einer deutschen Gruppe.

Die sarkastische Bemerkung strich Bochows Gedanken durch. Er ließ die Hände sinken.

»Gleich, auf welche Weise sie uns zu vernichten suchen, unser Kampf muß offensiv sein. Innerhalb des Zaunes sind wir ihnen ausgeliefert, nur im schnellen Ausbruch liegt unsere Chance.«

»Und wenn die dreifache Postenkette noch steht?« warf einer ein.

Bochow schüttelte den Kopf. An seiner Stelle antwortete Pribula.

»Sind Faschisten doch in Flucht! Es muß gehen alles schnell. Kaputtschießen und abhauen. Was können sie dann erst noch Postenkette beziehen?«

»Richtig«, bestätigte Bochow. »Sie schießen und fliehen zugleich, da gibt es keine Postenkette mehr.«

Das erkannten alle.

»Wir müssen schnell aus dem Lager heraus. Die Bresche dafür zu schlagen, ist Sache der polnischen und jugoslawischen Gruppen.« Die Führer dieser Gruppen nickten, sie kannten ihre Aufgabe.

Plötzlich kam vom Fenster her ein Warnruf der Wache. Sofort wurde das Licht gelöscht.

»Was ist?«

»Ein Lastwagen fährt durchs Tor.«

»Auf uns zu?«

»Er hält an.«

»Licht!« rief Bochow. Die Glühbirne flammte wieder auf. »In den Schlafsaal, schnell! Legt euch in die Betten!«

Über Tisch und Bänke hinweg stürzten die Männer in den Schlafsaal, rissen sich die Kleider herunter, kletterten in die dreifach gestaffelten Betten, zogen sich die Decken über.

»Noch ein Auto kommt. Sie biegen links ein.«

Das Licht ging wieder aus. Bochow blieb bei der Wache.

Die Wagen fuhren nach dem Krematorium. Der Scharführer des Krematoriums öffnete den hinteren Zugang. Die Wagen bogen ein. Schwahl ging mit seiner Begleitung in den Verbrennungsraum. »Drei Öfen unter Feuer?« vergewisserte er sich.

»Wie befohlen«, meldete der Scharführer.

»Los dann.« Die SS-Leute entluden den Lastwagen. Berge von Akten schleppten sie in den Verbrennungsraum und warfen sie in die Öfen.

»Sie verbrennen«, flüsterte die Wache.

Bochow drückte das Auge ans Guckloch des Verdunklungsrahmens. Der schwarze Schornstein des Krematoriums sprühte eine mächtige Funkengarbe zum Himmel hinauf. Unzählige schwarze Fetzen schwammen und schaukelten im roten Schein.

Stapel um Stapel brachten die SS-Leute herbei. Schwahl stand mit seinen Begleitern schweigend daneben. Nervös zog er an der Zigarette. Wenn die schwere Feuerungsklappe geöffnet wurde, wurden sie gespenstisch angeglüht. Mit dem Schürhaken rührte der Scharführer die

Glut. Nur einmal meckerte Schwahl vor sich hin. Er blickte zu Wittig.

»Klug von mir?« Die Ordonnanz stimmte zu.

»Nun kann uns koaner was beweisen«, grunzte Weisangk zufrieden.

Fast zwei Stunden hockte Bochow am Fenster. Endlich sah er die Autos zurückkommen. Sie fuhren durchs Tor, die schmiedeeiserne Tür schloß sich.

Die Funkengarbe war in sich zusammengesunken, nur manchmal noch stiebte der Schornstein mit letztem Atem eine Lohe aus.

»Was mögen sie verbrannt haben?«

Bochow hob die Schultern. »Es waren keine Leichen ...«

Mit Unruhe begann der Tag. Die zur Bedienung der SS Kommandierten wurden nicht mehr aus dem Lager gelassen und kehrten nach ihrem Block 3 zurück. Die Neuigkeiten, die sie am Abend vorher noch mit hereingebracht hatten, verbreiteten sich mit Windeseile im Lager und versetzten es in höchste Erregung. Erfurt sollte gefallen sein und die Amerikaner nur noch 12 km vor Weimar stehen. Von Stunde zu Stunde konnte sich die Lage verändern. Kein Häftling mochte glauben, daß die Faschisten, wenn sie fliehen mußten, das Lager unbehelligt zurücklassen würden. Jeder hielt eine weitere Evakuierung für unmöglich. Dafür war der Amerikaner sicher schon zu nah, aber noch nicht nah genug, um rechtzeitig einen Massenmord im Lager verhindern zu können. Die Ungewißheit lief mit der Zeit um die Wette, und jede Stunde, in der das Gefährliche noch ausblieb, war der ständigen Bedrohung abgerungen.

Bochow hielt es an der Zeit, Runki aus seinem Versteck herauszuholen. Was sollte dieser noch in dem Verließ, wenn jede Stunde die Entscheidung über Leben und Tod bringen konnte? Unter dem Jubel seiner Kameraden kroch Runki, bartstoppelig und abgemagert – aus dem

Loch am Fußboden. Auf seinem Blockältestentisch saß das Kind, in einer zurechtgestutzten und eilig zusammengeflickten Häftlingsmontur. Sie hielten Runki das Menschenbündel entgegen: »Unser jüngster Kumpel!«

Spezialtrupps vom Lagerschutz holten Ausbruchwerkzeuge, Brechstangen und isolierte Zangen für den elektrisch geladenen Zaun aus den Verstecken. Andere Trupps vom Lagerschutz stiegen am Nordhang des Lagers im freien Gelände umher. Sie kontrollierten die seit Wochen schon getroffenen Vorbereitungen für die Stunde des Ausbruchs. Im Gelände mit seinen vielen natürlichen Bodenwellen und vereinzelten Sträuchern zwischen Baumstümpfen lagen Bretter, Bohlen und einige alte, ausrangierte Türen: vergessene Bauhölzer und Gerümpel. Niemand kümmerte sich darum, und niemand ahnte den heimlichen Zweck des wie zufällig liegengeliebenen Holzes: künftige Laufstege über die spanischen Reiter der neutralen Zone ...

In den Blocks hielten sich die Widerstandsgruppen befehlsbereit. – Plötzlich jagte Motorengebrumm die Häftlinge aus den Blocks. Zu Tausenden standen sie auf den Wegen und starrten zum Himmel hinauf. Da waren sie wieder, die amerikanischen Bomber. Zwei, drei, vier ... Sie zogen ihre Kreise über dem Lager und bogen nach Westen ab, in Richtung Weimar. – Wieder gab es keinen Alarm. Später waren Detonationen in der Ferne zu hören. Fielen in Weimar Bomben? Der Kampflärm verstärkte sich. Dumpf und wild rollten die Abschüsse.

Krämer hielt sich mit Bochow und einigen Führern der Gruppen in dessen kleinem Raum auf. Mit unerhörter Anspannung der Nerven lauschten sie auf das Getöse. – Täuschte der Kampflärm nur Nähe vor? – Die Totenstarre rings um das Lager war unheimlich und unerträglich. Die Männer sprachen kein Wort miteinander. Sie starrten über den leeren Appellplatz. Auf den Türmen standen die Posten, steif und still. Auf dem Hauptturm über dem Tor waren die Panzerfäuste zu erkennen. Die Läufe der Maschinengewehre ringsum auf den anderen Türmen lauerten auf den Daumendruck. Und alles war reglos, starr, unheimlich ...

Bochow sah bleich aus. Er konnte es nicht mehr ertragen. Schroff wandte er sich vom Fenster weg und lief hin und her. Ein Führer der deutschen Gruppen hielt es ebenfalls nicht mehr aus, er schlug mit der Faust auf die Fensterbank. »Verflucht! – Es muß doch was passieren.«

Krämer brummte.

Bochow blieb stehen und lauschte gespannt. Deutlich waren die Abschüsse zu vernehmen. Nah, verflucht nah ...

Auf einmal, etwa um die zehnte Morgenstunde, wurde die ereignislose Stille durch Reineboths Stimme zerrissen.

»Der Lagerälteste und sämtliche Blockälteste sofort zum Tor!«

Die Häftlinge wimmelten durcheinander, riefen, schrien! Vor der Schreibstube sammelten sich die noch übriggebliebenen Blockältesten, bleiche Erregung auf den Gesichtern. Krämer kam aus seinem Raum.

»Gehen wir ...«

Oben am Tor standen sie dann eine Weile. In den Seitengängen der Blocks starrten die Häftlinge nach dem Tor. Der diensttuende Blockführer öffnete die schmiedeeiserne Tür, Reineboth kam. Nur er, niemand sonst mit ihm. Ein sonderbar verkrampftes Lächeln um die Mundwinkel.

Krämer trat ihm entgegen, meldete. Reineboth ließ sich Zeit. Umständlich zog er die schweinsledernen Handschuhe über und strich sie an den Fingern glatt. Legte die Hände auf den Rücken, lauschte interessiert in die Richtung des Geschützdonners, blickte über die strammen Reihen der Blockältesten hinweg und sagte endlich: »Meine Herren ...«, er lächelte voller Zynismus, »wir müssen gehen. – Bis 12 Uhr muß das Lager leer sein.«

Er faßte Krämer am Knopf seines Rockes. »Bis 12 Uhr! Haben Sie mich verstanden, Herr General? Pünktlich auf die Minute steht das Lager marschbereit, sonst ...«

Mit dem Finger schnippte Reineboth elegant gegen den Knopf und ging durch das Tor zurück.

Während Krämer mit den Blockältesten ins Lager zurückmarschierte, jagten sich in seinem Kopf die Kombinationen. Die Front war da! Stunden der Verzögerung konnten das Leben retten. Reineboths schnippender Finger aber signalisierte Gefahr. Eine viel größere Gefahr als alle bisherigen ... Zwischen dieser und der Hoffnung, die mit dem Geschützdonner über das Lager rollte, galt es zu wählen.

Vor der Schreibstube wurden die Blockältesten von den Häftlingen umringt. Im Nu jagte die Neuigkeit durchs Lager. »Um 12 Uhr wird das ganze Lager evakuiert!« Alles schrie durcheinander. »Wir gehen nicht! Wir gehen nicht! Wir gehen nicht!«

Bochow blieb bei Krämer.

»Und nun? Was nun? Alarmstufe 3?«

Bochow zerrte sich die Mütze vom Kopf und fuhr sich mit den Händen über den Schädel. Die Entscheidung war schwer, schwer ... Alarmstufe 3? – Noch nicht, nein, noch nicht! Abwarten.

Höher stieg die Sonne. Der blaue Himmel zärtelte mit der milden Luft, und das Licht des Frühlings machte Nähe und Ferne schön.

Menschenleer war das Lager, wie ausgestorben. Auf weichen Raubtiertatzen umschlich die Stille die Blocks. Drinnen saßen die Häftlinge, schweigend und wartend.

Viele von ihnen waren marschfertig. Auf den Latrinen standen Gruppen zusammen. Eine Zigarette ging unter ihnen von Mann zu Mann.

Auf Block 17 hatten sich die Führer der Widerstandsgruppen versammelt, während die Genossen des ILK bei Krämer waren. Die Mitglieder der Gruppen saßen in den

Blocks, verteilt unter die Häftlinge, mit ihnen schweigend und wartend ...

An den geheimsten Orten des Lagers hockten Angehörige des Lagerschutzes, bereit, die Waffen aus ihren Verstecken zu reißen ...

Noch eine halbe Stunde war es bis 12 Uhr.

Riomand verteilte Zigaretten. Krämer wies das Angebot kopfschüttelnd ab, er rauchte nicht.

»Sie müssen noch einen Fluchtweg offen haben«, meinte Bochow, »sonst würden sie nicht evakuieren.«

Plötzlich kamen ihm Bedenken. War es richtig gewesen, die Führer der Gruppen auf Block 17 zu konzentrieren? Was nun, wenn der Weigerung des Lagers eine Austreibung folgen würde? Bestand dann nicht die Gefahr, daß die Führer in die Hände der SS fielen? Bochow beriet sich mit den Genossen des ILK. Noch war es Zeit, die Konzentration aufzulösen. Bochow änderte die Disposition. Er schickte einen Genossen nach Block 17. Die dort Versammelten kehrten in ihre Blocks zurück. Beantwortete die SS die Weigerung aber mit Waffengewalt und mußte es deshalb zum Aufstand kommen, so lautete die neue Weisung, dann galt der erste Schuß als Signal. Schlagartig mußten dann die Waffen verteilt werden, und schlagartig hatten die einzelnen Gruppen von ihren Ausgangsstellungen den Kampf aufzunehmen. Die Besprechung war beendet, das ILK ging auseinander. Auch Bochow begab sich auf seinen Block. Krämer blieb allein. 12 Uhr.

Die Spannung wuchs ins Ungeheuerliche.

12.05 Uhr!

Noch nichts. Oben am Tor blieb es still.

Krämer, die Hände tief in den Taschen vergraben, ging in seinem Raum auf und ab. In den Blocks war tiefes Schweigen.

12.10 Uhr!

Auf einmal – erwartet und dennoch überraschend und peitschend – ertönte Reineboths Stimme im Lautsprecher:

»Lagerältester! Aufmarschieren lassen!«

Krämer blieb stehen, mit gebeugtem Nacken, als erwarte er einen Schlag ins Genick. Der Ruf wiederholte sich, schärfer, schneidender: »Aufmarschieren!«

In den Blocks rumorte es.

»Ruhe, Kumpels, Ruhe!«

12.15 Uhr!

Die Sonne strahlte. Freundliche Federwölkchen schwammen am blauen Himmel.

12.20 Uhr!

Aus den Lautsprechern schrie es:

»Wo bleibt das Lager? – Sofort aufmarschieren!«

Krämer stand noch auf demselben Fleck. Jetzt drehte er sich schwer um und setzte sich an den Tisch. Die Ellenbogen breit ausladend, drückte er die Stirn auf die Fäuste.

In den Blocks war das Rumoren erstarrt. Die Häftlinge standen an den Fenstern. Sie sahen nichts als Leere ...

Plötzlich gerieten die Häftlinge in den Blocks der vordersten Reihen am Appellplatz in Bewegung. Einer über die Schulter des anderen, blickten sie mit aufgerissenen Augen zum Tor hinauf.

Auch Krämer war aufgesprungen und zum Fenster geeilt.

Zwei Autos fuhren auf den Appellplatz und hielten an. Aus dem ersten Wagen sprangen zwei Personen. Krämer erkannte Kluttig und Kamloth. Dem zweiten Auto entstiegen Schwahl, Weisangk und Wittig.

Und jetzt rückte es heran! Einige hundert SS-Leute marschierten durchs Tor. Kamloth erteilte Befehle. Maschinengewehre wurden in Stellung gebracht. Patronengurte eingelegt. Hinter den Maschinengewehren postierte sich eine Kette SS mit MPis und Panzerfäusten.

Krämer fühlte das stechende Schlagen des Pulses in den Schläfen.

Wenn das Feuer eröffnet wurde, waren die vorderen Blockreihen die ersten, die es treffen mußte. In Panik stürzten die Häftlinge von den Fenstern weg.

»Es geht los, es geht los!«

Sie wollten fliehen, sich unter Tischen und Bänken verkriechen!

Einige Mutige waren an den Fenstern verblieben und riefen: »Der Kommandant fährt ins Lager!«

Mit hastenden Blicken überflog Krämer das Bild, das sich ihm bot. Auf dem Hauptturm und den übrigen Türmen gab es Bewegung. Die Posten brachten die Maschinengewehre in Stellung und richteten die Läufe auf die Blocks.

Krämer stürzte hinaus.

Die Wagen waren bis zu den letzten Blockreihen hinuntergefahren. Jetzt hielten sie. Krämer lief auf sie zu. Als erster sprang Kluttig aus dem Wagen und rannte in den nächstliegenden Block hinein. Es war der Block 38!

Schwahl kletterte aus seinem Auto.

»Warum treten die Häftlinge nicht an?« schrie er Krämer zu.

Kluttig riß die Tür auf und stürzte in den Tagesraum des Blocks. Seine Augen stachen durch die dicken Brillengläser, mit einem raschen Blick überflog er den Raum. Alle Häftlinge hatten sich bei seinem plötzlichen Erscheinen erhoben. Runki verbarg sich schnell im Hintergrund. Kluttig drückte den Unterkiefer vor und musterte einen nach dem anderen der schweigenden Männer.

Plötzlich weiteten sich seine Augen. Er schob zwei vor ihm stehende Häftlinge beiseite und trat einen Schritt vor. Auf dem Tisch des Blockältesten hatte er das Kind entdeckt!

Es klammerte sich angstvoll an Bochow, der seine Arme um das Kind legte. Kluttig öffnete den Mund, sein Adamsapfel stieg. Bochow stand unbeweglich. Das Schweigen der Häftlinge war zur Starre geworden. Plötzlich kreischte Kluttig auf:

»Ach, so ist das?!«

Mit einem wilden Griff riß er die Pistole aus der Tasche.

Da geschah etwas Unerwartetes. In Sekundenschnelle war um Kluttig ein leerer Raum entstanden. Vor dem Kind hatte sich eine Mauer von Häftlingen aufgebaut. Kein Wort, kein Ruf war gefallen. Stumm standen die Männer, ihre Augen waren auf Kluttig gerichtet.

Der fuhr jäh herum, als spüre er etwas hinter sich. Auch hinter ihm waren sie zusammengerückt, dicht auf dicht. Die Tür war verstellt.

Kluttig stand isoliert.

Ringsum schweigende Gesichter, hängende Arme, Fäuste. Augen verfolgten aufmerksam jede seiner Bewegungen ... Kluttig benahm sich wie eingefangen. Er spürte das Abwartende, Sprungbereite um sich, witterte Gefahr. Schießen? – Ruckartig riß er die Pistole zum Anschlag.

Da geschah noch etwas Unerwartetes. Die Häftlinge an der Tür – Mitglieder der geheimen Gruppen – traten zur Seite. Die Tür war frei ... Das war eine schweigende Aufforderung. – Auf Kluttigs harten Backenknochen brannten Flecke. Die Sprache verschlug sich ihm, der Gaumen war ihm trocken. »Ach – so – ist – das ...«, fauchte er. Mit einem Satz war er an der Tür.

Einige Blockälteste waren, als sie Krämer beim Kommandanten sahen, hinzugekommen.

»Warum treten die Häftlinge nicht an?« schrie Schwahl erneut.

Krämer trat vor. »Sie fürchten sich vor den Tieffliegern, die Eisenbahnen und Kolonnen beschießen.«

Schwahl rückte sich in den Schultern und stemmte die Fäuste ein: »Ihr steht unter unserem Schutz. Ich gebe noch eine halbe Stunde. Wenn das Lager nicht angetreten ist, dann lasse ich es mit Waffengewalt räumen.«

Im gleichen Augenblick, als Kluttig herbeistürzte, begann die Sirene zu röhren, so unerwartet, daß Schwahl erschrocken ins Auto sprang. Auf und nieder mahlte die Sirene ihren Heulton.

»Hauptsturmführer!« schrie Kamloth aus dem Wagen.

Noch vom Geifer der Wut übergossen, warf sich Kluttig auf Krämer, schlug ihm die Faust ins Gesicht, schrie: »Hund, verfluchter!«

Krämer taumelte rückwärts.

Kluttig sprang ins Auto, hob die Pistole, ein Blockältester schrie auf, da drückte Kluttig ab, zweimal, dreimal. Die Schüsse krachten schnell hintereinander. Krämer griff mit beiden Armen in die Luft, als wolle er dem davonjagenden Auto nach, fiel vornüber und wälzte sich. Die Sirene schrie noch immer.

Aus den umliegenden Blocks waren Häftlinge herbeigestürzt. Bochow drängte sich durch den Haufen und beugte sich über Krämer. »Schnell, ins Revier.«

Eine umgekehrte Bank als Tragbahre benutzend, brachten sie Krämer zu Köhn.

In den vordersten Blockreihen waren die Schüsse nicht gehört worden. Die Häftlinge an den Fenstern sahen die Autos zurückkommen. Im Vorbeijagen rief Kamloth der unruhig gewordenen SS Befehle zu.

Die Sirene sank in sich zusammen.

Die Häftlinge an den Fenstern jubelten, als sie sahen, wie die SS die Waffen aufnahm und im Eilschritt durchs Tor verschwand. »Sie hauen ab, sie hauen ab!«

In bangem Schweigen umstanden Bochow und die Blockältesten, die Krämer gebracht hatten, den Tisch, auf dem der Verwundete lag.

Sicher und ruhig hantierte Köhn. Mit der Sonde entfernte er die Kugeln aus zwei dicht nebeneinanderliegenden Einschüssen auf der Brust. Er säuberte die Wunden, und zwei Pfleger legten die Verbände an.

»Lebensgefahr?«

Köhn ging wortlos zur Wasserleitung, wusch sich die Hände, wandte sich zu Bochow, der ihn gefragt hatte, und schüttelte den Kopf. »Den legt uns kein Kluttig um ...«

Schon zwei Stunden währte diesmal der Alarm. Mit Frohlocken saßen die Häftlinge beisammen. Draußen mußte ein mörderischer Kampf entbrannt sein. Es rumorte ununterbrochen. Abschüsse, Einschläge waren zu hören, so, als ob es immer näher kommen wollte ...

Sie hatten Krämer im Aufenthaltsraum der Pfleger auf ein Bett gelegt. Köhn saß neben ihm und wartete auf das Erwachen. Endlich rührte sich der Verwundete und öffnete die Augen.

»Na? – Was ist denn?« fragte er grob und verwundert, als er über sich das Gesicht des Schauspielers sah.

»Alarm«, antwortete Köhn freundlich.

»Was mit mir los ist, will ich wissen.«

»Nichts Besonderes. Kleiner Schreck in der Mittagsstunde. – Komm, alter Junge, trink was.«

Köhn schob den Arm unter und führte Krämer den Becher an den Mund. »Vorsichtig, heiß«, mahnte er.

Krämer nahm einen Schluck, schmeckte, sah Köhn erstaunt an. Der kniff spitzbübisch ein Auge zu: »Sauf.« Gierig nahm Krämer Schluck um Schluck und sank, vor Wonne stöhnend, zurück. »Mensch, woher hast du das Gesöff?«

»Nie sollst du mich befragen«, antwortete Köhn geheimnisvoll.

Der belebende Bohnenkaffee tat sichtlich seine Wirkung.

»Erzähle, was ist mit mir?« forschte Krämer.

»Kluttig hat dir ein paar Löcher in die Tapete geschossen. Aber in drei Tagen brüllst du wieder 'rum, so wie ich dich kenne.« Die Erwähnung Kluttigs brachte Krämer vollends zur Besinnung. »Was ist draußen los?«

»Alarm, ich sagte es doch. – Hörst du es nicht?« Sie lauschten auf das ferne – nahe Gedröhn ...

»Ist noch was passiert?«

»Ja.«

»Was?«

»Die SS hat ihre Requisiten eingepackt und ist wieder abgehauen.«

Blinzelnd sah Krämer den lächelnden Schauspieler an und bekam plötzlich ein böses Gesicht. »Was sagst du da? In drei Tagen erst? Ausgeschlossen! Ich will aufstehen. Los.« Stöhnend sank Krämer wieder zurück, nachdem er den Versuch gemacht hatte, sich aufzurichten. Köhn feixte ihn liebenswürdig an: »Na, na, sachte, mein Sohn, sachte, sachte ...«

Es kam keine Entwarnung. Stunden vergingen, und immer noch brütete der Alarm über dem Lager. Als der Nachmittag zum Abend wurde, heulte die Sirene erneut auf. Ein zweiter Alarm, und der erste war noch nicht zu Ende. Es wurde dunkel, und mit der Finsternis kroch das Unheimliche ins Lager und umlauerte die Blocks. Kein Häftling dachte an Schlaf. Im Tagesraum, im Schlafsaal hockten sie herum und wagten kein Licht zu machen. Hier und da in einem Block brannte die kaltblaue Birne der Notbeleuchtung. Manchmal schreckten sie auf in den Blocks und suchten sich im Dunkeln mit den Augen. Draußen rumorte es. Fliegergebrumm war in der Luft, mit Schnelligkeit anwachsend und greifbar nahe über dem Lager. Die Köpfe reckten sich hoch nach den Balkenverstrebungen des Blockdaches, starr und lauschend. Das Gebrumm wuchs zum Gedröhn, und es dröhnte und brauste über die Blocks hinweg, flügelstark, von Finsternis und Ferne so schnell aufgeschluckt, wie es gekommen war.

Und wieder unheimliche Stille. Kamen sie zurück, die Flieger? Waren es etwa deutsche? Suchten sie sich im Dunkeln ihre Ziele? Machten sie die Blocks aus? – Jede Minute war wie mit Sprengstoff geladen. Ist noch Alarm? Ist keiner mehr? –

Und aus dem Abend wurde die Nacht.

Vor dem abgedunkelten Dienstgebäude des Kommandanten standen die Autos. Kluttigs Wagen war mit dabei. Er selbst befand sich in Schwahls Zimmer zusammen mit Kamloth, Weisangk, Wittig. Hinter dem Konferenztisch in der Ecke stand Reineboth, in Erregung blaß, denn was sich hier abspielte, war die letzte Phase der Auflösung. Eben hatte das schrille Geschrei des Telefons den heftigen Streit durchschnitten, in den sie sich alle verbissen hatten. Schwahl riß den Hörer zum Ohr, die Hand zitterte ihm. Er meldete sich, schrie: »Ich verstehe nicht, wiederholen Sie.« Er horchte mit dem ganzen Gesicht. Kluttig stieß wütend auf Reineboth zu, fauchte ihn an: »Du Drecksack, du erbärmlicher Rückversicherer!« Kamloth zerrte Kluttig am Ärmel von Reineboth weg.

»Na bitte«, kreischte Kluttig, als er sah, daß Schwahl den Hörer auf die Gabel knallte, »was habt ihr Schlappschwänze mir sonst noch zu sagen?«

Der körperlich überlegene Kamloth riß Kluttig zu sich herum, funkelte ihn gefährlich an. »Wir sind keine Schlappschwänze, verstehst du? Schwahl hat recht.« Kluttig zerrte sich aus Kamloths Griff, zog sich die Uniform zurecht, zitterte am ganzen Körper und keuchte: »Hat recht, der Diplomat, der Beamte, der Zuchthausbulle ...« Er sah von einem zum andern, die er alle gegen sich hatte, schrie los: »Gesindel seid ihr, feiges Gesindel!«

»Hältst du deine Verbohrtheit etwa für Mut?« Schwahl, mit dem Schutz seiner Verbündeten im Rücken, trat Kluttig entgegen. »Ich bin froh, daß uns der Alarm dazwischengekommen ist ... Meine Herren, soeben erhalte ich die letzten Meldungen. Im Thüringer Wald stehen die Besatzungen zahlreicher Stützpunkte im Kampf mit dem überlegenen Feind. Tiefflieger haben auf dem Weimarer Bahnhof die Lokomotiven der Transportzüge zerschossen – Na bitte! Was nun?«

»Was nun?« trompetete Kluttig. »Nun sitzt uns das Gesindel des Lagers wie Läuse im Pelz!«

Schwahl wackelte infantil mit dem Kopf: »Immerhin

sind die Läuse mein bestes Alibi.« Mit breiten Händen wandte er sich zu den anderen: »Wir sind human, meine Herren, oder wie bitte?«

»Ein feiger Hund bist du. Abknallen muß man dich!«

Kluttig riß die Pistole aus der Tasche. Kamloth sprang dazwischen und schlug Kluttig den Arm hoch. Kluttig keuchte, die Augen flackerten hinter den dicken Gläsern. Mit einem Ruck steckte er die Waffe in die Tasche zurück, und ehe die anderen zur Besinnung kamen, war Kluttig zur Tür hinausgestürzt.

»Na dös hat uns grade noch gefehlt«, atmete Weisangk auf. Schwahl, wieder zum Kommandanten geworden, setzte zu seinem gewohnten Gang an: »Meine Herren, dies ist die letzte Nacht. Machen wir uns für morgen bereit.«

Mit abgeblendeten Scheinwerfern jagte Kluttig durchs Gelände zur Siedlung. Vor Zweilings Haus hielt er. Hortense kam heraus, einen Mantel über das Nachthemd geworfen.

»Ihr Gepäck«, zischte Kluttig und ging an ihr vorbei ins Haus.

Zweiling stand am Tisch und packte einen Koffer.

»Fertigmachen, los«, herrschte Kluttig den Überraschten an. »Wo ist das Gepäck?«

Hortense, die hereingekommen war, begriff schneller als Zweiling. »Hier steht es. – Ich ziehe mir schnell etwas über.« Sie verschwand im Schlafzimmer.

»'raus damit!«

Zweiling, noch völlig überrascht, blinzelte, aber Kluttig zerrte schon an der Geschirrkiste. »Los, los, anpakken!«

Sie schleppten die Kiste zum Auto. Hortense brachte noch einen Koffer. Kluttig jagte Zweiling ins Haus zurück: »In zehn Minuten bin ich wieder hier und hole Sie ab.« Er schob Hortense in den Wagen.

Mit einem scharfen Ruck hielt er vor seinem eigenen Haus, stürzte hinein, brachte zwei Koffer und verstaute sie im Gepäcksitz des Autos. »Wir müssen fort, steig ein!« drängte er.

»Und Zweiling?«

Kluttig sprang in den Wagen und warf den Motor an. »Scheiß auf ihn! Na, was wird?«

Da sprang Hortense zu ihm in den Wagen und schlug die Tür hinter sich zu. Kluttig wollte lachen, aber er krächzte nur. Er zog die Frau über das Lenkrad und umgriff sie gierig. Er keuchte: »Na also, warum nicht?«

Hortense ließ sich willig abtasten.

Kluttig riß sich aus seiner Gier, stieß die Frau auf ihren Sitz zurück, warf den Gang ein und gab Gas.

An einem Tisch im Kasino, zusammen mit Meisgeier und Brauer, soff der Mandrill. Die betrunkene Meute der übrigen Block- und Kommandoführer machte Kehraus und bediente sich selbst mit allem, was an Flaschen in den Regalen stand und was noch aus dem Zapfhahn lief. Es ging wüst zu. Sie grölten und randalierten. Meisgeier und Brauer, nicht weniger betrunken, schimpften auf den feigen Kommandanten und auf Kamloth, der vor ihm zu Kreuze gekrochen war. Das von Pusteln überzogene Gesicht des hageren Meisgeier war käsig, mit seiner gequetschten Stimme fistelte er: »Arschlöcher sind sie alle! Wenn es nach mir ginge, bliebe hier kein Schwanz am Leben. Morgen müssen wir abhauen, vielleicht schon heute nacht.«

Brüllend knallte der robuste Brauer mit der Flasche auf den Tisch. »Ich sage dir, morgen kriegst du vom Zuchthausbullen noch den Befehl, deinen Bunker leer zu machen. Flieg, Vogel, flieg ...«

Die Augen des Mandrill waren glasig, aber er hielt sich aufrecht. »Was in meinem Bunker sitzt, das gehört mir.«

»Bravo!« schrie Meisgeier. »Mandrill, du bist ein Kerl! Bist du ein Kerl? – Wir haben alle Angst gehabt vor dir. Du bist ein Kerl!«

Die Hände des Mandrill lagen auf dem Tisch wie zwei

Bretter. »Was in meinem Bunker ist, lasse ich mir von niemandem nehmen. Von Schwahl nicht und sonstwem!« Meisgeier stieß den Mandrill mit der Faust an und machte die Geste des Halsumdrehens: »So 'n Kerl bist du!«

Brauer beugte sich komplicenhaft vor: »Morgen?«

Der Mandrill blickte ihn aus den Augenwinkeln an: »Jetzt!« Er zog Brauer mit hartem Griff zu sich heran: »Nüchtern muß man sein für so was.« Brauer nickte: »Ich bin ganz nüchtern.«

Meisgeier stippte sich die Mütze aus der Stirn. Der Mandrill stand auf.

Förste hörte sie kommen. Er sprang von der Pritsche, auf der er angekleidet gelegen hatte, und preßte sich lauschend gegen die Tür seiner Zelle.

Meisgeier hatte die Waffe gezogen. Der Mandrill steckte sie ihm in die Pistolentasche zurück. »Im Bunker wird nicht geschossen.«

Er ging mit den beiden in seinen Raum. Einer Kiste entnahm er einen schweren Schraubenschlüssel und ein starkes Vierkanteisen, die er an die beiden verteilte. »Ich kann kein Blut sehen«, sagte er mit einem fahlen Zug um den Mund. Sie gingen auf den Bunkergang und öffneten eine der Zellen.

Förste stand hinter seiner Tür mit hochgedrückten Armen wie ein Gekreuzigter, lauschte mit bebendem Atem.

Die vier in der Zelle befindlichen Häftlinge waren aufgesprungen, als sich die Tür geöffnet hatte und sie im geisterbleichen Licht der blauen Notbeleuchtung den Mandrill und die beiden Scharführer sahen.

Brauer und Meisgeier schlugen zwei der Häftlinge nieder, und ehe die anderen das Geschehene begriffen, sanken auch sie unter den wuchtigen Schlägen zu Boden. Die beiden vollendeten ihr Werk und hieben so lange zu, bis das letzte Röcheln verstummt war. Die Insassen der anderen Zellen hörten das Trampeln, das Ächzen,

Gestöhn und Geröchel. Plötzlich hob einer neben der Zelle Nummer 5 zu schreien an. Unnatürlich grell und gellend. Ein zweiter schrie mit.

Höfel und Kropinski starrten mit vorgerecktem Kopf in das Dunkel, das Schreien flatterte in ihre Zelle herein.

Fluchend riß der Mandrill die Zelle auf und zerrte den Schreienden heraus. Die beiden Scharführer stürzten sich auf den anderen Insassen und schlugen ihn mit mörderischen Hieben nieder.

Mit wüster Kraft hatte der Mandrill den Schreienden gepackt und schleppte ihn zur Gittertür, die den Bunkergang absperrte. Er preßte den Kopf des Schreienden an den eisernen Rahmen und drückte die Tür zu, die den Hals des Opfers abquetschte. In erstickendem Gurgeln erschlaffte der Körper. Dann zerrte der Mandrill den Erwürgten in die Zelle zurück und warf ihn auf den Erschlagenen. »Ich mag kein Geschrei hören«, sagte er und schloß die Tür.

Meisgeiers Lippen flatterten im Durst des Mordens. Brauer wollte die Verriegelung der Zelle Nummer 5 zurückschlagen, doch der Mandrill hinderte ihn daran. »Die gehen auf meine Rechnung.« Mit einem Satz war er schon an einer anderen Zelle. »Aufpassen, hier sind sechs Stück drinnen.«

Er horchte an der Tür, dahinter war es still.

Meisgeier und Brauer postierten sich schlagbereit. Der Mandrill zögerte noch einen Moment, dann riß er die Tür auf. Eine Gestalt schoß aus der Zelle, vier, fünf folgten. Brauer brüllte. Der Mandrill war zu Boden gerissen worden, einen Knäuel Menschen über sich. Brüllend schlugen die Scharführer auf den Knäuel ein. Die Kraft der Verzweifelten reichte nicht aus. Der bärenstarke Mandrill hatte seinen Angreifer abgeschüttelt, kniete auf ihm, preßte die Gurgel und schlug den Kopf des Überwundenen krachend auf den zementenen Fußboden.

Nur wenige Minuten hatte der grauenvolle Kampf gewährt, dann lagen die ausgemergelten Menschen erschlagen umher.

Der unerwartete Widerstand hatte Brauer wild gemacht. Trunken von Mord und Alkohol torkelte er den Bunkergang entlang und schrie: »Wo sind die anderen Schweine?«

Höfel und Kropinski hatten sich in die Ecke ihrer Zelle geflüchtet. Sprungbereit standen sie, mit vom Grauen entstellten Zügen.

Sprungbereit auch Förste in seiner Zelle. Wenn sie zu mir kommen, dachte er, wenn sie zu mir kommen ... Doch der Gedanke stockte vor einem Entschluß, der aus der Lebensangst geboren war, die es ihn wissen ließ, dem ersten, der in die Zelle kam, an die Gurgel zu springen. Aber seine Zelle blieb verschlossen.

Unheimlich finster kroch der Morgen aus der Nacht heraus. Träge färbte er sich vom Schwarz zum trüben Grau. Auf der Pritsche in seiner Zelle saß Förste. Er hatte die ganze Nacht auf den Tod gewartet, denn er wußte, daß der Mandrill ihn, den Zeugen, nicht lebend zurücklassen würde.

Der graue Morgen kroch auf ihn zu. Das fahle Licht gab den Zellenwänden Augen. Grau und schweigend sahen ihn die Wände an. Kahl und hilflos war Förste. So schattenhaft, wie er im Bunker gelebt, würde er sterben. Der letzte Rest menschlichen Widerstandes war in dieser furchtbaren Nacht in ihm vernichtet worden. Dennoch glomm unter der Asche seines Wesens noch ein heimlicher Funke. Die Hoffnung blies den Funken an, und Förste suchte verzweifelt nach Möglichkeiten seiner Rettung. Es blieb ihm nicht viel Zeit dazu. Je weiter der Morgen an den Wänden entlangkroch, desto kürzer wurde die Spanne. Konnte er sich in der Zelle verkriechen? Mußte er dem Mandrill an die Gurgel springen? Oder gab es im Bunker einen Winkel, in dem er sich verstecken konnte? Angstvoll jagten sich die Gedanken.

Ähnlich wie ihm erging es Höfel und Kropinski. Die Todesnacht war über sie hinweggeschauert. Sie wußten von sich, daß sie noch die einzig Lebenden im Bunker waren, denn sie sollten die letzten Toten sein. Sie standen eng zusammen, Schutz suchend einer am andern. Im Schimmer des durch das Zellenfenster hereingeisternden Morgens sahen sie ihre Gesichter, und einer sah im Ausdruck des anderen das seine, mit krankhaft großen, aufgerissenen Augen und gehetzter Lebensangst in den Zügen.

»Vielleicht Mandrill gar nicht mehr da? Vielleicht er ist schon fort?«

Höfel verneinte heftig. »Er ist noch da. Ich weiß es, ich fühle es. Wenn sie alle schon geflohen wären, dann hätten sie uns mit den anderen umgelegt. Er kommt noch zu uns. Heute kommt er ...«

Höfels gehetzter Blick irrte durch die kahle Zelle und blieb an der Tür hängen. Sie füllte fast die Breite der Zelle aus.

»Paß auf, Marian, so machen wir es.«

Höfel preßte sich in die Ecke an der Tür. »Hier werde ich stehen und du dort.« Höfel wies auf die gegenüberliegende Ecke. Kropinski drückte sich in sie hinein.

»Wenn er hereinkommt, packst du ihn sofort an der Kehle und drückst zu. Getraust du es dir?«

Der sanfte Kropinski veränderte sich. Er zog die Augen zusammen, der Unterkiefer schob sich vor, und die Hände schlossen und öffneten sich langsam.

»Ich ducke mich und reiße ihm die Füße weg. – Nein!« sprudelte Höfel, »anders! Wenn er hereinkommt, dann gebe ich ihm mit aller Kraft einen Schlag gegen den Magen, das nimmt ihm die Luft, und du drückst ihm die Kehle zu.«

Sie sahen sich fiebrig an, prüften im Gesicht des anderen ihren Willen und ihre Kraft, drückten sich eng an die Wand und warteten, warteten ...

Es wurde hell. Die Nacht war wie keine zuvor aufgewühlt worden durch den Widerhall des Krieges, denn in dieser Nacht war Erfurt gefallen und somit der direkte Weg nach Weimar aufgetan, für den der vordringende Amerikaner zum entscheidenden Stoß ansetzte.

Das pausenlose Gedröhn verstärkte sich von Stunde zu Stunde.

Das Land rings um das Lager war zum Kampfgebiet geworden.

Nichts jedoch wußten die 21000 noch verbliebenen Häftlinge davon, daß in dieser unruhigen Nacht ein grauenvoller Mord durch den Bunker gerast, nichts davon, daß der gefährliche Kluttig als erster geflohen und daß die anderen SS-Offiziere fieberhaft Fluchtvorbereitungen trafen und ihre Autos bereitstanden. Heute oder nie mußten die Faschisten fliehen, wenn sie nicht Gefahr laufen wollten, von den Amerikanern gefangen zu werden.

Noch aber waren sie da. Noch standen die Doppelposten auf den Türmen. Im steigenden Licht des Morgens traten ihre schwarzen Gestalten immer deutlicher hervor, drohend in ihrer Unbeweglichkeit, den breiten Mantelkragen gegen den nassen Frost aufgestülpt.

Ein Befehl, ein Ruck an den Maschinengewehren, den Panzerfäusten und Flammenwerfern – und zehn Minuten konzentriertes Feuer würde ausreichen, alles Leben innerhalb des Zaunes auszulöschen.

Dieser Katastrophe rechtzeitig durch den bewaffneten Aufstand zuvorzukommen war der letzte im Morgengrauen gefaßte Beschluß des ILK gewesen. Von nun an galten nur noch die Befehle, die Bochow als militärischer Verantwortlicher zu erteilen hatte.

Auf seinen Befehl hin hielten sich in den Blocks die Gruppen aufbruchbereit, waren die Waffenverstecke erneut vom Lagerschutz besetzt worden. Unter möglicher Deckung gegen die Posten der umliegenden Türme hielten Beauftragte des Lagerschutzes das Tal am Nordhang des Lagers unter ständiger Beobachtung. Sie waren sogar mit Feldgläsern ausgerüstet.

In der Ferne rollte und grollte ununterbrochen der Donner. Manchmal waren die Einschläge schon so nah, als krepierten nur wenige hundert Meter vor dem Zaun die Granaten. Die Unruhe hatte die Häftlinge schon zeitig aus den Blocks getrieben. Sie standen auf den Wegen, beobachteten mißtrauisch die Türme und das Tor. Plötzlich geriet alles in Bewegung. Am aufklarenden Himmel raste eine Kette amerikanischer Jabos über das Lager hinweg. Die Häftlinge jubelten: »Sie kommen, sie kommen!«

Aber die Flugzeuge verschwanden in der Ferne. Auch Bochow war mit einigen Genossen hinausgelaufen und blickte den davonjagenden Flugzeugen nach. Neben ihm stand Pribula mit verkniffenen Lippen, die Hände in den Taschen.

»Warum du nur immer warten bis auf letzte Minute?« sagte er finster.

Bochow antwortete nicht, in ihm zerrte die Spannung. In immer kürzer werdenden Abständen erfolgten die Einschläge. Maschinengewehrfeuer knatterte nah und fern.

Um 9 Uhr kam Zweiling ins Lager. Müller und Brendel vom Lagerschutz, die sich in der Nähe der Effektenkammer aufhielten, da sie den Auftrag hatten, bei Freigabe der Waffen die von Pippig versteckten Pistolen zu holen, hatten Zweiling beobachtet. Was wollte der Kerl in der Kammer?

Um 9.30 Uhr brachte, noch atemlos vom Lauf, ein Beobachter des Lagerschutzes die Meldung zu Bochow, daß vom Nordhang her auf einer weit entfernten Bergkuppe Panzerbewegungen zu sehen waren. Was für Panzer? Faschistische? Amerikanische? Waren es Bewegungen der Flucht oder des Angriffs? – Das hatte sich nicht feststellen lassen. Also hieß es weiter warten.

Zweiling hatte vergeblich auf Kluttigs Rückkehr gewartet. Als es Morgen wurde, gab es für den Geprellten keinen Zweifel mehr, daß ihm die Frau mit dem Hauptsturmführer auf und davon gegangen war. In der Siedlung herrschte höllisches Durcheinander. Zwischen vollgepackten Autos drängten sich Scharführer, Frauen und Kinder mit Geschimpf und Geschrei. Sich selbst überlassen, stand Zweiling im Zimmer. Nun mußte er auf eigene Flucht und Sicherheit bedacht sein. Ratlos blickte er sich um und fluchte sich eine Erbitterung vom Halse: »Gemeines Pack.« Mit böser Handbewegung wischte er die Wut hinweg, ihn kriegten sie nicht unter; ein Gedanke war ihm gekommen und hatte ihn nochmals nach der Effektenkammer getrieben. Im Schreibbüro wühlte er in den Personalpapieren der Häftlinge herum.

Eine halbe Stunde schon suchte er mit zitternden Fingern in dem Wust von Dokumenten, die er auf den Tisch geschüttet hatte.

Noch immer saß Förste in seiner Zelle auf demselben Platz. Er wagte sich nicht vom Fleck zu rühren. Für ihn gab es keinen Ausweg mehr und keine Rettung. Mit tiefer Wehmut im Herzen mußte er sich eingestehen, daß ihn die Jahre des Lemurendaseins im Bunker nicht hart gemacht hatten und daß er alles andere war als ein Kämpfer. Dennoch blieb ihm eine Genugtuung: Er war ein guter Mensch geblieben, und in bescheidener Freude überdachte er, was er Höfel und Kropinski, die nun mit ihm sterben würden, Gutes getan. Mit seinem Tod würde er zu dem großen Heer zählen, das ohne Namen war und ohne Zahl, Humusboden, auf dem eine schönere Welt erblühen wird. Vielleicht lag darin der Sinn, nach dem er suchte. Wenn das Tor des Lagers gesprengt wurde, war er schon dahin ...

Eine kurze Stunde, nachdem die Jabos über das Lager hinweggerast waren, tauchte ein Flugzeug auf, das die

Häftlinge noch niemals gesehen hatten. Langsam und in nur geringer Höhe zog es hin und her. Auf den Türmen blickten die Posten unruhig danach, sie riefen sich erregte Bemerkungen zu. Die Häftlinge zwischen den Blocks starrten auf die seltsame Erscheinung. Das amerikanische Flugzeug war ein Artilleriebeobachter, der die Ziele ausmachte. Er versetzte nicht nur die Häftlinge, sondern auch die SS in Aufruhr. Motorradfahrer der SS rasten um den Zaun, den Posten auf den Türmen Befehle zuschreiend, letzte Befehle, von Kamloth ausgegeben.

Zweiling hatte gefunden, wonach er gesucht. Doch nicht nur mit falschen Papieren wollte er sich tarnen. Aus einem Haufen alter Häftlingskleidung hatte er sich einen Anzug hervorgeholt und ihn mit der Uniform vertauscht.

Plötzlich fuhr er in tiefem Schreck zusammen. Hinter ihm stand ein Mensch! Wurach! Zweiling sträubten sich die Haare wie beim Anblick eines Gespenstes.

»Was wollen Sie hier?«

Wurach, der aus seinem Versteck hervorgekrochen war und den Hauptscharführer in Häftlingskleidung sah, fauchte: »So machst du es also, du Hund . . .« Zweiling sprang zurück: »Verschwinden Sie!«

Wurach zog drohend den Kopf ein. Da riß Zweiling die Pistole aus der Tasche.

Müller und Brendel hörten die Schüsse. Was war das? Sie sahen sich an. »Los, 'rein!«

Sie stürzten ins Gebäude, jagten die Treppen hinauf, die Kammer war verschlossen. Mit kräftigen Tritten wuchteten sie die Tür ein.

»Hände hoch!«

Noch mit der Pistole in der Hand hob der überraschte Zweiling die Arme. Die Lagerschutzler sprangen ihn an. Der erschossene Wurach lag am Boden.

In seinem Dienstzimmer schrie Schwahl fahlbleich und mit schlotternden Backen auf Kamloth ein: »Sind Sie wahnsinnig geworden?«

Kamloth hatte den Befehl gegeben, eine Viertelstunde vor Rückzug der Truppen das Feuer auf die Blocks zu eröffnen.

»Ziehen Sie sofort den Befehl zurück. Sie bringen uns damit an den Galgen!«

Kamloth fluchte wüst: »Leckt mich am Arsch, es ist sowieso alles futsch.«

»Saukerl, verfluchter!« grölte Weisangk.

Er erhielt von Kamloth einen Stoß gegen den Bauch, daß er rückwärts torkelte. »Seht zu, wie ihr hier fertig werdet.« Kamloth zerrte sich die Mütze schief in die Stirn. »Ich haue ab.«

Schwahl sank vernichtet in einen Sessel. Draußen heulte der Motor von Kamloths Wagen auf. Drei, vier Einschläge dröhnten in der Nähe. Schwahl sprang hoch. Verstört blickte er zu Weisangk. »Und nun? Was nun?« Weisangk wackelte hilflos mit dem Kopf. Schwahl stürzte zum Schreibtisch, riß die Fächer auf, stopfte Papiere, Dokumente in die Taschen, zerrte sich den Mantel über die Schultern, stülpte sich die Mütze auf. »Fort, los!« keuchte er.

Reineboth sah von seinem Fenster aus den Wagen des Kommandanten davonjagen. »Schwahl haut ab!« rief er dem Mandrill zu, der mit ihm im Zimmer war.

Zitternd stand Förste in der Zelle, er hörte die harten Schritte des Mandrill auf dem Gang. Die Verriegelung seiner Tür wurde zurückgeschlagen. »'raus hier!«

Förste sah in dem grauen Gesicht des Mandrill die kalte Erregung. Gehorsam schlüpfte der widerstandslose Mensch aus der Zelle. Auf dem Gang lagen die Toten der Nacht. Mit Fauststößen trieb der Mandrill Förste in den Aufenthaltsraum hinein, wies auf eine Kiste: »Alles einpacken!« Förstes zitterndes Herz duckte sich angstvoll. Folgsam begann er, Fächer und Schränke auszuräumen. –

Müller und Brendel hatten Zweiling in eine Ecke gestellt. Jetzt schoben sie den Schreibtisch beiseite und schlugen den Teppich zurück. Während Brendel Zweiling mit der ihm abgenommenen Pistole bewachte, hob Müller mit einem mitgebrachten Stemmeisen den Fußboden auf. Zweiling bekam große Angst, als die Waffen zum Vorschein kamen.

»Da staunst du, was?« lachte Brendel, verächtlich, stolz.

Zweilings Unterkiefer wackelte: »Das – habe ich nicht gewußt ...« – »Wir haben dir auch nichts gesagt davon«, höhnte Brendel, und Müller wiegte vor Zweilings Nase die Pistolen in der Hand: »Aber der Arsch eines SS-Mannes ist noch immer der sicherste Verschlußdeckel ...« Er steckte die Pistolen ein. »Wir haben die Pistolen zu früh 'rausgeholt, es ist noch kein Befehl da, was machen wir nun?« Brendel hob die Schultern: »Warten wir, bis der Befehl kommt.«

»Und was fangen wir mit dem da an?«

»Der wartet mit, er ist unser erster Gefangener.«

Zweiling knickte in die Knie. Brendel packte ihn und zog ihn an der Wand hoch: »Steh gerade, du Scheißer.« An den Fenstern der ersten Blockreihen beobachteten die Häftlinge das Tor. Sie gewahrten eine hastige Geschäftigkeit und sahen Scharführer, die aus dem Torgebäude Kisten schleppten und sie auf einem Lastauto verluden. Sie sahen Reineboth hin und her eilen, das nervöse Treiben dirigierend. Der Mandrill kam aus dem Bunker und warf Pakete auf den Wagen.

»Die packen ein«, flüsterten sich die Häftlinge erregt zu.

In Förstes Brust vollzog sich ein verzweifelter Kampf. Was er tat, war die letzte Arbeit, die er verrichten mußte. Der Mandrill machte sich zur Flucht bereit. Förstes Sinne waren aufs äußerste konzentriert, die letzte Chance der Rettung aufzuspüren. Wo war sie, wo? Sobald er vom Mandrill für Augenblicke allein gelassen wurde, suchte

Förste, wilde Geschäftigkeit vortäuschend, nach dem Ausweg. Konnte er sich in einer Zelle verbarrikadieren, sich irgendwo im Bunker verstecken oder davonlaufen? Da gewahrte er den Schlüssel an der Außenseite der Tür des Raumes. Ein Schreck, der wie ein erstickter Schrei war, durchfuhr Förste. War das die Rettung?

Mit zwei Scharführern hastete der Mandrill herbei. Sie brachten die Kisten auf den Wagen.

Sekunden entschieden über Förstes verzweifelten Entschluß. Mit einem Sprung war er an der Tür, riß den Schlüssel heraus, huschte in den Raum und schloß sich ein. Am ganzen Körper bebend, preßte er sich neben der Tür an die Wand, das Blut raste. In dieser furchtbaren Minute geschah etwas. Ein dumpf sonorer Röhrton schwoll plötzlich auf. Dröhnend und durchdringend, wie die Posaune des Jüngsten Gerichts. Das war die Feindalarm-Sirene, das Warnungssignal an die SS beim Herannahen des Gegners. Ihr fürchterlicher Ton durchdrang alle. In den Blocks riß er den Häftlingen den Atem in die Kehle. Bochow und seine Genossen stürzten aus dem Block, standen im Freien, vom dumpfen Geheul der Sirene übergossen. Im Gelände der SS wirbelte die Posaune alles durcheinander. Aus den Kasernen fegte sie die Kompanie der SS heraus, in notdürftig zusammengetriebener Marschordnung rannten sie fort. Scharführer liefen kopflos davon. Das vollbeladene Lastauto am Tor drehte eine eilige Kurve und ruckerte in das Gewühl und Gewimmel auf der Straße hinein. Reineboth schrie! Der Mandrill sprang in den Bunker zurück, brüllte, rüttelte an der verschlossenen Tür und wuchtete mit den Stiefeln dagegen. Reineboth kam herbei. »Fort, fort!« schrie er, ließ sich nicht Zeit, auf den rasenden Mandrill zu warten, wetzte wieder hinaus, warf das Motorrad an und schrie noch einmal zurück: »Mandrill!« Dann schwang er sich auf den Sitz, und eben, als der Motor aufheulte, lief dieser herbei, sprang auf den Sozius, und die Maschine heulte davon.

In der Ecke des verschlossenen Raumes brach Förste in die Knie. Die letzte Kraft verströmte sich in einem hemmungslosen Weinen, von dem der erlöste Mensch noch nicht einmal wußte, daß es das köstlichste seines Lebens war.

Mit lauschenden Sinnen standen Höfel und Kropinski hinter der Tür ihrer Zelle, sprungbereit, wie sie es in der Verzweiflung beschlossen. Sie hörten den Lärm und die Hast und den furchtbaren Posaunenton. Sie hörten das Schreien Reineboths und das Brüllen des Mandrill, hörten die krachenden Tritte gegen die Tür, und plötzlich war das Poltern und Schreien da draußen auf dem Gang wie weggeschluckt. Kropinski stand in der Ecke neben der Tür, seine Hände, wie zwei offene Klammern, lauerten in die undeutbare Stille hinein. Die beiden todgeweihten Menschen wagten nicht zu atmen und wagten es noch viel weniger, der winzigen Hoffnung in ihrem Herzen, die sich wie ein vorsichtiger Fühler in die Stille hineintastete, nachzugehen.

Noch während die Sirene in das Dröhnen und Knattern des Kampfes rundum im Land hineinschrie, waren die Führer der Gruppen nach Block 17 gejagt. Auf den Wegen wimmelte es von aufgescheuchten Häftlingen. In ihnen allen, in Bochow und den Männern des ILK, die ebenfalls nach Block 17 geeilt waren, loderte die Entscheidung.

Die Stunde war da! Sie glich der Stunde zwölf, die übermächtig die erzene Glocke zum Schwingen bringt.

»Alarmstufe 3! Die Waffen werden freigegeben! Die Gruppen in ihre Ausgangsstellungen. Der Ausbruch erfolgt unmittelbar!« befahl Bochow.

Pribula riß die Fäuste über den Kopf. Er brachte keinen Ton heraus, obwohl sein ganzer Körper nach dem befreienden Schrei lechzte. Mit den Führern der Gruppen jagte er davon.

Plötzlich gab es in den Blocks laute Kommandos.

»Alle Gruppen antreten!«

Noch ehe die überraschten Häftlinge begriffen, was hier geschah, formierten sich vor den Blocks geschlossene Abteilungen. Ohne von der Überraschung, die ihr Auftauchen verursachte, Notiz zu nehmen, liefen die Gruppen im Eilschritt fort, in bestimmte Blocks hinein, hinunter nach dem Revier und dorthin, wo es Heizungskanäle und Abwässerleitungen gab. Die in all diesen Stellen verteilten Angehörigen des Lagerschutzes warteten bereits. Fußböden wurden aufgerissen, Mauerwerk zerschlagen, mit Picken und Schaufeln verborgene Gruben freigelegt, und überall kamen Waffen zum Vorschein, Waffen, Waffen!

Pribula und seine Leute der polnischen Gruppen zerschlugen die Blumenkästen an den Fenstern der Revierbaracken und zerrten die ölgetränkten Lappen von den Karabinern.

Nach der Schreibstube eilte eine Gruppe mit einem Maschinengewehr. In Krämers Raum, der sich in gerader Richtung zum Torgebäude befand, wurde es aufgestellt. Bochow übernahm das Kommando.

Eine ungeheure Erregung brodelte durch das Lager.

In wenigen Minuten hatte sich die Bewaffnung vollzogen und die Gruppen hatten ihre Ausgangsstellungen besetzt. Nicht eine Minute länger als notwendig wurde gezögert, und schon krachten am Nordhang die ersten Schüsse, und die Kugeln pfiffen um die Köpfe der erschrockenen Posten.

Der Sturm brach los!

Die Gruppen am Nordhang rannten im freien Gelände auf die neutrale Zone zu. Abteilungen der Deutschen und Jugoslawen sicherten mit gezieltem Feuer auf die Türme der Umgebung die Flanken. Schon hatten die Gruppen der Polen, von Pribula geführt, die Bretter und Türen über die spanischen Reiter geworfen. An fünf, sechs Stellen zugleich wurde der Draht durchschnitten, und mit wildem Siegesgeschrei krochen Pribula und seine Leute durch die Löcher. Von weiter abliegenden Türmen wurden sie mit Maschinengewehren beschossen, aber die Gruppen der Deutschen und Jugoslawen waren da, hielten die schießenden und wild mit Handgranaten um sich werfenden Posten in Schach. Brandflaschen wurden auf die Türme geschleudert, die mit hartem Knall zerbarsten. Die auflodernden Flammen trieben die Posten herunter. Mit einem Trupp war Pribula in einen der Türme eingedrungen, im kurzen Handgemenge wurden die Posten überwältigt, und Pribula riß das Maschinengewehr herum und jagte wild jubelnde Salven auf die noch besetzten Türme.

Gleichzeitig mit dem Ausbruch am Nordhang begann der Sturm auf das Tor.

Riomand am Maschinengewehr, der hinter schützender Fensterscheibe genau anvisiert hatte, fetzte mit knappen Strichen die Salve auf den Rundgang des Hauptturmes. Die zerschossene Scheibe umsplitterte ihn. Einer der Posten war getroffen. Er warf die Arme in die Luft und sackte zusammen. Die anderen Posten duckten sich, vom Feuerstoß überrascht.

Sekunden nur, und die Hinterhalte der ersten Blockreihen brachen berstend auf. Vom eigenen, vielsprachigen Kampfgeschrei getrieben, stürmten die Bewaffneten über den Platz, Deutsche, Franzosen, Tschechen, Holländer.

Riomands Maschinengewehr spie zornwilde Atemstöße auf die Türme zu beiden Seiten des Tores, und unter dem Schutz dieser Flankendeckung erreichten die Sonderabteilungen des Lagerschutzes das Tor. Mit Brechstangen sprengten sie die schmiedeeiserne Tür.

»Feuer einstellen!« schrie Bochow Riomand zu, und das Maschinengewehr verhielt augenblicklich seinen Zorn. Oben am Tor, fast gleichzeitig, hasteten die Männer der Sonderabteilung die Treppen zum Hauptturm hinauf, und stürmten Hunderte der anderen Gruppen durch die Bresche der aufgerissenen Tür nach links und rechts am Zaun entlang. Handgranaten wurden auf die

Anstürmenden geworfen, Maschinengewehre ratterten, aber wie Hornissenschwärme fielen die Ausgebrochenen in die Türme ein. Ihr Kampfgeschrei und das Krachen und Knattern rings um den Zaun mischten sich mit dem Kriegsgetümmel draußen im Land. Hinter dem Berg stiegen braungelbe Rauchpilze zum Himmel hinauf. Das Beobachtungsflugzeug war wieder aufgetaucht, jetzt zog es fast unmittelbar über dem Lager seine langsamen Kreise. Tiefflieger schossen zur Erde nieder. Deutlich war das Knattern ihrer Maschinengewehre zu vernehmen, sie beschossen fliehende faschistische Panzer.

Die von ihren Führern im Stich gelassenen Posten, vom plötzlichen Überfall verwirrt, waren dem Ansturm nicht gewachsen. Die seit Jahren aufgespeicherte Wut der Häftlinge glich einer Explosion. Zwischen der sichtbar gewordenen Front und den Tausenden rasender Häftlinge eingekeilt, deren Kampfkraft mit jedem erbeuteten Karabiner, mit jedem abmontierten Maschinengewehr größer wurde, hatten die Posten nicht mehr die moralische Kraft, sich gegen den Sturm zur Wehr zu setzen.

Was nicht geflohen war, wurde gefangengenommen, was sich nicht ergeben wollte, niedergemacht. Turm um Turm wurde von den Kampfgruppen erobert und sofort besetzt.

Plötzlich war Krämer verschwunden. Köhn, der mit den Verwundeten zu tun hatte, die eingebracht wurden, hatte auf die herbeigestürzten Pfleger eingeschrien: »Ihr Idioten habt nicht aufgepaßt. Zwei Lungenschüsse! Soll sich der Kerl verbluten? Lauft! Sucht ihn! Schleppt ihn her!«

Wie mochte es Krämer fertiggebracht haben, sich ohne Hilfe fortzuschleichen?

Nur mit Hose und Hemd bekleidet, den Mantel über die Schultern geworfen, hatte er sich in einem unbewachten Augenblick davongemacht. Er kam nicht weit. Keuchend torkelte er in Block 38 hinein. Ächzend sank er auf eine Bank nieder. Die im Block Verbliebenen und nicht zu den Kampfgruppen Gehörigen umringten ihn. »Wo kommst du her?«

Krämer atmete abgehetzt, das heiße Fieber glänzte ihm aus den Augen.

»Mensch, Walter, du mußt sofort wieder ins Revier.«

Unwillig stieß Krämer Runki beiseite, der ihn stützen wollte. »Pfoten weg!« Doch Runki ließ sich nicht abdrängen. »Du bist auf den Tod verwundet.«

Andere wollten helfend zugreifen.

»Weg!« knurrte Krämer. »Ich bleibe hier!«

Er blickte auf die Häftlinge, sah nicht deren Angst um ihn in ihren Gesichtern, horchte aufmerksam nach draußen, wo es knallte und rumorte.

»Verflucht! Daß es mich noch zuletzt erwischen mußte ...«

»Walter, du wirst wieder gesund, wenn du dich schonst.«

Vorsichtig legte ihm Runki die Hand auf die Schulter.

»Wo ist das Wurm, das Kind? Ich habe es euch doch gebracht. Wo habt ihr es?«

»Hier ist es doch, Walter, hier.«

Einige waren nach dem Schlafsaal gelaufen. Sie brachten ihm das Kind, stellten es ihm zwischen die Knie.

Krämers Züge entspannten sich. Er lachte warm und tief in sich hinein, strich über das Köpfchen.

»Kleiner Maikäfer ...«

Plötzlich wurde Krämer weich und bittend. »Laßt mich hier, Kumpels. Laßt mich bei euch bleiben. Mir geht es schon ganz gut.«

Sie brachten einen Strohsack herbei und bauten ihm eine Rückenlehne zwischen Tisch und Bank. Krämer lehnte sich dankbar zurück und lachte Runki zu, der ihn bemutterte: »Na, Otto, alter Junge ...«

Runki lächelte, tätschelte.

Wie immer, wenn sich die Männer viel zu sagen hatten, wurden die Worte karg. Aber in Krämers rauhherzigem Anruf und in Runkis ungeschickter Zartheit lag das Unaussprechbare, das sich jetzt draußen vollzog, und der Lärm und die Schüsse ums Lager gaben ihm die Deutung.

Krämer schloß die Augen.

Als Riomand die erste Salve hinaufgejagt hatte, der tausendfältige Schrei aufgebrochen und die Masse über den Platz raste, war Förste, der unter der Last der Erschöpfung noch immer am Boden gelegen hatte, aufgesprungen. Durch das Fenster des Bunkerraumes hatte er den Sturm gesehen, und sein Schrei über das Ungeheuerliche hatte ihm schier die Brust zerreißen wollen. Noch während draußen die Eisentür berstend aufsprang, war er hinausgestürzt und – über die Leichen stolpernd – zur Zelle Nummer 5 gerannt.

Wild trommelten Höfel und Kropinski gegen die Tür und schrien. Förste riß die Verriegelung zurück, doch die Zelle war verschlossen.

Bochow, Riomand, Kodiczek, van Dalen tauchten plötzlich auf. Sie stockten beim Anblick der herumliegenden Leichen.

Bochow schrie in das Halbdunkel des Ganges hinein: »Höfel, Kropinski! Wo seid ihr?«

»Hier! Hier!«

Förste stürzte ihnen entgegen. »Die Tür ist verschlossen, ich habe keinen Schlüssel!«

Bochow sprang an die Zelle. »Ich bin es, Bochow. Hört ihr mich?«

»Ja, ja! – O mein Gott, Herbert! Ja, ja, wir hören dich!«

»Geht von der Tür weg. Ich schieße das Schloß kaputt!«

Bochow zog die Pistole.

»Achtung, ich schieße!«

Die Schüsse krachten. Bochow schoß das Magazin leer. Mit vereinten Kräften rüttelten und zerrten sie an der Tür. Das geborstene Schloß wackelte und klapperte. Höfel und Kropinski warfen sich dagegen. Die Tür flog auf, und die beiden fielen taumelnd heraus. Die Männer fingen sie auf. Keuchend hing Höfel in Bochows Armen.

Hunderte von Häftlingen waren auf die Dächer der Blocks geklettert, auf den Wegen wirrte und wimmelte alles durcheinander. Dort, wo der Zaun sichtbar war, sahen die wilderregten Häftlinge die Ausgebrochenen dahinjagen, in die Türme eindringen, sahen auf den Plattformen die Kämpfenden auftauchen.

»Sie besetzen die Türme!« Nach dem freien Gelände am Nordhang waren Hunderte gelaufen. Im Tal auf Hottelstedt zu brannte eine Mühle. In immer kürzeren Abständen erfolgten draußen die donnernden Einschläge. Rauch und Qualm stiegen zum Himmel auf. Mit Knüppeln, Steinen und Ästen bewaffnet, was sie im Gelände gerade aufraffen konnten, jagten die Häftlinge auf die neutrale Zone zu, überkletterten die spanischen Reiter und schlüpften mit Geschrei durch die Löcher. Den Kämpfenden wurden die gefangenen SS-Leute aus den Händen gerissen, durch die Zaunlöcher ins Lager gebracht und unter tösendem Schreien der Masse vorwärtsgetrieben, in den von einem Stacheldraht umgebenen Block 17 hinein. Hier standen bereits mit erbeuteten Karabinern bewaffnete Häftlingswachen. Müller und Brendel hatten den schlotternden Zweiling als ersten Gefangenen in diesen Block gesteckt.

Pribula und seine Gruppe waren in den Wald gestürmt, auf die Straße nach Hottelstedt zu.

Inzwischen hatten Bochow und die Genossen die Befreiten in den Raum des Mandrill gebracht. Der Bunker füllte sich mit Kämpfern an. Einige griffen zu und schleppten die Leichen vom Gang in den Waschraum des Bunkers.

Höfel und Kropinski saßen auf dem Feldbett. Förste hatte ihnen einen Becher mit Wasser gebracht. Gierig tranken die Erschöpften das belebende Naß.

Ein Melder stürzte herbei, er überbrachte Bochow die Nachricht von der restlosen Besetzung der Türme.

In überströmender Freude preßte Bochow Höfel und Kropinski an sich. »Frei, frei!« schrie er und lachte, weil in diesen Minuten nichts anderes in seiner Brust Platz fand.

Mit den Genossen des ILK jagte er hinüber nach dem anderen Teil des Torgebäudes, in Reineboths Zimmer.

Oben auf dem Hauptturm riß einer der Kämpfenden die Hakenkreuzfahne herunter und zog ein weißes Tuch, irgendwo hergeholt, am Mast empor.

Schnell hatte sich Bochow am Radiogerät zurechtgefunden, das Mikrophon eingeschaltet, und über das Lager hinweg, in alle Blocks hinein, drang sein Ruf:

»Kameraden! Der Sieg ist da! Die Faschisten sind geflohen! Wir sind frei! Hört ihr mich? Wir sind frei!«

Bochow schluchzte, preßte die Stirn ans Gerät, und das übermächtige Glück schmolz ein in die Tränen, die er nicht länger zurückdrängen mochte.

In den Blocks aber riß es die eingepferchten Menschen hoch. Die Flamme des Rufs entzündete eine Feuersbrunst vieltausendstimmigen Schreies! Er nahm kein Ende und brauste, sich immer wieder neu gebärend, auf:

Frei! Frei!

Die Menschen lachten, weinten, tanzten! Sie sprangen auf die Tische, rissen die Arme hoch, schrien es sich in die Gesichter hinein, schrien, schrien, als wäre der Irrsinn unter sie gefahren. Es gab kein Halten mehr. Aus allen Blocks brach es hervor! Alles stürzte hinaus, und einer aufgepeitschten Sturmwelle gleich überschwemmte die trunkene Masse den Appellplatz.

Ein Schrei und eine Flut: Zum Tor!

Nicht, um sinnlos irgendwo dahinzujagen. Nur dem Rausch verfallen, endlich, endlich, durch das verhaßte, furchtbare Tor zu strömen, jauchzend und taumelnd in die ausgebreiteten Arme der Freiheit hinein.

Der ungeheure Jubel hatte alle, die eben noch bei Krämer im Block waren, mit hinausgerissen. Frei! So groß war das Glück, daß sie ihn plötzlich vergessen hatten und davongelaufen waren. Krämer lachte und schimpfte in einem:

»Vergessen haben sie uns, die Kerle, die verdammten, vergessen mitzunehmen!«

So ungestüm schrie er das Wurm an, daß es weinte, laut und voller Angst. »Brülle, ja, brülle! – Komm, brülle draußen mit den anderen! Sie brüllen ja alle! Hörst du's nicht?«

Seine Schwäche vergessend, packte er das schreiende Kind wie ein Bündel unter den gesunden Arm und torkelte hinaus.

Unterwegs wurde er von jubelnden Häftlingen abgefangen. Sie wollten ihn stützen und ihm die schreiende Last abnehmen.

»Pfoten weg!« brüllte er eifersüchtig; glücklich keuchte er den Weg hinauf, der zum Appellplatz führte.

Da oben sah er sie schon alle stehen, unter ihnen Bochow, der hilflos war der Flut gegenüber, die er heraufbeschworen.

Und Krämer sah – und das Herz wollte ihm stocken in wilder Freude: »André!« schrie er. »André! Marian!«

Sein Geschrei durchdrang das Tosen nicht, aber sie hatten ihn schon entdeckt. »Walter!« jubelte Höfel auf und torkelte vorgestreckt auf ihn zu, der Strick baumelte ihm am Halse.

»Nimm mir das Wurm ab, es wird mir zu schwer.«

Da waren die anderen schon bei Krämer. Riomand und van Dalen stützten den Zusammenbrechenden. Höfel riß ihm das Kind weg. Es schrie noch ängstlicher, als der wildbärtige Mann es an sich preßte. Höfel taumelte vornüber, schien in die Knie brechen zu wollen. Kropinski fing das Kind ab. Lachend, schreiend, sprudelnd in wunderlichem Gemisch von Deutsch und Polnisch, wies er das geliebte Bündel allen entgegen.

Plötzlich rannte Kropinski davon, das Kind vor sich gestreckt, zum Tor, in den tosenden Strom hinein.

»Marian!« rief Höfel ihm nach, »wohin läufst du?«

Doch der Strudel hatte den Glücklichen schon in sich aufgenommen. Kropinski hob das schreiende Bündel über sich, damit es nicht erdrückt werde von der brodelnden Flut. Einer Nußschale gleich schaukelte das Kind über den wogenden Köpfen. Im Gestau quirlte es durch die Enge des Tores, und dann riß es der Strom auf seinen befreiten Wellen mit sich dahin, der nicht mehr zu halten war.

Als der Krieg zu Ende war...

Heinrich Böll:
Die Verwundung
und andere frühe Erzählungen
dtv 10472

Entfernung von der Truppe
Erzählungen
dtv 11593

Siegfried Lenz:
Ein Kriegsende
Ein furchtbares Kriegsgericht in letzter Minute
dtv 11175

Günter Grass:
Hundejahre
Danziger Kleinbürgerwelt in Faschismus und Krieg
dtv 11823

Bruno Apitz:
Nackt unter Wölfen
Der Roman über die Selbstbefreiung des KZ Buchenwald
dtv 12002

Heimito von Doderer:
Tangenten
Ein Kriegs- und Nachkriegstagebuch
dtv 12014

Ernst Jünger:
Strahlungen II
Ernst Jünger, Fatalist und distanzierter Zeitzeuge. Tagebuch von 1943 bis 1948
dtv 10985

Christa Wolf:
Kindheitsmuster
Auf den Spuren der Kindheit im Nationalsozialismus
dtv 11927

Erich Kästner:
Notabene 45
Tagebuchnotizen aus dem letzten Kriegsjahr
dtv 11016

Gudrun Pausewang:
Fern von der Rosinkawiese
Sommer 1945. Flüchtlingsströme nach Westen. Auch eine Mutter mit sechs Kindern...
dtv 11636

Herbert Rosendorfer:
Vier Jahreszeiten im Yrwental
Die Wirren der letzten Kriegstage dringen ins Yrwental. Das Tal muß viele Flüchtlinge aufnehmen, darunter manche dunkle Gestalt.
dtv 11145

Europa nach dem Krieg

Marguerite Duras:
Der Schmerz
Marguerite Duras wartet darauf, daß ihr Mann Robert aus Deutschland zurückkehrt.
dtv 11844

Primo Levi:
Die Atempause
Von Auschwitz nach Turin: eine Odyssee in neun Monaten
dtv 11779

Horst Krüger:
Das zerbrochene Haus
Horst Krügers Bilanz seiner Jugend im nationalsozialistischen Deutschland
dtv 10665

Knut Hamsun:
Auf überwachsenen Pfaden
Wie die Norweger ihrem Nobelpreisträger wegen Kollaboration den Prozeß machten. Tagebuch eines Vierundachtzigjährigen
dtv 11177

Graham Greene:
Der dritte Mann
Wien 1945. In der viergeteilten Stadt blühen die dunklen Geschäfte.
dtv 11894

Ismail Kadaré:
Chronik in Stein
Der heranwachsende Kadaré erlebt Krieg und Besetzung, Mitläufer und Partisanen.
dtv 11554

Anatolij Rybakow im dtv

»Anatolij Rybakow erzählt Geschichten und Geschichte. Sein erstes Buch ist ein politisch-historischer Entwurf über die Stalin-Ära mit literarischen Mitteln.« (Stuttgarter Zeitung)

Die Kinder vom Arbat
Roman · dtv 11315

Täter und Opfer der Stalin-Zeit kamen oft aus derselben Straße. Von dort weggegangen, verloren sie sich in der Weite Sibiriens oder im Labyrinth des stalinistischen Machtapparats. Sascha Pankratow wird schon als Student in die Verbannung geschickt, sein Schulkamerad Jura Scharok hingegen macht Karriere beim NKWD. Beide sind Kinder vom Arbat, einem alten Moskauer Stadtviertel…

Jahre des Terrors
Roman · dtv 11590

»Betrachtet man das Treiben der Mörderbande um Stalin und seine Helfershelfer wie Berija oder Wyschinskij, so kann noch die blutigste Shakespeare-Tragödie wie eine Kinderbelustigung erscheinen«, schreibt Jürgen P. Wallmann in der ›Welt‹. »Rybakow hat ein ebenso spannendes wie wahres Buch geschrieben.«

Stadt der Angst
Roman · dtv 11962

Wieviel Terror braucht der Diktator Stalin, um seine Macht zu festigen, und wie kann man leben in seinem Regime? Sascha darf endlich aus der sibirischen Verbannung zurückkehren. Allerdings, Moskau und andere »Regimestädte« sind für ihn tabu. Auf dem mühseligen Weg durch Rußland muß Sascha erkennen, wie sehr sich alles verändert hat. Er spürt die Angst der Leute. Aber die Sehnsucht ist stärker. Trotz des Verbots fährt Sascha nach Moskau, um sich heimlich mit seiner Freundin Warja zu treffen…

Christa Wolf im dtv

Foto: Isolde Ohlbaum

Der geteilte Himmel
Liebesgeschichte zur Zeit des Mauerbaus in Berlin
dtv 915

Nachdenken über Christa T.
Frauenleben im Osten Deutschlands
dtv 11834

Kassandra
Deutung der antiken mythologischen Frauengestalt in ihrer Suche nach den Ursachen von Gewalt und deren Überwindung
dtv 11870

Voraussetzungen einer Erzählung: Kassandra Frankfurter Poetik-Vorlesungen
Bericht über eine Griechenlandreise, Nachdenken über Kassandra, über weibliches Schreiben
dtv 11871

Kindheitsmuster
Auf den Spuren der Kindheit im Nationalsozialismus
dtv 11927

Kein Ort. Nirgends
Fiktive Begegnung zwischen Karoline von Günderrode und Heinrich von Kleist
dtv 11928

Was bleibt
Erzählung um die psychischen Folgen von Bespitzelung
dtv 11929

Störfall
Tschernobyl, April 1986. Eine Reaktion auf die unfaßbare Nachricht
dtv 11930

Till Eulenspiegel
»Eine Wut in sich, die er nicht los wird.« Till Eulenspiegel zur Zeit Luthers und Karls V.
dtv 11931

Im Dialog
Reden, offene Briefe, Aufsätze und Gespräche während der Wende
dtv 11932